El seductor de la patria

Seix Barral

Enrique Serna
El seductor de la patria

Diseño de portada: Jorge Garnica / La Geometría Secreta

© 1999, 2003, 2010, 2016 Enrique Serna

Derechos reservados

© 1999, 2003, 2010, 2016, Editorial Planeta Mexicana, S.A. de C.V.
Bajo el sello editorial SEIX BARRAL M.R.
Avenida Presidente Masarik núm. 111, Piso 2
Polanco V Sección, Miguel Hidalgo
C.P. 11560, Ciudad de México
www.planetadelibros.com.mx

Primera edición en *Narradores contemporáneos* (Joaquín Mortiz):
junio de 1999
Primera edición en *booket*: agosto de 2003
Primera edición en Seix Barral: febrero de 2010
Primera edición en México en esta presentación: junio de 2016
Cuarta reimpresión en México en esta presentación: noviembre de 2019
ISBN: 978-607-07-3431-1

Impreso en los talleres de Impresora Tauro, S.A. de C.V.
Av. Año de Juárez 343, Colonia Granjas San Antonio, Delegación Iztapalapa
C.P. 09070, Ciudad de México.
Impreso y hecho en México – *Printed and made in Mexico*

A Rocío, a Lucinda y a Jazmín

Agradecimientos

Cualquier aproximación a un personaje histórico es el resultado de un esfuerzo colectivo. La biografía de Antonio López de Santa Anna es un edificio en constante mejoramiento, construido y remozado por varias generaciones de historiadores. En esta novela no intenté compendiar todo lo que se sabe sobre Santa Anna, ni mucho menos decir la última palabra sobre su vida, sino reinventarlo como personaje de ficción y explorar su mundo interior sobre bases reales. Para dejar el campo libre a la imaginación, renuncié de entrada a la objetividad histórica. Sin embargo, la naturaleza de mi trabajo me obligó a estudiar a los clásicos de la historiografía mexicana del siglo XIX y a revisar los documentos que sirvieron como base a los biógrafos de Santa Anna, con quienes tengo la misma deuda de gratitud que un fabricante contrae con sus proveedores de materia prima.

Pero si debo mucho a los arquitectos originales del edificio, estoy aún más agradecido con los historiadores vivos que me brindaron orientación y consejo para abrirme camino en la jungla bibliográfica del santanismo. Mi primer guía en esa excursión fue Fausto Zerón Medina, que a finales del 94 me invitó a escribir una telenovela sobre la época de Santa Anna. El proyecto no se pudo concretar, pero el tema me apasionaba y seguí estudiándolo por mi cuenta, con miras a escribir una novela histórica sin las ataduras de los géneros comerciales. Cuando empezaba a darle cuerpo en la imaginación, Enrique Krauze publicó su aclamado *Siglo de caudillos,* donde llama a Santa Anna «seductor de la patria», reformulando una idea de Justo Sierra. Me pareció que el epíteto definía con acierto el perfil psicológico del personaje y lo adopté como título, con la generosa autorización de Krauze.

Terminado el primer borrador, lo sometí a la revisión de otro historiador, mi amigo José Manuel Villalpando, quien espulgó cuidadosamente la novela en busca de dislates y anacronismos. Desde luego, José Manuel no tiene la culpa de los errores que puedan haber escapado a su lupa. Cuando ambos trabajábamos en el proyecto de telenovela, Villalpando coordinó a dos investigadores, Ana García Bergua y Ricardo García, quienes buscaron documentación sobre la vida y la época de Santa Anna en el Archivo de Notarías de Jalapa, en el Archivo de la Defensa Nacional y en el Archivo General de la Nación. Gracias a sus pesquisas, he podido dar a conocer el proceso inquisitorial al que fue sometido el cura solicitante José Santa Anna, tío del caudillo, y los títulos de propiedad donde consta que el Serenísimo adquirió la mayor parte de sus haciendas cuando ocupaba la presidencia.

Durante la gestación de la obra, los valiosos consejos de mi amigo José Joaquín Blanco me fueron de gran utilidad en la reconstrucción de época. Para enriquecer la novela con un punto de vista femenino, sostuve largas conversaciones con la poeta Margarita Villaseñor, quien se metió en la piel de Inés de la Paz García, primera esposa de Santa Anna, y me ayudó a imaginar su vida conyugal. Por último, quiero dar las gracias a mi hermana Ana María, que estudia un doctorado en Historia en la Universidad de Chicago, y a mi amigo Alberto del Castillo, quien hace lo propio en el Colegio de México, por haberme facilitado el acceso a las bibliotecas de ambas instituciones.

PRIMERA PARTE

Querido Manuel:

Perdona la tardanza en escribirte, pero entre las visitas de cortesía y los achaques propios de mi edad, no he tenido un momento de sosiego. Dolores ha sudado la gota gorda con los arreglos de la casa, que encontramos en ruinas por la negligencia de mi cuñado Bonifacio, a quien le habíamos encargado cuidarla. Sin duda se habrá embolsado el dinero del mantenimiento. Pobre Loló: quisiera pagarle un séquito de mulatas como el que tenía en Turbaco, pero mi escasez de medios ya no me permite lujos de ninguna clase. Hasta el suelo ha tenido que fregar con esas manos de alabastro que nunca habían acariciado sino rasos y sedas. Lo peor es que no puedo ayudarle en nada: más bien le estorbo. Me apena estar de holgazán mientras ella trabaja y prefiero salir al patio a leer los periódicos. Echado en una tumbona, con mi sombrero de jipijapa y mi puro de Coatepec, me siento como una planta marchita que le roba la luz a los rosales.

Por suerte han acabado los saraos y las bienvenidas y al fin tengo calma para ordenar las ideas. Contigo puedo hablar con franqueza, no necesito esconder mis emociones ni afectar la estoica indiferencia con que me he defendido de los periodistas, cuando me preguntan si todavía tengo ambiciones políticas. Ni por asomo, les digo, soy enteramente neutral con todos los partidos y sólo vengo a reunirme con el pie que perdí en el campo del honor. Pero la verdad es que todavía no escarmiento. A un paso de la tumba, después de dieciocho años en el exilio y a pesar de todas las humillaciones que he padecido, todavía espero recuperar la estimación del pueblo.

Para mí la gloria es como el sexo: sé que ya es inalcanzable, pero no puedo resignarme a vivir sin ella.

Daría la poca vida que me queda por limpiar mi nombre y recibir el postrer homenaje de mis compatriotas. Después de todo soy el fundador de la República. ¿O han olvidado ya que fui el primero en jurar la ruina de los tiranos sobre las arenas de Veracruz? No pido mucho, me conformo con lucir dignamente mis entorchados en un desfile con arcos triunfales y salvas de artillería. Pero no pienses que estoy planeando un pronunciamiento, como creen algunos cagatintas de la prensa. Si algo tengo claro es que soy una reliquia viviente, un hombre de la pelea pasada. Los años se han hacinado sobre mi cabeza como los montones de arena en el desierto. El gobierno me concedió el pasaporte por lástima, no por mis servicios a la patria. Así me lo hizo notar el presidente Lerdo con el trato despectivo que me dispensó cuando fui a saludarlo. «No me agradezca usted nada, general. Lo dejé volver de su Santa Elena porque ya no representa ninguna amenaza para el gobierno». Pudo haberse ahorrado el sarcasmo, pues me basta con salir al balcón para darme cuenta de que ya no pertenezco a este mundo. La calle de Vergara está irreconocible. Los demagogos demolieron el convento de Santa Clara y en su lugar han abierto una calle ancha, 5 de Mayo, que va desde la Plaza de Armas hasta el teatro que alguna vez llevó mi nombre y ahora se llama Teatro Nacional. A un costado está el Hotel Gillow, y en los bajos hay una funeraria, colocada estratégicamente delante de mi balcón, como para recordarme la cercanía de la muerte.

Es un milagro que la picota liberal haya respetado mi casa. Probablemente se tentaron el corazón porque está a nombre de Dolores. Pero no sólo han estropeado mi calle: su furor destructivo se ha extendido como la gangrena por los rincones más bellos de la ciudad. Ayer salí a dar un paseo después del almuerzo y me privé de espanto al ver los destrozos que han cometido. ¿Recuerdas la iglesia de San Andrés, donde hiciste tu primera comunión? Pues ahora es un montón de cascajo. El gobierno la mandó derruir en represalia porque los conservadores velaron allí a Maximiliano de Habsburgo. Como no vi el templo en su esquina pensé que me había equivocado de calle y doblé a la izquierda en el callejón de los Betlemitas, creyendo que por ahí llegaría a la Alameda. Nada de lo que veía a mi alrededor me era familiar. Las cúpulas de las iglesias, mis puntos de referencia para orientarme en la ciudad, casi han desaparecido por estos rumbos. En su lugar encontré acequias inmundas, expendios de pulque, lotes baldíos invadidos por léperos que dormían la mona. Comprendí dónde estaba al ver los restos del templo de San Francisco. Por curiosidad me asomé al interior: está convertido en una caballeriza. Es un crimen lo que han hecho con él y con el claustro del convento, donde ahora viven familias astrosas de empleados públicos. Lo que fue un jardín encantador destinado al solaz de los frailes ahora es un lote partido en dos por una calleja bautizada con el nombre de Melchor Ocampo, en homenaje al vendepatrias que cedió el Istmo de Tehuantepec a Estados Unidos. No cabe duda, el indio Juárez y su camarilla se han salido con la suya. Pero ¿quién les asegura que el día de mañana no llegarán otros resentidos a cambiar los rótulos de las calles y a escupir sobre su memoria? La historia es una mula que nunca para de corcovear. ¡Cuántas veces me alzó hasta las nubes para luego dejarme caer en el fango!

Mareado por el calor, me pareció de pronto que no pisaba el suelo sino el tiempo, que debajo del empedrado se acumulaban osamentas de próceres y espadas tintas en sangre, municiones y decretos, proclamas a la nación y casacas militares hechas jirones, un gran panteón de ambiciones restituidas al polvo. En ese panteón yo era el sepulturero encargado de cerrar la puerta, o quizá un ánima en pena, la más testaruda, la más embriagada con el poder terrenal. Saqué mi paliacate para secarme el sudor de la frente. Recargado en un pirul me invadió una sensación de insignificancia parecida a la que experimenté en Nueva York, cuando me llevaron a conocer la ciudad y en medio de la multitud bullente, nerviosa, hostil, al contemplar con horror las altísimas construcciones y la mezcla de razas hermanadas por el amor al dinero, me sentí un ridículo insecto, el rey hormiga de una aldea provinciana. Lo que ahora me aplastaba no era la multitud ni el tamaño de los edificios, sino la eternidad sepultada bajo el empedrado, el hoyo abismal, devorador de imperios, pompas y vanidades donde no tardaría en reposar para siempre.

El viento soplaba con fuerza y me tumbó el sombrero. Quise recogerlo, pero de pronto los músculos se negaron a obedecerme. Tenía las piernas dormidas y un fuerte dolor de lumbago. En compañía de un perro sarnoso que se frotaba contra el pirul, me quedé varado en mitad de la calle, recibiendo las limosnas de los transeúntes que me tomaban por un mendigo. Cada moneda que caía en el sombrero era una puñalada en mi dignidad. Tenía ganas de llorar, pero las reprimí con tanto esfuerzo que el agua de mi cuerpo buscó otro conducto para salir, y en vez de lágrimas derramé calientes hilos de orina. Maldita incontinencia, siempre me sorprende en momentos de quebranto emocional. ¿No le da vergüenza, abuelo?, me regañó un gendarme que pasó por la acera. En otros tiempos lo hubiera callado de un bofetón, pero la vejez es una escuela de humildad, y en vez de ponerlo en su sitio le pedí auxilio. A cambio de las monedas depositadas en el sombrero, aceptó ir en busca de Loló, que llegó a los diez minutos en un coche de alquiler. Gracias a Dios me casé con una santa, de lo contrario ya estaría en un asilo. De vuelta en casa, mientras me daba una friega con vinagre en las piernas, me hizo prometerle que no volveré a salir solo. Dolores se porta conmigo como una madre y es justo que yo me porte con ella como un buen crío. De ahora en adelante viviré entre cuatro paredes y tendré tiempo de sobra para escribirte. Ojalá seas tan amable de responderme sin dilación. Piensa que para un pobre viejo como yo, las palabras de un hijo son maná caído del cielo.

Saludos a tu esposa y un beso para tus pequeñas fieras. ¿Podrías enviarme una caja de puros?

Posdata de Dolores Tosta

Manuelito:

Te escribo por necesidad, no por gusto. Debes de sentirte muy satisfecho, pues al fin estoy en la miseria, como siempre quisiste verme. ¿No era éste el castigo que tú y tus hermanas me deseaban por haber usurpado el lugar de su pobre madre, la sufrida Inés de la Paz? Pero descuida, no soy tan perversa como ustedes creen. Si me hubiera casado con tu padre por interés, a estas alturas ya lo habría abandonado. Desde su última aventura militar, cuando los vendedores de armas le hicieron firmar pagarés a tontas y a locas, dejé de ser una gran señora y me convertí en algo parecido a una mucama. Ya no tengo sirvientes de librea, ni berlina a la puerta: soy una pobretona obligada a repetir vestidos y a remendar calcetines. Créeme, no es nada grato vivir atada a un anciano con delirios de grandeza que a la menor impresión se orina en los pantalones. Para ti es muy fácil enviarle unos cuantos pesos desde La Habana y desentenderte por completo de sus achaques, pero yo tengo que cuidarlo día y noche, sacarle la cajita con las condecoraciones para levantarle el ánimo cuando está triste, atender a sus invitados, despercudir su pierna de palo y ponerle fomentos de árnica en el muñón, para que no se le infecte. Si alguna vez tu padre me dio una vida de reina, la estoy pagando con réditos.

Pero no quiero conmoverte con el relato de mis penurias, porque de sobra conozco tu mala fe. Dirás que yo misma contribuí a dilapidar la fortuna de tu padre y tengo bien merecido todo lo que me pase. Sólo quiero pedirte un pequeño favor: Antonio ha escrito una carta para ti que podría resultarle comprometedora políticamente, si los inspectores del gobierno abrieran su correspondencia (y es de temer que lo hagan, porque nos vigilan a sol y a sombra). No quiero que nos vuelvan a expulsar del país por una futesa, tampoco privarlo de su única diversión. Algo tiene que hacer el pobre si está todo el día encerrado en la casa. Pero en vez de enviarte las cartas a su nombre prefiero aparecer como remitente, para despistar a los espías de Lerdo. De manera que ya lo sabes: de ahora en adelante, cuando recibas carta mía llevará dentro una de tu padre. Procura contestarle con puntualidad y por favor, pídele que ponga los pies en la tierra. Cuando vienen a verlo sus viejos camaradas y le recuerdan la guerra contra Barradas o la heroica defensa de Veracruz, la fiebre le trastorna la cabeza y me da miedo que un día de estos se salga a la calle a repartir espadazos. Tú sabes dorarle la píldora: convéncelo de que un benemérito de la patria, un protector de la libertad, un militar intachable y ajeno a los mezquinos intereses de los políticos (aquí puedes añadir cuantos epítetos gustes), no tiene cabida en esta época de rufianes.

Y otro favor: no le mandes los puros. El doctor le prohibió fumar porque está malo de la garganta.

México, 30 de abril de 1874

Amado hijo:

Tu carta me hizo ver la luz. Tienes razón: no debo volver a ceñir la espada para exigir una vindicta pública. Tampoco rebajarme a pedir como favor lo que merezco por estricta justicia. Mi lugar está en los libros de Historia, no en el presente, y si quiero que se reconozcan mis méritos debo apelar al juicio de la posteridad. Por des-

15

gracia, mis enemigos, o más bien, los enemigos de la patria, se han propuesto arrojar un eterno baldón sobre mi memoria. *El Monitor Republicano*, un periodicucho subvencionado por Lerdo con perjuicio y menoscabo de la hacienda pública, no cesa de propalar infundios sobre mi carrera militar y política. Se me acusa de traición a la patria, de enriquecimiento ilícito con la venta de La Mesilla, de la pérdida de Texas, de la bancarrota pública. Tal parece que soy el culpable de todos los desastres ocurridos en los últimos cincuenta años, incluyendo terremotos y epidemias de cólera. Por fortuna conservo amigos fieles que han salido en mi defensa. Ellos derramaron su sangre combatiendo a mi lado contra el invasor extranjero y han puesto en su lugar a la chusma vociferante del *Monitor*. Pero temo que sus voces sean acalladas por la avalancha de calumnias y que los mexicanos del mañana me tomen por un canalla.

Como todo ser humano he cometido yerros y algunos de ellos tuvieron consecuencias funestas. Reconozco que en varios momentos confundí mi provecho personal con el bien de la patria, no en balde fui por tantos años su protector y guía. Pero de ahí a la monstruosidad que me achacan hay un abismo. Si de verdad arrojé a México en un precipicio ¿por qué nadie me lo impidió? Gran parte de mis culpas le corresponde a la sociedad que ahora me crucifica. ¿O acaso goberné un país de niños? Nadie, ni el más feroz de mis enemigos puede negar que la mayoría de las veces acepté la presidencia obligado por la presión popular, después de infinitos ruegos. Ante la historia, los partidos que me orillaron a tomar las riendas de la nación, fueran yorquinos o escoceses, moderados o centralistas, son corresponsables de las injusticias y los extravíos que pude haber cometido. México es un país de extremos. En plena gloria, cuando entraba a la capital llevado en andas por la muchedumbre que arrojaba flores a mi paso y me apellidaba sublime deidad humana, sentía que su entusiasmo era exagerado y podía desembocar en una decepción de igual magnitud. Ahora soy víctima del exceso contrario, porque si bien tuve enormes defectos y a veces defraudé las esperanzas del pueblo, yo solo no pude hacerle un daño tan grande.

Siguiendo tu sabio consejo, en lo que me resta de vida olvidaré por completo las glorias mundanas y la sórdida lucha por el poder. Para salvar mi nombre de la ignominia daré una batalla en dos frentes. Como sabes, en Nassau escribí una razón circunstanciada de mi vida militar y política que será publicada a mi muerte. Con ella espero cerrarle la boca a mis detractores de hoy. Pero lo que más me interesa es el tribunal de la historia. Para revocar su fallo adverso necesito un biógrafo de mi entera confianza, que muestre mi lado humano a las generaciones futuras. ¿Sería mucho pedirte que tú lo fueras? ¡Me harías tan feliz si defendieras mi honor con la pluma! Por supuesto, yo mismo te mandaría por escrito toda la información necesaria. Si bien he envejecido físicamente, mi corazón y mi cabeza son jóvenes aún. La memoria es lo primero que pierden los viejos, pero la mía se conserva en tan buen estado que recuerdo los incidentes más insignificantes de mi vida de cadete. Se agolpan en mi mente con tanta claridad que ya estoy empezando a emborronar pliegos. Ojalá quieras darme el gusto de hacer con ellos un libro inobjetable y conmovedor que le cierre la boca a todos mis malquerientes.

Espero tu respuesta con ansiedad.

México, 22 de mayo de 1874

Querido Manuel:

Un millón de gracias por aceptar la enojosa tarea que te he encomendado, abusando de tu cariño y de tu paciencia. Puedes tomarte el tiempo que quieras en la redacción de la biografía, pues no espero verla publicada en vida. Entrégala a la imprenta después de mi muerte, de preferencia hasta el próximo siglo, cuando la opinión pública pueda juzgarme con la debida imparcialidad. En las memorias de Nassau recargué deliberadamente las tintas al hablar de mis virtudes, porque me proponía contrarrestar la propaganda del enemigo, pero en tu biografía quiero aparecer retratado de cuerpo entero, como el hombre temperamental y voluble que fui. No disimules mis defectos. La obra será más convincente si en vez de ocultar mis debilidades las pones en primer plano, minimizadas —eso sí— por mis actos de valentía y heroísmo. En las lides políticas aprendí que un *mea culpa* bien simulado siempre da una impresión de honestidad. Censúrame un poco para que la gente dé mayor crédito a tu relato. Con ello te echarás en la bolsa al lector y no dudará de tu palabra cuando hagas el glorioso recuento de mis hazañas.

Por conveniencia y discreción he guardado secretos que pueden serte muy útiles para comprender las intrigas políticas de doble fondo, las simulaciones y las componendas en que participé como actor o testigo. Es fácil acusar de inconstante a un individuo que a lo largo de su carrera fue paladín de todas las causas. Pero quien conozca las circunstancias en que me incliné por tal o cual partido, y los verdaderos intereses ocultos bajo sus proclamas, no me tildará de traidor sino de patriota. En política las convicciones sólo sirven para ocultar intereses. Créemelo, Manuel: no fui ni peor ni mejor que muchos de los caudillos que ahora gozan de consideración y respeto. Si una bala enemiga me hubiera roto la chapa del alma en la ribera del Pánuco, en La Angostura o en San Jacinto, mi efigie estaría en la Cámara de Diputados, junto a los bronces de Hidalgo y Morelos. Como al pobre Iturbide, me tocó morir en un mal momento. Él murió demasiado pronto, yo demasiado tarde. Pero antes de hacer mutis por la puerta trasera del escenario, como un actor abucheado por el público que antaño lo vitoreó, quiero salir al proscenio para decir mi verdad, aunque sea en un teatro vacío. Junto con la presente te envío los recuerdos de mi infancia y adolescencia. Continuaré después con mis anécdotas de cadete. Quizá te parezca un capítulo insustancial de mi vida, pero en esos años aprendí la mayor parte de lo que sé.

Muchas veces me he preguntado por qué surge en un hombre el deseo de elevarse sobre los demás. Los biógrafos de los grandes caudillos casi nunca se ocupan de este asunto, a pesar de la importancia que tiene en la formación del carácter. De niño, la desventaja de tener el cabello crespo y la tez morena me obligó a mendigar el cariño de mis padres, cuyo afecto se concentraba en Manuel, mi hermano menor, que había heredado los ojos azules y el pelo azafranado de mi madre. Para él eran los mejores juguetes, los dulces de cajeta, los mimos, las colchas tejidas por la abuela y los zapatos de charol con hebilla dorada. Apenas era un niño de brazos cuando lo quise tirar por primera vez de la cuna, harto de los mimos y las atenciones que le prodigaba toda la familia. Le llevaba un año de ventaja, pero él creció más aprisa, y a los siete años ya me sacaba tres dedos. Condenado a heredar su ropa, me sentía doblemente humillado cuando mi padre lo llevaba a cabalgar por el campo y no me dejaba subir a la silla, porque, según él, yo no tenía estatura para montar. La verdad es que Manuel nunca fue malo conmigo. Me enseñó a echar manganas, me prestaba sus soldados de plomo, y cuando entré a La Amiga, la escuela de primera enseñanza donde aprendíamos el silabario del Niño Jesús, me defendió a trompadas de algunos grandulones abusivos. Un día fuimos de excursión al bosque de Pacho, en los alrededores de Jalapa. Después de la cabalgata nos tiramos un chapuzón en el río Sedeño y con el frío del agua se me acalambró la pierna derecha. Manuel se zambulló en el agua, me agarró del cuello y nadó hasta la orilla contraria a pesar de que la corriente era brava y podía llevárselo conmigo hasta una cascada de treinta varas de altura.

Hay favores que salvan la vida pero dejan el orgullo supurando rencor. En vez de agradecerle su sacrificio me sentí humillado y a partir de entonces mi mayor obsesión fue superarlo en todo. Si Manuel se trepaba a los árboles para cortar jinicuiles, yo tenía que subir más alto a riesgo de partirme la crisma en una caída; si cazábamos pichones con el rifle de postas, yo tenía que matar el doble y correr a la casa para enseñárselos primero a papá. Pero a pesar de mis esfuerzos, Manuel seguía siendo el rey de la casa. Ya que no podía llamar la atención de mis padres por medios honorables, me hacía el enfermo para obligarlos a darme un trato preferencial. Desde entonces ya era un actor consumado. Me untaba betabel en los párpados para simular ojeras y con la voz quebrada me quejaba de un fuerte retortijón. Mamá le hablaba muy preocupada al doctor Ampudia, un anciano de levita raída y aliento aguardentoso que apenas me palpaba el vientre sonreía con malicia: «Cálmese, Manuelita, este chamaco no tiene nada, se quiere pasar de vivo para no ir a la escuela».

¡Qué safacocas me daba mi padre al volver de la notaría! De cara contra la pared recibía la andanada de cintarazos con una mezcla de regocijo y dolor. El castigo corporal era un premio para mi orgullo, porque la dicha de concentrar la atención familiar compensaba mi sufrimiento. Ya déjalo, Antonio, está sangrando, intervenía mi madre, a quien los golpes le dolían más que a mí. ¡Pues quién te entiende, carajo! ¿No me pediste que le diera una buena tunda? Saboreaba el pleito de mis papás como una segunda victoria, y más tarde, cuando mi madre y mis hermanas subían a ponerme compresas en las heridas, me colmaba de gozo que dejaran a Manuel cenando solo en el comedor.

Dicen que Napoleón nació en una alfombra donde estaban representados los héroes homéricos y eso lo marcó para el resto de su vida. Yo no tuve ningún presagio de mi gloria futura, pero actuaba como si mereciera la admiración de los hombres por el simple hecho de existir. El don de mando no es innato en el hombre: se forja poco a poco en el alma del humillado, primero como un berrinche contra el mundo, después como una fuerza desgobernada que es preciso encaminar hacia un objetivo, para evitar que estalle por dentro. En mis primeros años de colegial ya era un mandón en bruto, pero ignoraba que mi fuerza de carácter podía llegar a ser un arma de seducción. En vez de emplearla para hacerme querer, la desperdiciaba en bravatas pueriles.

Por supuesto, los curas de la escuela se encargaron de bajarme los humos con la palmeta y la disciplina. Desde entonces tenía la mala costumbre de dormir a deshoras, costumbre que años después, tras la fatídica siesta de San Jacinto, me hizo objeto de escarnio en los mentideros políticos, y hoy forma parte de mi leyenda negra. Cierto día, cuando roncaba plácidamente en clase de gramática, el preceptor me levantó con un palmetazo en los nudillos. Desperté iracundo y le escupí en la cara: ¡Cómo se atrevía a importunarme de esa manera! Trató de sacarme a tirones de mi pupitre, pero yo resistí sus jaloneos aferrándome al mesabanco. Con ayuda de otro preceptor logró llevarme a rastras hasta el patio del colegio, donde fui obligado a hincarme sobre el borde de una regla y a sujetar en las manos dos piedras pesadas. Desfallecía de dolor pero en ningún momento de la tortura dejé de maldecir al maestro: ¡Recabrón, hijueputa, ya verás cuando te acuse con mi papá! ¡Te van a encerrar en un calabozo!

Mi padre no era un señor tan importante como yo creía, pues ni siquiera pudo evitar mi expulsión de la escuela. El descubrimiento de su medianía fue un golpe demoledor para mi orgullo. Hasta entonces, engañado por la arrogancia de mi madre, que salía a pasear en un elegante quitrín y hasta para ir al mercado se colgaba todas las joyas del alhajero, había creído que mi padre se codeaba con los hombres más poderosos del virreinato. Pero la verdad es que siempre fue un segundón. Como la mayoría de los criollos al servicio de la corona, sólo tuvo acceso a los puestos de poca monta que despreciaban los españoles. Cuando nací era abogado de la Real Audiencia en Jalapa y más tarde lo nombraron subdelegado del gobierno en Teziutlán. Cediendo a los ruegos de mi madre, que encontraba demasiado ordinaria a la gente de esa comarca, renunció a su cargo y volvimos a Jalapa, donde pasé la mayor parte de mi niñez. Cuando iba a cumplir diez años nos mudamos a Veracruz, donde mi padre tomó posesión de la notaría de Alcolea, que le heredó al morir su hermano Ángel, el otro abogado de la familia.

Acostumbrado a las florestas de Jalapa, la fealdad del puerto me repugnó. Apenas cruzamos la muralla de la ciudad, me tocó ver una asamblea de zopilotes devorando restos de comida. Eran muy queridos en la ciudad, pues se encargaban de sanear las calles del puerto, pero eso no lo supe hasta la semana siguiente, cuando me multaron con cinco pesos por apedrearlos. Sólo había una calle en buen estado, la de las Damas, donde los comerciantes españoles se habían hecho casas de arquitectura morisca, con patios de mármol, balcones volados y ventanas cubiertas por celosías. Los criados de las casas ricas y los estibadores del puerto, mulatos en su mayoría, se hacinaban en los barrios pobres desparramados entre las dunas. Colaboraban con los zopilotes en el aseo municipal los negros condenados a galeras, que barrían las calles en parejas, sujetos los tobillos por una cadena de fierro.

Para mi padre era un progreso manejar la notaría de su hermano, pues ganaba mucho más que en la burocracia. Yo veía las cosas de otro modo y el traslado a Veracruz me pareció un descalabro social. Nos habían expulsado del paraíso y el signo más claro de la ruina familiar era la sordidez del lugar al que nos habían confinado. ¡Quién iba a decirme que en ese puerto leproso escribiría las páginas más gloriosas de mi carrera! Desde mis primeras correrías por el puerto descubrí que la suciedad y el mal olor se compensaban con la calidez de la gente. Ya no iba a la escuela, porque mi tío José me daba clases por las tardes, y en las mañanas mi madre me dejaba salir a la calle «para que no enchinchara el tiempo en la cocina». Jugaba canicas en el malecón con los hijos de los pescadores, compraba tejocotes en el mercado de San Antonio y me los comía en la plaza de Loreto, viendo pasar a las mulatas que llevaban cestas de fruta en la cabeza y estimulaban mi fantasía precoz con el vaivén de sus grupas.

—Quién fuera mandil floreado, pa' enredarse en tu cintura. ¿No me das una probadita de tu papaya? —les gritaban los marineros desde el portal.

Una jalapeña requebrada en esa forma se hubiera ofendido y les habría soltado un bofetón. Jalapa era una ciudad brumosa donde la gente vivía encerrada en sí misma y extremaba las cortesías en el trato. Pero el trópico tenía su propia moral, una moral indulgente y solapadora, que muy pronto adopté como estilo de vida. En Veracruz nadie se tomaba a pecho nada, pero la dejadez de la gente, que tanto me había irritado al principio, cuando observé la podredumbre de la ciudad y el deterioro de sus edificios carcomidos por el salitre, tenía su lado bueno, porque le restaba gravedad a las miserias humanas. Si Jalapa me dio la ambición y el orgullo, a Veracruz le debo el instinto político, la mano izquierda para tratar a la gente.

Al mes de nuestra llegada al puerto ya aspiraba las eses y me comportaba como un veracruzano de pura cepa. Lo que nunca me contagiaron mis nuevos paisanos fue su pereza congénita. Hasta mis detractores más encarnizados reconocen que siempre fui un hombre de nervio. Con tantos epítetos como han lanzado en mi contra, hasta hoy nadie ha osado llamarme indolente. Dejé de serlo a temprana edad gracias a mi tío Pepe, que me inculcó su amor al trabajo. Pepe era sacerdote, pero no se parecía en nada a los curas apoltronados y barrigones de la región, que sólo se bajaban de la hamaca cuando tenían que bautizar al hijo de un rico hacendado. Alto, fuerte, de tez olivácea y largas patillas terminadas en punta, mi tío no llevaba sotana ni era afecto a las demostraciones externas de fe. Expresaba su amor al prójimo con hechos, no con sermones. Como párroco de La Antigua trabajaba de sol a sol en tareas de beneficencia y entregaba todo su peculio a las familias necesitadas. En los pueblos de indios el cacique lo agasajaba con una jícara de chocolate y las mujeres hacían cola para que bautizara a sus hijos. Más que auxilio espiritual, Pepe les daba una ayuda práctica. Cuando el norte derribaba sus chozas de carrizo o les echaba a perder la cosecha, no se conformaba con sacar en procesión a la virgen de Los Remedios, como los curas de otros lugares: llevaba mantas y cobijas para las familias en desgracia, les ayudaba a reparar los techos de palma o tomaba la pala y hacía pequeños canales para drenar el agua de las milpas.

Médico improvisado, atendía a los enfermos de malaria en el dispensario de la parroquia y hacía curas milagrosas con yerbas medicinales. Ellos se curan solos, decía, yo nada más les doy el ánimo para sanar. Con Pepe como preceptor aprendí por la buena lo que nunca me entró a palmetazos. Era un maestro ameno y paternal, dotado con una paciencia infinita para corregir mis fallas, especialmente las de ortografía. A diferencia de mis preceptores jalapeños, no se comportaba como una autoridad prepotente, pero su trato amistoso me obligaba a estudiar el doble para no defraudarlo. Mi madre estaba tan agradecida con él que intentó pagarle las clases. José rechazó el dinero, y como única retribución le pidió que los domingos y los días de fiesta fuera su acólito en la modesta parroquia de La Antigua, donde vivía con tal estrechez que ni siquiera tenía un cáliz de plata para consagrar las hostias.

Pero en este mundo nadie es perfecto. Mi tío amaba demasiado la vida para ser un santo, y entre los encantos que la vida ofrece, los del sexo femenino le inflamaban la sangre. No se daba por satisfecho con apreciar la belleza de las damas, que en su pueblo siempre andaban ligeras de ropa, y hacía todo lo posible por agradarles, especialmente los días de fiesta, cuando bebía aguardiente de caña y toreaba reses bravas con su vistoso traje de indianilla, costumbre que le valió el mote de Padre Torero. Desde mis primeras visitas a la parroquia de La Antigua advertí su éxito entre las mujeres. Delante de mí nunca cometió indiscreciones, pero no hacía falta ser muy suspicaz para advertir que tenía dares y tomares con algunas de sus feligresas. Entre las más atentas con él recuerdo a Gertrudis, la mujer que le hacía el aseo, abnegada al extremo de quitarle las botas y darle masaje en los pies cuando volvía de una larga caminata, y a doña Josefa, la esposa del boticario, que se hacía cargo de su alimentación con un fervor conyugal, pues todos los días llegaba a la sacristía con un guiso distinto, adornado con un ramillete de flores silvestres.

Si mi tío se hubiese conformado con ser un buen párroco y un mujeriego discreto, seguramente habría hecho huesos viejos en su parroquia. Pero además de ser un trabajador incansable, tenía alma de redentor y se tomaba como una ofensa personal el maltrato a los indios, motivo por el cual tuvo serios altercados con los finqueros de la región. Me tocó presenciar el que provocó su caída en desgracia. Un sábado a mediodía estaba confesando a una mulata de abundosas carnes cuando entró en la parroquia el indio Matías, un anciano de barba blanca que nunca faltaba a la misa dominical, con la camisa ensangrentada y el semblante lívido. Trabajaba en la hacienda de La Eternidad, la más grande del rumbo, y su patrón, el señorito Diego Ordóñez, lo había golpeado salvajemente por haber roto un juego de té al descargar una vajilla de Talavera.

—El huacal estaba muy pesado, se lo advertí al patrón, pero él me dijo que no fuera holgazán y me lo echara en el lomo —le explicó a mi tío, respirando con dificultad.

Tenía la espalda en carne viva por la andanada de latigazos, y un cardenal enorme a la altura de los riñones. Ayudé a Pepe a llevarlo a la sacristía, porque el viejo ya no podía ni con su alma. Le empezábamos a curar las heridas cuando tuvo una convulsión, clavó la mirada en las vigas del techo y se quedó tieso. Mi tío le cerró los párpados y dijo unas palabras en latín a manera de extremaunción. De la tristeza y el abatimiento pasó rápidamente a la cólera. No fui testigo de lo que hizo después, pero sé que ensilló su mula y a galope tendido llegó a la hacienda de La Eternidad, cuando la familia Ordóñez estaba comiendo. Delante de su padre acusó a Diego de haber matado al viejo Matías. El hacendado lo maldijo a gritos y llamó a sus lacayos, pero mi tío los hizo a un lado de un empellón y se enfrentó con Diego, a quien derribó de un puñetazo.

Entre los asistentes al ágape había un ministro de la Iglesia, el canónigo Juan Reséndiz, que al parecer conocía a Pepe de tiempo atrás y puso al tanto a los Ordóñez de sus flaquezas carnales. Hasta entonces la Inquisición se había hecho de la vista gorda ante los desplices de mi tío, pero cuando Reséndiz elevó su queja al obispo de Puebla, el tribunal actuó con sorprendente celeridad.

RELACIÓN DE LA CAUSA QUE EN ESTE SANTO OFICIO PENDE A INSTANCIA DEL PADRE INQUISIDOR FISCAL CONTRA DON JOSÉ LÓPEZ DE SANTA ANNA, NATURAL DE LA CIUDAD DE VERACRUZ, DE EDAD DE CUARENTA AÑOS CUMPLIDOS, PRESBITERO, CONFESOR Y PREDICADOR, PRESO EN CÁRCELES SECRETAS POR EL DELITO DE TORPE SOLICITANTE.

Tuvo principio la causa por la denuncia natural que en la ciudad de Veracruz hizo ante el Comisario Doctor doña Josefa María Laso de la Vega, de calidad parda, casada con el boticario Desiderio Lagunes y vecina de La Antigua, quien declaró bajo juramento y por descargo de su conciencia, que el acusado es uno de los mayores monstruos de lascivia de la Nueva España, cuya pasión desenfrenada tiene tantos objetos como se le presentan a la vista. Que en todos los lugares donde ha ejercido el sacerdocio ha dejado testimonios de su manifiesta liviandad por el poco o ningún recato que ha observado en sus solicitudes y tratos inicuos. Que ella había tenido trato carnal con el padre José López de Santa Anna, su confesor, porque habiéndole dicho su hermana Dionisia que la acompañase al curato así lo ejecutó, y conforme llegaron las dos, tomó el padre a su hermana de la mano y en su misma presencia la tiró en la cama y tuvo un acto carnal con ella, y habiéndolo consumado, sin preceder razones ningunas, tomó a la declarante de la mano y la sedujo también, de manera que una y otra fueron testigos de su pecado. Y como ella le advirtiese que no volvería a confesarse, el acusado le pidió que se quitase el vello de la entrepierna y se lo diera para conservar un recuerdo suyo, lo que ella no ejecutó por vergüenza.

Pidióse informe del reo al comisario de Córdoba, y lo dio con fecha del primero de septiembre, diciendo que el presbítero don José López de Santa Anna estuvo como seis meses dando misa en varios trapiches de aquella jurisdicción, en cuyo tiempo dejó escandalizado al vecindario por las frecuentes visitas de mujeres y sus paseos públicos con ellas, conduciéndolas de la mano por las calles. Que era asistente a todos los fandangos y en ellos bailaba aun aquellos sones indecentes con feos movimientos y con mujeres de poca reputación. Que obligaba a las señoras casadas a mostrarle los pechos por la rejilla del confesionario y a una de ellas le preguntó: ¿Cuánto quieres a tu cura? Y ella le respondió: lo mismo que a Jesucristo, y a pesar de que esta respuesta piadosa debía haberle abochornado, le echó el brazo por la cintura, la pellizcó en una nalga y le pidió un beso. Que su hábito de hablar el lenguaje de los amantes y su destreza para sazonarlo con tropos de la oratoria sagrada le ha adquirido una verbosidad con que fácilmente atrae a toda mujer incauta. Que en este reo no se advierte otro vicio que el de la concupiscencia, pero su pasión ha llegado a tal punto que le hace jactarse a sí mismo de su iniquidad, y habiendo sido igual su conducta en dieciséis años de sacerdocio, considera muy difícil su corrección.

El 2 de mayo se recibió en el tribunal nueva denuncia que remitió en Veracruz el comisario don Iñigo Jiménez, hecha por María Gertrudis de la Luz Chiquito, parda de calidad, casada, de veinte años, vecina del rancho de Catalina, jurisdicción de La Antigua, Veracruz, que por descargo de su conciencia denunció y declaró bajo juramento que en la cuaresma del año 97 su párroco José López de Santa Anna le preguntó en el discurso de la confesión si ya le había bajado la costumbre, si tenía mucho vello en las partes, que qué hombre le gustaba más, si el corto o el abundante, que así como andaba con otros por qué no iba a su casa y que si acaso no era él tan bueno como los demás. A esta solicitación se siguió el comercio ilícito entre la denunciante y el denunciado, quien le dijo cuando acabó de cumplir su gusto: «Buenas ganas te tenía». Que no lo decía la declarante por odio, ni por mala voluntad, sino por ser la verdad bajo juramento. Y a la pregunta de si sabía de otra solicitación dijo que por aquel mismo tiempo concurrieron al confesionario otras muchachas de su edad, nombradas Manuela y Margarita, y otra cuyo nombre ignora y juntas refirieron que el padre les había hecho las mismas preguntas y persuasiones. En su ratificación añadió que habiendo callado por rubor en la segunda confesión que hizo con el dicho cura Santa Anna de los pecados con él cometidos, él mismo le exigió confesarse de ellos. A consecuencia de lo cual la declarante le confesó todo e inmediatamente procedió él a absolverla.

Antes de finalizarse esta diligencia compareció voluntariamente a denunciar al mismo reo María Elena Soberanes, española, casada, de quince años de edad, vecina de La Antigua, Veracruz, quien declaró bajo juramento que confesándose sacramentalmente con el padre Santa Anna se acusó de haber incurrido en su tierna edad en el defecto, aprendido de otras amigas, de introducirse los dedos en el interior de las partes pudendas, y preguntando a dicho su confesor si esto era pecado, respondió el padre que no podría contestarle hasta que le enseñase cómo lo hacía, a cuyo fin iría a la casa de la declarante. Que en efecto fue al día siguiente, habiéndole ofrecido ella estar pronta al reconocimiento necesario para obtener la absolución, y en la dicha concurrencia ella practicó el tocamiento a la vista del padre, pues así se lo pidió, y preguntando la declarante si lo que hacía era pecado, repuso el dicho confesor Santa Anna que no habiéndose cerciorado aún, era necesario que repitiese por segunda vez la acción para responderle. (Al margen dice: el reo responde que es cierto sustancialmente todo lo sucedido con María Sobejanes, y ya lo tiene confesado, pero es falso que la instase a la repetición, pues ella misma lo hizo de grado.)

Acumulado dicho escrito a los autos, el 9 de julio se dio a este reo la audiencia de acusación que le puso el Inquisidor Fiscal en veinte capítulos deducidos de la Sumaria, y al final de la lectura el acusado dijo que aunque como frágil y miserable se ha dejado arrastrar por las pasiones, singularmente las de la carne, no ha hereticado ni apostasiado de la religión católica en cuyo santo gremio ha vivido y desea vivir, y que si bien ha cometido los hechos torpes de solicitación de que se le acusa, ha sido por mera flaqueza, sin el afán de profanar el Santo Sacramento de la penitencia. Que no es perjuro como se le acusa, pues desde luego confesó su relajación por incontinencia, y si calló alguna de sus liviandades no fue por malicia sino por olvido. Que no era pastor tan licencioso como se pondera, pues en dieciséis años de sacerdote no había devorado miles de ovejas, sino sólo unas pocas que se le entregaron sin mayor violencia de su parte. Que el despecho manifestado por algunas de las declarantes ponía en duda la verdad de sus acusaciones, pues era notorio que estaban celosas unas de otras. Y finalmente, que por sus circunstancias de bien nacido, de laborioso en su ministerio y de su sincero arrepentimiento, ruega al Tribunal se le imponga alguna pena menor y se le trate con misericordia.

Evacuadas las diligencias, el Tribunal del Santo Oficio declaró a puerta cerrada y en presencia del reo:

Primeramente, que debiendo dar a Dios entre los beneficios generales el apreciabilísimo de haber nacido en país católico y de padres honestos y honrados que le procuraron una educación cristiana, dedicándole al estudio de la Filosofía y la Teología moral, en vez de corresponder a Dios como ministro celoso, el acusado se empeñó en la impetuosa carrera de los vicios, particularmente en el de la lujuria, entregándose a todos sus caprichos y extravagancias en un grado superior a toda ponderación.

Segundo. Que siendo tan fácil y aun necesario para sus fines el paso de pecador obstinado al de criminoso delincuente, alejado ya del temor de Dios y oscurecida la razón, escarneció el sacramento de la confesión otorgando absoluciones a las mujeres con que había cometido pecado carnal. Un luterano no pudiera tratar con más desprecio el sacramento de la Penitencia. Avergüéncense todos los rufianes a la vista del descaro de este pecador espantable, que más se ha empleado en el magisterio de la fornicación que los infames clientes de cualquier burdel, no estando a salvo de su acecho ni vírgenes ni casadas ni viudas, pues el miedo al castigo era para él un freno muy débil, y la difamación, cuyo temor contiene a muchos, no tocaba ya ni ligeramente su pundonor.

Considerando la gravedad de su delitos, el Tribunal ordena que sea privado perpetuamente de confesar hombres y mujeres, desterrado de su comarca y confinado a veinte leguas en contorno de los lugares donde cometió sus delitos por espacio de diez años, de los cuales los dos primeros los cumpla recluso en el Colegio de San Fernando y haga ejercicios espirituales por espacio de treinta días, comiendo alimentos sin sal para sofocar sus hervores sanguíneos, sin tener a su alcance papel y pluma, para evitarle la tentación de sostener correspondencia con sus mujeres. Que se abstenga de celebrar el Santo Sacrificio de la Misa hasta finalizar sus ejercicios y que los viernes del primer año rece los salmos penitenciales. Así lo acordaron, mandaron y firmaron: Dr. Mier, Dr. Bergosa, Dr. Janabo, Dr. Madrid, Srio. Ibarra.

En Veracruz y pueblos aledaños el proceso inquisitorial de José fue la comidilla de la sociedad por una larga temporada, con la consiguiente mortificación de mi madre, que ahora veía a mi tío como un engendro de Satanás, y lo culpaba de haber deshonrado el apellido de sus hijos. En realidad, el apellido Santa Anna siempre le había parecido inferior al suyo en prosapia, pues ella era una Pérez de Lebrón, emparentada con hidalgos españoles, y sentía que al casarse con mi padre, un criollo sin abolengo, había malbaratado su linaje. De ahí su afán por llevar un tren de vida que mi padre mantenía a costa de grandes sacrificios, contrayendo deudas con los agiotistas del puerto para pagar nuestra casa en la calle de las Damas y costearle sus lujosos carruajes de última moda. Los derroches de mi madre en trapos y alhajas y su manía de andar «encochada» sacaban de quicio a mi padre, que siempre gritaba más alto en los pleitos, si bien horas más tarde, pasada la irritación, se deslizaba en la alcoba conyugal para pedirle disculpas.

El otro motivo de discordia entre ellos era la religión. A pesar de su amor por los bienes terrenales, mi señora madre tenía vocación de beata. Rezaba novenarios, tejía ropones para la Divina Infantita, compraba flores y cuelgas para la fiesta del Corpus y participaba en toda congregación o patronato de obras pías que se formara en el puerto, aun cuando no le pudiera aportar un centavo, no sé si por auténtica devoción o por codearse con la esposa del gobernador y otras damas principales. Mi padre, en cambio, asistía a misa regularmente para cumplir un deber social, pero deploraba la intromisión de la Iglesia en asuntos civiles. La Inquisición le disgustaba por anacrónica, mientras que mi madre no sólo tenía un alto concepto del Tribunal, sino que le prestaba ayuda gratuita denunciando a la gente sospechosa de nigromancía o libertinaje. Era enemiga declarada de los bailes populares, en especial del baile gatuno, donde las parejas unidas en estrecho abrazo hacían una pantomima del acto carnal. Mi padre intentó disuadirla de que denunciara a los bailarines, pues era tanto como denunciar a la mitad de la población, pero ella se empeñó en llevar adelante el proceso, escandalizada por el hecho de que la plebe jarocha y mulata practicase la danza procaz en los atrios de las iglesias, so pretexto de las fiestas religiosas.

—Si quieren fornicar, que lo hagan en sus jacales —decía—, pero no en lugar sagrado y a la vista de todo el mundo.

A los dieciséis años, mi hermano Manuel viajó a la capital para estudiar leyes en la Escuela de Jurisprudencia, con miras a heredar la notaría de mi padre. Poco después se casaron mis hermanas, no tan bien como mi madre hubiera querido, porque su dote era escasa, pero al menos cumplieron la consigna de ascender en la escala social: Francisca atrapó a un importador de vinos y Mariana a un regidor del ayuntamiento. Al quedarme solo en la casa me convertí en un dolor de cabeza para mis padres: apostaba el dinero del mandado en las peleas de gallos, empecé a fumar cigarros de hoja, espiaba a las criadas por un ventanuco a la hora del baño y componía letrillas procaces que luego pintaba en las murallas del puerto.

Mamá quería enviarme a México para que siguiera estudiando, por lo menos hasta el grado de bachiller, pero mi padre se negó a invertir un centavo más en mi educación, pues me consideraba un pícaro sin remedio. Aprobé su decisión, pues aborrecía la idea de estudiar hasta la ceguera para convertirme en un letrado de medio pelo. Los libros no daban honra ni posición. Mi tío José hablaba latín pero su instrucción no le había servido de nada al enfrentarse con los Ordóñez, que podían aplastar a cualquiera de un manotazo. Yo no sería tan ingenuo. Amaba la justicia en términos abstractos, pero empezaba a ver claro que la única manera de imponerla en el mundo era ocupar un sitio eminente. Debía luchar contra todo lo que me impedía ser alguien, empezando por mi estatura. Fui un niño chaparro con tendencia a engordar. No di el estirón hasta los dieciséis años, cuando ya era cadete, y en algún momento llegué a temer que me quedaría enano. Sólo creceré cuando salga de casa y empiece a correr aventuras, pensaba, como si el valor y la temeridad tuvieran la virtud fisiológica de agrandar a los hombres. Por desgracia, mi destino estaba en manos de mi padre, que no conocía mis sueños de grandeza. Cuando cumplí quince años me dijo:

—Ya estás bigardón para andar en la calle haciendo travesuras. Quiero que aprendas a trabajar y te enseñes a ser responsable.

Muy a mi pesar entré como meritorio en el almacén de ropa La Europea, propiedad del español José Cos, un vejete de nariz colorada y fétido aliento que frecuentaba las tertulias de la casa. A regañadientes ocupé mi lugar detrás del mostrador, y procuré servir al gachupín lo mejor que pude, reprimiendo mi natural aversión a recibir órdenes. La Europea era uno de los almacenes mejor surtidos del puerto, y por las tardes la clientela femenina abarrotaba el local en busca de novedades. El secreto de Cos era vender la mercancía nacional como si fuera importada. Empleaba costureras que hacían pañoletas de rengue, sombrerillos, casquetitos, abanicos bordados y otras mil zarandajas imitando la moda de Madrid. Aparte de mí había otros dos dependientes que trabajaban por la comida y el techo. Yo atendía el mostrador de telas, estrechamente vigilado por Cos, que me hacía ver mi suerte cuando daba una vara de tafetán demasiado larga o bajaba un rollo de castor con las manos sucias.

Las libertades que antes había disfrutado como algo natural ahora me parecían privilegios divinos. Atado al mostrador, escapaba con el pensamiento a un mundo fabuloso y lleno de peligros donde luchaba por mi vida con una audacia sin límites: fui espadachín, marinero, gladiador romano, torero, domador de leones. Envidiaba a los cadetes de porte gallardo que desfilaban a mediodía por delante del almacén, deslumbrado con el brillo de sus espadas y la sincronización de sus movimientos. Una mañana me fui de pinta a los muelles y subí de polizón a un barco carguero. Quería dar la vuelta al mundo, pero el capitán resultó ser amigo de mi padre y me llevó a casa jalándome de la oreja. En el zaguán estaba mamá con el ceño fruncido y los brazos en jarras. Le pedí entre sollozos que intercediera ante mi padre para sacarme del almacén.

—Ayúdame, por favor, yo no nací para trapero.

—Pero tampoco sirves para el estudio, y tu padre no quiere que andes de vago.

—Él cree que soy un bueno para nada, pero yo le voy a demostrar que está equivocado.

—¿Cómo? ¿Echando cuetes con los léperos del malecón?

—Eso acabó para siempre. Quiero ser militar.

La idea no le gustó al principio, pues temía que la vida del cuartel fuera demasiado dura para mí. Pero tampoco le gustaba que tuviera un empleo indigno de mi clase y trabajara como dependiente a la vista de sus amigas encopetadas. El ejército no era una mala carrera para un joven inquieto como yo, de hecho era la única en que podía progresar. Pero no le resultó nada fácil convencer a papá de que me sacara del almacén, pues él creía que mi ocurrencia de entrar al ejército era un capricho de adolescente.

—¿Cómo lo sabes? —argumentó mamá—. A lo mejor tiene vocación de soldado.

—Peor todavía. ¿Qué tal si estalla una guerra y nos lo matan de un metrallazo?

Como todos los hombres de luces, mi padre estaba alarmado por las malas noticias que llegaban de España, donde Napoleón Bonaparte había depuesto a Fernando VII para colocar en el trono a su hermano José. Con el rey Fernando preso en Bayona y el pueblo español en armas, la Nueva España quedaba como un barco a la deriva y no era difícil que estallara una sedición. Las luchas intestinas habían comenzado dos años atrás, cuando el virrey Iturrigaray tuvo la nobleza de ceder el poder al ayuntamiento, y los altos mandos del ejército se amotinaron para deponerlo, arguyendo que el ayuntamiento buscaba independizarse de España. Desde entonces reinaba una calma aparente, pero los partidarios de restituir la soberanía al pueblo podían volver a la carga. Papá explicó todo esto a mi madre en una discusión de alcoba que escuché a hurtadillas, entusiasmado por la inminencia de la guerra. Donde mi padre veía un peligro yo veía una oportunidad de oro, como si el único fin de la ocupación española, de la insurrección popular en Madrid y de sus repercusiones en México fuera ofrecerme la posibilidad de mostrar mi valor.

Mi madre apeló a la compasión para doblegarlo y con tiernas súplicas logró arrancarle la promesa de que movería sus influencias en el ejército para conseguirme una plaza de caballero cadete. Esa noche no pude dormir pensando en mis futuras batallas. Olvidé a los personajes secundarios mencionados por mi padre y retuve un sólo nombre: Napoleón Bonaparte. Sentí que entre nosotros existía un vínculo espiritual, una secreta afinidad remontada por encima de nuestras opuestas banderas. A partir de ese momento seguí su carrera con atención y me propuse emularlo.

Papá cumplió con lo prometido y me llevó a matricular en el Regimiento Fijo de Veracruz, pero siguió pensando que mi entrada al ejército era un error, y le advirtió a mi madre que si algo malo me pasaba, ella sería la única responsable. No seas pesimista, le respondió mamá, en México nunca pasa nada.

Dos meses después estalló la Guerra de Independencia.

Querido biógrafo:

Te escribo con una caligrafía más clara, pues ahora tengo un secretario que se ha ofrecido a ayudarme sin cobrar un centavo. Es el coronel Manuel María Giménez. ¿Lo recuerdas? Fue mi ayudante de campo en la heroica defensa de Veracruz, donde perdió el brazo izquierdo, sin haber recibido jamás una recompensa por su valor. Hace diez años me visitó en San Juan de Ulúa para llevarme comida y mantas, cuando todos mis amigos me volvieron la espalda, temerosos de que Juárez los mandara al paredón. Le tengo absoluta confianza y puedo dictarle sin temor a que cometa indiscreciones. Hubiera preferido seguir escribiendo de mi puño y letra, pero las nubes en los ojos casi me tienen ciego. La vejez emplea malévolas técnicas de tortura. Te va arrancando la vida a pedazos, hoy el oído, mañana la vejiga, después los ojos, hasta que acabas odiando la poca salud que te queda. Todo se oscurece a mi alrededor pero aún veo con los ojos de la memoria. Mientras esa linterna no me falle seguiré soportando los rigores de la edad y la ingratitud de los hombres. Parece que mi destino es vivir siempre con el cuerpo en una parte y la mente en otra. Durante mi destierro sólo pensaba en México: ahora que he vuelto a mi patria me he exiliado en mis recuerdos.

Ya conoces las impresiones de mi infancia, ahora me toca hablar de mis primeras campañas en el ejército realista. Hubo un hombre que fue muy importante en mi formación como militar: el coronel Joaquín Arredondo. Cuando ingresé al Regimiento Fijo de Veracruz era yo un señorito mimado que se creía el centro del mundo. Arredondo me obligó a tascar el freno y a andar derechito.

Bajo su vigilancia terminaron mis conflictos con la autoridad, o más bien dieron un vuelco inesperado, porque Arredondo me hizo obediente, pero a la vez taimado y astuto. No había otra manera de protegerse contra su cólera. Recién llegado al Fijo lo vi colgar por los pies a dos cadetes que había sorprendido charlando en filas, y golpearlos brutalmente en la espalda con la hoja de su sable. Ignorábamos cuándo se portaría magnánimo o actuaría con dureza, porque sus reacciones eran imprevisibles. Podía ensañarse con un cadete de comportamiento ejemplar o premiar con una licencia a un grupo de revoltosos, según estuviera de humor. Una de las reglas no escritas del regimiento era que el coronel no podía equivocarse. En una práctica de artillería, cuando debía ordenar «cartuchos al cañón», gritó por error: ¡cartucheras al cañón! Un cadete gritó que no cabían y se escucharon risillas en las últimas filas. En vez de corregir su dislate, Arredondo repitió: ¡cartucheras al cañón, quepan o no quepan! Como nadie pudo meter su cartuchera en la boca del cañón, recibimos al parejo una generosa ración de palos.

Arredondo se dio cuenta de que le tenía pavor y aprovechó la primera oportunidad que tuvo para ponerme en ridículo. Llevaba unas semanas en el regimiento y apenas estaba aprendiendo a manejar las armas. Al limpiar un rifle de chispa se me soltó un disparo que le voló la gorra al sargento Colchero, el instructor de los novatos. Arredondo se acercó y me clavó una mirada de buitre.

—¿Cómo se llama?

—Antonio López de Santa Anna.

—Usted está muy niño para ser cadete.

—No, coronel, ya tengo dieciséis años —mentí, pues apenas tenía quince.

—Si de veras es muy hombre, míreme de frente.

Le sostuve la mirada un segundo y bajé la cabeza con humildad.

—Dígame, jovencito. ¿Quiénes le gustan más? ¿Los machos o las mujeres?

Pensé que la pregunta tenía doble sentido y que Arredondo me tacharía de afeminado si me inclinaba por las mujeres. Creyendo reafirmar mi virilidad respondí:

—Los machos, coronel.

El regimiento estalló en una carcajada. Para desquitarme con alguien, arremetí contra el cadete más próximo y lo derribé de un empellón. Nos revolcamos en el suelo como dos jabatos hasta que unos oficiales nos separaron. La rabieta me costó treinta y seis horas de arresto. En la oscuridad del calabozo decidí pedir mi baja para no tener que soportar más humillaciones, pero me contuvo el amor propio: después de haber insistido tanto para que papá me inscribiera en el regimiento, no podía volver derrotado a casa. El soldado se hace aguantando vara. Junto con la educación militar, en el cuartel recibí una educación emocional que me dio la fortaleza necesaria para resistir el dolor sin un pestañeo. Mi endurecimiento interior coincidió con un cambio de aspecto. Cuando entré al Fijo de Veracruz todavía era un niño imberbe con cara de señorita. Poco después del incidente con Arredondo di un estirón acompañado por una profusa eclosión de barros. Me dejé crecer las patillas para ocultarlos, pero sobre todo, para diferenciarme de los mestizos y de los indios lampiños. Tener la barba cerrada imponía respeto dentro y fuera del regimiento, pues indicaba que uno pertenecía a la casta de los mandones.

Mi nueva apariencia me dio confianza y aplomo para congraciarme con Arredondo. Me gané su voluntad gracias a nuestra común afición por los gallos. Los domingos era frecuente encontrarlo en el palenque de Caleta, junto al baluarte de la Concepción, sentado en primera fila con su mulata de turno. Siempre había un arpista tocándole fandangos jarochos, y como empezaba a beber aguardiente desde temprano, para la última pelea ya estaba borracho y perdía todo su dinero por apostar a tontas y a locas. De tanto holgazanear en los palenques me había fijado en las trácalas de los galleros (bastante simplonas, comparadas con las argucias que yo inventaría después). Cuando la pelea era chueca y querían hacer que un gallo perdiera, le amarraban mal las navajas, le untaban ajo en el pico o le metían una bala en el culo. Un domingo en que Arredondo traía el santo de espaldas, quiso recuperar lo perdido en la pelea estelar, en la que se enfrentaban un retinto de Tlacotalpan contra un giro de Orizaba. Habiendo notado que el giro tenía las navajas mal amarradas, me acerqué al coronel y le susurré al oído «Apuéstele al retinto, coronel». Debió ver en mis ojos algo que le inspiró confianza, porque siguió mi consejo y dobló la apuesta. A pesar de haber atacado con aparente bravura, el de Orizaba no pudo lastimar a su rival, y terminó clavando el pico en un charco de su propia sangre, entre los abucheos de la multitud. Eufórico, Arredondo me hizo desde lejos una señal de agradecimiento. A partir de entonces me consultó en todas sus apuestas. A cambio de mis servicios, el coronel se hacía de la vista gorda cuando participaba en alguna camorra, y me dejaba izar la bandera de España en las ceremonias oficiales. Pero con sus ganancias era mezquino. Por más atinado que fui en mis consejos, nunca pude arrancar una rosa de su jardín.

Antes de que el cura Hidalgo empezara a cortar cabezas en el Bajío, el Fijo de Veracruz había sido un regimiento pasivo, como la inmensa mayoría de las tropas realistas. Pero cuando los notables del puerto sintieron el peligro de cerca, el ejército cobró mayor importancia en la vida pública y la buena sociedad nos trató con algo más de respeto. El gobernador Dávila intentaba calmar los ánimos asegurando que no existían focos insurgentes en los alrededores de Veracruz. Según los bandos que mandaba pegar con engrudo en calles y plazas, de un momento a otro el ejército realista sofocaría la revuelta y pasaría a cuchillo a los rebeldes. Pero cuando Hidalgo avanzó hasta el Monte de las Cruces, las familias pudientes empezaron a empacar sus pertenencias y a fletar bergantines para zarpar a La Habana. En el cuartel se propagó el rumor de que saldríamos a reforzar a la guarnición realista en la capital. Demasiado joven todavía para entender los justos reclamos de los insurgentes, yo ansiaba entrar en batalla y degollar a Hidalgo como él había degollado al intendente Riaño. En las comidas de los domingos mi padre se esforzaba en vano por instruir a mamá, que no atinaba a entender los motivos de la guerra.

—Hay algo que yo no me explico. Si los insurgentes son fieles a Fernando VII, ¿por qué los combate el ejército de la corona?

—Te lo he explicado mil veces —se impacientaba mi padre—. Lo que ellos han hecho es tomar la invasión a España como pretexto para declarar la Independencia.

—Pero si España está en poder de los franceses, ¿entonces quién manda aquí?

—Las autoridades que nombró Fernando antes de abdicar. Pero no te enredes en cuestiones de alta política, que no son asunto para señoras.

—Pues yo necesito estar enterada. En las tertulias no se habla de otra cosa. Mis amigas dicen que Hidalgo quiere ser el nuevo virrey.

—Tú y tus amigas no han comprendido el peligro que corren. Estamos en medio de una revolución donde sólo hay dos bandos: la plebe rencorosa y la gente de bien.

A las puertas de México, diezmadas las defensas de la ciudad y con todo a su favor para tomar la plaza, Hidalgo dio marcha atrás por razones que han intrigado a muchos historiadores. ¿Temió ser el responsable de una matanza colectiva sin parangón en la historia universal? Nadie lo sabe, pero tengo por seguro que si hubiera tomado el poder no le llamarían ahora padre de la patria, ni su retrato estaría colgado en el despacho presidencial, pues en este país se premia a las víctimas y se castiga a los vencedores. La retirada de los insurgentes tranquilizó a las buenas familias de Veracruz, pero fue una mala noticia para mí, que veía la guerra como un carnaval y esperaba mi turno para entrar en escena.

Derrotado por Calleja en Puente de Calderón, Hidalgo se retiraba hacia el norte con la intención de hacerse fuerte en Texas, donde el insurgente Gutiérrez de Lara tenía en su poder algunas plazas. En marzo de 1811, el virrey Venegas ordenó al coronel Arredondo embarcarse con quinientos hombres rumbo a la bahía de Matagorda, para cortarle la retirada a los insurgentes. La víspera del día señalado para la partida soñé que penetraba en las líneas enemigas con el sable desenvainado, cortando el viento en un albo corcel, y lanzaba mandobles a diestra y siniestra, dejando a mi paso un reguero de sangre. Después me convertía en águila y sobrevolaba el campo de batalla con una sensación de vértigo, hasta posarme en el hombro del coronel Arredondo. En la madrugada mis padres me acompañaron al muelle. Hasta entonces mamá, complacida por lo bien que me sentaba el uniforme de cadete, había creído que mi carrera militar era un juego de niños. Pero cuando me vio en el muelle con la espada al cinto, se arrepintió de su imprudencia y prorrumpió en sollozos.

−¿Cómo es posible que te manden tan pronto a la guerra, si todavía eres un niño?

Mi padre no lloró, pero me hizo prometerle que no trataría de jugar al héroe. Un grito de mi madre me detuvo antes de abordar el bergantín Regencia:

−¡Espera, Antonio! −se quitó una medalla de la virgen guadalupana y me la colgó en el cuello−. Prométeme que vas a llevarla en todas las batallas.

Los temores de mi madre me parecían infundados, porque tenía una ciega confianza en mi buena estrella. Hasta llegué a desear que los piratas atacaran nuestro barco, para calentar el brazo antes de pisar tierra firme. A media travesía, cuando bordeábamos la bahía de Tuxpan, la goleta San Pablo se acercó al Regencia y el capitán Quintero entregó a Arredondo un mensaje del virrey Venegas, que le ordenaba cambiar de ruta y desembarcar en Tampico, para imponer el orden en la provincia de Nuevo Santander, donde había partidas de insurgentes dedicadas al pillaje. La contraorden enfureció al coronel, que consideraba la misión indigna de su jerarquía y descargó su mal humor en la tripulación, arremetiendo a fuetazos contra un pobre soldado que llevaba desabotonada la casaca. Cuando avistamos tierra, la moral de la tripulación estaba muy baja. Te adjunto algunas de las cartas que envié a mis padres en los días posteriores al desembarco, donde hallarás impresiones frescas de la campaña, que acometí con la ingenua exaltación del militar primerizo.

Aguayo, 8 de abril de 1811

Amados padres:

Hoy recorrimos siete leguas a medio galope, sin detenernos a descansar más que para darle de beber a los animales y comer un poco de tocino y galleta. El coronel Arredondo quiere alcanzar a los insurgentes que huyeron al sur después de la última escaramuza, pero ha caído la noche y todavía no sabe dónde están. Al parecer hemos cabalgado en balde. Les escribo a la luz de una fogata, recargado en la espalda de mi amigo Alonso Pacheco, que ha sido mi ángel guardián desde el primer enfrentamiento con el enemigo. Él tiene más experiencia que yo, porque hace tiempo lo mandaron a pelear contra los comanches y me indica dónde colocar la escopeta para responder a los tiroteos nocturnos. Papá puede estar tranquilo: no he tenido oportunidad de hacerme el héroe, porque hasta hoy las cosas han salido bien y hemos pacificado la zona con pocas bajas.

El coronel Arredondo dice que vencer a los insurgentes es como robarle a una borracha. Al parecer, la derrota de Hidalgo les bajó la moral y algunos prefieren salvar el pellejo entregando a sus compañeros. Por una delación atrapamos al lego Herrera, uno de los cabecillas más peligrosos de esta provincia, que andaba escondido en los alrededores de la villa de Aguayo. Lo tomamos por sorpresa a medianoche cuando él y sus hombres, que no pasaban de trescientos, jugaban al cubilete y bebían pulque en cueros de cochino.

Ni tiempo les dimos de echar mano a sus armas. Yo derribé con mi sable a un indio que trataba de huir y Alonso mató a otro de un escopetazo. Todo sucedió muy rápido, porque los demás se rindieron al verse rodeados, exceptuando a Herrera, que se cubrió con los odres de pulque y no depuso las armas hasta quemar toda su pólvora. Oponía tal resistencia que fue necesaria la fuerza de dos lanceros para llevarlo hasta la tienda del coronel Arredondo. Echaba espumarajos de cólera, tenía hinchadas las venas del cuello y desde el fondo de sus ojos negros emanaba un orgullo suicida que me erizó la piel. Arredondo le apuntó a la cabeza.

—Vas a decirme dónde está tu compinche Villerías, o aquí te mueres.

Villerías es el comandante rebelde de la provincia, a quien hemos estado buscando en los últimos días.

—Dispara, gachupín. A mí no vas a sacarme nada —respondió Herrera.

Arredondo le descerrajó un tiro en la sien y ordenó colgarlo en el camino, para escarmentar a los demás levantiscos de la región.

—¿Qué hacemos con el resto de los prisioneros? —le preguntó el capitán Quintero.

—Fusílelos de cinco en cinco para no gastar mucho parque.

Quintero formó diez pelotones de fusilamiento y por desgracia me tocó estar en uno de ellos. Para los soldados de carrera, fusilar prisioneros es algo tan sencillo como aplastar cucarachas. Para mí fue una pesadilla. Sentía que los insurgentes me miraban a los ojos al momento de dispararles, como si esperaran de mí una imposible clemencia. Nunca me ha gustado el pulque, pero esa madrugada tuve que beber un jarro tras otro hasta controlar mi pulso. A mi lado, Alonso sufría igual que yo y después de cada descarga se santiguaba. Según él, Arredondo cometió una crueldad innecesaria, porque el virrey ha ordenado matar a los jefes insurgentes, pero no a la tropa regular. Más que una campaña pacificadora, dice, el coronel ha emprendido una campaña de exterminio. La conducta de Arredondo me subleva, pero no tengo más remedio que obedecerlo. Me comprometí con ustedes a ser un buen soldado y no les voy a fallar.

Pacheco ya tiene la espalda molida y me pide que termine de una vez. Trataré de volver a escribirles pronto, cuando la campaña me dé un respiro. Despreocúpate, mamá: no me he quitado la medalla de Guadalupe ni para nadar en el río. Espero tener noticias de ustedes en el siguiente correo. ¿Cómo le va a papá en la notaría? ¿Y Manuel? ¿Cuándo lo veremos de toga y birrete? Besos a Mariana y a Francisca. Díganles a mis sobrinitos que cuando vuelva les voy a regalar mi espadín.

Los quiere y extraña,
Antonio

Tanque Colorado, 14 de mayo de 1811

Querida familia:

Ayer fue el día más glorioso de mi vida. Después de una larga cabalgata por las inhóspitas llanuras de Matehuala finalmente encontramos al enemigo, o mejor dicho, el enemigo se topó con nosotros. Villerías tiene espías por todas partes y al enterarse de que somos una fuerza pequeña le propuso al coronel Arredondo que se pasara al bando insurgente con toda la división. Ofendido, el coronel echó la carta al fuego enfrente del mensajero y mandó tocar a generala para congregar a la tropa. Arredondo tendrá muchos defectos, pero es un militar potreado en el campo del honor, que saca la casta en momentos decisivos, cuando otros vacilan o se acobardan. Al verlo encabezar la carga en su caballo cuatralbo comprendí que lo que estaba en juego no era la autoridad de Fernando VII, sino la nombradía del regimiento, y me lancé al combate con la sensación de obedecer un mandato interior. No puedo relatarles con exactitud cómo me comporté en la batalla, porque estaba como hechizado. Alguien más luchó junto a mí, algún espíritu de ultratumba me poseyó para que pudiera entrar a saco en las trincheras enemigas, capturar a dos prisioneros y volver a la carga sin dar muestras de cansancio, mientras los pelotazos me pasaban silbando a unos dedos de la cabeza.

Cuando los rebeldes iban huyendo en desbandada corrí tras ellos sin medir el peligro, y al vadear el río de La Esmeralda, un disparo de artillería me derribó del caballo. Con el agua hasta el cuello tuve que luchar cuerpo a cuerpo con un insurgente empeñado en ahogarme. Por poco lo consigue, porque era mucho más pesado que yo y tenía una fuerza descomunal. Por un instante me sentí perdido. Gracias a Dios recuperé mi bayoneta y lo traspasé bajo el agua antes de que pudiera hundirme.

Arredondo nunca nos advirtió que Villerías tenía una fuerza de dos mil hombres. Hizo bien: de haberlo sabido quizá nos hubieran temblado las corvas. Como ignorábamos que ellos tenían ventaja, nos partimos el alma confiados en la victoria. El coronel quedó muy satisfecho con mi arrojo y prometió mencionarme en el parte oficial que enviará al gobernador. Hasta me invitó a cenar en la barraca de los oficiales, donde abrió una botella de catalán para festejar la victoria. Es la primera vez que pruebo el vino y no me gustó. Pero Arredondo no acepta desaires y me hizo beber a pico de botella al parejo de sus invitados. Al otro día desperté con dolor de cabeza y Pacheco me hizo burla por haber ido a la cena:

—¿Qué se siente ser el consentido de un asesino?

—Arredondo no es tan malo como parece —le respondí—. Ayer se portó como un valiente.

—Nos mandó al matadero y todavía lo defiendes —chasqueó la lengua con desprecio—. ¿No decías que te daba coraje recibir órdenes de una bestia?

Empiezo a sospechar que Alonso me tiene envidia. O tal vez se siente defraudado porque ya no pienso como él y atribuye mis cambios de opinión a un mezquino interés. De cualquier modo seguiré siendo su amigo. Es un tipo de fiar, quizá demasiado sincero para hacer carrera en el ejército. No me siento obligado a elegir entre su amistad y la cercanía con el coronel Arredondo. Aunque Alonso me tache de conveneciero, yo no veo la vida en términos de blanco o negro. ¿Acaso es un delito apreciar las virtudes del coronel y sobrellevar sus intemperancias?

Altos del Romeral, 28 de agosto de 1811

Padre mío:

He pedido al correo del campamento que la presente esquela te sea entregada en la notaría, pues no quiero inquietar a mamá con malas noticias (mucho menos ahora que se encuentra mal de salud y el médico le ha recomendado reposo absoluto). Ayer me hirieron en el antebrazo izquierdo. Según el doctor Garza ya estoy fuera de peligro, pero todavía tengo la fiebre muy alta y me resulta difícil ordenar las ideas. Perdóname si digo incoherencias: estoy haciendo un gran esfuerzo para dictar estas líneas.

En las últimas semanas hemos estado luchando contra un enemigo invisible y escurridizo que al amparo de los montes y las cañadas nos golpea sin presentar un blanco fijo. Diezmadas por la derrota de Tanque Colorado, las huestes de Villerías se han dispersado por la huasteca potosina en pequeñas partidas de forajidos que no se atreven a luchar en campo abierto, pero hacen pequeñas incursiones en los poblados desguarnecidos. Los aborígenes les prestan ayuda, por eso es muy difícil combatirlos. Y como algunas tribus de salvajes se han alzado en armas, tenemos que pelear en dos frentes, con la desventaja de que los indios conocen mejor el terreno. No puedo entender por qué diablos quieren la independencia, si en estas feraces tierras nunca llegó la civilización, y que yo sepa, ningún hombre blanco había venido a importunarlos antes de nosotros. Independientes han sido siempre, como todos los animales salvajes.

La acción en que resulté herido fue una típica celada. El capitán Quintero nos envió a Pacheco y a mí a inspeccionar un terreno pantanoso en el que las patrullas de vigilancia habían visto humo de fogatas. En el papel era una misión muy sencilla, pero no contábamos con la astucia de los indios. Deben de habernos espiado desde que empezamos a internarnos en los manglares con los fusiles en alto, hundidos hasta la cintura en las aguas chiclosas. Nos dejaron llegar hasta la mitad de un pantano techado por las frondas de las araucarias, donde mi compañero se detuvo a hacer aguas menores. Al verlos salir de los matorrales con las caras pintadas de negro eché mano al fusil, pero cuando iba a jalar el gatillo me di cuenta de que tenía una saeta clavada en el brazo.

El flechador estaba a mis espaldas, trepado en la rama de un árbol. Pacheco le alcanzó a disparar y dispersó un momento a los indios, que le tienen pavor a las armas de fuego. Tomándome por el cuello de la casaca me arrastró a tierra firme. La flecha estaba envenenada, pero Alonso me la arrancó de un tirón y me chupó la herida. Gracias a él estoy vivo. No sentí dolor alguno porque había perdido el conocimiento. El suplicio vino después, cuando el doctor Garza trató de estancarme la sangre con defensivos de aguardiente. Mordí un trapo sucio y traté de pensar en cosas bonitas, como el dulce de guanábana que me hizo mamá el día de mi santo y el manto de estrellas que envuelve a la virgen de Guadalupe. Ella me dio fuerzas para aguantar el ardor. Entre delirios y escalofríos pasé una noche de perros. Todavía estoy débil y cualquier movimiento del brazo me hace gritar de dolor, pero gracias a Dios ya cesó la hemorragia.

Espero volver pronto a casa para restablecerme al lado de ustedes. Muerto el cura Hidalgo, la guerra no puede prolongarse mucho. Con el reposo me ha entrado la nostalgia por Veracruz, y aunque el clima de la huasteca se parece mucho al nuestro, aquí me siento como una planta arrancada.

Abrazos para toda la familia y un beso para mamá.

Al poco tiempo de recibir el flechazo, Arredondo me concedió una licencia para volver a casa. En la carta a mi padre le oculté que a pesar de la herida y los sufrimientos de la curación me sentía satisfecho y feliz. Una herida en combate era el timbre de honor que necesitaba para distinguirme y empezar a ganar ascensos. En una ceremonia celebrada en la Plaza de Armas, el gobernador Dávila me impuso un escudo con la insignia de Isabel la Católica y me confirió el grado de Subteniente de Fusileros. Al anochecer, el brazo en cabestrillo y la medalla en el pecho, salí con mi familia a dar un paseo por el malecón, donde toda la gente se acercaba a felicitarme. Fue mi victoria definitiva sobre Manuel, que para entonces ya estaba casado y hacía una oscura vida de covachuelista, ayudando a papá con los trabajos de la notaría. Pero a partir de entonces se invirtieron los papeles: él empezó a competir conmigo y llegó a envidiarme tanto como yo lo envidié de niño, al grado de alistarse en el ejército para emular mis hazañas. Arrogante y sobrado, debió pensar que por ser güero y tener planta de hidalgo español me dejaría atrás en muy poco tiempo. Pobre Manuel: debió resignarse a la honrada medianía que la vida le deparaba.

Dedicado al ocio y a las francachelas quemé los seis meses de mi licencia. Mi aureola de héroe me había hecho popular entre las damas jóvenes de Veracruz, pero en ese tiempo yo prefería a las mulatas del mercado, que me concedían sus favores sin pedirme juramentos de amor eterno. Cuando volví a la División del Norte pagué las consecuencias de mi desenfreno. Obligado a ayunar después del banquete, conocí los rigores de la abstinencia sexual. Por haberme abrasado a solas, sin poder apartar de mi mente las ancas generosas de mis queridas amigas, comprendo las desviaciones contra natura en las que puede incurrir un hombre desesperado. En el campamento había parejas de soldados que compartían el mismo sarape y en las noches practicaban la sodomía. Cuando Arredondo los sorprendía en el acto nefando los mandaba azotar delante de toda la tropa, los vestía de mujer y les embarraba en la cara su propio excremento. Yo era más indulgente con los sodomitas de mi batallón. Su vicio me repugnaba, pero me hacía de la vista gorda cuando los oía jadear en la oscuridad. Mientras pelearan como varones durante el día, ¿qué me importaba si eran hembras de noche?

Pacificada la provincia de Nueva Santander, el foco rebelde que más inquietaba a los altos mandos del ejército era la provincia de Texas. Me reincorporé al servicio cuando Arredondo acampaba en El Encinal del Atascoso, a las afueras de San Antonio Béjar. Por instrucciones del virrey Calleja teníamos que someter al insurgente José Álvarez de Toledo, que había tomado la plaza con los restos de las tropas que acompañaron a Hidalgo en su retirada hacia el norte, reforzadas por los comanches de los contornos y un centenar de mercenarios reclutados en Nueva Orleans. Arredondo estaba de buenas, pues ahora recibía órdenes de un general victorioso que había sido su compañero de armas y no de un advenedizo como Venegas.

Con los dos mil efectivos que le asignó Calleja no tuvimos dificultad para dispersar a los rebeldes y recobrar la ciudad. El plan de Arredondo era volver a Veracruz cuando termináramos de fusilar a los prisioneros y dejar una pequeña fuerza que repeliera los ataques de los genízaros, la tribu más numerosa de la región, que acechaba en las márgenes del río Medina. Pero Calleja temía una contraofensiva insurgente y le ordenó permanecer en San Antonio con toda la división. El coronel se sentía a sus anchas en la línea de fuego o en los preparativos de una batalla, pero la ociosidad le agriaba el carácter. A falta de un enemigo con quién medirse, declaró la guerra a sus propios hombres. Ascendido a teniente de granaderos, yo tenía que soportar sus colerones y abogar por mis compañeros cuando les imponía castigos injustos. Dos mil hombres retenidos a la fuerza en un pueblo olvidado de la mano de Dios no pueden convivir sin pendencias. Yo era un celador sin autoridad moral, pues tenía que imponer la disciplina mientras Arredondo se entregaba a los mayores desmanes. Pero lo peor de todo era el tedio, las tardes de calor pegajoso que pasaba tumbado en la hamaca, sin voluntad para espantarme las moscas. Con tal de hacer algo vencí mi natural reticencia a escribir y llevé un diario donde consignaba mis tribulaciones. Una parte del cuaderno se quemó en la invasión del 47, cuando el texano Walker saqueó mis archivos del Encero, pero conservo algunas hojas sueltas donde mi letra se distingue con dificultad. Como ya no veo nada, le pedí a Giménez que las transcribiera. Te remito lo que alcanzó a descifrar:

Anoche el coronel volvió a emborracharse y nos obligó a festejarle ruidosamente sus chistes. No conozco borracho más repetitivo. Lo peor es que ahora no se conformó con un pequeño público de oficiales. Para quedar bien con su nueva amiga, una mujerzuela de nombre Matilda, a la que recogió en un burdel de Tuxpan, quiso ofrecerle un espectáculo con todos los efectivos de la división. A las dos de la mañana la llevó al balcón del ayuntamiento, con vista a la Plaza de Armas, y señaló con el dedo las barracas donde duerme la tropa regular.

– ¿Quieres jugar con mis soldaditos? Ahora están durmiendo como troncos, pero con tal de verte contenta puedo llamarlos a filas.

–Déjalos en paz –respondió la querida–. No los molestes.

–¿Cómo carajos no? Tú eres mi consentida y quiero que te diviertas. ¿No me decías que te aburres en este mugroso pueblo?

–Sí, pero...

–Nada de peros. ¡Teniente Santa Anna: llame al corneta y dígale que toque a generala! Le voy a enseñar a esta señorita quién manda aquí.

–Los muchachos necesitan descansar, coronel –me atreví a contrariarlo–. Tuvieron un día muy pesado.

–¡Yo hago lo que se me hinchan las narices! Cumpla con su deber o se va al calabozo.

Los soldados debieron pensar que se trataba de un asalto nocturno, pues salieron de las barracas sobresaltados, corriendo en todas direcciones con los fusiles a medio cargar y los calzones a medio poner.

–¿Cómo te quedó el ojo? –Arredondo apretujó a la abochornada Matilda–. Ahora van a hacer lo que yo les diga: ¡Presenten armas! Los soldados obedecieron entre bostezos, sin comprender todavía los motivos del coronel. Pero cuando Arredondo se empeñó en que Matilda les diera instrucciones, la rabia les descompuso la cara y los oí murmurar entre dientes. Para colmo, el coronel regañó a los que llegaron tarde a filas, sin exceptuar al padre capellán. Botella en mano se puso a la cabeza del regimiento y ordenó las más disparatadas evoluciones. Empeñado en arrancarle una sonrisa a su amiga, nos llevó adrede hasta una zanja de aguas negras. Cuando salimos de ahí pasó revista a la tropa y le cruzó la cara con el fuete a un alférez que tenía el pantalón enlodado. Insatisfecho con el sainete, mandó despertar a la banda de guerra para que tocara una diana. La gente del pueblo se asomaba a los balcones en ropa de noche, sin dar crédito a sus ojos. Arredondo se quitó la gorra y agradeció unos vítores imaginarios. El desfile no terminó hasta que un ataque de arcadas lo dobregó en mitad de la calle. Al parecer, el coronel se ha propuesto seguir los pasos de Nerón y Calígula. Sólo falta que nos ordene tirarnos a un precipicio.

Ayer, en plenas maniobras, deseé que alguien le clavara una bayoneta en la espalda, para devolvernos la dignidad. Pero nadie se insubordinó, ni siquiera el capitán Quintero, su segundo, que ha enmendado muchas de sus arbitrariedades. Sus locuras de borracho están provocando la deserción y la indisciplina. La próxima vez que mande tocar a generala todos pensarán que es otro tompeate y el enemigo nos tomará por sorpresa. Lo que más me humilla es ser cómplice de sus baladronadas. El odio que el coronel despierta entre los soldados se extiende a los mandos intermedios. Alonso ya no me habla, a pesar de que dormimos en la misma litera. Y los soldados de mi batallón me ven como un despreciable catrín. Si algún día llego a encabezar un ejército, juro que en vez de actuar como un déspota me haré querer por mi gente.

29 de septiembre de 1813

Estoy endeudado hasta el cogote por culpa de mi maldita afición al juego. En las últimas semanas había perdido pequeñas cantidades, pero lo de ayer fue una bancarrota. Si me hubiera levantado de la mesa cuando me limpiaron, tan sólo habría perdido mi soldada del mes. Pero a porfiado nadie me gana y firmé un vale por trescientos pesos con la vana ilusión de recuperar en un solo albur lo que había perdido en toda la noche. El doctor Garza me advirtió que sería la última mano de la noche, pues ya se le cerraban los ojos y al día siguiente tenía que levantarse muy temprano para atender a los enfermos de disentería, enfermedad que a últimas fechas ha causado estragos en el campamento. Le tocó repartir al sargento Núñez, que también se estaba durmiendo. Sacó un seis de espadas y un dos de bastos. Tengo por costumbre apostar a las cartas mayores, pero una voz interior me ordenó apostarle todo al dos. Núñez destapó varias cartas que no hacían pareja con las del centro. Cada vez que volteaba la esquina de un naipe la sangre se me agolpaba en las sienes. Cuando apareció la panza del seis, el doctor esbozó una sonrisa maligna.

—Se lo dije, teniente. Cuando la suerte es chaparra, ni aunque la monten en zancos.

Le prometí que hoy tendría su dinero a primera hora, pero ignoro cómo le voy a pagar. Estoy tan arrancado que ni vendiendo mi escopeta juntaría los trescientos pesos. Esto me pasa por darme aires de gran marqués, cuando mi sueldo de teniente apenas y me alcanza para vivir. Debería hacer mis buscas como el capitán Murrieta, que se lleva una buena comisión en las compras de pan y recaudo para el rancho de la tropa. Pero los oficiales de alta graduación acaparan todos los puestos en que se puede sacar tajada, y ni siquiera las migajas reparten.

Ilumíname, virgencita de Guadalupe. Tengo que darme trazas para salir de este apuro.

San Antonio Béjar, 10 de octubre de 1813

Estimado Sr. Santa Anna:

Lamento dirigirme a usted para comunicarle una mala noticia relacionada con su hijo, el teniente de granaderos Antonio López de Santa Anna. Hasta hace poco, Antonio había tenido un comportamiento ejemplar, destacando entre sus compañeros por su valor y diligencia. Pero la codicia lo ha llevado a cometer un atropello incalificable, que no sólo contraviene el honor militar, sino el derecho de gentes. Faltando a mi confianza, el teniente Santa Anna falsificó mi firma en una libranza para pagar una deuda de juego contraída con el doctor Jaime Garza, galeno de nuestra división. El monto del ilícito asciende a trescientos pesos. El autor del fraude se encuentra preso en un calabozo, donde purgará una condena de treinta días a pan y agua, como lo estipula el reglamento del ejército. Pero la cantidad defraudada debe ser resarcida a la caja del regimiento, o de lo contrario me veré en la penosa necesidad de embargar las pertenencias de su hijo. Si quiere usted evitar que el teniente Santa Anna pase mayores penurias, y que al salir del calabozo le sea retirada la soldada para amortizar el monto del fraude, haga favor de cubrir el adeudo a la mayor brevedad.

La conducta de su hijo me sorprende, pues he procurado darle siempre un buen ejemplo. Pero Antonio es un buen muchacho y creo que a pesar de lo sucedido puede enmendarse, si usted y yo logramos encauzarlo por el camino de la virtud.

Le reitero las seguridades de mi distinguida consideración.

Coronel Joaquín Arredondo y Muñiz

Veracruz, 21 de diciembre de 1813

Tahúr descastado:

Por el coronel Arredondo me he enterado de tu infame delito. ¿Por qué no me contaste nada en la última carta? ¿Acaso la vergüenza te secó la pluma? Mentecato, infeliz, poco hombre. Tu madre me ruega enviarte dinero para que puedas salir del apuro, pero creo que necesitas una lección. Ráscate con tus uñas y paga la deuda de tu propia soldada. No me importa si te embargan el caballo o te quedas en la pelaza. Ya estarás contento, has logrado cubrirme de oprobio. Nada más denigrante para un notario que tener un hijo falsificador. Por tu culpa está en entredicho la reputación de honradez que me he forjado en tantos años de sacrificios. ¿Y aún sueñas con llegar a general? No quiero ni pensar lo que sería de este país si llegan a encumbrarse los truhanes de tu calaña.

He olvidado cómo saldé mi deuda de juego con el doctor Garza, pero creo que para efectos de la biografía, el incidente ofrece poco interés. ¿Qué soldado no ha hecho calaveradas en su juventud? Confío en tu buen juicio para separar lo sustancial de lo inocuo y para excluir del libro todo lo que la canalla liberal pueda utilizar en mi contra.

Ayer fui a la Villa en un coche alquilado por mi buen amigo Giménez, que además de secretario se ha vuelto mi lazarillo, para llevarle una ofrenda a la virgen Morena y hacer penitencia al pie de su altar. Mi viejo amigo el abad Cisneros me hizo favor de sacar la imagen de su vitrina para que pudiera besarla. Debí rogarle en privado por la salvación de mi alma como el más humilde de los mortales, pero cometí el error de quedarme a la misa de nueve. No sé si el pueblo todavía me quiere pero he comprobado que me recuerda. Todos los fieles querían verme de cerca o llevarse un botón de mi levita, como si quisieran cerciorarse de mi existencia. Los tránsitos de la iglesia estaban repletos de curiosos, y afuera, en el atrio infestado por los puestos de tamales y barbacoa, la aglomeración era tan grande que tuvimos que abrirnos paso a empellones. Si no es por Giménez, quizá me hubieran arrancado la pierna postiza, objeto principal de su malsana curiosidad.

Comprendo el interés de la muchedumbre por mi pobre persona. Para bien o para mal soy una leyenda, y como saben que puedo morirme de un día para otro, no querían perder la oportunidad de manosearme. Pero hubiese preferido visitar la Basílica a solas, porque en vez de tener un día de sosiego recaí en mis obsesiones políticas, que la multitud insufló en mi espíritu con sus murmullos de admiración o rechazo.

—¿Quién es ese viejito? —oí que le preguntaba un mocoso a su padre.

—El que vendió la mitad de México.

Otros me decían por lo bajo: traidor, canalla, devuelve lo que te robaste, pero también escuché vítores y alabanzas, no sé si burlescos o de buena fe. Tú sabes cuánto me perturban las opiniones adversas sobre mi figura pública. Desearía ser mejor comprendido, que la gente me condene o me absuelva, pero con mayores elementos de juicio. ¿Vender yo la mitad de México? ¡Por Dios! Cuándo aprenderán los mexicanitos que si este barco se hundió, no fue sólo por los errores del timonel, sino por la desidia y la torpeza de los remeros. Estoy dispuesto a cargar con mis culpas, no con las que me endilgue la plebe ignorante y rastrera, cómplice de todas mis tropelías. ¿O acaso no lanzaban fuegos artificiales cada vez que me ceñía la banda presidencial?

Llegué a casa tan sobresaltado que Loló se asustó de mi temblorina y quiso llamar al doctor Hay, el mismo que me atiende las cataratas. Me opuse a la idea, pues cuanto más conozco a los médicos más me convenzo de que todos son unos rufianes, pero en esta casa manda Loló y acabó haciendo su voluntad. Fue un gasto inútil que no podemos permitirnos en nuestra apurada situación, pues el médico sólo me recetó un té de valeriana. Pero basta de minucias domésticas. La temblorina ya cesó, tengo el cerebro despejado y quisiera retornar el hilo de la historia en el momento en que vuelvo a Veracruz pletórico de ambiciones, con ganas de hacer valer mis medallas en el coto cerrado de la buena sociedad veracruzana, a la que creía pertenecer por derecho propio.

Hasta ahora te he hablado poco sobre los reacomodos políticos en el bando realista, por la sencilla razón de que no estuve al tanto de las intrigas cortesanas mientras serví a la corona en las campañas de Texas y Nuevo Santander. Un cadete que va a la guerra por lo general ignora los intereses que están detrás de una contienda. La tropa debe obedecer sin hacer preguntas, pues de lo contrario sería imposible mantener el orden en un ejército. Pero la simpleza está bien para la soldadesca, no para un oficial ansioso por ascender. En el ejército y en la burocracia sólo puede hacer carrera quien sepa cómo se mueven los hilos del poder. Yo empecé a entender algo de política gracias a mi cercanía con José García Dávila, el anciano gobernador de Veracruz, que siempre me dispensó un trato paternal y afectuoso. Los jueves Dávila recibía en su casa a los notables del puerto: comerciantes españoles, hacendados criollos, funcionarios de alta jerarquía en la administración colonial que fumaban habanos en la veranda, cambiando impresiones sobre la guerra doméstica y la guerra de ultramar, mientras sus señoras tomaban caracas o manzanilla. Atento escucha de las conversaciones entre caballeros, descubrí que en Cádiz se había promulgado una constitución liberal y que uno de sus artículos más avanzados ordenaba la desamortización de bienes eclesiásticos, para convertirlos en parcelas individuales. La reforma sólo afectaba a las comunidades religiosas intervenidas por el gobierno ilegítimo de José Bonaparte, pero la Iglesia novohispana había puesto sus barbas a remojar. Asistente ocasional a las tertulias de Dávila, el obispo de Puebla, Joaquín Antonio Pérez, juraba que primero pasarían sobre su cadáver, antes de arrebatarle un palmo de tierra a la Iglesia. Tanto él como Dávila confiaban en el virrey Calleja, que hasta entonces había convertido la Constitución de Cádiz en letra muerta, pero los comerciantes lamentaban sus concesiones a los jacobinos españoles y lo tachaban de irresponsable por haber disuelto el Tribunal de la Acordada, encargado de perseguir a los salteadores de caminos.

—A dónde vamos a parar —se quejaba don José Cos, mi antiguo patrón en La Europea—. Desde que estalló la guerra el comercio está muerto. La gente de posibles tiene el dinero enterrado, por miedo a que se lo quiten los insurgentes. Y ahora, con los caminos a merced de cualquier matón, los importadores de mercancías tendrán que pagarse su propia escolta. Con esto, los precios se irán a las nubes.

Una de las primeras cosas que aprendí en casa del gobernador Dávila fue que las clases acomodadas, el ejército y los altos dignatarios de la Iglesia se tapaban con la misma cobija, pero cada quien la jalaba a su conveniencia. Dávila era particularmente sensible a las presiones de los hacendados que intentaban descobijar a los militares. Recuerdo su vehemente discusión con el hacendado Joaquín Ordóñez, culpable de que mi tío José fuera sometido a un proceso inquisitorial, con los tristes resultados que ya he referido. Una tarde, en un corrillo formado a espaldas del gobernador, don Joaquín se quejó de que el gobierno había vuelto a subir el monto de las contribuciones para gastos de guerra exigidas a las familias acaudaladas:

—Cada vez nos piden más, pero yo no veo resultados. ¿Qué espera el gobierno para aplastar a esos bandidos?

Dávila salió en ese momento a la veranda y alcanzó a oír el murmullo de Ordóñez.

—No crea que es tan fácil derrotar a los rebeldes —dijo—, Morelos y su gente están escondidos en la sierra y la indiada los protege.

—Pero no es posible tamaña ineptitud —se engalló el hacendado—. Yo creo que una parte de mi dinero se queda en las bolsas de los militares.

—Si usted y los ricos quieren conservar sus haciendas, aflojen la plata, porque sin plata nada se hace —Dávila alzó la voz—. Yo leo sin susto las gacetas, porque no tengo nada que me roben. Ustedes deberían ser los más interesados en la conservación del orden.

—Ya lo creo que lo somos, y también los más esquilmados —se sulfuró don Joaquín—. Esta guerra ya me va costando arriba de cincuenta mil pesos.

—Y le costará más, amigo, porque los soldados no viven del aire —Dávila intentaba sonreír, pero tenía las mandíbulas trabadas.

—Mi padre tiene razón, este gobierno no hace nada —intervino Diego Ordóñez, el hijo mayor del hacendado—. ¿Para qué mantiene a tanto soldado flojo?

—¿Y usted, jovencito, qué hace aquí en lugar de batirse con los rebeldes? —contraatacó Dávila—. ¿Le parece bien estar departiendo en los salones, mientras los jóvenes de su edad mueren en el campo de batalla?

—Estoy exento del servicio por incapacidad física —tartamudeó el señorito, puesto en evidencia.

—Cualquier pretexto es bueno para sacarle el bulto a las balas. Mire usted, aquí tiene a mi ayudante, el teniente Santa Anna —Dávila me jaló del brazo y me puso frente a Diego, como dos gallos en un palenque—. Apenas va a cumplir veinte años y ya fue herido en combate. Enséñele sus cicatrices, teniente —obedecí con presteza al gobernador y me desnudé el hombro derecho—. ¿Lo ve? Así pelean los flojos del ejército, mientras usted se perfuma y juega a los naipes.

Diego hizo un mohín de disgusto, abandonó la veranda y no regresó a las tertulias de Dávila en mucho tiempo, aunque su padre siguió asistiendo por conveniencia política. Más que una victoria personal, el episodio fue una lección de dignidad. Aprendí que la riqueza no vale nada sin una espada que la defienda y me sentí orgulloso de pertenecer a la clase militar. Desde entonces procuré siempre mantener a raya a los grandes capitalistas, y hacerles sentir mi poder cuando sus mezquinos intereses intentaban prevalecer sobre el interés nacional.

Admiré y envidié a Iturbide desde que oí hablar por primera vez de su exitosa campaña en el Bajío, cuando su estrella empezaba a eclipsar a la de Calleja. En la tertulia de Dávila lo llamaban San

Agustín de Iturbide, pues a juicio del gobernador, había caído del cielo cuando la gente decente clamaba por un hombre de mano dura. Sus hechos de armas, como la batalla de Lomas Altas, donde venció a veinte mil insurgentes provistos de cañones con apenas trescientos hombres, me parecían hazañas propias de los libros de caballería. Era sin duda un Dragón de Fierro, mote que ya empezaban a darle los cronistas de la época. Leía en los diarios las crónicas de sus batallas con una mezcla de veneración y coraje, admiración por su genio militar, coraje por no poder combatir a su lado. Único general invicto del ejército realista, su campo de acción estaba lejos de Veracruz, pero había contribuido a pacificar nuestra provincia con la toma de Orizaba, que arrebató a Mariano Matamoros cuando yo estaba perdiendo el tiempo en la campaña de Texas.

Envidiaba hasta sus atropellos y corruptelas, que se comentaban con escándalo en casa del gobernador. Fiero como Atila, despiadado como Pedro el Grande, Iturbide se apropiaba de casas y ranchos, permitía desmanes a la tropa, coleaba a los insurgentes como si fueran ganado y quemaba los pueblos donde se escondían. ¡Cuánto me hubiera gustado tener sus agallas y su libertad! Hacia 1815, cuando fue nombrado Jefe del Ejército del Norte, honor nunca antes conferido a un criollo, mi afán por emularlo se volvió una obsesión. Como asistente del gobernador jamás lograría sobresalir por mis méritos en campaña. Necesitaba entrar en acción y rogué a Dávila que me enviara a pacificar los alrededores de Veracruz, donde la guerrilla insurgente se había hecho fuerte, al punto de cobrar peaje a los coches que transitaban por el camino real.

Pero antes de referir mis escaramuzas con los guerrilleros de la Sierra Gorda, quiero contarte cómo logré convertirme en el oficial favorito de Dávila. Por supuesto, lo que leerás a continuación es confidencial, pues no quiero dar a la publicidad mis intimidades. Nada más venerable para mí que la reputación de una dama. Siempre fui un celoso protector de la honra femenina, pero ahora que las mujeres están fuera de mi alcance, me complace atemperar las desdichas de la vejez con el recuerdo de mis primeras conquistas. Hablando de hombre a hombre: ¿nunca te ha pasado que después de seducir a una mujer tienes ganas de contárselo a un amigo, y al hacerlo redoblas tu goce? Pues a mi edad es el único placer que me queda. Rara vez pienso en mis grandes batallas; la gloria que me dieron se disipó como una tolvanera con las primeras gotas de lluvia. Sin embargo, recuerdo hasta el menor detalle de una seducción y he vuelto a encontrar en sueños a las briosas huríes que alegraron mi juventud. ¡Oh, dioses, cuánto daría por amanecer enredado en sus cuerpos de humo!

A los veinte años era lo que se llama un buen mozo. Cuando trotaba en mi caballo blanco por las calles de Veracruz, recién afeitado y con el uniforme resplandeciente, las mujeres de toda condición social, blancas o pardas, maduras o tiernas, me miraban a hurtadillas por las celosías o tenían ataques de risa nerviosa. Mi apostura impresionó a Isabel Carreño, la joven esposa del gobernador Dávila, una cubana de tipo andaluz, blanca y espigada, con larga cabellera rojiza y ojos color de miel, que por las tardes salía a tomar el fresco en el balcón de su casa. Cada vez que pasaba frente a su balcón me quitaba el sombrero sin decir palabra. Ella me devolvía el saludo con una discreta inclinación de cabeza, sin detener el incesante aleteo de su abanico. Nunca me sonrió –tenía el gesto amargo de las casadas insatisfechas– pero yo suponía que le gustaba y lo comprobé la primera vez que asistí con mi familia a la tertulia del gobernador.

Mi padre conocía a Dávila, pero no pertenecía a su círculo de íntimos y le sorprendió que nos invitara a su casa cuando volví de Texas. Querrá que le arregle algún asunto notarial, comentó, esa gente sólo se acuerda de uno cuando le quiere pedir un favor (Isabel me confesó más tarde que había incluido a mis padres en la invitación para no despertar suspicacias.) Cohibido por la opulencia de sus salones y por la alcurnia de los invitados, jamás me hubiera atrevido a cortejarla si ella misma no se me hubiera insinuado el día que nos presentaron. Incómodo por la velada hostilidad de los contertulios, que me veían como un advenedizo y apenas si cruzaban palabra conmigo, me escurrí a la biblioteca con un chato de manzanilla y estuve un rato hojeando libros, sin reparar siquiera en los títulos. Empezaba a avergonzarme de mi timidez cuando Isabel entró a la biblioteca.

–¿Qué hace aquí, teniente?

Su voz me sobresaltó y por poco tiro la manzanilla.

–Nada. Estaba hojeando unos libros.

Isabel examinó el que tenía en las manos, mientras yo le examinaba los pechos, asomados a su escote como dos palomas en el alféizar de una ventana.

–¿Tiene alguna pena de amor?

–No, ¿por qué?

—Porque sólo los enamorados leen poesías.

Hasta entonces descubrí que el libro era una colección de sonetos de Lope.

—Yo no estoy enamorado de nadie —me ruboricé.

—Qué raro. A su edad, el corazón arde como yesca.

Nuestras manos coincidieron al momento de guardar el libro y ella prolongó el contacto con un ligero apretón que era una promesa y a la vez un consuelo, como si adivinara mi nerviosismo y quisiera infundirme valor para lidiar con los aristócratas del salón. De vuelta a la tertulia me tuteó delante de todo el mundo, con lo que obligó a los invitados a darme el mismo trato. Después, en el baile, palpé con deleite su delgado talle de odalisca y aunque por exigencias de la contradanza Isabel pasaba de mano en mano, en ningún momento dejó de mirarme a los ojos. Un coqueteo tan obvio sin duda habría lastimado su honor, si se hubiera prolongado en mis posteriores visitas. Pero Isabel combinaba la astucia con la discreción y tuvo el tino de abreviar los preámbulos, para no exponerse a los dardos mortíferos de la insidia.

En una carta que le hice llegar por medio de un criado, le declaré mi amor con versos de Lope: «Para vivir me basta desearos, para ser venturoso, conoceros...». Ella no se anduvo con remilgos y al día siguiente me concedió una cita secreta en el Portal de las Flores. Era la noche de un lunes borrascoso en que el norte azotaba el puerto y las calles enlodadas parecían canales. Llegó en un carruaje de dos plazas conducido por Licha, la robusta criada zapoteca que me había traído su mensaje la tarde anterior y a partir de entonces fue nuestra cómplice. Isabel sólo llevaba encima una vaporosa bata de tarlatana y a la luz de un rayo alcancé a ver su mirífica desnudez. Entre suspiros y ternezas me explicó que su marido estaba en Jalapa y no volvería hasta el miércoles. Temerosa de que la tomara por una cualquiera, me pidió un solemne juramento de amor. No sólo te quiero, te llevo cosida en el alma, le dije, con la sinceridad apabullante que me infundía mi erección. Ella tenía prevista mi respuesta, pues había alquilado una choza de bambú en el camino a Boca del Río, protegida por una tupida vegetación que nos ocultaba de los curiosos. Amarnos en esa rústica madriguera, con la lluvia torrencial golpeteando el techo de palma, mientras los aullidos de la ventisca parecían corear nuestros aleluyas, fue como zarpar en medio de una tempestad y perder el timón en la comba de una ola negra.

Una vez prendida la mecha de la pasión fue difícil para los dos actuar con prudencia. Isabel no se conformó con verme de tarde en tarde cuando su marido salía a inspeccionar las fortificaciones del puerto. Para compensar las jornadas de abstinencia, intercambiábamos por medio de Licha billetes almibarados en que ella me llamaba «mi príncipe» y yo le decía «mi gacela». Quería tenerme cerca todo el tiempo y convenció al gobernador de que me tomara como secretario, en sustitución de Munárriz, un viejo cabo gallego que se le dormía en los dictados. Dávila despachaba en el Palacio de Gobierno, pero muchas veces me llamaba a su casa para atender en pantuflas asuntos urgentes. Isabel siempre rondaba por el estudio, nos llevaba pastelillos o café de olla, y al menor descuido de su cónyuge me plantaba un beso furtivo. Romántica y perversa al mismo tiempo, me juraba que su amor por mí era un sentimiento elevado y puro, como el de Atala por René, pero en las tertulias, cuando nos sentábamos a jugar malilla entre marqueses y urracas de sociedad, cometía la temeridad de abrirme la bragueta por debajo de la mesa. Ella me inició en ese placer canalla que consiste en avivar el fuego de una pasión a costa del ridículo ajeno. Pobre Dávila. Era un hombre de lealtades firmes, conservador a machamartillo, tan decente y morigerado que según me contó Isabel, sólo le quitaba en el lecho la ropa indispensable para la cópula.

Hubo ocasiones en que me creí descubierto y estuve tentado a confesarle todo, pues yo correspondía con frenesí al ardor de Isabel, pero me faltaba su sangre fría. Una mañana de mucho trabajo Dávila me pidió que subiera a recoger unos papeles que había dejado en su alcoba. Encontré a Isabel en el tocador, desnudos los hombros, el cabello desparramado en la espalda, pintándose los labios con un gatito ovillado en los muslos. Era la imagen viva de la lujuria. Nos besamos con ferocidad, le subí las enaguas y la poseí de pie contra una pared, con rápidos y violentos embates que la obligaron a morderse un brazo para no gritar. Es un milagro que nadie nos haya oído. Me recompuse el peinado, tomé los documentos que estaban en la mesita de noche y con las piernas tambaleantes por el esfuerzo regresé al estudio. Al recibir los papeles, Dávila me examinó con su monóculo.

—¿Qué le pasó en la cara?

En mi precipitación había olvidado limpiarme el carmín de Isabel.

—El gato de la señora me arañó la cara —atiné a tartamudear, y me limpié las manchas con un pañuelo.

—Qué raro —Dávila sonrió con malicia—. Yo creía que los arañazos dejaban marca.

Adiós a mi carrera militar, pensé, ahora me correrá de su casa y me retará a duelo. Pero Dávila sólo me pidió que le tomara un dictado. Eché mano a la pluma de ganso y escribí con una caligrafía desmañada, más árabe que española, pues los nervios me afectaron el pulso. Al escrutar sus gestos creí adivinar la lucha del hombre lastimado en su orgullo que vacila entre la venganza y el perdón magnánimo. Estaba reprimiendo su cólera, pero en cualquier momento sacaría un mosquete de la vitrina, para descerrajarme un tiro en la sien. Cuando terminó el dictado me ordenó llevar la carta al ayuntamiento y nos despedimos con la cordialidad de siempre. Finge muy bien, es un gran actor, supuse. Ya iba rumbo al zaguán cuando me tomó por el brazo.

—Espere, teniente.

—Dígame, señor —palidecí de terror.

—Me he dado cuenta de que usted tiene amoríos con Licha. ¿No es así?

Asentí con la cabeza, abochornado.

—Lo comprendo, teniente, alguna vez yo tuve su edad y también fui calavera, pero no está bien que un oficial de mi confianza se enrede con la servidumbre —sacó una talega de su bolsillo y me regaló diez pesos—. Tenga, con esto puede visitar a las pupilas de la tía Chabela. Dígales que va de mi parte, para que le den buen trato.

Por su guiño de complicidad comprendí que no estaba molesto, sino orgulloso de mis andanzas, como un viejo garañón que rejuvenece al comprobar la virilidad de su cachorro. Pero había estado muy cerca de sorprenderme y el incidente debió servirnos como advertencia para evitar riesgos innecesarios. Pedí a Isabel que en lo futuro moderara sus ímpetus. Ya no me sentaría a su lado en las tertulias del jueves, y nada de besos a escondidas de don José. Sin embargo, como suele ocurrir con los reglamentos más severos de policía y buen gobierno, la prohibición que nos impusimos resultó un acicate para la impudicia y el desenfreno. Fue Isabel quien rompió la tregua, pues como dice el refrán, el hilo siempre se rompe por lo más delgado. Obligada por las reumas del gobernador a permanecer más de tres semanas al pie de su cama, poniéndole compresas y ungüentos, no tuvo un minuto libre para verme a solas, y cuando al fin reanudó la tertulia del jueves, tenía un furioso deseo de saltarse todas las trancas.

Amedrentado por el brillo luciferino de su mirada, en la cena me senté del otro lado de la mesa para quedar a salvo de tocamientos. Pero Isabel se crecía a las dificultades. Apenas habíamos empezado a tomar la sopa cuando sentí su pie desnudo escalando mis rodillas como un lento caracol. No se cómo pudo estirarse tanto, pues me había sentado a dos lugares del suyo, y entre los dos había una selva de piernas. Traté de suplicarle con la mirada que volviera a la compostura, pero ella siguió charlando muy circunspecta con el arzobispo de Puebla, que en ese momento le pedía su apoyo para fundar un orfelinato.

La prudencia me ordenaba correr al baño y echarme agua fría en la nuca, pero una erección montañosa, provocada sin duda por la indómita desfachatez de Isabel, que permanecía imperturbable mientras yo derramaba la sopa, me mantuvo clavado a la silla, con la monserga adicional de tener que charlar con mi vecino de asiento, un desangelado importador de vinos. Isabel continuó con el juego mientras daba órdenes a los meseros. Vencido por la perversidad de sus sabias fricciones, me aventuré a corresponderle con el pie izquierdo. Por fortuna, esa tarde no llevaba mis botas militares, sino una chinela fácil de poner y quitar.

Estirándome al máximo, desdoblé mi pierna en diagonal, hasta dar con el vuelo de su falda. Cuando logré meter el empeine por debajo de la tela, Isabel me dirigió una complaciente sonrisa. No descubrí mi error hasta que el arzobispo soltó un alarido:

—¡Ratas! ¡En este comedor hay ratas!

En medio de la confusión general perdí la chinela que me había quitado y debí permanecer en la silla, mientras el resto de los invitados salía corriendo hacia la veranda. Para dar con mi chinela tuve que agacharme y andar a gatas por debajo de la mesa, fingiendo que me lanzaba en pos del roedor. Poco a poco volvió la calma, pero los criados tuvieron que instalar mesitas en la veranda, pues nadie quiso volver al comedor. Esa noche me encontré con Isabel en nuestro escondrijo y celebramos el episodio entre caricias y risotadas. Pero mi euforia era un tanto fingida, pues empezaba a tenerle miedo. Isabel me había abierto las puertas de la mejor sociedad, pero sus transportes de pasión me podían llevar a la ruina.

Al ver mi vida en retrospectiva, advierto que he sido político hasta en mis lances de alcoba. Nunca permití que los devaneos amorosos dieran al traste con mis ambiciones. Cuando una mujer dejaba de convenirme la desechaba sin miramientos. Demoré cuanto pude la inevitable ruptura con Isabel porque no quería lastimarla. Pero siempre tuve claro que me zafaría de sus garras en el momento oportuno. Más que amante fue mi preceptora. De ella aprendí a tener seguridad y aplomo en el trato social. Antes de conocerla me vestía como payo, usaba lociones baratas, tartamudeaba al hablar con la gente de alto copete. Por su influjo me convertí en un caballero desenvuelto y seguro, chancero con los aristócratas, dadivoso con los domésticos, y llegué a dominar en el arte de sembrar simpatías por todas partes. Para pisar fuerte en sociedad, primero hay que hacerse hombre en brazos de una mujer bonita. El amante afortunado irradia su dicha hacia el exterior, como los santos proyectan la gracia de Dios. Y aunque yo no podía ufanarme ante nadie de mis amores con Isabel, me bastaba con saberla mía para sentirme señalado por el destino. ¿Quién podía dudar de mi buena estrella si ya disfrutaba privilegios reservados al gobernador?

Pero yo quería pasar a la historia como un general victorioso, no como protagonista de un adulterio sonado. Temerosa de perderme, Isabel quería que nos fugáramos juntos a Cuba, y de ahí a Colombia, donde pasaríamos ante la gente como una pareja de recién casados. «Venderé mis joyas para el pasaje del barco —decía—, me cambiaré de nombre, tendremos hijos y mi pasado quedará enterrado en estas playas». Le advertí que antes de pensar en ninguna fuga yo necesitaba sobresalir en el ejército para ofrecerle una posición igual a la que tenía con Dávila. Entre besos y mimos logré convencerla de que me metiera el hombro para obtener la comandancia de extramuros de Veracruz. Con su ayuda vencí las resistencias del gobernador, que me creía demasiado verde para un puesto de tanta importancia, y salí a patrullar las inmediaciones del puerto con un escuadrón de lanceros.

Desde el año 14 asolaba la provincia de Veracruz un enemigo a la altura de mis ambiciones, el cabecilla insurgente Miguel Adaucto Fernández, que se hacía llamar Guadalupe Victoria. Su nombre despertaba el fervor religioso de la gente rústica, y era famoso por su generosidad, pues en cada pueblo que ocupaba repartía tierras, ayudaba a los campesinos a mejorar sus cultivos, abolía la esclavitud de los negros y mandaba liberar a los presos. Con apenas dos mil hombres, de los cuales sólo la mitad tenía fusiles, Victoria ocupaba una veintena de poblaciones. El territorio bajo su control se extendía de la sierra a la costa, incluyendo el puerto de Boquilla de Piedra, en la barra de Chachalacas, por donde le llegaban pertrechos provenientes de Estados Unidos. Desde el inicio de la campaña comprendí que a Victoria no se le podía vencer sólo con acciones militares. Mis órdenes eran reducir a poblado a las familias que estaban en los montes y desmantelar las aduanas que los insurgentes tenían en la región. Es decir, que por un lado me ordenaban una campaña de pacificación, pero me exigían emprenderla por medios violentos. Victoria contaba con el respaldo del pueblo, que ponía sobre aviso a los rebeldes cuando una patrulla realista se acercaba a sus posiciones. Era necesario poner en práctica su propia táctica justiciera para ganarse a la gente y convencerla de que volviera al redil. Así se lo aconsejé al gobernador desde mis primeros partes de guerra, en los que daba proporciones homéricas a zacapelas de poca monta, con la esperanza de obtener un rápido ascenso. Pero Dávila me exigía que primero golpeara al enemigo y después negociara con él.

Un problema adicional eran mis frecuentes rencillas con Manuel, que había terminado ya su instrucción militar y pasó a formar parte de mis tropas. Bien sabe Dios cuánto hice por ayudarlo. Le di un trato preferencial y aunque nunca se destacó por sus méritos en campaña, lo mencionaba en todos mis partes de guerra, para allanarle el camino a las promociones. Pero él no toleraba mis órdenes, quizá porque aún se creía superior al hermano cetrino y chaparro a quien de niño veía por encima del hombro. En los encuentros con la guerrilla desobedecía mis instrucciones, con funestos resultados para las pequeñas partidas que puse bajo su mando. Casi a diario teníamos agrias disputas verbales y en alguna ocasión le crucé la cara con un fuete. Para no dar espectáculos bochornosos a la tropa, pedí a mis superiores su traslado al cuerpo de intramuros, donde fue un oficial del montón. Mi padre me acusó de ser un mal hermano, pero a veces la disciplina militar exige pasar por encima de la propia familia.

Presionado por Dávila, en octubre de 1816 tuve mi primer combate serio con los insurgentes en el pueblo de Cotaxtla, donde los insurgentes habían establecido una aduana. Sorprendí a los centinelas a las ocho de la mañana y le prendí fuego a la garita.

Tres horas después, el enemigo dio la cara: eran quinientos hombres de a caballo vestidos al modo de la tierra, la mayoría mestizos e indios. Como sabía que la estrategia de los rebeldes era tomar las alturas para clarear a sus adversarios, me adelanté a tomar los cerros que rodean el pueblo. Por la ventaja de mi posición y la mejor puntería de mis soldados les causé gran número de bajas, pero ellos eran bravos y en vez de rendirse me atacaron por los flancos. Con tristeza mandé tocar a degüello, pues me dolía tener que matar valientes. Mis soldados cargaron con denuedo sobre los alzados, que trataron de resistirlos en sus trincheras. Cuando ya no pudieron sostenerse buscaron el asilo de los bosques, en donde muchos lograron escabullirse, pues conocían mejor el terreno. En total el enemigo perdió veinte soldados —que aumenté a cincuenta en el parte de guerra— por cuatro bajas de mi batallón.

Por esa acción obtuve el nombramiento de capitán, pero la victoria me dejó un mal sabor de boca, seguro como estaba de que hubiera podido entrar a Cotaxtla sin regar sus calles de sangre. Los hombres de Victoria eran campesinos desesperados que luchaban por una parcela y un trozo de pan. Si la corona española quería someterlos, debía concederles primero lo mismo que les había prometido su cabecilla.

En una de mis periódicas escapadas a Veracruz, propuse al gobernador fundar pueblos en las mismas regiones ocupadas por los rebeldes, para ofrecerles techo y medios de subsistencia a condición de que depusieran las armas. Lastimado en su orgullo de hidalgo español, Dávila ni siquiera me dejó terminar: consideraba los asaltos de Victoria una afrenta para la corona, y temía que si mostraba debilidad, su ejemplo cundiría por toda la provincia. Lo que hacía falta, según él, era una campaña de intimidación estilo Iturbide, con aldeas arrasadas y fusilamientos a troche y moche, para sembrar el terror entre el populacho y aislar a Guadalupe Victoria. Para mi desgracia, estaba envuelto en una guerra de principios. Dávila tenía convicciones firmes; lo mismo Guadalupe Victoria, que había implantado la Constitución de Apatzingán en la zona bajo su mando y educaba a los indios en el credo republicano. Pero la gente que lo seguía no peleaba por ideas nebulosas, sino por beneficios concretos: vestido, tierra, alimento, condonación de las deudas con sus patrones. Quien atinara a satisfacer las necesidades reales escondidas tras las proclamas pacificaría la región sin derramamiento de sangre.

Pero nadie se daba cuenta de algo tan simple, y a medida que los insurgentes iban perdiendo fuerza, los brotes de fanatismo recrudecían la lucha, hasta convertirla en algo parecido a una guerra santa. Entre la soldadesca realista había gente de cortos alcances, que en su afán por escarmentar a los indios incurrió en la práctica blasfema de fusilar pendoncillos con la imagen guadalupana. La respuesta no se hizo esperar: en la iglesia de Jamapa, los rebeldes profanaron el altar dedicado a la virgen de los Remedios −patrona de los gachupines desde los tiempos de la conquista−, y acribillaron la imagen a la vista del pueblo, entre maldiciones y escupitajos. Yo castigaba con todo rigor esas bribonadas, aun si las cometían mis propios hombres, pues creía que cuanto más se enconaran los odios, más difícil sería aplacar a los rebeldes. Victoria, en cambio, excitaba el celo religioso de sus partidarios, porque las derrotas habían diezmado su ejército y necesitaba enardecer los ánimos para evitar una deserción general.

Mi máximo anhelo era atraparlo en alguna de las cuevas donde se ocultaba, que le habían valido el mote de «General Cuevitas». Por la delación de unos prisioneros me enteré de que estaba en un desfiladero del camino a Huatusco, pero cuando llegué a su guarida se había evaporado como un fantasma. Empezaba a creer que Victoria tenía pacto con el diablo cuando llegó a Veracruz el virrey Apodaca, que venía a sustituir a Calleja. En su recibimiento, el gobernador Dávila se ufanó de haber dispersado a las últimas gavillas rebeldes.

−Con la derrota del protervo cabecilla Guadalupe Victoria, la provincia de Veracruz ha recobrado la calma de sus mejores días −dijo−. Su Excelencia puede viajar confiado en la seguridad de nuestros caminos, y admirar el magnífico paisaje de la Nueva España, entre los vítores y aplausos del pueblo trabajador.

Victoria tenía orejas por todas partes y el discurso del gobernador le picó la cresta. Al día siguiente, cuando Apodaca atravesaba Puente del Rey con una escolta de cincuenta hombres, los insurgentes hicieron fuego sobre su litera. Sólo querían darle un susto, pero con eso bastó para que el virrey le tomara ojeriza a Dávila. Fui uno de los primeros oficiales en llegar al sitio del tiroteo y aproveché la ocasión para hablar con el virrey en privado. De entrada le hice notar que Victoria no era un simple forajido, pues contaba con el apoyo popular. Le impresionó la sinceridad con que le expuse mi plan de pacificación, diametralmente opuesto al de Dávila, y me pidió que se lo entregara por escrito para estudiarlo con más calma. Una semana después destituyó al gobernador y me nombró su ayudante, honor extraordinario para un oficial de mi edad. Aunque en el fondo me alegraba la desgracia de Dávila, y la creía merecida, le refrendé mi lealtad con acento compungido, y hasta le ofrecí renunciar a mi ayudantía en señal de adhesión, sacrificio que él se apresuró a rechazar.

Los ayudantes del virrey portaban un llamativo uniforme azul celeste con charreteras doradas y tricornio de terciopelo guinda. Al día siguiente de recibirlo salí a pasear por las calles de Veracruz, ansioso por hacerme notar. Tomándome por un general, los guardias del baluarte de Santiago presentaron armas y me saludaron con un toque de clarín. Era el amo y señor de la ciudad, a pesar de que ya venía en camino el nuevo gobernador nombrado por Apodaca, un tal Cincúnegui, con quien esperaba hacer buenas migas. Me alegraba que no supiera nada de la provincia, pues así dependería completamente de mí. Tanto él como los demás funcionarios y jefes militares interpuestos entre Apodaca y yo me parecían actores de relleno, cuerpos opacos que sólo estaban ahí para realzar mi brillo. Ebrio de ambición, cabalgué por los médanos que rodean la ciudad con la sensación de que mi caballo flotaba en las nubes. Al volver a casa encontré en el zaguán a un grupo de señoras contritas y sollozantes que se arrebataron la palabra para darme una funesta noticia: mi señora madre había muerto de un ataque de apoplejía, mientras regaba las azaleas del patio.

¿Por qué la vida nos asesta sus peores golpes cuando más dichosos nos creemos? La mitad de la satisfacción que obtenía con mis éxitos sociales y militares era hacer feliz a mi madre, que me creía destinado a grandes empresas. Su pérdida me reveló el carácter ilusorio de las glorias mundanas. Lo más desagradable de los funerales fue el copioso llanto de Isabel, que gimoteaba casi tanto como mis tías, a pesar de ser una amiga lejana de la familia. Se comportó como lo hubiera hecho una esposa, sin reparar en las murmuraciones que su conducta podía suscitar. La aborrecí en el panteón y en la misa por su falta de tacto, y sin embargo, sometido como estaba a la tiranía de la carne, el mismo día del entierro nos dimos una encerrona en la choza de bambú, mientras las amigas de mi madre rezaban un novenario.

Mi nuevo cargo me permitía tener comunicación directa con el virrey, que daba pronta respuesta a mis cartas, pero no podía cumplir sus instrucciones al pie de la letra por culpa del gobernador Cincúnegui, que se valía de mil argucias burocráticas para negarme hombres y armas, envidioso quizá de mi juventud y de mi ascendiente sobre Apodaca. Para colmo, la mitad de mis soldados pasaron al mando de otro español quisquilloso, el coronel Manuel Rincón, que tampoco me prestaba apoyo cuando le pedía refuerzos, a menos de recibir una orden firmada por el virrey, de manera que entre febrero y junio de 1818 sólo libré batallas con el papel y la pluma. Una palabra ilegible, la falta de un sello oficial o la ambigüedad de una frase bastaban para que Rincón y Cincúnegui pasaran por alto las órdenes de Apodaca. Era preciso entonces rogarle a Su Excelencia que se sirviera enviar otra carta a mis jefes directos, y mientras llegaba no podía salir del cuartel. Me encontraba en el baluarte de Santiago, batallando con Rincón para obtener un cañón de medio punto, necesario para infundirle respeto al enemigo, cuando recibí una carta de Isabel que me provocó un punzante dolor en el epigastrio.

Veracruz, 26 de mayo de 1817

Adorado príncipe:

Necesito tu ayuda para salir de un aprieto que nos compromete a los dos. Mi criada Licha, en cuya lealtad creía ciegamente, ha resultado una bribona que amenaza con exponerme al escándalo público si no satisfago sus inicuas demandas. Se robó de mi armario tus cartas de amor y ahora las utiliza con fines de extorsión. Desde hace tres meses empezó a exigirme aumentos de sueldo en un tono de perdonavidas. No quise importunarte porque sus exigencias todavía eran moderadas y podía solventarlas con el dinero del gasto. Pero mi debilidad ha sido funesta, pues ahora siente que me tiene en un puño, lo que por desgracia es verdad. El mes pasado me pidió mil pesos, dizque para la dote de una sobrina. Se los negué, y me amenazó con entregar las cartas a mi marido. Era fin de mes, andaba escasa de fondos y tuve que empeñar el cintillo de diamantes que llevaba puesto el día que nos conocimos. ¿Lo recuerdas? Gracias a Dios José no ha descubierto su falta, pues tengo un duplicado de bisutería que me pongo en las fiestas de sociedad.

Creí que se largaría con el dinero a su pueblo, pero el otro día la malnacida entró en mi alcoba medio borracha y me exigió tres mil pesos más «a cambio de no rajar con mi patrón». Empeñé los cubiertos de plata por la mitad de su valor y esta vez no pude evitar que mi esposo los echara en falta. Para salir del paso me hice la sorprendida y juré que la noche anterior los había guardado en la cómoda. Las sospechas de mi marido recayeron en la servidumbre, principalmente en Licha, que le desagrada por su carácter altivo, su torva catadura y su mala costumbre de servir el desayuno azotando los platos. Tú sabes cómo son los españoles. Pueden tolerar a los indios sumisos, pero no soportan en ellos el menor asomo de insolencia. Y como Licha se parece tanto al dios Huichilobos, José quería ponerle cepos y mandarla a San Juan de Ulúa. Nada me hubiera gustado más, pero se lo impedí con un alegato vehemente: Licha era honrada, por ella metería las manos al fuego, le dije. ¿Por qué no interrogaba mejor a Romelia, la nueva criada? No sabes cuánto me avergüenzo por haber incriminado a esa pobre infeliz, pero tenía que defender a mi verdugo o de lo contrario me exponía a que cumpliera sus amenazas.

Licha estaba oyendo mi discusión con José por detrás de la puerta. Ni tarda ni perezosa me siguió el juego y corrió a poner en el buró de Romelia una cucharilla de plata que mi esposo descubrió al hacer la inspección de su cuarto. Ahora la pobre chamaca está refundida en un calabozo. Los remordimientos no me dejan dormir y lo peor es que ya no me atrevo a confesar mis pecados. Engreída por mi pánico, Licha se ha propuesto dejarme en cueros y apenas ayer me pidió la friolera de diez mil pesos. Promete que será su última dentellada, pues con ese dinero volverá a Oaxaca, donde piensa comprar un ranchito. No confío en su palabra: después de los diez mil querrá cincuenta mil y no se detendrá hasta chuparme la sangre. Para ganar tiempo le pedí que me diera dos semanas, pero la verdad es que no pienso pagarle un centavo más. He llegado al límite de mis fuerzas. Te necesito, Antonio. Eres la única persona en el mundo que puede salvarme de la ignominia. Ven pronto, por el amor de Dios, y quítame de encima esta maldición.

Te quiere hasta la eternidad,
Tu gacela

Rompí la carta con rabia y mandé ensillar mi caballo para salir corriendo a Veracruz. En el camino formulé distintos planes para neutralizar a Licha, sin decidirme por ninguno. En vez de compadecer a Isabel, me reprochaba el error de no haberla dejado a tiempo. Ya ni siquiera me servía de trampolín político, pues su marido estaba malquistado con el virrey. Por un estúpido enculamiento estaba poniendo en riesgo mi porvenir. ¿Qué esperaba entonces para mandarla al diablo? Isabel tenía las mejillas hundidas, como si hubiera envejecido diez años en cuestión de semanas. Temblaba tanto que a duras penas podía sostener la taza de café y sus ojeras de doble fondo le daban un aire de viuda. Cuando quiso besarme la rechacé con dureza.

—No estoy de humor para cariñitos —le dije—. Vine a sacarte las castañas del fuego.

Mi objetivo era Licha y le pedí un informe detallado de todos sus movimientos: a qué horas iba por el pan, con quién salía, cuánto tardaba en ir y volver, ¿tenía novio?, ¿dónde se veía con él? Me dediqué a seguir a la zapoteca en su diario trajín y descubrí que llevaba una vida de reina. Olvidada por completo de sus deberes domésticos, pasaba las noches en el convento de San Sebastián, a donde entraba por la puerta trasera. Sin duda se entendía con alguno de los frailes, quizá con el portero del convento, pues cada vez que tocaba la puerta, al otro lado del muro se oía un tintineo de llaves. De madrugada, cuando todavía no se formaba frente al portón la cola de indigentes que iban a pedir limosna, Licha salía con el pelo recogido en una pañoleta, mirando a izquierda y derecha para cerciorarse de que no había transeúntes. Los manuales de guerra recomiendan atacar al enemigo por sorpresa cuando es más vulnerable y con Licha seguí ese consejo. Después de hacer guardia toda la noche a las afueras del convento, la sorprendí cuando se disponía a cruzar la calle:

—¿A dónde vas tan de prisa?

Se defendió como un forajido de la peor calaña, pero a pesar de sus mordiscos y arañazos la obligué a subir a una carretela previamente alquilada para el efecto. Atada de pies y manos la conduje a las ruinas de una hacienda en el camino a La Antigua. No me gustaba dármelas de matón, menos aún con las mujeres, pero las circunstancias y la bravura de mi oponente me obligaban a actuar con rudeza.

—Quieta, desgraciada, yo no me espanto con tus amenazas —la acorralé contra un paredón y desenvainé mi sable—. Si no te largas a tu pueblo y dejas en paz a Isabel, mañana mismo te mueres.

—Nomás atrévase —me replicó—. Mi viejo tiene sus cartas de usted, y si algo me pasa ya sabe a quién dárselas.

—¿Quién es tu viejo? ¿El frailecito con el que duermes? —le acerqué a la garganta el filo del sable.

—Ése mero —Licha sonrió con orgullo—. Y aunque tenga sotana es más hombre que usted.

—¿Ah, sí? Pues él se va a morir primero que tú.

Un leve temblor en sus mejillas me reveló que se estaba atemorizando.

—Nunca le voy a decir su nombre.

—Ni falta que me hace —la pinché en la barbilla—. Te he estado clachando y ya sé que estás enredada con el portero.

Por su palidez comprendí que había acertado en mi deducción.

—Lo quieres mucho, ¿verdad?

Hubo un largo silencio en el que Licha pareció librar una lucha interior. Poco a poco el sentimiento de culpa resquebrajó sus facciones de piedra.

—Yo no quería hacerle daño a la señora Isabel.

—¿Ah, no? ¿Y entonces por qué la estás chingando?

—Por necesidad —Licha dejó escapar un sollozo—. Mi Bulmaro necesitaba el dinero.

Entre suspiros y gimoteos, Licha me confesó que Bulmaro era el portero de San Sebastián. Lo visitaba de noche desde hacía dos años, pero en los últimos meses un falso ciego apodado el Tlaconete, que pedía limosna a las afueras del convento, había descubierto sus entradas y salidas y le exigía fuertes cantidades por no delatar a Bulmaro. Para evitar el escándalo, que sería la ruina de su amante, no halló mejor manera de obtener fondos que pedir a la patrona un sobresueldo por sus servicios de confidente. Al principio, Isabel aceptó de buen grado aumentarle cincuenta pesos mensuales y con ello lograron capotear el temporal. Pero una sanguijuela nunca se sacia, y al ver que su extorsión daba frutos, el Tlaconete duplicó y triplicó el monto de sus mordidas. Con gran pena, porque siempre le había tenido respeto y cariño a Isabel, pasó de la solicitud comedida a la franca amenaza. Cuando tuvo a Isabel en el puño ya no se conformó con salir del aprieto y colmó a Bulmaro de regalos costosos: embutidos, habanos, batas de seda, mazapanes, botellas de catalán y otras delicias que el fraile escondía bajo su camastro. Los encuentros amorosos en la celda conventual se convirtieron en lujosas bacanales. Desde su puesto de observación, el Tlaconete la veía llegar a medianoche con viandas exquisitas y salir al amanecer cayéndose de borracha. «El canario quiere más alpiste —le advertía sonriendo—. No te olvides de llenarle su jaulita». Torturada por su mala conciencia, en las últimas semanas se había desbarrancado en el vicio: dormía la mona hasta mediodía, faltaba a misa, desayunaba aguardiente para curarse la cruda y hasta mugrosa se estaba volviendo, porque le había cobrado aversión al baño. Pero lo que más le dolía de todo era haber traicionado la confianza de la patrona.

—No tengo perdón de Dios, soy una perdida —me tomó por las solapas, deshecha en llanto—. ¡Máteme de una vez, pa' que me vaya derechita al infierno!

—Todavía estás a tiempo de pagar tus culpas —la consolé—. Ve con la señora y pídele perdón de rodillas. Después te largas a Oaxaca o adonde quieras.

—¿Y mi Bulmaro? Si el Tlaconete suelta la papa me lo van a expulsar de la orden, y el pobrecito es un alma de Dios.

—Por eso no te preocupes. Yo me encargo de que no le pase nada.

Bulmaro era un pájaro de cuenta y no se merecía que le hiciera ningún favor, pero debía tratarlo con tiento para obligarlo a entregarme las cartas que tenía en su poder. Llegué al convento a la hora de visita, y un novicio barbilampiño me condujo hasta el patio central, adornado con macizos de rosales y margaritas, donde un fraile canoso que llevaba una sotana raída estaba barriendo los andadores con una escoba de varas. Cuando alzó la cabeza reconocí de inmediato un rostro familiar, decolorado por los años y las tristezas. ¡Fray Bulmaro no era otro que mi tío José! Con los dientes podridos, las mejillas caedizas y la piel verdosa tirando a gris, parecía un muro carcomido por el salitre. No sólo había envejecido, sino que daba la impresión de sobrellevar la vida como un contratiempo. Barría el suelo con la mirada vacía de las estatuas y los cadáveres, pero al reconocerme, sus ojillos pardos recobraron la luz de antaño.

¡Antonio, qué milagro! —me abrazó con ímpetu juvenil—. ¡Pero si estás hecho un señorón!

— ¿Qué hace usted por acá, tío? Pensé que se había marchado lejos de Veracruz.

—Llevo quince años escondido del mundo. ¿Cómo fue que diste conmigo?

Su pregunta me recordó el motivo de mi visita y le pedí que me llevara a su celda, para poder hablar en privado. Pero antes de entrar en materia, José me hizo la crónica de sus andanzas en los últimos años: había sido misionero en Guatemala, tuvo dos hijos con una india, después le sobrevino una crisis espiritual y se cambió de nombre para entrar al convento, donde nadie conocía su pasado. Me aclaró que se había alejado de la familia por respeto a mi madre. Quería tanto a sus sobrinos, y en especial a mí, que había preferido enterrarse en vida a salpicarnos con su ignominia.

—Dígame una cosa, tío —lo interrumpí—. Si de veras me quiere tanto, ¿por qué es tan mula conmigo?

José empalideció y se puso de pie.

—Yo te quiero como un padre, Antonio.

—No se haga menso. Acabo de hablar con su amiga Licha y me confesó que ustedes dos están viviendo como reyes a costillas de mi querida. La amenazaron con deshonrarla públicamente, y usted sabe muy bien que si ella cayera en desgracia, me llevaría entre las patas.

—¿Entonces tú eres el famoso príncipe? —José parecía sorprendido, pero quizá estuviera actuando—. Perdóname, hijo. Nunca imaginé que esa mujer y tú...

Me imploró perdón de rodillas, con el rostro bañado en llanto.

—Basta de lloriqueos. Entrégueme las cartas.

Alzó la manta de su camastro, dejando al descubierto los espléndidos embutidos de su despensa, y me entregó un hatillo de papeles amarrados con una agujeta.

—Te juro por Dios que no quise perjudicarte. En esas cartas no aparece tu nombre. Ignoraba por completo que estuvieras metido en un lío de faldas.

—Pues de todas maneras, me avergüenza ser pariente de usted —encendí las cartas con un mechero y las arrojé en una palangana—. ¿Le parece muy bonito aprovecharse así de una mujer enamorada?

—No lo hice por gusto —se puso de pie con dificultad—. Yo también cargo una cruz muy grande. Un canalla que se hace pasar por ciego...

—Ya me sé toda la historia, pero no vine a escuchar sus lamentaciones. Le voy a hacer el favor de quitarle de encima a ese bicho, con la condición de que usted y Licha dejen en paz a Isabel.

—¿De veras, Antonio? —sonrió conmovido—. ¿De veras quieres ayudarme, a pesar de todo?

Asentí con la cabeza, incómodo por su gratitud gemebunda. Doblegado por la inquina de sus enemigos, el apuesto y combativo sacerdote que había conocido en la infancia se había convertido en un lastimoso guiñapo.

—Que Dios te lo pague, hijo. Si nos metimos en esto fue por necesidad. El Tlaconete me tenía apergollado, pero tú sabes que yo no soy un demonio.

Intentó besarme la mano, pero se lo impedí con un brusco ademán.

—Ni yo un obispo, para que se humille de esa manera. ¿Ya no recuerda que alguna vez tuvo dignidad? —me di la media vuelta y al salir de la celda añadí—: Mañana al clarear el alba quiero que me lleve con ese hijueputa.

Sorprendimos al Tlaconete en plena transformación, cuando se ponía cáscaras de huevo en los ojos para simular una falsa oquedad. Obligado a abrirse de capa, nos reveló que no estaba en sus manos suspender la extorsión a mi tío, pues él también era víctima de la codicia ajena. El gordo Filemón, un soldado que hacía su rondín en los alrededores del convento, y de vez en cuando le invitaba un trago de aguardiente, había descubierto su comedia y le exigía cien pesos a la semana por no llevarlo preso a San Juan de Ulúa. Pensé que la cadena de bribones quizá no tuviera principio ni fin: vivíamos en el imperio de la rapiña, donde cada persona usaba a las otras como escalón o carnaza. Depredador en pequeño, larva insignificante que se nutría con los restos de la caza mayor, el Tlaconete me dio tanta pena que no tuve corazón para denunciarlo a la autoridad. Sólo mandé llamar al gordo Filemón, lo reconvine por su conducta y le prohibí acercarse a las inmediaciones del convento, so pena de arresto. Mucho tiempo después le conté la historia de las extorsiones al licenciado Gómez Farías en un viaje de Puebla a la capital, cuando ya se nos venía encima la invasión norteamericana. Defensor exaltado de los derechos civiles y enemigo de los pronunciamientos —siempre y cuando no lo beneficiaran—, don Vicente celebró la anécdota a carcajadas, pero discrepó de mi interpretación.

—No, general —me dijo—. La moraleja de esa historia es que en el fondo de cualquier corruptela siempre hay un militar.

Gómez Farías creía ciegamente en las leyes, como si la letra impresa pudiera convertir la lucha por el poder en un civilizado juego de mesa. Pero las leyes propician otra clase de tiranía, la de los cretinos que son incapaces de resolver un problema, pero invocan la ley para obstaculizar a los hombres de acción. En tiempos de la Colonia, cualquier intento de hacer bien las cosas tropezaba con una densa maraña de códigos y reglamentos, tan intrincada como la filigrana churrigueresca. Muy pronto comprendí que para servir a la corona y servirme de ella, necesitaba escapar de la telaraña legal donde mis enemigos querían inmovilizarme. Gracias a Dios, las leyes son elásticas y el poder siempre las utiliza como instrumento para obrar a su antojo. Cuando nombraron capitán general de Veracruz a don Ciriaco del Llano, un militar con sentido práctico a quien había conocido en las tertulias de Dávila, cabalgué a Jalapa para darle la bienvenida. Con mi talento natural para adular a los superiores, logré persuadirlo de que Rincón y Cincúnegui estaban entorpeciendo mi trabajo mientras las fuerzas del rebelde Victoria ganaban posiciones. De inmediato giró instrucciones al gobernador interino para que me entregara quinientos veteranos escogidos, la fuerza que necesitaba para amedrentar a los insurgentes y convencerlos de acogerse al indulto recién decretado por el virrey.

Tras la fallida expedición de Francisco Javier Mina, la insurgencia se había refugiado en la aspereza de los bosques. Intuyendo que los guerrilleros estaban desmoralizados, les apliqué la táctica de ablandamiento que me parecía más adecuada para doblegarlos: primero el garrote y después la mano tendida. Marcos Benavides, el segundo de Victoria, andaba emboscado con su gente por las orillas de Veracruz. Me atacó por sorpresa y tuvimos un cruento combate en donde perdí ocho de mis hombres. Pero mis frecuentes batidas fueron minando su arrojo, y como Guadalupe Victoria no podía enviarle refuerzos, se acogió al indulto con veinte de sus hombres, a cambio de que la corona les garantizara techo, comida y un pedazo de tierra. Las ventajosas condiciones de su rendición disiparon la desconfianza de los alzados y más de cuatrocientos rebeldes depusieron las armas. Fue un triunfo de la diplomacia sobre la fuerza, pero sobre todo, un triunfo de la iniciativa personal sobre la ineptitud burocrática. Entusiasmado por el éxito de la campaña, el virrey Apodaca me premió con el grado de teniente coronel y la orden de Isabel la Católica. Por desgracia, no pude coronar mi obra con la rendición de Guadalupe Victoria, que permanecía escondido en su cueva, librando una guerra suicida. Por conducto de Benavides le pedí que aceptara el indulto y se reintegrara a la vida pacífica. Me respondió que lo haría cuando yo me sumara a la causa de la independencia.

En recompensa por mis servicios, el virrey Apodaca me encomendó reconstruir los poblados que la guerra había destruido y fundar otros nuevos para alojar a las familias de los insurrectos. Como tenía el respaldo de Ciriaco de Llano, pude actuar a mis anchas sin tener que rendirle cuentas al gobernador interino. Comandante de una vasta demarcación, logré el milagro de hacer trabajar a los jarochos, gente ociosa y pendenciera que no tiene la mansedumbre de los indios, pero tampoco el espíritu emprendedor de los españoles. Bajo mi dirección se convirtieron en una laboriosa colmena que levantaba casas, desbrozaba terrenos feraces y trazaba calles a cordel donde antes había pantanos. Cuando necesitaba brazos iba a reclutar gente en los pueblos de indios, donde los caciques me recibían con obsequios y reverencias. Con su ayuda reedifiqué la villa de Medellín y fundamos los pueblos de Jamapa, Santa Fe, San Diego, Tamarindo y Paso de Ovejas.

A los tres años de vivir en paz y en orden, los guerreros salidos de los montes casi en estado salvaje, mudaron admirablemente de índole y de costumbres, manifestándose tan agradecidos conmigo, que muchos jefes de familia me ofrecieron a sus hijas en matrimonio. Las rechacé por conveniencia política, pues temía que si me casaba con una muchacha de Medellín o San Diego y desairaba a las de otros pueblos, mi elección sembraría la discordia entre las comarcas. Pero tenía una razón más fuerte: no necesitaba casarme con una sola mujer cuando decenas de jarochas compartían mi hamaca en todos los pueblos que visitaba, sin obedecer otro impulso que el de su agreste juventud. Las jarochas eran tímidas y cortas de palabras, pero bastaba cruzar una mirada con ellas para encenderles el pensamiento. Cuando entraba en una aldea, las doncellas más agraciadas salían a recibirme en compañía de sus padres. Aunque iban tapadas con un rebozo y el decoro las obligaba a bajar la cabeza, por el relámpago de sus ojos podía saber cuál de ellas me visitaría de noche para entregarme su virginidad como se regala un jarro de miel.

Mención aparte merece Rafaela Morenza, la madre de tu hermano José, pues con ella tuve un noviazgo formal. Nos conocimos en la feria de Medellín, donde atendía un puesto de tamales y champurrado. Como hija de familia no necesitaba trabajar, me explicó, pero con el fruto de sus ganancias ayudaba a un hospicio de niños pobres. Era una trigueña de ojos claros con un coqueto lunar en el mentón que a los quince años ya tenía los pechos muy desarrollados. Creo que me picó el orgullo su tenaz resistencia a entregarse. Fue una seducción lenta y difícil, adulterada con falsas promesas de matrimonio. Me porté mal con ella, lo reconozco. Cuando supe que había quedado preñada no volví al pueblo en varias semanas. Presionado por el cura de Medellín, que me reconvino acremente por mi proceder donjuanesco, acepté visitarla en Puebla, donde su familia la había recluido en un convento. Mortalmente ofendida, Rafaela no me quiso recibir, pero convine con sus padres en reconocer a la criatura y contribuir a su manutención. Rafaela educó muy bien al muchacho y nunca le habló mal de mí. Se lo agradezco, pues otra en su lugar hubiera contagiado su rencor al niño. Cuando creció, José vino a pasar una temporada en Manga de Clavo, le enseñé a montar y ya no quiso regresar a Puebla. De todos mis hijos es el único que heredó mi genio militar. Pobre Pepito, si no lo arrastro en mi caída tal vez hubiera llegado lejos.

Mientras seducía vírgenes y dejaba hijos regados por el mundo, Isabel me reprochaba en sus cartas mis largas ausencias de Veracruz. ¿Por qué no la buscaba cuando iba al puerto a ver a mi familia? Falto de coraje para terminar el romance, yo le respondía con evasivas corteses. Mi cobardía me salvó de un tropiezo político, pues cuando trataba de poner distancia entre los dos, el virrey perdonó a Dávila y lo nombró capitán general de la provincia, en sustitución de Ciriaco de Llano, que al parecer cayó de su gracia por malos manejos en la recaudación de aduanas (o por no darle su tajada del pastel, según los maldicientes). Despechada y con poder para hacerme pagar mi abandono, Isabel podía ser una enemiga terrible. Para conjurar el peligro tuve que avivar los rescoldos de nuestra pasión y reanudar mis escapadas nocturnas al puerto, que ahora me fastidiaban, pues se parecían demasiado a un deber conyugal.

Quienes me acusan de haber sido un mal gobernante, sin capacidad para dirigir el Estado ni administrar la hacienda pública, deberían examinar mi papel como constructor y pacificador de pueblos. Si, como dicen algunos, las tareas de gobierno siempre me repugnaron, ¿por qué hice prosperar en tan poco tiempo el territorio bajo mi mando, y logré implantar la concordia entre gente rijosa, que antes dirimía sus pleitos a cuchilladas? No, yo no fui un mal gobernante. Lo que pasa es que en la presidencia de la República sólo ejercía el poder de palabra, pero no de facto. Por culpa de los partidos y las banderías nunca pude hacer las cosas a mi modo, salvo en el breve periodo de mi dictadura, y aun entonces tropecé con la oposición de mis propios ministros, divididos en bandos antagónicos. En mi edén jarocho nadie chistaba cuando yo daba una orden. Investido de poderes discrecionales, determinaba quiénes labrarían la tierra y quiénes cuidarían el ganado, elegía los cultivos para cada estación, mandaba construir telares, fijaba el precio de los granos, y hasta bautizaba a los niños en ausencia del cura. Reunía en mí los tres poderes de una República, porque lo mismo actuaba como juez de paz para resolver las controversias entre medieros y propietarios, que dictaba bandos inapelables sobre cuestiones de moral pública.

Por el contrario, en la presidencia siempre estuve atado de manos, pues los pactos que previamente había establecido para llegar al poder, me obligaban a gobernar de conformidad con la bancada centralista, moderada o pura, que pretendían imponerme sus dicterios y me impedían gobernar a gusto. ¡Cuántas veces mis propios aliados me negaron dinero para embellecer la capital, para fomentar la industria, para vestir al ejército con uniformes dignos! Confabulados a mis espaldas, los mismos reptiles que me hacían caravanas en los actos públicos, nulificaban mis edictos y obstruían la buena marcha de la administración, mediante la fórmula de «obedézcase pero no se cumpla». Cuando la Mitra hacía banquetes en mi honor y los notables de la República desfilaban para besarme la mano, cuando los militares buscaban mi protección y los poetas me comparaban con Júpiter Tonante, yo añoraba los tiempos en que mi reino se reducía a siete aldeas y mi transporte era un buey de labranza con las riendas atadas a la nariz.

Como presidente siempre fui temido y respetado, pero sólo entre los jarochos me hice querer de verdad. Desde entonces no he vuelto a disfrutar la dicha de gobernar en familia. Aunque mandaba con firmeza, la gente nunca me rindió pleitesía, más bien me trataba como a un compadre. En mis rondas matinales, cuando salía a supervisar la tala de los bosques, las ancianas me obligaban a entrar a sus humildes jacales y me invitaban un vaso de naranjada o una jícara de zambumbia. Todas eran supersticiosas y algunas practicaban la brujería. Mientras me refrescaba, las oía contar historias de nahuales o chaneques, y al reanudar mi camino aceptaba sus amuletos contra el mal de ojo. Los domingos en el mercado de Medellín departía con todos los puesteros, entre el chillido de los pericos y el irritante parloteo de los monos. Cuando daba fiestas seguía las costumbres jarochas al pie de la letra. A los hombres les ofrecía la botella de aguardiente, a las señoras un vaso que ellas siempre rechazaban, pero luego bebían a hurtadillas, pues creían indecente tomar a la vista de sus maridos. Padecí algunas incomodidades, como los malditos jejenes, que me sacaban gotas de sangre en cada piquete, y hubiera preferido que las mujeres anduviesen menos ligeras de ropa, porque la continua jodienda me tenía en un estado de extenuación.

Pero el cariño del pueblo compensaba todos mis malestares. Daría lo que fuera por volver a gobernar así, como un padre justo y providente. Por desgracia, en la política el amor correspondido se da una sola vez en la vida. Nunca volví a despertar en el pueblo un sentimiento de adhesión espontánea y genuina. Pero basta de lamentaciones que no vienen al caso. Para efectos de mi biografía sólo debes recalcar que mientras fui un rey en pequeño, mientras pude gobernar como Adán en el paraíso, conté con la aprobación unánime de mi pueblo.

Paso de Ovejas, 17 de septiembre de 1819

Ilustrísimo Capitán General:

He vacilado mucho antes de escribirle, pues conozco su dureza con los intrigantes, pero mi deber como soldado, y el creciente enojo de la población, me obligan a rendirle cuentas de las múltiples quejas que he recibido por la conducta altanera y despótica del teniente coronel Santa Anna. Amparado en el nombramiento del virrey Apodaca, Santa Anna explota en provecho propio el trabajo obligatorio de los campesinos, pues cada semana obliga a catorce civiles, sin pago alguno, a contribuir en la construcción de su rancho y en el levantamiento de un establo donde ha encerrado todo el ganado de la región. Si alguno se resiste a cumplir con la dura faena, lo castiga con setenta y dos horas de arresto, sin importarle su estado de salud o su avanzada edad. Insensible a las carencias del pueblo, se ha dado maña para acaparar los granos de la comarca y fijarles precios estratosféricos, con el objeto de enriquecerse y sufragar los gastos de su costosa afición por los gallos.

Pero lo que alcanza ya proporciones de escándalo son sus contubernios con el hampa local. El bandido Epigmenio Liñán, que hasta hace poco estaba preso en la cárcel de Medellín por haber asaltado la capilla del pueblo, se ufana en los lupanares de que el teniente coronel le compró el cáliz de plata y las custodias extraídas del templo, en la irrisoria cantidad de cien pesos, con el objeto de revenderlas en Veracruz. La pronta liberación del reo, ordenada por el propio Santa Anna, ha llenado de indignación a las familias decentes de la región. Amigo de matones y tahúres, la conducta pública del coronel se asemeja más a la de un bandido que a la de un militar. Especial indignación despiertan sus raptos de jovencitas. Ya suman docenas las doncellas burladas por él que han ocultado su vergüenza en el beaterio de Jalapa. Sé que no me corresponde enjuiciar a un superior, pero me asisten razones poderosas para distraer su atención y solicitarle que Santa Anna sea destituido y procesado por un Tribunal de Guerra. Si no actúa pronto para llamarlo al orden, los latrocinios que Santa Anna ha cometido y seguirá cometiendo se cargarán a la cuenta de su gobierno.

Quedo a vuestras órdenes,
Sargento Mayor Ignacio Iberri

FISCALÍA MAYOR DEL TRIBUNAL DE GUERRA. VERE-
DICTO DEL PROCESO POR DIFAMACIÓN INSTRUIDO
AL SARGENTO MAYOR IGNACIO IBERRI.

Habiéndose efectuado las diligencias estipuladas en el Código Disciplinario a solicitud del Capitán General José Dávila, se declara que en el juicio por difamación y calumnias instruido al sargento Iberri, el Tribunal ha encontrado al reo culpable de los cargos que se le imputan, por no haber aportado pruebas que sustenten sus acusaciones contra el teniente coronel Antonio López de Santa Anna, quien ha declarado poseer sólo un pequeño rancho en Paso de Ovejas, producto de sus economías. A petición de la parte acusadora rindieron declaración la señorita Emilia Carranza, natural de Medellín, la señora Nilda Julián, natural de San Diego, y el señor Manuel Almaraz, natural de Tamarindo, quienes se retractaron de sus primeras declaraciones, alegando que el sargento Iberri había falseado sus testimonios.

En virtud de lo anterior, el tribunal impone al reo una pena de seis meses de arresto y una multa de seiscientos pesos, que serán descontados de su soldada a razón de cincuenta pesos mensuales.

Si bien Guadalupe Victoria ya no representaba ningún peligro para el régimen colonial, su resistencia incomodaba sobremanera al virrey Apodaca, que le guardaba rencor por el atentado en Puente del Rey, y había tomado como una ofensa personal el hecho de que rehusara el indulto. En sus cartas no cesaba de repetir en tono perentorio que la pacificación de la zona sólo concluiría con el arresto del cabecilla. Otro en mi lugar se habría apresurado a torturar sospechosos para dar con él. Yo en cambio usé la política y me valí de sus allegados para enviarle mensajes amistosos. Era imposible tenderle una celada, como quería el virrey, porque Victoria manejaba desde la sombra una extensa red de informantes. No obstante haber depuesto las armas, los campesinos de la región continuaban simpatizando con la causa insurgente y le enviaban víveres a la sierra.

Con mi política de acercamiento logré que se abstuviera de atacar las poblaciones de mi territorio y eligiera otros puntos de la provincia para sus esporádicas incursiones. No había renunciado a su captura, pero antes de dar ese paso tenía que debilitarlo. Victoria llevaba muchos años viviendo a salto de mata, ya no recibía armas de Estados Unidos y después de tantas defecciones su estado de ánimo no podía ser muy bueno. Con mis cartas afectuosas buscaba convencerlo de que su lucha era inútil, pues en realidad estaba peleando con un amigo. Hasta le ofrecí un ranchito en Medellín con cincuenta cabezas de ganado y llegué a creer que lo había persuadido cuando aceptó entrevistarse conmigo en privado.

La condición para el encuentro fue que me dejara conducir a su guarida sin escolta y con los ojos vendados. Era como meterse a la boca del lobo, pero a los veinticuatro años uno se siente inmortal y corrí el riesgo sin autorización de mis superiores. Cumpliendo lo convenido, me encontré con los hombres de Victoria en un trapiche abandonado, a medio camino entre San Diego y Paso de Ovejas. Recorrimos cinco leguas por un abrupto sendero cerrado en algunos trechos por el crecimiento de la maleza, que mis custodios abrían a machetazos. Por el canto de los papagayos y el roce de las higueras deduje que estábamos cerca del río Jamapa. Ascendimos una empinada cuesta, vadeamos un riachuelo y nos internamos en un bosque de pinos donde el clima era más templado. La insolencia de mis escoltas, que me trataban de tú y soltaban majaderías cuando les pedía bajarme del caballo para descargar la vejiga, me hizo temer una traición premeditada. ¿Y si Victoria los hubiera enviado para ejecutarme? No dejé de recelar hasta que me quitaron la venda de los ojos, en un sombrío paraje donde las copas de los árboles formaban una bóveda impenetrable. El capitán de la escolta me llevó del brazo hasta la entrada de una cueva disimulada con arbustos y carrizos.

—Espérese ahí, orita viene el jefe.

Momentos después salió rengueando de la caverna un hombre de mediana estatura, carilargo y ojeroso, que llevaba una casaca deshilachada y un gran escapulario en el pecho. Debía tener treinta años cuando mucho, pero su adusto semblante y la barba de ermitaño le duplicaban la edad. Al acercarme para saludarlo noté que le faltaba la oreja derecha y recordé las leyendas que circulaban sobre sus ataques de epilepsia. Tal vez la monstruosidad fuera una condición necesaria para el heroísmo, pensé. Sólo un ser enfermizo y deforme como Victoria podía librar desde su cubil una lucha solitaria contra el Imperio español.

—Bienvenido a su humilde casa —me dijo—. Usted es el primer realista vivo que llega hasta acá.

—Hasta que por fin nos vemos las caras. Ya empezaba a dudar de su existencia, don Guadalupe.

Victoria sólo me tendió la mano, pero yo le di un abrazo efusivo para refrendarle la nobleza de mis intenciones. Pasamos al interior de la cueva, donde se podía leer y escribir gracias a la luz que se filtraba por una hendidura de las rocas. Al fondo había dos bujías encendidas que según mi anfitrión servían para ahuyentar a los murciélagos. Me sorprendió encontrar, junto a su catre de campaña, una espléndida mesa provista con cubiertos de plata, mantel largo y vajilla de porcelana.

—Es lo último que me queda de mis tiempos de licenciado —me explicó Victoria—. No me importa comer tasajo todos los días, siempre que me lo sirvan como Dios manda.

La comida fue mejor de lo que podía esperarse en un lugar tan agreste: sopa de huitlacoche, guisado de jabalí con berenjenas, camotes asados y una botella de vino carlón. La charla, en cambio, cayó desde el principio en el terreno de las vaguedades, porque en vez de hablar sobre las condiciones para un armisticio, Victoria prefirió exponerme sus ideales políticos. La América Septentrional, dijo, sólo conocería un futuro venturoso cuando lograra librarse del yugo español. México lo tenía todo para ser una república próspera: minerales en abundancia, bosques de maderas preciosas, suelos fértiles, un pueblo trabajador y una extensión territorial que ya quisieran las principales potencias de Europa. Sólo que en vez de explotar nuestras riquezas en beneficio propio, debíamos pagarle tributo a una caterva de zorros engolillados.

—¿No le da pena servir a los gachupines? —me reclamó—. Usted es mexicano como yo, coronel.

—Sí, pero juré lealtad a la corona de España.

—La corona está en manos de un canalla, y usted lo sabe tan bien como yo —Victoria dio con el puño sobre la mesa—. Fernando traicionó a su pueblo cuando derogó la Constitución de Cádiz.

—Soy un militar y no acostumbro inmiscuirme en política.

—Usted es mejor político que sus jefes. De lo contrario no estaría aquí sentado.

Su elogio me halagó, pero fingí una rectitud insobornable.

—Vine a rogarle que se acoja al indulto del virrey Apodaca.

—No, coronel, yo no puedo aceptar nada del virrey, porque eso significaría reconocerle autoridad, y para mí la soberanía reside en el pueblo. Así que vaya con Apodaca y dígale de mi parte que primero pasará sobre mi cadáver.

Para no enconar los ánimos me abstuve de transmitir su mensaje, porque a pesar de mi fracaso creía posible convencerlo en futuros encuentros. Pero las turbulencias políticas echaron por tierra mis planes. En España había estallado una revolución liberal y el rey Fernando se vio obligado a jurar nuevamente la Constitución de Cádiz, aborrecida por los aristócratas novohispanos y los jerarcas del alto clero. Conmocionado por la noticia, Dávila exclamó en una reunión de notables: «Señores, la Constitución está jurada, esperen ahora la Independencia, que será el resultado de todo esto». No andaba descaminado, pues gracias al favorable vuelco de la fortuna, la insurgencia renació donde parecía extinguida. Hasta en la zona bajo mi mando hubo motines cruentos, como el acaecido en San Diego el último día de 1820, cuando los habitantes del pueblo, azuzados por Guadalupe Victoria, desarmaron a la tropa de infantería y degollaron al comandante de la plaza. Me sentí por primera vez en un predicamento moral, pues conocía a muchos de los insurrectos que debía pasar por las armas. Los alzados tenían armas y contaban con el apoyo de los habitantes de Medellín, Jamapa, Tamarindo y Tlaxicoyan, donde circulaban octavillas que llamaban al pueblo a romper sus cadenas.

Procuré someter a los levantiscos con el menor derramamiento de sangre, porque el papel de verdugo no cuadraba con mi carácter. No sólo tenía razones humanitarias para actuar con clemencia, sino también políticas. Desde mediados de año circulaba el rumor de que el virrey Apodaca tramaba en la Ciudad de México la proclamación de una independencia provisional, en complicidad con otros hombres prominentes del virreinato. Los conspiradores se reunían en el oratorio de San Felipe Neri del templo de la Profesa, y entre ellos figuraba Agustín de Iturbide, señalado como brazo militar del pronunciamiento. Dávila no daba crédito a las murmuraciones, pues le parecía increíble que Apodaca respaldara un plan tan descabellado. Mientras eran peras o manzanas, yo procuré tratar a los insurgentes con algodones, pues me parecía insensato castigar al pueblo por desear lo mismo que sus gobernantes. Si Apodaca se armaba de valor y proclamaba la Independencia, todos quedaríamos en el mismo bando. ¿Para qué enconar los odios si era inminente la paz?

Pero el virrey no se atrevió a llevar la conspiración hasta sus últimas consecuencias. Tras haber entregado a Iturbide la comandancia del Sur y el regimiento de Celaya, temió las represalias de la corona y abandonó a su suerte al caudillo, negándose a suscribir el Plan de Iguala. Ciertamente, la conducta de Apodaca fue ambigua, pues si bien declaró la guerra a los insurrectos, por otra parte concedió general indulto a los que desistieran de su propósito, incluyendo al propio Iturbide. En vez de disuadir a los demás generales con mando de tropas, la gracia otorgada por el virrey los indujo a pasarse al bando insurgente, pues sabían que si el alzamiento triunfaba ganarían mucho, y si llegaba a fracasar, les quedaba la alternativa de aceptar el indulto. Cuando Iturbide se alió con Vicente Guerrero y el levantamiento cundió por todo el reino, comprendí que mi destino era unirme al Ejército Trigarante. Mi duda era cómo y cuándo. En el ejército realista, para bien o para mal, gozaba de influencia y prestigio, mientras que los insurgentes no daban señales de reconocer mi valía. El virrey Apodaca se carteaba conmigo, mientras que Iturbide fingía ignorar mi existencia. Si esperé hasta el último instante para unirme a sus fuerzas, no fue por falta de patriotismo, como han propalado mis enemigos, sino para revertir el menosprecio del que era víctima y hacer valer mis méritos de soldado.

Enviado a Orizaba con doscientos granaderos, preparaba la defensa de la ciudad fortificando el convento del Carmen cuando se presentó el antiguo soldado de la Independencia José Miranda y en tono altanero me reclamó la entrega de la villa, poniendo como condición para no atacarla nuestra adhesión inmediata al Plan de Iguala. Miranda ocupaba un puesto inferior en el escalafón del Ejército Trigarante. Por su falta de tacto comprendí que para él y sus jefes yo no era más que un oficialillo menor, a quien bastaba tronarle los dedos para causarle pánico. ¡Pobre Miranda, no sabía con quién trataba! Fingiendo interés en su oferta, le pedí cuarenta y ocho horas para consultarla con mi superior. Esa misma noche ordené la salida sigilosa de mis tropas y caí sobre el enemigo en las afueras de la ciudad. Los soldados de Miranda tenían el sueño pesado y los pasamos a cuchillo sin darles tiempo de pestañear. Me apoderé de vituallas y caballos y volví a encerrarme en el convento, donde los frailes carmelitas me recibieron con repiques y cánticos.

Al día siguiente hubo un banquete en mi honor. En mitad de la suculenta comida recibí un mensaje del coronel José Joaquín Herrera, el brazo derecho de Iturbide, que había llegado a Orizaba y me pedía una entrevista. Su presentación fue mucho más respetuosa que la de Miranda y hasta se dignó elogiar mi bravura. Tenía dos mil hombres dispuestos a tomar la plaza —me dijo— pero quería evitar un pleito entre hermanos. El ejército libertador necesitaba comandantes jóvenes y valientes que conocieran bien la provincia. Iturbide había seguido de cerca mi campaña pacificadora y me consideraba un militar de valía. ¿Por qué no me sumaba a sus fuerzas? ¿Por qué no le ayudaba a consumar su gran obra de emancipación? Como todos los jefes realistas que se unían a las filas trigarantes, conservaría mi antigüedad y mi grado.

—Es el momento de renunciar a las ambiciones personales por el bien de la patria —continuó Herrera, tomándome del hombro en un ademán persuasivo—. Piénselo, amigo, el cambio de bandera le ofrece muchas ventajas. En el Ejército Trigarante no tendrá que esperar cien años para obtener una promoción, porque los criollos tienen las mismas oportunidades que los gachupines. De hecho, Iturbide ya firmó su nombramiento de coronel y sólo espera mi respuesta para enviárselo.

¿Qué más podía pedir? Para cambiar de casaca o encabezar un pronunciamiento yo necesitaba sentirme querido. Iturbide era el hombre al que más admiraba después de Napoleón Bonaparte, y su mensaje me tocó una fibra sentimental. Si el Dragón de Fierro me distinguía con su aprecio, si me trataba como a uno de sus iguales, debía corresponderle con la misma nobleza. Mandé congregar a mis hombres en el patio del convento, y les dirigí una emotiva arenga para invitarlos a adherirse conmigo al Plan de Iguala. Mi súbita mudanza indignó a los padres carmelitas, que se retiraron del banquete en señal de repudio. Los historiadores me acusan de haber actuado por mezquino interés, pero la verdad es que sólo escuché la voz de mi corazón. Los honores y los ascensos nunca fueron el principal móvil de mi conducta. Cuando tomé la decisión más crucial de mi vida, el ejército realista contaba con doce mil efectivos en la provincia de Veracruz, contra dos mil de los nuestros, de manera que no estaba apostando sobre seguro.

Con el pulso trémulo por la gravedad de mi decisión, escribí una carta a Dávila donde le presentaba mi renuncia y oponía mis nacientes convicciones a sus posibles reproches. Acababa de enviarla a Veracruz cuando recibí un pliego lacrado con el escudo de las Españas en que el virrey Apodaca me nombraba coronel del ejército realista. Destrocé la carta en un arrebato de ira, sintiendo que había cometido una estupidez al embarcarme en una aventura condenada al fracaso, justo cuando la corona empezaba a hacerme justicia. España era una gran potencia, México nunca podría gobernarse a sí mismo. En cualquier momento llegarían refuerzos de Cuba para aplastar el alzamiento y fusilar a sus caudillos. Pero mi suerte ya estaba echada y ahora debía jugarme la vida por un país sin futuro, que en el mejor de los casos nacería de rodillas.

Tenía el ánimo por los suelos cuando Herrera me ordenó atacar Alvarado. No sé cómo pude sitiar el puerto y convencer al enemigo de pasarse a nuestro bando, a pesar de encontrarme en desventaja numérica. Tal vez porque el egoísmo siempre fue el puntal de mi patriotismo.

Afectísimo don Manuel:

Desde que tengo el honor de conocer al general Santa Anna, he procurado servirlo en la fortuna y en la adversidad, sin esperar más recompensa que la de su afecto. Como usted sabe, el destino selló nuestra amistad con lazos de sangre, al disponer que fuéramos heridos en la misma batalla, cuando el cobarde príncipe de Joinville atacó por sorpresa el puerto de Veracruz. Conducidos al hospital de sangre improvisado a las afueras del puerto, el mismo galeno que amputó su augusto pie cercenó mi brazo izquierdo. En otros tiempos muchos fueron santanistas por interés: yo lo he sido siempre por convicción, a tal punto que daría gustoso mi único brazo con tal de castigar a los traidores que le volvieron la espalda.

Usted mismo fue testigo de mi lealtad cuando me ofrecí para acompañarlo al exilio en el año 67. Recordará que en aquella ocasión fue su esposa Dolores quien se opuso a la idea, tomándome sin duda por un adulador miserable. Ya entonces advertí que la señora Tosta le imponía su voluntad a don Antonio y lo estaba llevando a la ruina con sus lujos de emperatriz. ¡Cuán distinta fue vuestra madre, la dócil y abnegada Inés de la Paz, a quien tuve la dicha de conocer en Manga de Clavo! Discreta y servicial, consagrada a los quehaceres domésticos y a la educación de sus hijos, doña Inés jamás hubiera osado contradecirlo en nada. Pero las damas de su clase ya no se dan en estos tiempos de corrupción y materialismo.

La última infamia de doña Dolores excede a toda ponderación. En las últimas semanas, nostálgico de sus viejas glorias, don Antonio me había pedido que le pusiera el uniforme de gala, pues con esa indumentaria se sentía más inspirado para dictarme. Era un capricho inocente, pero la pérfida señora Tosta, que al parecer se ha propuesto colmar de amargura los últimos años de su marido, de un día para otro dispuso vender los viejos uniformes de mi general, con todo y condecoraciones, bajo la excusa de necesitar dinero para el gasto. ¡Ni Mesalina se hubiese ensañado tanto con el pobre Claudio! Su padre ha caído en tal postración que temo seriamente por su vida. Desde hace una semana se niega a proseguir el dictado y apenas si prueba alimento. Ni siquiera lee los periódicos, a pesar de que en estos días han menudeado los ataques en su contra. Hablé con doña Dolores para suplicarle que recupere los uniformes, en especial el traje de gala, pero ella me trató como si fuera un criado insolente. Si la señora hubiera estado en apuros económicos, su proceder habría tenido justificación. ¿Pero sabe en qué ha empleado las ganancias de la inicua venta? ¡En telas importadas, mitones de encaje y abanicos de última moda!

Ruego a vuestra merced haga un esfuerzo por salvar al general de las fauces de esta sierpe venenosa. Si tuviese medios, yo mismo compraría los uniformes al anticuario francés de la calle Plateros que ahora los exhibe en la vitrina de su comercio, para escarnio y baldón del honor nacional. Pero la pobreza me impide rescatar ese tesoro que las generaciones futuras verán con admiración y pasmo, cuando el nombre de don Antonio, limpio del lodo que ahora lo cubre, vuelva a resplandecer en la nómina de los grandes libertadores. Reducido, pues, a la más completa indigencia, me veo forzado a pedirle ayuda pecuniaria. No necesito mucho dinero: me bastaría una libranza por tres mil pesos para recuperar los trajes de su padre. ¡Se alegrará tanto cuando vuelva a tocar sus galones! Confío en usted porque lo conozco desde pequeño, y estoy seguro de que no abandonará al viejo en estos momentos de penuria y quebranto.

Queda de usted, su humilde servidor que besa su mano,
Manuel María Giménez

La Habana, 6 de agosto de 1874

Apreciado Sr. Giménez:

Lamento lo sucedido con los uniformes de mi padre, pues también para mí tienen un alto valor sentimental. Desearía ayudarle a recuperarlos, pero por desgracia, sólo estoy en condiciones de enviarle doscientos pesos. En La Habana todo está por las nubes, mis hijos ya son grandes y tengo que pensar en la dote de las niñas. Créame, don Manuel: si estuviera en mis manos iría a recuperar personalmente esos trajes, pero la bancarrota familiar me obliga a cuidar los centavos. Yo que me crié entre damascos y brocados, yo que tuve caballos de pura sangre desde los siete años, y regalaba mis pistolas con cacha de plata a los caporales del Encero, me he convertido en una gente de mediano pasar.

La conducta de la señora Tosta no me extraña, pues siempre la he tenido por una zorra. Cuando mi padre la pidió en matrimonio le advertí que se estaba echando un alacrán a la espalda, pero él nunca me hizo caso. Dolores siempre me trató como un enemigo en potencia. Podría contarle mil historias de sus mezquindades, porque las padecí en carne propia durante toda mi adolescencia. Pero he llegado a la conclusión de que mi padre se la merece. Mamá siempre le pareció demasiado rústica y chapada a la antigua, y en cuanto pudo la cambió por una lagartona de sociedad. ¿No quería presumirla en los banquetes de los Escandón? Pues ahora le toca pagar su error. Por otra parte, sería inútil que yo interviniera en el asunto de los uniformes, pues Dolores tiene a mi padre tan sojuzgado que no tardará en convencerlo de que el robo fue por su bien.

De cualquier forma, le agradezco lo que está haciendo por él. Es usted el último santanista de México, pues ahora mi apellido se ha vuelto un estigma.

Te extrañará no haber recibido mis pliegos en las últimas dos semanas. Perdóname, por favor, pero es que he estado demasiado chípil para dictarle a Giménez. No te imaginas qué triste es la vida de los ancianos. La senectud es como una locomotora que avanza en medio del desierto a marchas forzadas, mientras la temperatura del vagón se vuelve más y más sofocante. Quisiera bajar en cualquier estación, pero el tren no se para en ninguna parte. Por desgracia, el doctor Hay me asegura que todavía tengo muchas leguas por recorrer. Según él padezco una enfermedad del sistema nervioso llamada hipobulia, que consiste en pasar abruptamente de la euforia al desgano. Para calmarme cuando estoy exaltado debo tomar polvos de ipecacuana, pero si quiero levantarme el ánimo necesito mascar peyotl, un hongo medicinal de sabor muy amargo. El problema es que si me excedo en la dosis de una u otra medicina, tengo ataques de demencia senil. El otro día Doloritas me encontró hablando solo en el patio. He prevenido a Giménez acerca de mis desvaríos, pues no quisiera emborronar mis apuntes con ocurrencias disparatadas. Pero qué le vamos a hacer: a mi edad, seguir vivo es el peor de los disparates, ¿no te parece?

Ayer soñé que Iturbide se me aparecía en el cuarto vestido de emperador y me susurraba al oído: «Mucho cuidado, Antonio, mucho cuidado con lo que digas de mí». Tenía el pecho sangrante, como un San Sebastián flechado y le pendía del cuello el medallón de la Orden de Guadalupe. Lo raro es que me hablaba con la voz de mi padre, y no sé a cuál de los dos atribuir la advertencia. Quizá tengo empalmados ambos recuerdos porque mi papá murió de angina de pecho poco después de que me uní al Ejército Trigarante. ¿O tal vez me siento culpable por la muerte de Iturbide y ahora veo mi traición como un parricidio?

Esto de las culpas me ha venido con la vejez, porque en la juventud tenía una concha de acero. Mi prueba de fuego fue romper con Dávila. El viejo me quería tanto que al conocer la noticia de mi defección, juzgándome extraviado y en inminente peligro, me envió el indulto a mi campamento, junto con la oferta de respetar el ascenso ordenado por Apodaca si enmendaba mi error. Tanta bondad me conmovió hasta el llanto. Créanlo o no mis adversarios, siempre fui un sentimental y un buen amigo de mis amigos. Por lo demás, la oferta era muy seductora: la Madre Patria tendía los brazos a su hijo pródigo, como si adivinara la lucha interior que estaba librando. Mis temores de haber optado por el bando perdedor se disiparon cuando tuve noticia de la entrada triunfal de Iturbide en León. Con las palabras más suaves que pude encontrar, respondí a Dávila que por motivos patrióticos rechazaba el indulto. En pliego aparte envié a Isabel una sentida esquela donde me disculpaba por tener que abandonarla, y le juraba preservar hasta la muerte «la comunión sublime de nuestras almas».

No quiero abrumarte con los pormenores de las batallas que sostuve contra los realistas, pues hallarás material de sobra en los libros de Alamán y Bustamante, que aun siendo mis enemigos, me reconocen astucia y valor. Como premio por mis victorias en Alvarado, Córdoba y Jalapa, Iturbide me nombró Jefe de la Undécima División, lo que me ponía por encima de Herrera. De ahí en adelante mi lema fue: «En estando bien con Dios, a los santos puras habas». Dueño de casi toda la provincia, sólo me faltaba tomar el puerto de Veracruz, lo que requería una fuerte suma de dinero para armar y entrenar a mi división. Impuse un préstamo forzoso a las familias ricas de Jalapa, y como lo temía, el ayuntamiento recién nombrado me lo quiso impedir con chicanas y tácticas dilatorias. Con el auxilio de mi secretario José María Tornel, que a pesar de su juventud era muy versado en triquiñuelas legales, hice valer mi autoridad y realicé una colecta casa por casa. Aunque mi escolta de lanceros infundía pavor a la gente, sólo conseguí pequeños donativos en metálico, pues quitarle dinero a un rico jalapeño es como sacar agua de un palo seco.

Recién llegado a Jalapa tomé como amante a Zenaida Guzmán, una prietita muy servicial que me aseaba el cuarto por la mañana y sólo hablaba cuando yo le preguntaba algo. Era buena en la cocina y mejor en el catre, donde le gustaba cabalgarme como amazona. Sólo recobraba su timidez al momento del clímax, cuando acallaba sus gritos de placer mordiéndose la muñeca. Zenaida me hizo feliz varios meses, pero como dice el refrán, a nadie le amarga un dulce, aunque tenga otro en la boca. Mi acaloramiento con ella terminó de golpe el domingo en que vi a la soprano Carolina Pellegrini a la salida de la parroquia. Por encima de todo me llamó la atención su blancura, que contrastaba con las pieles pardas de las jalapeñas. Era como un copo de nieve caído en el trópico. Llevaba en los hombros un mantón azul rey que hacía juego con el color de sus ojos y por debajo de su miriñaque se adivinaban tentadoras provincias. Un esteta quizá la hubiese encontrado demasiado robusta. Pero yo, que siempre admiré en la mujer la abundancia de carnes, me enamoré a primera vista de sus redondeces. Caminé hacia ella con la cabeza descubierta y me presenté como jefe de la Undécima División, pues creí que mi grado podía impresionarla, como había sucedido con tantas mujeres que se enamoraban de mis galones. Pero Carolina estaba hecha de otra pasta. Cuando traté de besar su mano la retiró con un mohín de disgusto, llamó a su doncella de compañía y le dijo en tono despectivo:

—Vámonos, Adela, este lugar está lleno de léperos.

Ese mismo día, gracias a un criado que sobornó a su doncella, averigüé quién era y cómo había llegado a Jalapa. Contratada para cantar en el Teatro Principal de México, Carolina había desembarcado en Veracruz dos meses atrás. Cuando se dirigía a la capital, estalló la rebelión de Iturbide, se formaron barricadas en el Camino Real y tuvo que buscar asilo en Jalapa, donde la buena sociedad la había acogido con entusiasmo. Ella detestaba por vulgar y pacata a la aristocracia pueblerina que la agasajaba hasta el empalago, pero a falta de mejores diversiones se dejaba querer y condescendía a cantar misas en la parroquia, para ejercitar las cuerdas vocales. Cuando me enteré de su largo historial amoroso, que incluía un breve romance con el mariscal Ney, el subordinado más ilustre de Napoleón Bonaparte, mi deseo de conquistarla se volvió una obsesión. Carolina era la encarnación del Viejo Mundo, con todo su refinamiento y sus galas. Poseerla significaba disfrutar placeres desconocidos, despojarme de mis ataduras provincianas y reafirmar mi orgullo viril con una seducción de altos vuelos.

Le envié mensajes rogándole que me concediera una cita, pero ella los devolvió a mi criado sin abrirlos. Por Adela supe que en las tardes soleadas le gustaba salir a pasear en las faldas del cerro Macuiltepec, un lugar que yo conocía muy bien, por haberlo explorado en la infancia con mi hermano Manuel. Un día la seguí a prudente distancia, primero a caballo por la ladera del cerro, después a pie bajo una bóveda de ramajes, entre el gorjear de los pájaros y el siseo de las corrientes cristalinas que se deslizaban en la espesura. La majestad de la naturaleza debió conmoverla y se puso a cantar recargada en el tronco de un árbol. Creo que hasta las fieras del bosque languidecieron al oír sus trémolos. Si el amor es olvidarse de uno mismo, algo que difícilmente me ha ocurrido en el transcurso de mi existencia, en ese momento amé con la mayor intensidad. Pero mi gozo duró un suspiro, pues a poco de iniciado el concierto el cielo se encapotó, sonaron horrísonos truenos y las aves empezaron a volar precipitadamente para albergarse en las grietas de las rocas. Una tormenta en la sierra de Jalapa es imponente para cualquiera, más aún para una mujer frágil y sensible. El estampido del rayo, su repercusión estridente en las montañas, el movimiento ondulante del follaje agitado por el viento y el agua que en cataratas se desprendía de las nubes empavorecieron a Carolina, que corrió ladera abajo y se fue de bruces al tropezar con los helechos. Corrí en su auxilio, la levanté en vilo y la cubrí con mi capote para llevarla hasta la roca donde había amarrado mi caballo. En medio de la tempestad cabalgamos rumbo a Jalapa, entre árboles desgajados y espesas corrientes de lodo. Carolina había perdido el conocimiento o fingió perderlo, y sólo abrió los ojos cuando llegamos a su casa en la calle del Calvario. A una pregunta suya le dije mi nombre, esta vez sin añadir mi grado. Fue la primera vez que se dignó sonreírme.

Pero con ella era preciso andarse con tiento. En vez de intentar una rápida seducción, la cortejé por espacio de varias semanas, mientras mis tropas recibían entrenamiento en la hacienda del Encero. Ella correspondió a mis atenciones haciéndome su confidente. Me habló del horror que le inspiraba el populacho de la parroquia, donde la gente humilde hacía sus necesidades en las baldosas. En cambio, tenía debilidad por las guanábanas y por los niños indígenas, que le parecían graciosas figuras de terracota. De sus triunfos en Europa sólo hablaba a solicitud mía, pues le molestaba ufanarse de su voz y de su belleza, dones que Dios le había regalado sin merecerlos. ¿Qué había hecho ella para recibir invitaciones de todas las cortes europeas, para tener postrados a sus pies al barón de Nuncigen, a los condes de Luxemburgo, al mismo Luis XVIII, que le había regalado un prendedor de esmeraldas? Nada, absolutamente nada. El éxito, la fama, la admiración de los poderosos no le habían costado ningún esfuerzo. Otras colegas suyas batallaban toda la vida para hacerse un nombre en el *bel canto*, ¡si yo supiera cuántas indignidades toleraban y cometían! Ella, en cambio, sólo había tenido que pararse en el escenario y abrir la boca. Era un prodigio natural, como los ruiseñores o las puestas de sol. Por eso no presumía de nada y simplemente daba gracias a Dios. Su voz tenía la extraña virtud de provocarme erecciones, sobre todo cuando describía la opulencia y el boato de las cortes europeas. Me la imaginaba rodeada de condes y mariscales en los salones de la aristocracia, o mejor aún, tendida en un *chaise longue* con los pechos al aire, sonriente y satisfecha después de una orgía.

A principios de junio mis tropas ya estaban listas para el combate y no podía demorar el ataque a Veracruz. Obligado a precipitar mi conquista, la invité a una cena íntima en la hacienda del Encero, donde mandé poner candelabros, cortinajes y cubiertos de plata (ya desde entonces tenía entre mis planes apoderarme de esa espléndida finca, pero no pude hacerlo hasta muchos años después). Carolina llegó con un escote provocativo y el pelo suelto sobre los hombros. A la segunda copa de oporto la charla pasó de la formalidad a la frivolidad, y de ahí a las confidencias. Le hablé de los rigores de la vida militar, de mis sueños de gloria, de mi obsesión por vivir un gran amor. Con voz quejumbrosa, Carolina me confesó que a pesar de haber tenido tantos amores como estrellas hay en el firmamento, ningún hombre había sabido hacerla feliz. «Porque ningún hombre la ha querido como yo», repuse envalentonado. La tomé suavemente de la mano y la atraje hacia mí. Me besó con pasión y ternura, como si me cantara de boca a boca. Empezaba a acariciar las venillas azules de su pecho cuando Zenaida entró con las bandejas de la cena y tuvimos que separarnos abruptamente.

Carolina era romántica en todo, menos en su voraz apetito, y en vez de prolongar los besos, se sirvió generosas raciones de cerdo en manchamanteles. Ni el pastel de coco perdonó, pues era muy afecta a la repostería mexicana. Yo no probé bocado, porque el deseo me había quitado el hambre. Terminada la comilona le obsequié un brazalete de rubíes que había expropiado en mi colecta cívica.

—Mañana salgo a combate y quiero que tengas un buen recuerdo de mí, por si llegara a pasarme algo.

Carolina se colgó de mi cuello como una quinceañera impetuosa. La llevé a mi recámara en brazos, mientras ella me abría los botones de la casaca y jugueteaba lascivamente con los pelos de mi pecho. La cama se pandeó bajo el peso de nuestros cuerpos enfebrecidos. Con grandes dificultades me abrí camino entre el espeso follaje de enaguas y crinolinas hasta encontrar sus imponentes muslos rollizos. Iba a poseerla sin haberme quitado las botas, como un hombre en llamas que corre a zambullirse en el agua, cuando Carolina empezó a quejarse de un agudo dolor en el vientre. Apenas pudo correr al baño para evacuar el estómago. Volvió lívida, con un hilillo de sudor en la frente, y me pidió que por favor la llevara a su casa, pues un severo cólico la había indispuesto. Por el camino traté de consolarla, aunque en mi fuero interno la maldecía por haberse empachado. Cuando llegamos a Jalapa el cólico todavía no cesaba. Fue preciso llamar a un galeno que examinó sus evacuaciones y diagnosticó una intoxicación. Comprendí entonces que Zenaida nos había querido envenenar por despecho. ¡Cómo se me había ocurrido pedirle que preparara la cena!

Ordené a mi ayudante de campo que la desterrara a diez leguas de Jalapa. Tiempo después, cuando ya me había casado con tu santa madre, se presentó en Manga de Clavo con un chaval de siete años, que según ella era mío. Se llamaba Ángel y era tan parecido a mí, que no pude negarme a reconocerlo. Podrán acusarme de lo que sea, pero no de mezquindad con mis hijos naturales. Como buen cristiano asistí al bautizo y le asigné a su madre una pensión mensual para que lo criara en Veracruz. Por eso tú lo conociste ya mayorcito, cuando se graduó de cadete.

Gracias a Dios y a su corpulencia, Carolina sólo pasó una noche con escalofríos mientras le hacían efecto los eméticos recetados por el doctor. Pero nuestra cópula quedó aplazada indefinidamente, pues yo tuve que salir con mi división hacia Veracruz, el foco de resistencia más importante de los realistas, donde esperaba obtener una victoria decisiva para la consumación de la Independencia. Empezaba a movilizarme con mis tropas en las afueras de Jalapa, cuando escuché vítores y aplausos dirigidos a un hombre que a la distancia parecía un pordiosero. Al verlo de cerca comprendí el entusiasmo de los soldados: el mendigo era nada menos que Guadalupe Victoria. Se había desmejorado mucho desde la última vez que nos vimos, pero a los ojos de la soldadesca su delgadez cadavérica era un timbre de gloria, pues reflejaba las privaciones y las inclemencias que había padecido en los montes. Tengo un sexto sentido para los golpes teatrales, y al advertir el halo heroico de Victoria comprendí que me convenía abrazarlo efusivamente. Hasta le entregué el mando de la división, que él rechazó con modestia, pues quería hablar con Iturbide antes de incorporarse al Ejército Trigarante. Sólo aceptó acompañarme hasta las murallas de Veracruz para elevar la moral de la tropa, pero no quiso tomar parte en el ataque, tal vez porque presentía mi derrota.

Mi principal error fue creer que los soldados de la marina real se pasarían a nuestras filas, como había sucedido en Alvarado, donde tomé la plaza sin disparar un tiro, tras haber instado al coronel Topete a la rendición. Pero Dávila no era Topete ni los defensores de Veracruz —españoles en su mayoría— buscaban acomodo en las fuerzas de Iturbide. Dolido por lo que suponía una traición, mi antiguo mentor quiso cobrar venganza y preparó a conciencia la defensa del puerto, reclutando a los hijos de buenas familias como refuerzos de sus tropas. Entre ellos estaba mi hermano Manuel, que había reprobado mi cambio de casaca y acudió al llamado de Dávila con una presteza que sólo puedo atribuir a la envidia. Más tarde se disculpó conmigo y me juró que Dávila lo había obligado a empuñar las armas, pero otros aseguran que se alistó como voluntario. ¡Maldita raza de Caín! ¿Quién pudiera extinguirte? Cuando supe que iba a combatir contra mi propio hermano, traté de conmover a Dávila con una carta respetuosa donde lo instaba a evitar la lucha fratricida. Su respuesta fue una escueta negativa, donde me daba tratamiento de señor, sin reconocer siquiera mi grado de coronel. Tal vez debí esperar que se me pasara el enojo para ordenar el ataque. Pero la arrogancia de Dávila exigía una respuesta inmediata y tomé la decisión de asaltar a sangre y fuego el baluarte de La Merced, apoyado por mi única pieza de artillería, un obús de a siete que aposté en el Médano del Perro.

Hacía falta mucho más que eso para abrir un boquete en las gruesas murallas de la ciudad. Sin embargo, escalé el paredón a la cabeza de mis hombres y a tal punto logré infundirles coraje, que unas horas después habíamos tomado el baluarte, a pesar de las granadas que llovían sobre el campamento. Habiendo guarnecido la puerta de La Merced, me dirigía con el resto de mis hombres a tomar la Escuela Práctica y la Batería de Santiago, cuando los marinos apostados en el Palacio de Gobierno nos obligaron a retroceder con sus fogonazos. Para colmo, se desató un copioso aguacero que inutilizó nuestro único obús y me dejó a merced de los cañones enemigos, protegidos de la lluvia en el cuartel del Fijo. Gracias a mi conocimiento de la ciudad, resistí la artillería de Dávila durante cinco horas. En ese lapso, que para mí duró un suspiro, mandé como general, cavé como zapador, trepé como granadero y me batí varias veces como el primero de mis soldados. A pesar de nuestra desventaja, el resultado de la batalla pudo ser otro si la tropa que había dejado en el portal de La Merced no hubiese abierto las tabernas del lugar para empinar el codo mientras pasaba la lluvia. Por culpa suya y no de mi imprevisión, los realistas causaron gran mortandad a la columna que atacó el cuartel del Fijo sin contar con el apoyo de la retaguardia, y aniquilaron por completo a la caballería que intentó aproximarse a los baluartes no conquistados.

En medio de dos fuegos, repelí como pude los cañonazos del Fijo y los proyectiles que nos arrojaban desde las lanchas fondeadas en el muelle. Pero al ser asaltados por dos partidas de infantería, los sesenta cazadores que aún peleaban conmigo huyeron despavoridos al otro lado de la muralla. Había perdido a la mitad de mi división y estaba en peligro de caer prisionero, pues una patrulla realista se aproximaba a mi barricada. Corriendo por los callejones de la ciudad, llegué a la calle de las Damas, donde todas las casas estaban cerradas a piedra y lodo. Cerca de ahí vivía mi hermana Mariana, pero no podía pedirle asilo, pues era el primer sitio que

Dávila mandaría catear cuando supiera que estaba prófugo. Elegí el único refugio donde nunca se le ocurriría buscarme: su propia casa. Usando como peldaños las volutas de la herrería trepé al balcón donde Isabel solía mirar el crepúsculo. Toqué en los postigos de las ventanas con insistencia, hasta que por fin me abrió. La pobre por poco se desvanece de la impresión:

—Estaba rezando por ti —me dijo—, esto es un milagro.

He sido injusto con ella al presentarla como una adúltera depravada. Isabel tenía el diablo en el cuerpo, es cierto, pero también era capaz de grandes sacrificios por el ser amado. Exponiéndose a un escándalo me escondió en su alcoba, y cuando Dávila entró a darle los buenos días, feliz por el resultado de la batalla, lamentó que las patrullas realistas no hubieran podido atraparme: «Si lo encuentran, me lo traes para darle un bofetón», dijo Isabel. Yo contenía el aliento debajo de su cama y me sentí perdido cuando Dávila se acostó a dormir una siesta. Por fortuna llegaron a despertarlo pronto, pues debía dictar un parte de guerra, y en el mismo lecho que había dejado tibio tuve mi último retozo con Isabel. Fue una imprudencia, lo reconozco, pero no podía negarle ese favor cuando ella se estaba jugando todo por mí.

Entré a su alcoba a las cinco de la mañana y la noche siguiente salté por el balcón vestido de mujer, la cabeza tapada por un velo negro. Debí hacer una buena imitación de los andares femeninos, pues los cargadores del muelle me gritaron obscenidades. En una bolsa de yute llevaba mis botas, que me fueron de enorme utilidad al trasponer las murallas del puerto, rodeadas por hediondos pantanos. En medio del lodazal encontré hecha jirones la bandera de las Tres Garantías que la noche anterior había colocado en el baluarte de La Merced.

En la juventud las derrotas duelen más que en la madurez, porque el alma todavía no está curtida en los desengaños. Lloré en privado, pero en público evité dar señales de abatimiento, pues desde entonces sabía que el mejor lenitivo para una derrota es restarle importancia ante los demás. En mi correspondencia oficial atribuí el «pequeño tropiezo de Veracruz» al aguacero y a la ebriedad de algunos bellacos indignos de llamarse mexicanos, pero dediqué varios párrafos a elogiar la bravura de los cazadores que tomaron conmigo el baluarte de La Merced. Sin embargo, temía que mis malquerientes hicieran llegar a Iturbide su propia versión de lo sucedido y me acusaran de haber sacrificado inútilmente la mitad de mis tropas.

El Dragón de Fierro acababa de entrar en Puebla en medio de estruendosas aclamaciones. Aproveché la circunstancia para conocerlo en persona, presentarle mis respetos y disipar las dudas que pudiese abrigar sobre mi conducta. Al entrar en la ciudad me sorprendieron las pintas con la frase «¡Viva Agustín I!», que más tarde Iturbide mandó borrar con fingida molestia, pues al parecer él mismo había ordenado que se le aclamara de tal manera. Comprendí hasta dónde llegaba su ambición y me dispuse a lidiar con un tiranuelo engreído. Sin embargo, Iturbide aún mantenía los pies en la tierra, pues necesitaba ganarse la voluntad de propios y extraños. La sencillez de sus modales alcanzaba tal perfección que me sentí como si estuviera con un amigo de toda la vida, y tal vez por ello cometí el error de hablarle con demasiada franqueza. No tuve que darle explicaciones por el asalto a Veracruz, pues delante de sus oficiales lo calificó de heroico. En cambio me reprendió amigablemente por haber ofrecido a Guadalupe Victoria el mando de mi división.

—Ese hombre es muy peligroso, coronel. De tanto vivir en las cuevas se ha vuelto una fiera intratable. La semana pasada lo vi en San Juan del Río y ¿sabe qué me propuso? Que el primer monarca de México sea un viejo insurgente, casado con una princesa india de Guatemala —Iturbide sonrió con desdén—. ¡Vaya descaro! ¡Poco le faltó para proponer su nombre!

Cuando Iturbide me previno contra Victoria yo le aseguré que haría todo lo posible para mantenerlo a raya. Pero de vuelta a mis dominios, seguí tratando a don Guadalupe con la mayor deferencia, pues prefería tenerlo como aliado que echármelo de enemigo. Empezaba a perfilarse ya una lucha sorda entre los viejos insurgentes y los oficiales realistas, que no se habían perdonado del todo los agravios mutuos cometidos en diez años de guerra. Como subordinado de Iturbide yo debía obedecerlo, pero procuré tener una vela prendida en el bando contrario, no fuera a ser que la suerte le volviera la espalda.

Durante mi breve estancia en Puebla comprobé que la Independencia no afectaría los privilegios del clero ni de la milicia, menos aún las fortunas de las viejas familias criollas. Dávila me tildaba de traidor, pero ¿a quién había traicionado, si ahora departían con Iturbide los mismos hacendados y obispos que había conocido en sus tertulias? El verdadero poder no había cambiado de manos, a pesar de las invectivas contra el yugo español que el Jefe del Ejército lanzaba de vez en cuando en sus proclamas. Por si acaso el vulgo las hubiera tomado en serio, Iturbide se apresuró a garantizar que al triunfo de la insurgencia serían respetadas las vidas y propiedades de los europeos residentes en el país. Él mismo era hijo de un español y acogió en el alto mando del ejército a todos los peninsulares que deseaban unirse a su causa. De ahí la facilidad con que se produjo el divorcio de la Madre Patria. Fue una ruptura en familia, donde todo cambiaba para seguir igual. Para ser franco, yo aprobaba con entusiasmo la manera como Iturbide estaba llevando las cosas, y creía ingenuamente en la sinceridad de sus atenciones. Me fui de Puebla creyendo que me tenía en alta estima, porque me regaló un estandarte con la bandera de las Tres Garantías y al despedimos me dijo: «Usted es un pilar de mi ejército. Siga como va y llegará muy lejos».

DE AGUSTÍN DE ITURBIDE
A JOSÉ JOAQUÍN DE HERRERA

Puebla de los Ángeles, 28 de julio de 1821

Dilecto amigo:

He conocido por fin a nuestro coronel Santa Anna y concuerdo plenamente con la descripción que usted me había hecho de su persona. En mi vida he soportado a un adulador más irritante, y eso que en las últimas semanas, atraídos por la inminencia del triunfo, vienen a verme lambiscones de la peor calaña. Di una recepción a los notables de Puebla y no se despegó de mí en toda la noche. ¡Qué manera de beberme los alientos y de fastidiarme con sus zalemas! A la salida me detuvo el estribo del caballo como un mozo de cuadra. No cesaba de elogiar mis espuelas, el corte de mis levitas, el aroma de mis puros. Se mostró tan obsequioso que llegué a pensar que era maricón. Pero conozco bien a los oficiales de su tipo, y apostaría que en el fondo se cree superior a mí. Cuánta fatuidad y cuánta insolencia encubren sus genuflexiones. Si le damos alas a este alacrán, no tardará en pedir el Ministerio de Guerra, o hasta la corona. Tampoco podemos estar seguros de su lealtad, porque ya traicionó una vez y puede volver a hacerlo.

Por desgracia, mientras los españoles permanezcan en Veracruz, lo necesitamos tener al frente de la undécima división. Bien vigilado, Santa Anna puede sernos muy útil. Está sediento de gloria, su gente lo quiere y sería capaz de llegar hasta el heroísmo con tal de expulsar a Dávila. Pero eso sí: tenga mucho cuidado con los dineros. No le dé más de lo indispensable para sostener al ejército, pues me han informado que tiene las uñas muy largas. Las familias de Jalapa se quejan de sus continuas exacciones, y yo no quiero atemorizar a la gente decente. Si le pide fondos extraordinarios, dígale que no tiene mi autorización para aprobarlos. Cuando él me escriba quejándose, yo le prometeré tomar cartas en el asunto y lo culparé a usted por el retraso de las partidas. Así nos iremos pasando la bolita hasta que se aburra. Confío plenamente en su capacidad para lidiar con esta alimaña, mientras llega el momento de aplastarla.

Religión, Independencia, Unión.

Me encontraba en las afueras de Veracruz, recién llegado de Puebla, cuando supe que había desembarcado en el puerto el general don Juan O'Donojú, virrey nombrado de la Nueva España. Le sorprendió enterarse de que el puerto había sido asaltado, pues ignoraba que la rebelión se había extendido por todo el reino. El pobre tuvo un mal augurio antes de prestar juramento, pues a dos horas de su desembarco murieron de vómito negro dos sobrinos que lo acompañaban. Con su habitual terquedad, Dávila quiso persuadirlo de que encabezara la defensa del puerto, pero O'Donojú era sensato y no quiso meterse en camisa de once varas. A los tres días del desembarco, por iniciativa suya tuvimos un encuentro en la Alameda, donde elogió mi valor en el asalto a Veracruz, y me dio una carta para Iturbide. Venía lacrada, pero me permití abrirla, para imponerme de su contenido: O'Donojú reconocía el derecho de los mexicanos a elegir su forma de gobierno y deseaba charlar con el Jefe del Ejército Trigarante.

A pesar de sus intentos por restarme méritos, mis enemigos embozados no pudieron evitar que escoltara al virrey hasta Córdoba, el lugar fijado para la entrevista. Gracias a mi previsión, Iturbide y O'Donojú entraron a la ciudad el mismo día y el pueblo los recibió con enorme júbilo, pues al conocer la fecha del encuentro envié gente a alborotar el vecindario. Llamado por ambos concurrí a sus conferencias y tomé una parte muy activa en el feliz resultado que tuvieron. De tal suerte que si no fui padre de la Independencia, por lo menos me corresponde el título de partero.

Tras la firma de los tratados de Córdoba, el sitio de Veracruz no podía prolongarse mucho. Suponiendo que Dávila se rendiría en cualquier momento, me mandé hacer un traje de gala para mi gloriosa entrada en la ciudad y hasta distribuí dinero entre la plebe del puerto por medio de mis ordenanzas, que entraban y salían de la ciudad disfrazados de soldados realistas. Pero Dávila, enfermo de rencor, advirtió a Iturbide que entregaría la plaza a cualquiera menos a mí. ¡Oh, injusticia divina! Como veracruzano y como patriota, me correspondía por derecho propio tomar el puerto y recibir la aclamación popular. Pero Iturbide, en un gesto de menosprecio que hirió profundamente mi dignidad, cedió a las presiones del miserable vejete y nombró en mi lugar a Manuel Rincón, un gachupín de los últimos en unirse a la insurgencia, con quien yo había reñido en tiempos del virrey Apodaca. El insulto de Iturbide me puso en guardia, pues comprendí que ya no me necesitaba y quería deshacerse de mí. Por conveniencia política felicité a Rincón y le entregué el mando de la tropa sin dejar traslucir mi enfado. Fue una ordalía para mi orgullo tener que sentarme a su lado en el *Te Deum*, marchar por las calles en calidad de subalterno, compartir los aplausos que merecía en exclusiva. De algo sirvió mi popularidad entre los jarochos y las monedas que había repartido, pues la mayoría de los vítores iban dirigidos a mí. Pero mi anhelo no era opacar a Rincón, sino tener el mando de la provincia y al oírlo gritar desde el balcón del ayuntamiento sus vivas a México —falsas y grotescas en boca de un español— me dieron ganas de hacerle un motín y enviarlo a Cuba en una balsa de remos.

En una previsible jugarreta, mi hermano Manuel corrió a ponerse a las órdenes de Rincón, y hasta tuvo el descaro de saludarme, feliz por mi caída en desgracia. Su envidia apestaba a siete leguas de distancia, aunque hacía grandes esfuerzos por ocultarla. Como si entre nosotros no hubiera pasado nada, me invitó a dormir en casa de mis padres. Preferí hospedarme en el Fijo de Veracruz, para evitarme un pleito a puñetazos como los que teníamos de niños. Al despertar, cuando todavía me quedaba un regusto a fracaso por mi deslucido papel en los festejos de la victoria, recibí un billete perfumado que alivió mi frustración y me levantó el ánimo. Carolina Pellegrini estaba en el puerto, en espera de un bergantín que la llevaría a Nueva Orleans. Me había visto desfilar por el malecón «gallardo como un sol» y me citaba en su casa de alquiler a las cinco de la tarde, «para concluir el asunto que dejamos pendiente». Bañado en agua de colonia ocurrí a la cita con un retraso de media hora, pues la experiencia me había enseñado que un poco de indiferencia exacerba la pasión de las damas. Recostada en un diván, Carolina me tendió su lánguida mano, que besé con ardiente demora. Vestía una bata china que realzaba sus opulentas formas y había puesto a quemar una vara de incienso. Entre las volutas de humo dulce me pareció una princesa de las mil y una noches. Embebido en su generoso escote, no advertí que llevaba puesto el brazalete de rubíes, hasta que ella misma me lo hizo notar con un coqueto ademán.

Por mera formalidad charlamos de sus planes para el futuro, de mis éxitos militares, del mal clima de Veracruz, que la tenía al borde de la histeria. Esos calores la estaban matando —me dijo—, era como tener un tizón ardiente en la piel. Para ilustrar su sofoco se abrió la bata, y me dejó entrever sus albos pechos de emperatriz, con los pezones erguidos en actitud retadora. Los palpé y sorbí como un cachorro de león. Tenía tan nublado el entendimiento que no recuerdo cómo llegamos a su cama protegida con mosquiteros de tul, ni quién desnudó a quién. Todo iba de maravilla hasta el momento fatal en que oí pasar por la calle un batallón de infantería. Por una extraña asociación de ideas, el toque de la corneta y el golpeteo de las botas en el terregal me recordaron la afrenta que había padecido el día anterior por la ingratitud de Iturbide. Disminuido ante los demás, el quebranto del alma se extendió a mi cuerpo y me hallé con el miembro flácido cuando quise penetrar a la Pellegrini.

La impotencia no debería ser un motivo de vergüenza, porque es un contratiempo imposible de controlar. Yo la había padecido ya con algunas mujeres y no me inquietaba en absoluto, pues sabía que de vez en cuando, las tribulaciones del alma inhiben al instinto, sin afectar la virilidad. ¡Pero cómo explicárselo a la hembra impaciente que me picaba los ijares con los talones! Mi tropiezo con Carolina fue sin duda el más bochornoso de mi juventud, por el empeño que había puesto en su conquista. Ni los reveses que sufrí más adelante en las guerras contra Estados Unidos y el Imperio francés me dolieron tanto como ese fracaso.

Durante varias semanas evité el contacto con mujeres, pues temía una recaída en la impotencia, y como es natural, el deseo insatisfecho me puso de mal humor. Mi cólera recayó en los oficiales de Rincón, a quienes trataba con malos modos. Algunos se quejaron con él, y empezó así una guerra de cartas a Iturbide en que Rincón me acusaba de actuar como un déspota con la tropa, y yo lo tildaba de inepto. En realidad, lo que le molestaba no eran mis abusos de autoridad con algunos soldados, sino mi tendencia a actuar con absoluta independencia, sin tomar en cuenta su parecer. Todavía confiaba en mi buena estrella y pensaba que Iturbide finalmente me haría justicia. Pese a las malas referencias de Rincón, yo era el libertador de la provincia y tarde o temprano tendría que reconocer mis méritos. Por lo pronto aspiraba al título de general brigadier, más tarde vendrían los grandes honores.

Al consumarse la Independencia, Iturbide publicó un decreto con la lista de los jefes del ejército. Como era de esperarse, dada mi corta edad, no me incluyó entre los mariscales, tampoco entre los generales de División. Busqué un poco más abajo, en la columna de brigadieres, donde figuraba hasta el coronel Horbegozo, un pobre diablo al que había derrotado en Jalapa sin disparar un tiro. Con dolor indescriptible comprobé la ausencia de mi nombre. Iturbide daba preferencia sobre mí a los realistas que se habían adherido al Plan de Iguala al cuarto para las doce, cuando el ejército libertador ya era dueño de la nación. Era un desaire brutal, que me dejaría desconceptuado a los ojos de la tropa.

Para mayor humillación, en el mismo decreto nombró capitán general de las Provincias de Oriente a Domingo Loaces, otro palurdo español, y confirmó a Rincón en el gobierno de Veracruz. ¡Un patriota subordinado a dos gachupines! ¿Y a eso le llamaban Independencia? Si la exclusión de Iturbide fue un atropello monstruoso, mayor condena merece el que ahora sufro a manos de mi propia mujer. ¿O acaso no es un crimen privarme de los uniformes y medallas que obtuve en cincuenta años de servicios a México, por un miserable puñado de pesos? Iturbide y Dolores: dos caras de la misma moneda. Uno intentó sobajarme, temeroso de que un héroe como yo lo eclipsara tarde o temprano, la otra no descansa en su empeño por amargar mis últimos días, y al ver que el pasado es mi única razón de vivir, me arrebata los vestigios de mi gloria pretérita. ¡Oh, enemigos de ayer y de hoy, os veo conspirando siempre en mi contra, los dientes afilados y las miradas torvas, como mañana veré a los buitres cebados en mis despojos! Dadme un poco de paz, un poco de sosiego al fin de mi jornada. No me atormentéis con vuestra danza macabra, tened piedad de este pobre viejo, que ya escucha los clavos en la tapa de su ataúd. Pero aquí están de nuevo, allá viene Iturbide del brazo de Carolina, susurrándole al oído un secreto picante. Sin duda se han enterado de que a mi edad me orino en los pantalones, ¿pero cómo pudieron saberlo? ¿Quién les confió mi secreto? ¿Fuiste tú, Loló? ¡Contesta, perra sarnosa! ¿No oyes que te estoy hablando? Tres días de arresto y seiscientos pesos de multa por desacato a la autoridad. Ahora vas a saber quién manda en esta casa. Tome nota, Giménez: declaro prohibidas las funciones de ópera y ordeno se expulse del país a las primadonas enfermas de gonorrea. ¡Cierren las puertas! Por decreto presidencial queda disuelto el Supremo Congreso. Mexicanos al grito de gueeeeerra...

Nota de Giménez:

Al llegar a este punto, don Antonio empezó a farfullar obscenidades que la decencia me impide transcribir. Alarmado por sus convulsiones, corrí en busca del doctor Hay, que se declaró incapaz de curar su demencia senil y me recomendó aumentarle la dosis de polvos de ipecacuana, «para que al menos el viejo se muera tranquilo». He transcrito los disparates del último párrafo por fidelidad histórica y porque los reproches contra la señora Tosta son una prueba fehaciente de su perfidia. La posteridad debe saber que mientras el general enloquecía de tristeza y dolor, doña Loló jugaba conquián con un grupito de lagartonas.

DE ITURBIDE A SANTA ANNA

México, 16 de febrero de 1822

Mi estimado amigo:

Como usted sabe, a principios de año el general Pedro Celestino Negrete descubrió la existencia de una conjura que se proponía derrocarme para establecer la República. En ella tomó parte muy destacada el general Guadalupe Victoria, que en los últimos meses, como diputado por Durango, se distinguió por su radical oposición a todas las medidas de mi gobierno. Los ojos del mundo están puestos en México y no podemos tolerar que reine la anarquía, o las grandes potencias creerán que somos un país incapaz de gobernarse. Para salvaguardar la paz, me vi obligado a recluir en prisión al general Victoria, en tanto averiguaba los alcances de la conjura, pero Victoria es astuto y aprovechó una negligencia de sus custodios para darse a la fuga como un malhechor de la peor calaña. Al enterarme de la evasión giré instrucciones a todas las comandancias militares para que el prófugo sea detenido y llevado de vuelta a la ciudad. Sin duda cuenta con protectores infiltrados en nuestras filas, porque hasta ahora nadie lo ha capturado.

Según mis últimos informes, Victoria se ha dirigido a la Costa de Sotavento en la provincia de Veracruz, después de haber estado en Tumaschalco y Paso de Ovejas, donde durmió dos noches. Por la importancia que supone la aprehensión del reo para la tranquilidad y el bien de la patria, he decidido encargarle tan delicada misión. Para tal efecto he ordenado al señor Domingo Loaces se sirva proporcionarle doscientos hombres de caballería y los pertrechos necesarios para el desempeño de su tarea. No necesito recomendar a usted la eficacia en el cumplimiento de esta comisión, pues de sobra conozco sus cualidades como soldado. En cuanto a la petición de que le sea concedido el grado de Brigadier, quedo impuesto de ella, pero le ruego tenga paciencia, pues la he sometido a consideración de mi Estado Mayor. Cuenta usted con todo mi apoyo y le aseguro que si me entrega pronto a Victoria, será promovido a la mayor brevedad.

Jalapa, 28 de febrero de 1822

Amadísimo General de todo mi aprecio:

He recibido la última carta que se sirvió remitirme y quedo tan agradecido como esperanzado en sus generosas ofertas. Usted sabe cuán dispuesto estoy a obedecerlo en cualquier circunstancia, pero no me encuentro en condiciones de perseguir a Victoria, habiendo sufrido la semana pasada una fractura de tibia y peroné al caer de mi caballo en una zanja recién abierta. Deseoso de corresponder a la distinción con que me ha honrado, consulté al doctor Pérez si podría montar con la pierna entablillada, pero me lo prohibió en absoluto. No sabe cuánto lamento esta indisposición, pues anhelo tanto como usted la captura de Victoria y quisiera entregárselo con cepos y cadenas, como conviene a un criminal de su ralea. Por la premura del caso, le sugiero nombre en mi lugar al general Rincón.
    Reitero a S.E. las seguridades de mi particular aprecio,
    Coronel Antonio López de Santa Anna

DE RINCÓN A ITURBIDE

Veracruz, 16 de marzo de 1822

Serenísimo Señor:

Como le he venido informando en mis cartas, la conducta del coronel Santa Anna no se compadece con la lealtad que os dice profesar. En los últimos días se ha dejado ver en el malecón con su pierna entablillada. Sin embargo, personas de toda mi confianza me aseguran que Santa Anna bailó sones jarochos en un fandango recién celebrado en la villa de Medellín, y a decir de todos los testigos, tenía la pierna en perfecto estado. Como suponía, lo de la fractura fue una comedia montada para eludir vuestras órdenes. La pregunta es: ¿por qué se negó a emprender la búsqueda de Guadalupe Victoria, si de ello dependía su ascenso a general brigadier?

Tengo la sospecha de que Santa Anna está en combinación con el prófugo y así me lo confirman algunos hechos recientes, como por ejemplo, el escándalo acaecido el 9 de los corrientes en la Taberna del Zopilote, donde al calor de las copas, los miembros de su escolta gritaron vivas a Guadalupe Victoria. Si a esto añadimos los informes que he recibido sobre la existencia de partidas rebeldes en Coscomate y Huatusco, cuyo total podría llegar a cien hombres, y las recientes incautaciones de propaganda republicana en Boquilla de Piedra, tendríamos motivos para inferir la complicidad entre ambos jefes. Llamo vuestra atención sobre este delicado punto antes de que reviente escandalosamente la mina. En Veracruz, el joven coronel es una especie de reyezuelo, y temo que de llegar a presentarse un conflicto de autoridades, la tropa se volvería en mi contra.

En espera de nuevas órdenes, hago votos por la pronta mejoría de vuestra distinguida esposa y os reitero mi adhesión incondicional.

DE JOSÉ MARÍA TORNEL A SANTA ANNA

México, 7 de marzo de 1822

Estimado amigo:

Desde nuestro último encuentro en Jalapa, cuando requirió mi consejo en la controversia legal que sostuvo con el cabildo de la ciudad por el préstamo forzoso para gastos de guerra, he seguido con preocupación los altibajos de su carrera. En mi humilde opinión, Iturbide y usted son los únicos mexicanos que han recibido desde lo alto el fuego sagrado del genio. Por ello me parece lamentable que en los últimos meses, los intrigantes de palacio hayan predispuesto al generalísimo en contra de usted. Como recordará, tengo dos vocaciones que algunos consideran contradictorias: las armas y las leyes. Soy abogado, pero también militar y en ambas esferas he procurado hacer amistades, pues de ellas depende mi porvenir político. En la actualidad me desempeño como oficial segundo del Ministerio de Guerra. Con un pie en los cuarteles y otro en el Congreso, he logrado infiltrarme en los grupos que luchan por el poder, a quienes presto servicios de mediador. Al tanto de sus intrigas y maquinaciones, preveo una turbulenta confrontación a corto plazo, y como amigo suyo, considero mi deber prevenirlo para que se ponga a buen recaudo.

La negativa del gobierno español a reconocer los Tratados de Córdoba destapó la caja de Pandora de las ambiciones, pues al romperse el compromiso que nos obligaba a ser una monarquía constitucional, los masones del rito escocés han exigido a Iturbide adoptar el sistema republicano. Entre ellos figura el general Felipe de la Garza, capitán general de Nuevo Santander, que llegó al extremo de ofrecer sus tropas para apoyar al Congreso si decidía rebelarse contra la Regencia. En cambio, los borbonistas del ala conservadora proponen ofrecer el trono de México a otra casa reinante, o en su defecto, al propio Iturbide, que no se haría del rogar para aceptarlo, pues con esa investidura podría disolver el Congreso, que le impide resolver el angustioso problema de las finanzas públicas. Pero sólo dará ese paso si está seguro de contar con el apoyo del ejército, y ahí es donde usted puede serle muy útil.

Con el castillo de Ulúa en poder de los españoles, Iturbide necesita en Veracruz a gente de su entera confianza. Los gachupines que lo rodean le han hecho creer que usted no la merece, por su ambigua actitud hacia Guadalupe Victoria. Es urgente que aclare esos malentendidos y recupere la estimación del generalísimo. No sé si en realidad haya tenido acercamientos con la guerrilla, ni lo culparía por ello, pues al igual que usted, yo nunca me juego mi futuro a una sola carta. Pero tal como pintan las cosas, lo más probable es que Iturbide se imponga a sus enemigos con un golpe de fuerza. A quien madruga, Dios lo ayuda. Deponga su orgullo y emprenda la persecución de Victoria. Cuando Iturbide vuelva a confiar en usted, nadie podrá impedirle ascender a grandes alturas. Y por favor: si necesita consejo confidencial, no dude en acudir a mí. Al igual que usted tengo un alto concepto de la amistad y me honraría si aceptara mis servicios de consejero.

Veracruz, 20 de marzo de 1822

Querido Pepe:

Perdóname la confianza, pero creo que si vamos a ser confidentes debemos empezar a tutearnos, ¿no te parece? Me gusta tu manera franca y directa de exponer las cosas. En política, los consejeros como tú valen oro, pues no es frecuente conjugar el sentido de la anticipación con la claridad del juicio. Te agradezco tu interés en mi porvenir y te prometo que si algún día la patria me recompensa por mis servicios, te elevarás al parejo conmigo. La comparación con Iturbide me halaga en cuanto al genio militar, no así en cuanto al genio político, pues desde que asumió la Regencia no ha hecho sino cometer una torpeza tras otra. ¡Cuánta indecisión en las circunstancias críticas! Por negarse a conducir los acontecimientos, se ha dejado conducir por ellos. Si alguna vez ocupo su lugar, procuraré actuar con firmeza, para desalentar a los revoltosos de todas las banderías.

Dices bien: a pesar de la anarquía reinante, lo más probable es que Iturbide se imponga a sus adversarios, pero no me serviría de nada granjearme su aprecio en estos momentos. La política es el arte de comprar y vender favores. Un político tiene poder, o bien cuando los demás le deben muchos favores, o cuando está en disposición de hacerlos. Seguramente Iturbide necesitará el respaldo militar si se atreve a ceñir la corona (cosa que dudo, en vista de sus melindres democráticos). Pero si le hago el favor de atrapar a Victoria, ¿quién me asegura que luego voy a cobrarlo? He dejado entrever adrede mis simpatías por el insurgente, porque sólo así puedo ser una pieza codiciable a los ojos del Regente. O para decirlo en un lenguaje más llano, lo estoy espantando con el petate del muerto, para obligarlo a concederme el ascenso que no me quiso dar por la buena. ¿Comprendes ahora cuál es mi jugada? De cualquier modo te agradezco el consejo, y aunque estoy en desacuerdo contigo, no por ello dudo de tu buena fe. Pronto sabremos si cometí un error o hice lo correcto. Mientras tanto, hazme el favor de parar bien las orejas y mantenme informado de lo que se rumora en los menti-deros políticos. Napoleón no hubiera llegado lejos sin la ayuda de Talleyrand. Con tu sagacidad y mi espada, más un poco de suerte, haremos una mancuerna que la historia recordará con asombro.

México, 19 de mayo de 1822

Querido Toño:

Por fin Iturbide sacó las garras. Hostilizado por el Congreso, que intentó negarle fondos para sostener al ejército, ha recurrido al populacho para proclamarse emperador. La madrugada de ayer el sargento Pío Marcha se amotinó en su cuartel y al grito de «¡Viva Agustín Primero!» reclutó una turba de léperos en los barrios de La Palma, San Antonio y Salto del Agua, que tomaron por asalto las tribunas del Congreso, exigiendo la elevación al trono del prócer que sin duda les pagará el favor con tacos de barbacoa y barriles de pulque.

Al parecer, Iturbide encargó dar el golpe a Marcha y no a un militar de alta graduación, porque quiere guardar las formas y ser elevado al trono por «aclamación popular». Para ello contó con agitadores como el padre Aguilar, el superior del convento de La Merced, y con la pluma de Lizardi, el periodista más leído en bodegones y lupanares, que desde semanas atrás venía caldeando los ánimos con sus invectivas contra el Congreso. Por supuesto, el ejército se sumó con entusiasmo al pronunciamiento, aunque Iturbide contuvo a los jefes en sus cuarteles. Para rematar la comedia, esta mañana hizo fijar en las esquinas una exhortación al pueblo, donde le ruega respetar la decisión de los diputados. No los envidio: debe ser muy incómodo deliberar con una pistola en la sien.

Enviaré la presente por correo extraordinario, pero cuando la recibas, el golpe ya será un hecho consumado, pues conozco bien a los congresistas y ninguno tiene madera de héroe. Si los viejos insurgentes no se levantan en armas para impedirlo, Iturbide será el sucesor de los Moctezumas. Te lo prevengo para que tomes tus providencias y definas tu posición. En este momento difícil, Iturbide podría mostrarse generoso contigo, pero si fallan tus cálculos, terminarás durmiendo en la cueva de Guadalupe Victoria.

Un abrazo de tu fiel Talleyrand.

DE ITURBIDE A SANTA ANNA

México, 16 de mayo de 1822

Afectísimo amigo:

Lo prometido es deuda. En atención a sus méritos en campaña y a los servicios que como jefe de la undécima división ha prestado a la nación mexicana, desde su incorporación en la primera época del Ejército Trigarante, he ordenado al Ministerio de Guerra se le otorgue el grado de Brigadier con Letras y Comandante General de la Provincia de Veracruz. A partir de ahora ninguna autoridad de la demarcación estará por encima de usted, pues quiero que tenga plenos poderes para expulsar a los españoles de San Juan de Ulúa.

Se avecinan tiempos de agitación política. He sido muy paciente con mis detractores, pero siento que mi paciencia se agota. Usted me ha demostrado su lealtad en la línea de fuego, y sé que llegado el momento será el primero en empuñar la espada contra los enemigos de la patria.

PROCLAMA DE SANTA ANNA
AL PUEBLO DE VERACRUZ
(MAYO 26 DE 1822)

Amado pueblo:

Por decisión soberana del Supremo Congreso, don Agustín de Iturbide ha sido declarado Emperador de México, confirmándose de esta manera la aclamación del pueblo y del ejército al libertador del Anáhuac. No me es posible contener el exceso de mi gozo por ser esta medida la más análoga a la prosperidad común por la que suspirábamos y estábamos dispuestos a que se efectuase, aun cuando fuera necesario exterminar a algunos genios díscolos y perturbadores, distantes de poseer las verdaderas virtudes de los ciudadanos. Anticipémonos pues, corramos velozmente a proclamar y a jurar al inmortal Iturbide por emperador, ofreciéndole ser sus más constantes defensores hasta perder la existencia; sea el regimiento que mando el primero que acredite con esa irrefragable prueba, cuán activo, cuán particular interés toma en ver recompensado el mérito y afirmado el gobierno paternal que nos ha de regir. Que el dulce nombre de Agustín I se transmita a nuestros nietos, dándoles una idea de las memorables acciones de nuestro digno libertador. Multipliquemos nuestras voces llenas de júbilo y digamos sin cesar, complaciéndonos en repetir: ¡Viva Agustín Primero, Emperador de México!

México, 29 de septiembre de 1874

Providente don Manuel:

Gracias mil por su generoso donativo. Veo que usted es un verdadero Santa Anna, pues no obstante padecer estrecheces se ha quitado el pan de la boca para auxiliar a su padre. Celebro que por fin se haya decidido a leer las memorias del general. Si usted que está lejos se conmovió con los delirios patéticos del último pliego, imagínese cómo me sentiría yo, que los copiaba con lágrimas en los ojos para no despertar su cólera. Pasada la crisis nerviosa se quedó anonadado más de quince días. En vano le recordé los episodios más gloriosos de su carrera para animarlo a reanudar el dictado: se quedaba con los ojos fijos en la pared, como quien oye llover.

Pero gracias al dinero que usted me envió, se ha operado un cambio prodigioso en su estado de ánimo. Como no podía comprar ninguno de sus uniformes por esa modesta suma, se me ocurrió engañarlo con una mentira piadosa. Teñí de azul uno de mis viejos trajes de gala —gracias a Dios, su padre y yo somos de la misma talla— le puse unas charreteras doradas de canelón grueso y pedí a mi sastre que le pusiera bordados de filigrana. Cuando estuvo listo me presenté con don Antonio y le dije: mire usted, rescaté del anticuario su traje de brigadier. Su semblante se iluminó como el de un niño que deja de llorar al recibir una golosina. «Con ese uniforme asistí a la coronación de Iturbide», exclamó con los ojos húmedos, y me pidió que se lo pusiera, para comprobar si todavía le quedaba. La verdad, mi modesto traje de coronel no se parece mucho al de brigadier. Pero él no advirtió la diferencia, porque la catarata casi lo ha cegado y ahora sólo ve manchas de colores. En cuanto se puso la casaca recuperó el acento jarocho, lo que en él es una señal inequívoca de buen humor. Era 16 de septiembre y me pidió que lo llevara a ver el desfile militar. Pero si usted está mal de la vista, le repliqué. Y eso qué importa, me dijo, para eso lo tengo a usted. A regañadientes, doña Dolores le permitió salir a la calle, con la condición de que volviéramos a las dos de la tarde. Ni siquiera nos quiso dar dinero para tomar algún refrigerio. ¡Dos héroes nacionales tratados como niños por una execrable destructora de hogares!

Con grandes dificultades nos abrimos paso entre la multitud que había formado una valla en la calle de Plateros. Gracias a nuestras canas obtuvimos mesa en la terraza de un cafetín. Emocionado por las marchas militares y las salvas de artillería que atronaban a lo lejos, el general me pedía que le describiera al detalle la indumentaria de los soldados. Hubiera sido cruel darle una descripción puntual de lo que veía, pues desde la llegada al poder de los demagogos, los uniformes del ejército han perdido toda su galanura. Según el canalla de Lerdo, los fastos militares no concuerdan con la austeridad republicana. Pero cuando se trata de erigirle un mausoleo al indio Juárez, o de festejar el cumpleaños del presidente, entonces sí hay dinero para dar y prestar. Por fortuna, tengo grabados en la memoria los uniformes de la época dorada en que el ejército vestía con dignidad, y me fue sencillo describírselos a su padre. ¿Quién sigue, Giménez?, me preguntaba con insistencia. Ahora vienen los cazadores de la guardia, le decía yo: llevan casaca verde oscura, hombreras y barras en color amarillo, chacó de cuero con cinchos de charol, pompón verde y una granada por escudo. Él se quedaba muy contento con mis embustes, evocando quizá los desfiles que presidía desde el balcón de palacio, cuando nuestra milicia aventajaba en donaire al ejército prusiano. Dichosa ceguera: de haber tenido los ojos sanos, sólo habría visto un batallón de léperos andrajosos.

El espejismo de la pompa militar lo sacó de su letargo con más efectividad que las drogas del doctor Hay. Desde entonces, y ya va para quince días, no ha dejado de dictarme con una lucidez admirable para un hombre de su edad. Si he logrado resucitarlo así con el pequeño donativo que usted me envió, ¿se imagina todo lo que podría hacer por él con una cantidad mayor? Por el amor de Dios, ayúdelo, porque Dolores ya no le da ni para sus puros. Confío en su buen corazón: de usted depende que el general pase contento sus últimos días o se pudra lentamente como un fruto caído.

A mi edad la memoria salta por donde quiere como un chango sin mecate. Por más que me empeño en recordar la efímera regencia de Iturbide, no consigo retener nada sustancial. Sin embargo, tengo presente hasta el menor detalle de su fastuosa coronación. Yo era un payo veracruzano, y el esplendor de la nueva corte me causó una impresión tan fuerte, que a los pocos días de mi llegada me propuse ingresar a cualquier precio en la familia imperial. ¡Cómo sufre un recién llegado a la capital, cuando ansía como yo colarse a las esferas más altas del poder y el dinero! En Veracruz la buena sociedad me había acogido en su seno, no así en México, donde fui recibido con una descortesía cercana al franco desprecio. Para empezar, el ujier de palacio no me dejó presentarle mis respetos a Agustín I: sólo me concedió unos minutos con su secretario particular, un cretino de apellido Sesma, que apuntó mi nombre en una larguísima lista de solicitantes. Con suerte, me dijo, el emperador lo podrá recibir en febrero del año próximo. En un gesto de dignidad le pedí que borrara mi nombre de la lista, pues quizá para entonces ya estaría muerto. Ignoro si el secretario actuó por cuenta propia o Iturbide lo había aleccionado, pues conmigo siempre tuvo un comportamiento ambiguo: primero la sobadita en el lomo, después la patada en el culo.

En los días previos a la coronación, mi amigo don Ciriaco de Llano recibió la Gran Cruz de la Orden de Guadalupe, la más alta condecoración que otorgaba la casa imperial, y dio una fiesta para celebrarlo en su palacete de la calle de la Moneda. Como ignoraba que en México el lustre social se mide por el lujo de los coches, cometí la estupidez de llegar a la fiesta en un modesto simón que alquilé en la calle del Empedradillo. A la entrada me percaté con horror de que todos los invitados llegaban en elegantes carruajes tirados por caballos frisones y se hacían abrir la portezuela por un lacayo de librea que les tendía en la banqueta una alfombra roja. Mi deslucida entrada me valió el desdén de la concurrencia, que ni siquiera reparó en mis insignias de brigadier, pues en la fiesta se encontraban por lo menos seis mariscales, el Caballerizo Mayor de la casa imperial y el Sumiller de Palacio, todos con sus trajes de gala.

Estaba cohibido, pero lejos de mostrarlo alcé la frente en actitud retadora, tomé una copa de manzanilla de una bandeja y me dirigí a saludar al anfitrión, que departía alegremente con otros dos caballeros: el conde de La Cortina, un joven de aguzado ingenio que más tarde sería uno de mis mejores amigos, y el marqués de Aguayo, patriarca de una encumbrada familia criolla que se había enriquecido con el negocio del pulque. De Llano me presentó como «el libertador de Veracruz», quizá para elevarme a los ojos de sus amigos, pero ellos apenas inclinaron la cabeza, como si mi proeza no mereciera mayores cumplidos. Pasadas las presentaciones reanudaron su animada charla, que versaba sobre cuestiones de protocolo.

—Supongo que ahora, como caballero de Guadalupe, tendrá un papel importante en la ceremonia —comentó el conde de la Cortina.

—Su Alteza me ha conferido el honor de portar el manto de la emperatriz —se ufanó don Ciriaco.

—Enhorabuena —dijo el marqués—, pero si de dignidades se trata, a mí me concedió una mayor, pues llevaré la corona de doña Ana.

—Ambas distinciones tienen la misma importancia —terció el conde.

—De ninguna manera —insistió Aguayo—. En la coronación de Napoleón, Murat llevaba el manto de Josefina, y José Bonaparte la corona, porque era miembro de la familia real.

—Sí, pero Murat estaba sentado a la derecha de Napoleón, en el mismo asiento que yo voy a ocupar. José estaba más lejos, en la tercera o cuarta fila.

—¿Y eso qué? El que porta la corona tiene la preeminencia.

Temí que me preguntaran cuál sería mi lugar en la ceremonia, pues ni siquiera lo tenía de paje, y me retiré discretamente del grupo. Abochornado por no conocer a nadie, encallé en una esquina del salón, junto a la pequeña orquesta que tocaba romanzas napolitanas. No era ni de lejos el caballero mejor vestido, pero tenía el atractivo de mi juventud y al verme las damas dejaban escapar suspiros delatores. Sus cuchicheos y sus miradas furtivas me levantaron la moral. Era un segundón en la corte, pero al menos con ellas tenía éxito. Me disponía a hacer migas con una adorable señorita de ojos zarcos, aventajada en el arte de coquetear, cuando irrumpió en el salón Carolina Pellegrini, del brazo de un general de pelo entrecano que podía ser su padre. Por más que intenté escabullirme para evitar el encuentro, Carolina me descubrió agazapado tras un violonchelo.

¡Antonio, qué gusto verte! —me tendió su mano y se la besé.

—El gusto es mío. Creí que te habías marchado a Nueva Orleans.

—Nunca tomé el barco. Me ofrecieron una temporada en el Principal y preferí quedarme. La verdad es que estoy enamorada de México.

—Me alegro mucho. Una de estas noches iré a verte.

—Avísame por favor, para reservarte un palco. Ustedes no se conocen, ¿verdad?

Su amigo y yo negamos con la cabeza.

—General Negrete, le presento al coronel Santa Anna.

—Brigadier —corregí—. El emperador me acaba de honrar con un ascenso.

—Lo felicito —Negrete me apretó la mano con fuerza—. Pocos logran llegar tan alto a su edad.

—Es una recompensa muy justa —dijo Carolina— Antonio ha ganado casi todas sus batallas.

Por el dejo socarrón del *casi* comprendí la venenosa indirecta. ¡Inmunda ramera! Me la imaginé fornicando con Negrete, que no obstante doblarme la edad, seguramente la colmaba de placer con sus ímpetus otoñales. Tal vez Carolina le hubiese contado que yo era impotente, y esa misma noche, desnudos en la cama, celebrarían a carcajadas el chascarrillo. El infundio se propagaría por toda la ciudad, de los burdeles a los conventos, de los tianguis a los cafetines de currutacos, hasta que medio México me tomara por un eunuco. ¡Todo por haberle fallado una vez a la Pellegrini! No podía seguir en esa fiesta un minuto más. En vez de acusar el golpe, me despedí de Carolina y de su amigo con una reverencia, para hacerles creer que no había entendido la broma, y tomé las de Villadiego sin despedirme del anfitrión.

Atestada de carruajes, la calle de la Moneda se había convertido en un estercolero y tuve que taparme las narices para soportar el penetrante olor de las heces equinas. Eso ha sido siempre la grandiosa México: el desposorio del lujo con la mierda. Caminé rumbo a mi posada sintiéndome observado y señalado por todos los paseantes. A la altura del Salto del Agua me detuve en un estanquillo a comprar una botella de aguardiente, pues necesitaba perder la razón para desahogar mi rabia. Tengo plena conciencia de lo que hice hasta el tercer trago. De la penosa borrachera sólo conservo impresiones dispersas: me veo en una accesoria del Parián rodeado de léperos, les regalo mi reloj y mi leontina porque yo sí quiero al pueblo, exclamo, yo sí soy un insurgente de a de veras. Me invitan a orinar en la acequia de La Merced, mi chorro no llega muy lejos y soy objeto de burlas, viene un guardia y le tengo que dar cinco reales para no caer en chirona. Se hace de noche y estoy en una casa de mala nota, empiernado con una china poblana que me pide el oro y el moro por quitarse el relajo, lo que tú quieras, mi reina, le digo, coge de mi talega. En pleno fornicio me imagino que estoy con Carolina y abofeteo a la mujerzuela por burlarse de mí. Óyeme pinche catrín, vas a pegarle a tu madre, me grita la China y va por el tabernero, un gigantón ventrudo que me echa a la calle a patadas. A mediodía despierto sin botas y sin casaca en un arriate de la Alameda, con el sol canicular encajado en la frente como una corona de espinas.

¡Cómo no guardar rencor a una ciudad que trata de esa forma a sus visitantes! Humillado por nobles y plebeyos en un mismo día, contraje tal aversión por México y su gente, que hasta la fecha, y después de haber sojuzgado tantas veces a la capital, no he logrado cobrarme todas sus afrentas. Lo que más detesto de México es la doblez de su gente. En Veracruz nos hablamos al chile, nadie se anda con medias verdades y si tienes algún enemigo te lo dice en tu cara. Aquí todo es disimulo, golpes bajos, falsos amigos que murmuran a tus espaldas y a la menor oportunidad te venden por treinta monedas. Debo reconocer sin embargo que mi encontronazo con la capital me dejó una gran enseñanza. Hasta entonces yo era un joven de carácter sanguíneo que muchas veces cometía errores por mis arrebatos viscerales. La coronación de Iturbide no extinguió mis pasiones; al contrario: cada desaire fue un acicate para mi orgullo. Pero comprendí que en una tierra de hipócritas, las ambiciones personales nunca deben declararse abiertamente, pues la lucha política consiste en simular ante los demás que uno ve el poder con indiferencia.

Por aquello de «a donde fueres haz lo que vieres», llegué a la ceremonia de coronación en un elegante landó, comprado la víspera en tres mil pesos. En el atrio de la catedral, bajo el toldo de la procesión del Corpus, la crema del Imperio intercambiaba saludos y caravanas. Maravillado por la opulencia de los tocados femeninos, recordé los sueños de grandeza de mi señora madre. ¡Cuánto le hubiese gustado verme en ese lugar! Con las baldosas recién pulidas, los vitrales resplandecientes y los tapices iluminados por magníficos candelabros, la catedral se había puesto sus mejores galas para solemnizar la unión de la autoridad divina con la autoridad terrenal. El obispo Cabañas tuvo el acierto de prohibir la entrada a la plebe, que a pesar de su ruidosa simpatía por Iturbide, hubiese afeado el acto con su proverbial suciedad. Al abrirme camino entre caballeros de altivo porte y hermosas damas bañadas en perlas, por un momento me sentí en una catedral española, mezclado con la familia real.

He oído decir después que mucho de aquel boato era falso, pues incluso las coronas del emperador y la emperatriz se hicieron con joyas prestadas, que fueron devueltas al día siguiente al Monte de Piedad. Pero si todo fue pura ilusión, ¡ojalá y la vida me hubiese deparado muchas ilusiones como ésa! Rodeado de criollos elegantes y damas que hubiesen triunfado en el mismo Versalles, por un momento abrigué la esperanza de que México llegara a convertirse en una gran potencia. Todo lo repugnante del país, todo lo que significaba una rémora para el progreso se había quedado afuera de la catedral, en las barriadas miserables donde la chusma celebraba con pulque la coronación de su nuevo tlatoani.

Recuerdo con cierto resquemor la indiferencia de los concurrentes, que me vieron caminar de arriba a abajo sin acomedirse a ofrecerme un asiento, hasta que yo mismo se lo pedí a don Luis Quintanar, capitán general de la Ciudad de México. Hice de tripas corazón y repartí sonrisas entre los miembros de su guardia, para que no se me notara el coraje. Mi banca estaba muy lejos del altar mayor, pero por fortuna, me tocó un lugar cercano al pasillo central, por donde entraría el emperador con toda su comitiva. Desfilaron primero los miembros del Congreso, que pasaron a ocupar un tablado frente a los tronos. Siguió después el contingente de la casa imperial, compuesto por clérigos y militares de diferentes graduaciones, que habían imitado los uniformes de gala del ejército napoleónico. Un solo de clarín anunció la entrada de la familia Iturbide. En el cortejo de la emperatriz, compuesto por sus damas de compañía, casi todas adolescentes, descollaba por su fealdad la princesa Nicolasa, hermana mayor del emperador, que avanzaba con lentitud por la alfombra roja, escoltada por un paje al que triplicaba la edad. Por una jugarreta del destino la ancha cola de su vestido se atoró en uno de los clavos que fijaban la alfombra en el piso, justo enfrente de la banca donde yo estaba sentado. Después de varios tirones, la princesa perdió la compostura y dejó escapar un gemido de angustia. Acudí de inmediato en su auxilio, y la desenganché simulando una reverencia. Esa misma tarde, en la recepción de palacio, me tomó como chambelán entre risillas coquetas y delante de su hermano me llamó salvador.

Se ha escrito mucho y se ha murmurado más, sobre mi pretendido intento de conquistar a la princesa Nicolasa. En realidad fui yo quien se resistió a su acoso, y si bien llegué a contemplar las ventajas políticas de casarme con ella —su marido sería príncipe y Gran Cruz de la Orden Imperial— juro que el instinto se sobrepuso a cualquier ambición. Nicolasa tenía sesenta años, rengueaba de la pierna derecha y no acostumbraba lavarse los dientes. Antes que ofrecerle matrimonio hubiera preferido acostarme con un cadáver embalsamado. Mucha gente nos vio caminar del brazo por el paseo de Bucareli, donde salíamos a tomar el fresco por las mañanas, porque Nicolasa no era una mucama de la que pudiera deshacerme con sólo tronar los dedos, y mientras buscaba la mejor forma de darle esquinazo tenía que portarme con ella como un caballero.

Como nunca faltaba a la misa de la Profesa y en sus horas libres tejía ropones para santos y niños dioses, Iturbide la creía una santa, pero me consta que era liebre corrida. En su empeño por seducirme llegó a insinuaciones propias de una meretriz. En un paseo por Chapultepec, mientras recogíamos flores silvestres, se quejó de que una avispa la había picado donde la espalda pierde su honesto nombre. No le creí, pues ningún pico de avispa, por más potente que fuera, hubiese podido horadar sus abultadas enaguas. Pero Nicolasa se tendió bocabajo con las enaguas arremangadas, y me obligó a darle una fricción en la nalga derecha que se prolongó por espacio de varios minutos, pues con la excusa de que yo no encontraba el piquete, me pedía que la sobara más arriba o más abajo, sin darse nunca por satisfecha. Alarmado por sus gemidos, el viejo cochero de Nicolasa corrió hacia la orilla del lago, y me encontró con la cabeza debajo de sus enaguas. Para mi desgracia, el malhadado cochero le tenía una fidelidad perruna al emperador Iturbide, y según supe más tarde, su testimonio le hizo creer que yo era un libertino desvergonzado. Poco después empezaron a circular papeluchos donde se hacía mofa de la princesa en los términos más abyectos. La osadía de los dibujantes llegó al extremo de presentarla con el rostro invadido de viruelas —en alusión a su vejez aquejada por este mal— dándole el pecho a un infante con enormes patillas y espada al cinto, que tenía cierto parecido a mí. ¡Oh, vileza humana, que todo lo ensucia y todo lo corrompe!

Iturbide era un hombre que se guardaba los reconcomios y nunca me reprochó directamente mi presunto idilio con su hermana, quizá porque temía deshonrarla más a los ojos del vulgo. De buenas a primeras me dio la orden terminante de volver a Veracruz, arguyendo que mi estancia en la capital se había prolongado mucho y debía reasumir *ipso facto* mis funciones de gobernador. El tono seco de la carta reflejaba su disgusto, pero hasta cierto punto me alegró recibirla, pues con ella me libré para siempre de Nicolasa. La pobre infeliz no cejó en su empeño. A pesar de que su hermano la mandó recluir en un convento, todavía me siguió escribiendo cartas a Veracruz, donde mezclaba el deseo carnal con el fervor divino y me declaraba su amor con citas de Kempis.

Pasadas las fiestas de la coronación, que irritaron al pueblo cuando su costo se reflejó en el alza de impuestos, las rencillas entre partidos volvieron a reanudarse con mayor encono. Agotados los fondos públicos, extinguida la confianza en la autoridad, el Imperio era una papa caliente, y los decretos con que Iturbide intentaba capotear el temporal sólo conseguían disgustar a los empresarios hostigados por los préstamos forzosos y las gabelas. Todos los días las familias adineradas se marchaban con sus caudales, el comercio venía a menos y como nadie pagaba al fisco, los militares debían esperar hasta las calendas griegas para cobrar sus sueldos. Irritados por la confiscación de una conducta de plata y otras medidas de emergencia con que Iturbide trataba de hacerle frente a la bancarrota pública, los oligarcas que lo habían elevado al trono empezaron a retirarle su apoyo. Ellos esperaban una restauración del virreinato, pero empezaban a ver que Iturbide no sabía o no podía imponer su autoridad. ¡Y cómo habría de imponerla, si cometió el error infantil de querer gobernar con el mismo Congreso al que había obligado a proclamarlo emperador! No se puede ser dictador a medias —lo sé por experiencia propia—, pues cuando un enemigo no queda aplastado del todo, se levanta del suelo con el doble de fuerza. Resentido por la humillación que Agustín I le había infligido, el Congreso ejercía una forma peculiar de despotismo consistente en vetar por sistema todas sus leyes, con el objeto de reunir en sí mismo todos los poderes. Iturbide no se atrevía a disolverlo, y en el pecado llevó la penitencia, pues ahora la historia no lo recuerda como un tirano, pero sí como un reyezuelo de carnaval.

Mis difamadores, que forman legión, me señalan como verdugo del héroe de Iguala por haber iniciado la rebelión en su contra. Nada más falso: en primer lugar, el propio Iturbide se puso la soga al cuello con su política vacilante. Yo me limité a apretarla cuando su actitud hacia mí ya era francamente hostil. Una prueba de que él mismo labró su ruina es el nombramiento de José María Echávarri como Capitán General de Veracruz. Ante Dios y ante los hombres, Echávarri es el responsable de mi rompimiento con Iturbide, que tantos mexicanos bien nacidos todavía lamentan. Noté su desmedida ambición desde que nos presentaron en una revista de tropas. Era el típico gachupín arrogante y sobrado que se cree descendiente de Hernán Cortés, y no sabe guardar lealtades más que a sí mismo. El feo pecado de la envidia alcanzaba en él proporciones monstruosas, y como yo era el gobernante más querido por el pueblo, desde su llegada a Veracruz quiso parecerse a mí. Se compró un caballo blanco idéntico al mío, y hasta le dio por frecuentar los palenques para darse baños de pueblo, pero no tardó en mostrar el cobre cuando tuvo que batirse con el enemigo.

Último baluarte de la corona en territorio mexicano, el castillo de Ulúa estaba ocupado por una guarnición reforzada con frecuencia por tropas de La Habana. Su resistencia era una afrenta para la nación, que buscaba con denuedo el reconocimiento de las potencias extranjeras. Yo había jurado expulsar al enemigo de nuestro suelo, no sólo por complacer a Iturbide, sino porque el defensor de la fortaleza era don José Dávila, mi antiguo y odiado mentor, con quien tenía una cuenta pendiente. Sin la flota adecuada para un ataque naval, recurrí al expediente recomendado por Filipo de Macedonia, quien decía que no hay fortaleza, por bien defendida que esté, donde no pueda entrar un burro cargado de oro. Pero como los burros no saben nadar, envié una barca repleta de monedas para sobornar a los centinelas del castillo, previa consulta con el emperador, que aprobó mi plan y me proporcionó los medios para efectuarlo.

Apalabrados con mi ayudante de campo, los centinelas de Ulúa se habían comprometido a enviarnos una señal cuando la tropa se dispusiera a rendir la fortaleza. Pero Dávila confiscó los baúles cargados de oro, y en un sobreactuado gesto de honestidad, los devolvió al puerto con una nota dirigida a mí, donde me advertía que todo el oro de la Nueva España no bastaría para inclinarlo a una traición.

Me quedé con las ganas de ponerle cepos, porque al poco tiempo lo mandaron llamar de La Habana, y ocupó su lugar el general Francisco Lemaur, que traía instrucciones de bombardear la ciudad. El cañoneo causó grandes estragos en la población: las iglesias cerraron sus puertas y el comercio se mudó a Alvarado, mientras que la gente sin hogar corría despavorida a refugiarse tras las murallas del puerto. Ordené responder el cañoneo con la misma intensidad, pero mi artillería no lograba cuartear siquiera los gruesos muros del castillo. Había que hacer algo pronto, o Veracruz quedaría reducida a escombros. Sin ningún afán de lucimiento y animado sólo por mi patriotismo, discurrí un plan tan atrevido como ingenioso para tomar el castillo, que hubiera tenido éxito a no ser por la execrable conducta de Echávarri.

¡De nada sirve tener el talento de Ulises, cuando en vez de guerreros uno tiene en sus filas a señoritos afeminados! Por medio de cartas y entrevistas personales con la oficialidad de Lemaur, había logrado hacerle creer que estaba descontento con Iturbide y entregaría la ciudad a las primeras tropas españolas que atracaran en el muelle. Mi plan era tomar prisioneros a sus soldados en el momento del desembarco, quitarles los uniformes y vestir a mis hombres con ellos. Apoderado de las lanchas del enemigo, lanzaría un ataque relámpago sobre la fortaleza desguarnecida. Echávarri aprobó la idea con entusiasmo, y hasta se atribuyó su paternidad en una carta al emperador. De manera que no pude haberlo engañado, pues conocía la estratagema y había aceptado sus riesgos.

Como estaba convenido con Lemaur, doscientos españoles desembarcaron silenciosamente a la medianoche en el lugar indicado. Yo tenía bajo mi cargo el baluarte de Santiago, mientras que Echávarri defendía el de la Concepción. Era importante actuar con presteza y atacarlos en el momento mismo de tomar tierra, pues sabíamos que una vez descubierto el engaño, tratarían de conquistar nuestras posiciones a sangre y fuego. Todo iba a pedir de boca hasta que Echávarri entró en combate. Atacado por un piquete de soldados al mando del coronel Castrillón, se replegó cobardemente en vez de oponer resistencia. Prisionero de Castrillón, tal vez hubiera muerto fusilado en San Juan de Ulúa, si el destacamento del muelle no hubiese acudido en su auxilio. Los testigos del lance me contaron que Echávarri se desmayó cuando lo llevaban preso, y al volver en sí chillaba como una señorita asustada. Con el muelle desguarnecido, los españoles pudieron recuperar sus lanchones y volver a la fortaleza. Irritado en demasía por el triste espectáculo que Echávarri dio esa noche, no pude resistir la tentación de lanzarle una reprimenda frente a sus hombres, a la que respondió con bravatas e insultos. Esto es la verdad histórica, lo demás son calumnias que por venir de un traidor no merecen el crédito que algunos cronistas han querido darles.

DE ECHÁVARRI A ITURBIDE

Veracruz, 27 de octubre de 1822

Excelentísimo Emperador:

Lamento tener malas noticias en vez del parte victorioso que le había prometido. Por la perfidia y la doblez del brigadier Santa Anna, la importante misión que Su Alteza me confió ha tenido un fatal desenlace. Como le informé en su oportunidad, Santa Anna me aseguró que al desembarcar en el muelle, los defensores del castillo no estarían apercibidos para entrar en batalla, pero todo parece indicar que conocían nuestros planes, pues apenas tomaron tierra asaltaron el baluarte de la Concepción, que yo defendía, sin darme tiempo de repeler el fuego con mis escasas fuerzas. Su conocimiento exacto de mi posición, y el hecho inexplicable de que no intentasen tomar el baluarte de Santiago, a cargo de Santa Anna, revelan a las claras que el muy bellaco hizo un trato con Lemaur a mis espaldas.

Molesto por mi estricta vigilancia, que le ha impedido enriquecerse en su cargo, discurrió entregarme al enemigo, y estuvo cerca de conseguirlo porque en un momento de la refriega, el coronel Castrillón llegó a tenerme prisionero. Gracias a mi coraje pude librarme de los coraceros que me llevaban a los lanchones, y escapar a nado para eludir sus ráfagas de metralla. Nunca recibí la escolta de cincuenta soldados que Santa Anna había prometido enviarme en caso de ataque, ni apoyo alguno de su parte. Tal vez pensó que no escaparía con vida del lance para poder denunciarlo, pero sus cálculos fallaron y ahora tengo evidencias en contra suya que configuran el delito de alta traición.

Como amigo, como súbdito leal y como futuro yerno, le aconsejo tome las providencias necesarias para exterminar de una vez por todas a este reptil. Mientras Santa Anna tenga mando de tropas, la espada de Damocles penderá sobre el Imperio, porque si hoy no tuvo empacho en traicionarme, mañana sería capaz de rendirle la plaza a Lemaur. A cambio de una promoción, Santa Anna es capaz de vender a su propia madre, ya no digamos a la patria, y me temo que sus jarochos lo seguirían en cualquier aventura, porque le profesan una admiración sin límite. Una destitución fulminante y un consejo de guerra serían lo más aconsejable, o si prefiere, puedo enviarlo a México en una cuerda de presos, como lo merece un criminal de su calaña. Ruego a Vuestra Merced se sirva indicarme el camino a seguir, que sin duda será el más sabio y el más prudente.

Religión, Independencia, Unión.

A pesar de mi trifulca con Echávarri, llegué a creer que Iturbide me daba la razón, pues en el informe que rindió ante la Junta Instituyente puso de relieve mi conducta heroica durante el ataque español. Pero unas semanas después, cuando recibí la orden de abandonar el puerto para encontrarme con él en Jalapa, sospeché que mis días como gobernador estaban contados. Hasta entonces Iturbide no había salido de la capital y su intempestivo viaje me pareció una extraña deferencia, porque un militar siempre teme lo peor cuando le piden separarse de sus tropas. La antevíspera de mi partida a Jalapa me reuní con don Miguel Santa María, un abogado de ideas liberales que había sido ministro de Simón Bolívar en Colombia. Iturbide lo había expulsado del país por oponerse a su régimen, pero yo lo retuve en Veracruz y me fue de gran ayuda en ese momento de apuro. Santa María coincidió conmigo en que Iturbide preparaba mi destitución y me aconsejó prevenir a mis hombres antes de salir a Jalapa, pues él creía que las condiciones estaban maduras para un pronunciamiento.

—El país quiere la República —me aseguró—. Cualquiera que la proclame en este momento tiene grandes probabilidades de éxito.

—Pero su partido no tiene fuerza suficiente para apoyar una rebelión.

—Mi partido no es el único que pide la cabeza de Iturbide —sonrió con malicia—. Si nosotros no tomamos la iniciativa, los centralistas nos comerán el mandado.

—¿Y los ricos del puerto? —pregunté, incrédulo—. ¿Cómo podríamos atraerlos a nuestro bando?

—Reanudando el comercio con España. Todos los importadores se lo han pedido a Iturbide, pero él ha puesto como condición que los españoles abandonen la fortaleza de Ulúa. Nosotros podríamos ser más flexibles.

Su inteligente plan, y la certeza de que Guadalupe Victoria secundaría la revuelta, me convencieron de que la idea no era del todo descabellada. En el trayecto a Jalapa reflexioné que a pesar de mi comprometida situación, tenía una ventaja sobre Iturbide: había logrado infundirle miedo. ¿Por qué tomaba tantas precauciones para cortarme la cabeza? Como jefe máximo del ejército, el emperador podía destituir a cualquier subalterno sin mayores trámites. Pero a diferencia de sus generales favoritos, encumbrados de la nada a fuerza de adulaciones, yo tenía una base de poder propia y un fuerte arraigo en la provincia que gobernaba.

La sociedad jalapeña estaba resentida con Iturbide por los perjuicios que había causado al comercio de la ciudad, y el cabildo no quiso gastar un tlaco en su bienvenida. Sólo acudió a recibirlo una junta de notables, encabezada por el comerciante Bernabé Elías. Iturbide le tendió la mano, pero en vez de besarla, Elías le presentó un pliego de reclamaciones. Encolerizado, el emperador mandó que lo pasearan por las calles de la ciudad con una albarda sobre los hombros, para escarmiento suyo y de la población entera. Al enterarme de lo ocurrido quise mostrarle a Iturbide quién era el hombre fuerte de la región. Pospuse mi entrada para el día siguiente y ordené a mi ayudante Pedro Vélez que comprara colgaduras para adornar las calles, obsequiara botellas de refino a los campaneros de las iglesias y repartiera sacos de grano entre el populacho. Logré así que los jalapeños me recibieran con gran alborozo, como si el emperador fuera yo. Entre los vítores de la gente que me arrojaba flores desde los balcones llegué a la residencia de la familia Esteva, donde Iturbide se hospedaba con su cortejo de aduladores, entre ellos Echávarri, que me felicitó con un dejo de sorna por la «espontánea aclamación popular».

Al verlo perdí la última esperanza de que Iturbide me sostuviera en mi puesto: sin duda se había adelantado para llenarle la cabeza de embustes. Ese día no pude hablar con Iturbide, porque el mayordomo imperial me negó la entrada a su despacho, por más que le mostré las cartas donde el emperador requería mi presencia. «Vuelva mañana —me dijo—. Su Majestad tiene junta con el Estado Mayor». En la capital hubiera tolerado el desaire, pero en Jalapa, la ciudad que estaba rendida a mis pies, ¿quién carajos podía ser más importante que yo? Para colmo de males, al caer la noche llegó a mis oídos el rumor de que Iturbide había nombrado gobernador a Mariano Díez de Bonilla, comandante del castillo de

Perote, y le había dado instrucciones de marchar a Veracruz con el objeto de reemplazarme. Al parecer, Iturbide tenía informes de mis entrevistas con Miguel Santa María y quería madrugarnos aprovechando mi estancia en Jalapa. ¿O sólo me castigaba por desobedecer a Echávarri? Por si las dudas, envié a mis oficiales de regreso al puerto, con órdenes de no transferir el mando de la guarnición. Pero tampoco debían precipitar las cosas, les advertí, pues si la tropa se insubordinaba antes de que yo llegara a Veracruz, sólo me quedarían dos alternativas: el exilio o el pelotón de fusilamiento.

Esa noche la incertidumbre por mi futuro me quitó el sueño. Con los ojos inyectados y una fuerte jaqueca, al día siguiente me dirigí al palacio del ayuntamiento, donde Iturbide ofrecía una recepción a los notables de la ciudad. Yo no estaba invitado, pero quería hacerme el encontradizo, porque si pedía audiencia por los conductos oficiales, podía pasarme semanas sin verlo. Como llevaba mi uniforme de gala, los porteros del salón de recepciones no se atrevieron a detenerme. Adentro había una multitud de cortesanos aglomerados en torno al emperador. Estoy seguro de que Iturbide me vio apenas entré, pero fingió ceguera y siguió departiendo con su corrillo de lambiscones. Al parecer, mi calurosa bienvenida lo había contrariado y ahora me castigaba con su desdén. Me acerqué un poco más al grupo y saludé a Echávarri con fingida cordialidad.

Absorto en la charla, el emperador miraba hacia otra parte, y si por accidente posaba sus ojos en mí, me ignoraba como si fuera un mueble o un adorno de la pared. Otro en mi lugar se hubiera retirado del salón, pero eso era justamente lo que Iturbide buscaba, y yo no quise facilitarle las cosas. Para hacer tiempo di un rodeo demorándome en la contemplación de los finos tapices que decoraban la sala. Al terminar la ronda, fatigado por la noche de insomnio, me senté a descansar en un canapé de brocado rojo. Ignoraba que los usos de la corte prohibían a los súbditos tomar asiento delante del emperador, y Echávarri aprovechó la oportunidad para hacérmelo notar con un grito insolente, que atrajo hacia mí todas las miradas. Tenía la mano en la empuñadura de la espada, pero en vez de cortarle el cuello, como el orgullo me lo pedía, me levanté ruborizado y pedí disculpas a Iturbide, que ahora sí notó mi presencia.

Con su inveterada propensión a novelar, el rencoroso Bustamante y otros historiadores de su ralea atribuyen a este incidente la asonada del 2 de diciembre. Según ellos, mi despecho fue tan grande que al salir de la recepción decidí proclamar la República. ¡No, señores, en política ninguna rabieta da buenos frutos! Lo admirable de mi conducta fue precisamente que me supe tragar el despecho sin dar señales de indignación, para que Iturbide me creyera débil y vencido. Al terminar la recepción, cuando Iturbide sintió que ya me había humillado lo suficiente, su secretario particular me anunció que el emperador quería verme en privado para tratar un asunto importante.

—Pensé que no tenía tiempo para mí —le dije al entrar a su despacho—. Ayer intenté saludarlo, pero su mayordomo no me dejó pasar.

—Voy a poner en su lugar a ese mamarracho —Iturbide se fingió indignado—. Nunca me dijo que usted estaba en la antesala.

Mentía con tal convicción que hasta daban ganas de creerle. Me puse en la misma tesitura para darle una sopa de su propio chocolate:

—Supe que la ciudad lo recibió con gran entusiasmo. Me alegra ver cuánto lo quieren los jalapeños.

—No tanto como a usted —un ligero fruncimiento de cejas delató su molestia—. Aquí sólo respetan al general Santa Anna.

—Hago todo lo posible por merecer el cariño que me profesan mis paisanos —reconocí con modestia—, pero siempre me he comportado como un humilde servidor de Vuestra Merced.

—Lo sé, Santa Anna. Y por eso mismo lo mandé llamar. Un talento como el suyo no debe desperdiciarse en esta provincia. Quiero aprovechar su experiencia en un cargo más importante —me tendió un pliego enrollado—. Lo he nombrado miembro de la Junta de Guerra, y quiero que se traslade de inmediato a la capital.

Lo del nombramiento era un ardid para separarme de mi ejército, pero tuve que agradecer el «honor» con las tripas revueltas, porque mi papel en la comedia consistía en hacerme el desentendido. Hipócrita perfecto, el emperador nunca dejó entrever que dudaba de mi lealtad, y en un tono paternal me exhortó a desempeñar mi nuevo cargo con patriotismo. Yo me fingí conmovido, y hasta solté unas lagrimillas en sus charreteras cuando nos dimos el abrazo de despedida. Ya para salir, me volví sobre los talones.

—Majestad: antes de partir a la capital, necesito arreglar algunos asuntos pendientes en Veracruz. ¿Podría concederme dos días de licencia?

—Los trabajos de la junta no admiten demora, general —Iturbide me tomó por el hombro—. Más vale que parta de inmediato a México. Yo ordenaré que le envíen sus efectos personales.

—Perdone la insistencia, Alteza, pero tengo que saldar algunas deudas hipotecarias. Son operaciones complicadas que no puedo dejar en manos de terceros.

Iturbide me lanzó una mirada escrutadora, pero no le permití que leyera nada en mis ojos.

—Está bien, vaya al puerto —cedió por cansancio—. Pero le advierto que sólo tiene dos días para arreglar sus asuntos.

No necesitaba más tiempo. A la mañana siguiente partí a Veracruz cabalgando a revienta cinchas, pues temía que Díez de Bonilla se hubiera puesto en marcha y llegara primero que yo. Obligado a cambiar varias veces de montura, llegué a Veracruz a las dos de la tarde y ordené cerrar las puertas de la ciudad. Reunidos los efectivos de la guarnición en la Plaza de Armas, subí al balcón del ayuntamiento y arengué a la tropa con un discurso exaltado en el que acusaba al emperador de llevar la patria a la ruina. El hecho de que Iturbide hubiese disuelto el Congreso semanas atrás, no obstante haberle jurado obediencia, me daba un argumento impecable para desconocer al Imperio y proclamar la República Federal. Pero las razones políticas no sirven de mucho cuando se trata de movilizar soldados. Lo que determinó el éxito de mi arenga fue un gesto teatral copiado del propio Iturbide, que al proclamar el Plan de Iguala se quitó los galones del ejército realista y los arrojó al suelo delante de la tropa. Yo hice lo mismo con mis insignias de Brigadier, y hasta les di pisotones, con tan buena fortuna que los oficiales jóvenes me secundaron de inmediato, quizá porque la mayoría eran masones afiliados a la logia yorquina.

—¡Así es, compañeros, mostremos al déspota cuánto despreciamos sus honores! —los enardecí—. ¡Agustín I y los zánganos de su corte deben saber que en Veracruz hay un puñado de mexicanos dispuestos a ofrendar la vida por la salvación de la patria! No podemos permitir que un tirano execrable y perjuro sepulte en el caos esta gran porción de la tierra. Yo sólo aspiro a romper nuestras cadenas o a morir por la libertad. No es el orgullo, no es la ambición ni la ansiedad de premios y honores lo que me ha movido a ponerme a la cabeza de esta empresa: es el deseo de que la nación recupere su voluntad soberana.

Seguro de tener el ejército en la bolsa, encargué a Miguel Santa María la redacción de un plan para darle sustento legal a la insurrección y envié una carta afectuosa a Guadalupe Victoria en que le recordaba mi negativa a perseguirlo cuando Iturbide me pidió su cabeza y procuraba explicarle de la manera más convincente mi súbita conversión al credo republicano, para persuadirlo de que se uniera al pronunciamiento. Victoria no confiaba demasiado en mí, pero esperaba una oportunidad para levantarse en armas contra Iturbide. En cierta forma los dos nos utilizamos, pues él me dio autoridad moral ante el pueblo, mientras que yo fui su trampolín a la presidencia. El emperador estaba en Puebla cuando se enteró de la revuelta. Sólo de imaginar su coraje me siento vengado por la humillación de Jalapa. Aunque la prensa mercenaria me llenó de improperios, la opinión pública recibió con júbilo el levantamiento, pues Iturbide había logrado unificar en su contra a todos los gremios y a todas las clases sociales. Yo sólo prendí la mecha de un polvorín que se venía gestando desde el comienzo de su gobierno.

La política es el arte de usar en provecho propio las ambiciones de los demás. Uno de mis grandes triunfos políticos fue persuadir a Echávarri de sumarse a la revuelta que debía combatir. Cuando proclamé la República me había llamado rastrero, felón y enemigo de la sociedad, pero luego tardó una eternidad en reprimir la insurrección por instrucciones de la logia escocesa, que también se proponía derrocar al emperador. Al darme cuenta de su doble juego, discurrí la estrategia más adecuada para atraerlo a mi bando. Pobre Iturbide: debe haber sufrido una cruel decepción cuando Echávarri firmó conmigo el Plan de Casamata. En sus memorias lo califica de abyecto, y a mí me acusa de tener un genio volcánico, pero yo me pregunto: si de verdad era tan impulsivo, ¿cómo pude culminar con éxito una intriga que exigía cautela, discreción y frialdad?

A la caída del Imperio, el pueblo me dio el título de Protector de la Libertad. El epíteto me halagó, lo confieso, pero ahora que soy viejo y estoy curtido en desengaños lamento haber escalado posiciones a expensas del gran Iturbide. Deploré sinceramente la noticia de su hecatombe en Padilla, cuando algunos aduladores yucatecos quisieron felicitarme por ella. ¡Cuánto mejor hubiera sido para la nación que su Imperio perdurase hasta nuestros días! Por lo menos en mis tiempos, México no estaba preparado para ser una federación, ni creo que lo esté ahora, pues todavía hay caciques levantiscos por todas partes. Pero eso no lo comprendí hasta la guerra del 47, cuando el país se me deshizo entre las manos por guardar las formas republicanas. Perdóname, Agustín: sólo llegué a comprender tu grandeza al padecer tu calvario. Que la historia nos juzgue como lo que fuimos: navíos extraviados en el proceloso mar de la ingratitud.

La Habana, 6 de enero de 1875

Amado padre:

He leído con mucho interés la historia de tus diferencias con Iturbide, pero creo que necesitamos trabajar en orden para llevar a buen puerto la difícil empresa que me has encomendado. Como bien dices, tu memoria es un chango sin mecate, y mi obligación como biógrafo es encaminarla hacia los episodios de tu accidentada vida que han despertado mayor controversia. Dispongo de tiempo limitado para dedicarlo a tu libro, pues tengo que ganarme el pan de mis hijos, y te ruego que en lo futuro dejes de vagar por los cerros de Úbeda. Ya tengo suficiente información sobre tu primer levantamiento, ahora debemos pasar a la etapa de tu retiro voluntario, cuando sentaste cabeza como hacendado. Por favor, concrétate a responder el cuestionario que te adjunto con la presente. Omito preguntarte obviedades, pues creo que los mexicanos ya tienen una idea general de tu desempeño militar y político. En cuanto a las preguntas sobre mi madre, obedecen a un interés puramente sentimental. Mamá era una niña cuando la llevaste a vivir a Manga de Clavo y supongo que debió costarle trabajo adaptarse a la vida conyugal. Por favor, cuéntame todo lo que recuerdes sobre sus primeros años de casados.

He suspendido mi correspondencia con Giménez, porque empiezo a dudar de su honestidad. So pretexto de que Dolores te ha dejado sin blanca para tus gastos personales, en sus últimas cartas no ha cesado de pedirme dinero. Ya le envié un pequeño donativo, pero me temo que se lo haya embolsado. ¿De veras Dolores te trata tan mal? ¿Es cierto que vendió tus uniformes a un anticuario o todo fue un cuento de Giménez para sacarme dinero? No quería importunarte con estas sospechas, pues sabía que tu salud era delicada, pero ahora que ya estás mejor te pongo sobre aviso. Giménez podría ser un sablista profesional, como Darío Mazuera. ¿De veras crees en su fidelidad? ¿No te andará zopiloteando para ver si le dejas algo en tu testamento? Ya le dije que estás en la chilla, pero él debe creer que tienes algún guardadito. Si compruebas que se quedó con mi dinero, despídelo de inmediato. Más vale solo que mal acompañado, ¿no te parece?

Debo terminar esta carta, porque mi esposa me está pidiendo que baje a partir la rosca de Reyes. Ojalá mejores de tu catarata. Un hombre como tú debe tener los ojos bien abiertos, para saber distinguir a sus enemigos.

México, 6 de marzo de 1875

Hijo mío:

Tu falta de tacto me ha causado un serio disgusto. ¿Cómo pudiste calumniar así al buenazo de Giménez, si sabes muy bien que revisa toda mi correspondencia? El pobre me leyó tu carta con la voz entrecortada por el llanto, cuando bien hubiera podido romperla, si fuera tan granuja como crees. Me vi obligado a pedirle disculpas, pues quería renunciar en el acto. Te equivocas de cabo a rabo al dudar de su honestidad: me consta que rescató mi uniforme de Brigadier con el dinero que le mandaste. Giménez es un amigo a carta cabal. ¿Quién más soportaría el trato que le doy sin cobrar un centavo? Con Dolores ya no puedo ejercer el hábito de mandar: sólo Giménez obedece mis órdenes, aun cuando son un tanto enérgicas, porque los años me han agriado el carácter y a veces lo regaño por fruslerías. Pero él nunca se queja: es el último soldado bajo mi mando, el cirineo que me ayuda a cargar mi cruz. Si lo perdiera me sentiría más mutilado de lo que estoy. De manera que te aconsejo retirar tus acusaciones sin fundamento y pedirle disculpas.

Me preguntas en tu carta si es cierto que Dolores me escatima el dinero. Así ocurría hasta hace poco, pero gracias a Dios, ahora cuento con una renta mensual que me mandan los herederos de don Manuel Escandón, el agiotista a quien otorgué tantas concesiones en mi última presidencia. Resulta que en el año 55, antes de salir al exilio, entregué un dinerillo a Escandón para que lo invirtiera en unos terrenos. Después de un litigio con el gobierno de Lerdo, sus hijos lograron recuperarlos y ahora los están arrendando. Ya ni me acordaba del mentado negocio, pues entonces mi fortuna era un árbol de ramaje tan intrincado que ni siquiera mi notario podía calcularla, ¿te acuerdas? Pero ahora que estoy quebrado estos centavos me han caído del cielo. Por lo menos ya no tengo que pedirle a Dolores para comprarme puros, y hasta me alcanza para invitar a Giménez a la taberna del Romeral, donde todos los jueves me reúno con los veteranos del ejército conservador, que se ufanan de haber sido santanistas en sus años mozos.

Para serte franco, no me acuerdo de ninguno —tal vez los reconocería si pudiera verles las caras— pero finjo recordar al dedillo todas las anécdotas que me cuentan sobre la revolución de Ayutla y la guerra del 47, donde se supone que luchamos codo con codo. Por ellos me he venido a enterar de que Lerdo ha promulgado un decreto donde ofrece pagar sueldos atrasados a los soldados que combatieron contra los yanquis, no obstante su posterior militancia en el ejército conservador. Algunos de mis contertulios ya están empezando a cobrar sus pensiones y me animan a que presente mi solicitud en el Ministerio de Guerra. Tengo méritos de sobra para exigir una pensión, pero ya tuve una mala experiencia con Juárez, cuando se negó a recompensar mis servicios a la patria, y no quisiera darle a Lerdo otra oportunidad de humillarme. Los periódicos gobiernistas no han cejado en su campaña difamatoria y me temo que mi solicitud les daría pábulo para una nueva embestida. ¿Tú qué me aconsejas? ¿Debo mantener en alto mi dignidad o reclamar mis derechos?

No me gusta la idea de ceñirme a tu cuestionario, porque a mi edad las divagaciones son tan difíciles de evitar como las arrugas. Pero como temo quitarte demasiado tiempo, trataré de responder tus preguntas al pie de la letra, aun cuando algunas estén mal formuladas. Por ejemplo, no entiendo a qué te refieres cuando hablas de mi retiro voluntario. Ningún político se retira voluntariamente a su casa: tiene que hacerlo por obligación cuando lo sacan de la partida. Eso fue lo que me sucedió al triunfo de la insurrección, cuando Guadalupe Victoria estimó conveniente equipar y remitir un ejército a San Luis Potosí, con el objeto de cortarle la retirada a Iturbide, y de paso, interceptar los caudales que salían del país por el puerto de Tampico.

Me ofrecí como jefe de la expedición y zarpé a la cabeza del octavo regimiento, con tan mala fortuna que Iturbide abdicó el mismo día de mi partida. Al enterarme en Altamira de que el trono había quedado vacante, me sentí engañado y excluido del triunvirato que gobernaba en lugar del emperador, formado por Guadalupe Victoria, Nicolás Bravo y Pedro Celestino Negrete. Días después entré a San Luis, donde la población nos recibió con caras agrias y malos tratos, como si fuéramos invasores en vez de libertadores. Lejano al teatro de los acontecimientos, ignoraba la suerte del nuevo gobierno, pues el correo de la capital tardaba en llegar dos semanas. Influido quizá por el ambiente hostil de San Luis (una ciudad levítica donde todas las mujeres visten de luto, y hasta las putas parecen monjas de clausura), temí que Victoria, por su falta de malicia política y su cortedad de ánimo, entregaría el poder a los tránsfugas del ejército imperial que habían apoyado el levantamiento a última hora.

No podía permitir que *mi* revolución sirviera como escalón a los borbonistas ni a los escoceses, no sólo por el odio que les tenía, sino porque en caso de tomar el poder, seguramente me harían la vida imposible. Tomé entonces la decisión de proclamarme defensor de la República Federal, suponiendo que con ello me anticiparía a mis enemigos y llenaría un vacío de poder. Ignoraba que a esas alturas, Victoria ya era dueño de la situación y había convocado a un Congreso constituyente. Mi pronunciamiento disgustó a los congresistas y ni siquiera tuvo buena acogida en San Luis Potosí, porque la guarnición de la provincia, al mando del marqués del Jaral, me negó su adhesión y estuvo a punto de empuñar las armas contra mis hombres, so pretexto de que habían saqueado algunos expendios de grano. Llamado a la capital, creí que los triunviros me rendirían honores por haber lanzado el primer disparo contra el tirano, pero en vez de recibirme con salvas de artillería, ordenaron mi arresto domiciliario por exigir a mano armada la forma de gobierno que sólo al Congreso competía resolver, y de paso me culparon por los desmanes que mi ejército había cometido en San Luis. Aunque sólo estuve un mes encerrado, me lastimé una mano de tanto golpear las paredes con los nudillos. Pero a la larga el castigo me sirvió de lección, pues comprendí que nadie puede dar un golpe de fuerza sin haber tejido previamente una red de alianzas.

Por esas fechas conocí al legendario Vicente Guerrero, que había secundado mi levantamiento contra Iturbide, y me quedé sorprendido por su charla insípida, más propia de un mozo de cuadra que de un general. Sólo hablaba de vacas y de cosechas, en un tono monocorde y cansino, como si recitara una letanía. En sus andanzas por la sierra del Sur había contraído el mal del pinto, semejante a la lepra, que blanqueaba en algunos puntos su torva cara negruzca. Guerrero no sabía leer, pero se esmeraba tanto en parecer letrado, que hojeaba los diarios sin retener una sola palabra. ¡Y pensar que a ese palurdo le rinden honores en las fiestas de Independencia! Ni él ni Victoria tenían merecimientos para comandar un ejército, ya no digamos para gobernar el país, pero las circunstancias me obligaron a buscar su protección, pues no contaba con otros aliados. A Guerrero me lo eché en la bolsa con relativa facilidad. Venía todas las tardes a charlar conmigo en la casa donde me tenían bajo arresto, acompañado a veces por alguna mujerzuela que recogía en el barrio de La Merced. «Mira lo que te traje, pa' que tengas en qué entretenerte», me decía, y le alzaba los refajos a su amiga de turno. Yo me esforzaba por corresponder a sus atenciones y entre vaso y vaso de chiringuito le contaba chistes verdes que lo hacían doblarse de risa. Creo que me estimaba, pero en la lucha por el poder no daba ventajas y seguramente me veía como un rival en potencia.

Absuelto de los cargos en mi contra, gracias a las diligencias de Guerrero, quedé en libertad para volver a Veracruz, pero el gobierno, predispuesto en mi contra por el episodio de San Luis, se apresuró a darme una comisión que me mantuviera lejos del octavo regimiento, pues ya entonces era bien sabido que mis hombres no eran soldados de la República, sino soldados de Santa Anna. Nombrado comandante general de Yucatán, tuve que partir de inmediato a la península, donde había estallado un conflicto grave entre las ciudades de Mérida y Campeche. Después de haber sido un actor principal en el derrocamiento del Imperio, no me correspondía actuar como mediador en un pleito de aldeanos, pero las circunstancias me obligaron a aceptar el encargo, pues necesitaba recuperar la confianza de Guadalupe Victoria.

El diferendo entre Mérida y Campeche resultó mucho más espinoso de lo que suponía. El gobierno provisional de la federación había ordenado al gobernador yucateco José Tarrazo suspender las relaciones comerciales con La Habana, mientras México estuviera en guerra con España. Pero Tarrazo se negaba a obedecer las órdenes del centro, porque la suspensión del comercio con Cuba hubiera significado la ruina de Mérida. Por su parte, los campechanos habían expulsado a los españoles de los puestos públicos, contraviniendo la voluntad del gobierno de respetar y proteger a los extranjeros leales a la República, cualquiera que fuese su nacionalidad. Desde mi llegada advertí que no sería fácil desfacer el entuerto, pues mientras los campechanos querían beneficiarse con la ruina de Mérida, los comerciantes de Mérida, españoles en su mayoría, clamaban justicia contra los bárbaros de Campeche. En mi afán por restablecer la concordia, ofrecí al gobernador de Yucatán enviar un informe al Supremo Congreso sobre las funestas consecuencias que tendría la suspensión del comercio con Cuba. Mientras obtenía respuesta pospuse la aplicación de la medida, con lo que buscaba ganar tiempo y evitar que la sangre llegase al río. El Ministerio de Guerra me exigía emplear la fuerza para someter a los bandos en pugna, pero con el castillo de Ulúa en poder de los españoles no quise involucrar al ejército en una guerra civil.

DISCURSO DE MANUEL GÓMEZ PEDRAZA, MINISTRO DE GUERRA, EN SESIÓN SECRETA DEL CONGRESO (30 DE SEPTIEMBRE DE 1823)

Honorables miembros del Poder Legislativo:

En su desempeño como comandante de la provincia de Yucatán, el brigadier Antonio López de Santa Anna ha incurrido en el delito de flagrante insubordinación, al ignorar nuestro mandato de suspender el comercio de dicha provincia con la isla de Cuba. Por iniciativa propia, los miembros del H. Ayuntamiento de Campeche me han dado a conocer una relación pormenorizada de las componendas y latrocinios del general Santa Anna, que explica por sí sola su demora en llevar a cabo la misión que se le ha encomendado. Dueño de las aduanas de Yucatán, el autonombrado Protector de la Libertad ha confiscado los ingresos por concepto de aranceles y se niega a suspender el comercio con Cuba por los beneficios que le reporta.

Según mis informantes, gente honorable y fidedigna, el brigadier Santa Anna no sólo acepta sobornos de los comerciantes de Mérida, sino que les ha fijado una tasa mínima de cinco mil pesos. Mientras en Mérida se declara partidario de mantener el comercio con Cuba, en Campeche promete lo contrario, para no desanimar a los comerciantes campechanos que intentan atraerlo a su bando con dádivas y banquetes. Por si fuera poco, el ayuntamiento lo acusa de malversar fondos destinados al reclutamiento de marinos en Campeche, no obstante haber recibido órdenes de reforzar la guarnición con el mayor número de efectivos. Sus exacciones por este concepto alcanzan la suma de catorce mil pesos.

Señores congresistas: no podemos dejar en manos de un truhán la solución del conflicto yucateco. Por ahora sólo tenemos noticia de sus negocios, más tarde podríamos enterarnos de que ha entrado en arreglos con España para cederle la península de Yucatán. Como ministro de Guerra, exijo que el brigadier Santa Anna sea destituido de su cargo y llamado a rendir cuentas. Yucatán se representa en mi imaginación como la bomba del mortero próxima a reventar: o acudimos eficazmente en su auxilio o la explosión será inevitable.

Mi decisión de no someter a los yucatecos fue atinada y patriótica, pero mis detractores la utilizaron como pretexto para achacarme negocios turbios. ¡Canallas! ¿Qué culpa tenía yo si los comerciantes de Mérida me hacían regalos costosos? Negarme a recibirlos hubiera sido una descortesía. Pero jamás toqué un centavo de las partidas presupuestales destinadas a mi comandancia, que por cierto eran bien exiguas. Por fortuna, el gobierno provisional actuó con prudencia, y en vez de escuchar a mis enemigos, oyó la voz del pueblo yucateco, que en reconocimiento a mi gestión como comandante general de la provincia, me eligió gobernador en sustitución de Tarrazo. Para acallar a los calumniadores de ayer y de hoy, no necesito aportar mayor prueba de mi honradez, porque si en verdad hubiera sido un comandante venal, el Congreso de Yucatán jamás me hubiera conferido ese cargo. En el breve periodo de mi gobierno no pude pisar sino terreno movedizo, pues me era imposible quedar bien con Dios y con el Diablo: o cedía a las presiones de Guadalupe Victoria, que me exigía suspender el comercio con Cuba, o desafiaba su autoridad para congraciarme con las clases privilegiadas de Mérida.

Finalmente rompí mi alianza con los ricos yucatecos, no tanto por obediencia al centro, sino por haber descubierto entre ellos a un grupo de monárquicos recalcitrantes que buscaba entablar una guerra doméstica, con el objeto de que la Independencia no llegara a consolidarse. Apenas ordené cerrar los puertos, las familias notables dejaron de invitarme a sus banquetes y los poetas que habían compuesto odas en mi honor empezaron a denostarme en la prensa local.

Me preguntas en tu cuestionario si es verdad que tuve intenciones de invadir la isla de Cuba cuando era gobernador de Yucatán. En efecto, abrigué esa ilusión al sentir que los yucatecos me volteaban la espalda tanto en Mérida como en Campeche, donde había restituido a los españoles en la administración pública, lo que me valió el repudio del ayuntamiento. Enemistado con todas las fuerzas políticas de la península, necesitaba distraer la atención del pueblo hacia otra parte, y discurrí una empresa de gran envergadura, demasiado ambiciosa quizá para un país como el nuestro, donde todo sueño de grandeza se estrella con la mezquindad de la gente agachada.

Desde mi llegada a Mérida había entrado en contacto con un grupo de ilustres patriotas cubanos que me tenían al tanto de la agitación política en su país. Según me aseguraban en sus cartas, la opinión a favor de la Independencia se había generalizado, no sólo entre los buenos criollos de la isla, sino entre los españoles liberales. La decadencia del comercio local, estrangulado por los corsarios de la República de Colombia, y el odio a la autoridad suscitado por las continuas persecuciones de un gobierno opresor, presentaban la mejor oportunidad para una alianza fraternal con los patriotas cubanos, que extendería a Cuba las libertades de México. Entusiasmado con la idea de emancipar la isla, expuse mi plan al presidente Victoria. La expedición se justificaba por causas de seguridad nacional, pues mientras Cuba estuviera en manos de los españoles, nuestra Independencia seguiría en peligro. Para llevar a cabo mi empresa no demandaba gran cosa: sólo quinientos mil pesos para armar cuatro bergantines, los batallones siete y diez de línea, u otros con la misma fuerza, con los que pensaba tomar el castillo del Morro de La Habana, y la autorización de obrar a mi criterio según las circunstancias.

Mi plan dividió al gabinete de Victoria. Mientras el sabio Lucas Alamán, que a la sazón era ministro de Relaciones Exteriores, aprobaba con entusiasmo la idea, otros politicastros de cortos alcances temían que la invasión a Cuba nos creara problemas con Inglaterra y Estados Unidos, los únicos gobiernos poderosos que habían reconocido nuestra Independencia. En medio de ambos bandos, el ministro de Guerra Gómez Pedraza, un iturbidista de la peor calaña, que se había colado al gabinete por una debilidad de Victoria, zanjó la cuestión con un abyecto sarcasmo: «Dejémoslo embarcarse —dijo—, porque si triunfa, su gloria será de México, pero si fracasa, sólo perderá él, y si lo matan, ganamos todos». Como el presidente postergaba su decisión, temí que las demoras dieran al traste con el proyecto y envié a la capital una comitiva de patriotas cubanos que lo exhortaron con vivas razones a autorizar la invasión. Fue inútil: débil de carácter y amedrentado por los riesgos de la aventura, Victoria se echó para atrás, y hasta me destituyó como comandante general de Yucatán, temiendo quizá que atacara la isla librado a mis propias fuerzas. El día que recibí la carta con su negativa envejecí quince años de un solo golpe: de ese tamaño fue mi desilusión.

El tiempo ha mitigado el odio que profesaba a Guadalupe Victoria. Sin duda, su decisión fue una gran cobardía, pero hubo presiones internacionales que lo forzaron a actuar con cautela. Por esos días llegó a México el astuto embajador Poinsett, con un mensaje del gobierno estadunidense en que exhortaba a México a no intervenir en Cuba. Conocí a Poinsett cuando estuvo de paso por Veracruz en tiempos del Imperio y comprendo que un hombre con su personalidad y sus luces haya intimidado al pobre Victoria. Poinsett hablaba varios idiomas, había viajado por todo el mundo y se comportaba como un mandamás en los países que visitaba. Victoria le tuvo miedo y acató su recomendación al pie de la letra. Yo en su lugar lo habría toreado sin acceder a nada, pero a Victoria le pesaba demasiado la presidencia; no ejercía el poder por ineptitud mental y su mala salud contribuía a que nadie le tuviera respeto. Epiléptico, insomne, proclive a los desmayos por sus frecuentes bajones de azúcar, prefería aislarse en Palacio Nacional en vez de hacerle frente a los problemas. Sus propios ministros lo tenían conceptuado como un perfecto imbécil y se burlaban de él a sus espaldas. A pesar de todo le reconozco dos cualidades: el valor y la honradez. De la segunda puedo dar fe porque me consta que murió pobre. Ya retirado de la política, cuando se dedicaba a las faenas del campo en la hacienda del Tobo, un día pasó por Manga de Clavo y me pidió seis mil pesos prestados para comprar refacciones y aperos de labranza.

—Pero, ¿cómo? —le dije—. ¿Un ex presidente como tú viene a pedirme una cantidad tan pequeña?

—No me lo vas a creer —me dijo—, pero yo salí de la presidencia con deudas. Hasta tuve que poner de mi bolsa para completar los sueldos del ejército.

Pobre Guadalupe: su fama de tarugo es una prueba de que en este país nadie aprecia la honestidad. Más vale tener fama de cabrón, para que nadie se burle de uno.

¿Entiendes ya las verdaderas razones de mi retiro? Necesitaba estar un rato en la sombra, bien calladito, para demostrarle a mis malquerientes que no era tan ambicioso como ellos creían. Presenté mi renuncia al gobierno de Yucatán y volví de inmediato a Jalapa, donde el Ministerio de Guerra me otorgó un puesto simbólico, el de Jefe de Ingenieros, para suavizar un tanto mi abrupta destitución. Como siempre, mis paisanos me recibieron con bombos y platillos. Pasé algunos meses de banquete en banquete y de fandango en fandango, ajeno a la mezquina lucha por el poder, que sólo me había dejado resquemores y desencantos. Ya había cumplido treinta años y necesitaba asegurar mi futuro, para no terminar como un pobre nixtamalero. A costa de grandes sacrificios y economías había reunido un capitalillo que no excedía los treinta mil pesos y con él compré Manga de Clavo.

La hacienda no era tan extensa ni tan próspera como tú la recuerdas: la fui agrandando con los terrenos comprados a los pueblos de indios y a los rancheros de los contornos. Las plantaciones de caña y los pastizales para la cría del ganado ocupaban la mayor parte del terreno. Yo introduje el cultivo del café, mandé levantar una capillita y me di el gusto de construir un criadero de gallos con todo y palenque. Me sentía a mis anchas recorriendo a caballo el inmenso jardín natural que rodeaba la casa, con mi paliacate al cuello y mis chaparreras de cuero de chivo, para protegerme del agua y de las espinas. Si me daba hambre, sólo tenía que bajar del caballo y arrancar una chirimoya o una guanábana, porque la fruta se daba en todas las estaciones. Mi mayor satisfacción era mirar hacia el horizonte y saberme dueño de todo lo que abarcaban mis ojos. ¡Hasta pisas de otra manera cuando eres el dueño de tu paisaje! Trabajaba de sol a sol y nunca faltaba en mi lecho alguna mulata de buenas carnes, pero la casa era tan grande que al poco tiempo de habitarla empecé a escuchar el eco de mis pasos en los corredores y a sentir que me pesaba el alma. Ni el sexo ni las faenas del campo me alegraban la vida. Mi aflicción no tenía un motivo concreto: simplemente estaba ahí, como un cardo metido bajo mi piel. Hasta entonces la vida de soltero me había parecido lo más cercano a la felicidad. Ahora ya no la disfrutaba, tal vez porque mi nueva propiedad me exigía echar raíces, presentarme ante los demás como un hacendado próspero y respetable, aunque ello significara ponerle punto final a mi vida de calavera.

Acababa de salirme la primera cana cuando un viejo amigo de mi familia, el español Juan Manuel García, me invitó a pasar unos días en su finca de Alvarado. Don Juan Manuel era uno de esos gachupines a los que llaman «de teta y nalga», testarudo como un burro y ahorrativo como una hormiga, si bien hacía una excepción con sus invitados, a los que trataba espléndidamente. Retirado del comercio de telas, que le había dejado una fortuna considerable, ahora tenía un rancho donde criaba reses bravas y gallos de pelea. Esto último hizo nacer entre nosotros una amistosa rivalidad, pues yo me preciaba de tener los mejores ejemplares de la provincia. Sin embargo, en varias ocasiones los gallos de don Juan Manuel habían derrotado a los míos, y esperaba con ansia el desquite.

A las afueras del puerto, García salió a recibirme con su señora, doña Jacinta, y sus tres hijos, dos varoncitos pequeños y una niña sonrosada como un durazno, de ojos verdes y cabello dorado que parecía chisporrotear a la luz del sol. Se llamaba María Inés de la Paz y apenas tenía catorce años, pero su talle lamido empezaba a redondearse y en su pecho infantil despuntaban ya dos promesas turgentes. Por timidez o humildad, no se atrevió a mirarme a los ojos hasta que sus padres la obligaron a darme un beso en la mejilla. Al sentir en la piel sus inocentes labios de terciopelo, me invadió una confusa oleada de sentimientos, en la que no era fácil diferenciar el instinto paternal del instinto carnal. Ojalá el amor fuera tan puro como creen los simples. La inclinación de los hombres maduros por las jóvenes tiernas tiene un sabor agridulce y perverso, pero gracias a Dios, el matrimonio santifica toda pasión malsana.

De tanto mirar a Inés descuidé mis gallos, que acabaron desplumados en el palenque de don Juan Manuel. Esta vez la derrota no me hizo mella, pues mi única preocupación era llamar la atención de mi niña y hacerme grato a sus ojos. Por suerte, a Inesita le gustaban los caballos, y yo había llegado a su rancho en un hermoso alazán al que ella no cesaba de acariciar. El caballo es una extensión del hombre y a veces resulta su mejor alcahuete. En vano había intentado charlar con Inés en los pocos momentos de intimidad que sus padres nos concedían, pues ella se limitaba a responder mis preguntas con monosílabos o gruñidos, pero cuando la invité a montar en mi alazán me obsequió una aquiescente sonrisa. Dimos un largo paseo por la ribera del río, cabalgando a media rienda. Ella iba agarrada a mi cintura, con sus pequeños senos de ninfa clavados en mi espalda. Yo le pedía que no se soltara por ningún motivo y picaba espuelas para obligarla a estrecharme.

En un paraje arbolado bajamos a descansar: Inés se acostó lánguidamente a la sombra de un eucalipto, el pelo desordenado y la blusa entreabierta. Al extender las piernas, sus divinas pantorrillas quedaron al descubierto. Hombre de sangre caliente, no pude refrenar las ganas de plantarle un beso en la boca. Ella al principio pareció ceder, pero cuando sintió mi cuerpo encima del suyo quiso apartarme de un empellón. Le sujeté los brazos y la besé con ardor, creyendo que doblegaría su voluntad. En castigo por mi osadía me propinó un tremendo mordisco en los labios. Sólo alcancé a murmurar una torpe disculpa, que Inés ni siquiera oyó, pues montó en mi caballo y salió huyendo a galope. Tuve que emprender una larga caminata para volver a casa. Cuando llegué, la familia estaba merendando en la asistencia. Todos voltearon a verme excepto Inés, que no despegó los ojos del plato. De mis labios manaba un hilillo de sangre y Juan Manuel me preguntó qué me había pasado: «Nada, le dije, una mula arisca me tiró en unos matorrales». Por fortuna, Inés no me acusó con sus padres. Su discreción me pareció una buena señal, pues quería decir que al menos compartíamos algo.

Al comprobar que Inés era una niña fina, no una de las pescolotas que se dejan arrebatar así nomás, me propuse cortejarla con seriedad. El noviazgo no fue tan largo como hubiera querido, porque debía cumplir mis obligaciones en la dirección de ingenieros, un puesto que no me daba lustre, pero sí me quitaba tiempo. Ocupado en fastidiosas tareas burocráticas, sólo podía visitar a Inés los domingos, so pretexto de jugar a los gallos con su papá. Al verme como posible yerno, Juan Manuel se mostró más solícito y amable que nunca, pero la muchacha seguía sentida conmigo y ni siquiera me daba las gracias por mis regalos. Hubiera preferido ganarme su voluntad antes de pedirla en matrimonio, pero los negocios interfirieron con los asuntos del corazón. Por aquellos días, presionado por sus acreedores, el propietario de un rancho que colindaba con Manga de Clavo me ofreció sus tierras a un precio de ganga. Yo no tenía dinero para comprarlas, porque había invertido todo mi capital en semillas y cabezas de ganado, pero mi comadre Jacinta me hizo saber que su esposo estaba impaciente por casarme con Inés y pensaba darle una dote de diez mil pesos. ¡Justamente la cantidad que necesitaba para cerrar el trato con el vendedor del rancho!

De nuestra vida de recién casados conservo un bello recuerdo. Inés era una mujer que reprimía sus emociones, y nunca tuvo conmigo grandes efusiones de afecto. Pero a trueque de su aparente frialdad, tenía la virtud de la sumisión y la dulzura en el trato. A los hombres superiores nos corresponden mujeres de carácter oriental, cuya única misión en la vida es obedecer y callar. Inesita, que en Alvarado me había parecido tan hosca, resultó la más apacible de las esposas. Todas las mañanas me llevaba el desayuno a la cama, en una bandeja de plata donde nunca faltaba un ramito de flores. En el bordado y en la cocina hacía maravillas con sus manos de ángel. Sus guisos deleitaron a los embajadores extranjeros que pasaron por Manga de Clavo, menos al cretino de Poinsett, que le hizo el feo a un suculento cerdo en pipián, porque no soportaba los condimentos de la comida criolla. Lo que más extraño de Inés son aquellos platos de ensueño, pues Dolores nunca supo guisar, y ahora que ya no tenemos dinero para pagar una cocinera, me ha sometido a un régimen carcelario de frijoles con huevo.

Pero así es la vida, nadie sabe lo que tiene hasta que lo ve perdido. Hice muy bien en casarme con una mujer de rancho, porque las señoritas empingorotadas de México, a los once años saben más que las culebras, y como la cabeza se les llena de humo de tanto leer novelitas francesas, a la menor oportunidad engañan a sus maridos. Inés no era aficionada a la lectura ni sabía tocar el clavecín, pero en el trato social se comportaba como una reina. Todos los personajes importantes que venían a verme en busca de consejo o ayuda quedaban encantados con ella, porque sabía agasajarlos a cuerpo de rey, pero se retiraba discretamente cuando empezábamos a hablar de política. Ojalá hubiera pasado más tiempo a su lado en vez de servir a una patria que me pagó tan mal. Tuve por esposa a un dechado de perfecciones, pero no la disfruté como hubiera querido, porque mis constantes aventuras políticas me mantuvieron alejado del hogar por largos periodos. Mis ausencias la mortificaban mucho y cada vez que salía al combate se encerraba a rezar novenarios en la capilla. Mi carrera política nunca le interesó, y en momentos de enfado me dijo que hubiera preferido tener un esposo común y corriente, que se quedara en casa criando a sus hijos. Yo no podía serlo, porque mi naturaleza me llamaba a las grandes empresas. Sin embargo, y a pesar de los defectos consustanciales a mi carácter, creo que le di una vida feliz.

Manga de Clavo, 4 de octubre de 1825

Querida mamá:

Ni en mis peores pesadillas me imaginé que el matrimonio fuera algo tan espantoso. ¿Por qué me hicieron esto? ¿Cuánto ganó mi padre vendiéndome al general? ¿Y tú, por qué no me defendiste? ¿Te parece muy cristiano haberme casado con un hombre que podría ser mi padre? ¡Y qué hombre, Dios mío! Cuando me pretendía era todo lindezas y caravanas; apenas me trajo aquí empezó a portarse como una bestia. Viene todo sudado de montar a caballo y se me echa encima para hacer sus porquerías, como si yo fuera un mueble o un animal doméstico. Apesta a tabaco, sus ronquidos no me dejan dormir, y ahora le ha dado por traer uno de sus gallos a la recámara, alegando que está herido de una pata y necesita dormir calientito. No puedo dejarme un vestido colgado en el perchero o en la silla del tocador, porque el gallo me lo destroza a picotazos. El otro día me enojé y le di con un zapato. Hubieras visto cómo se puso Antonio. No toques a mi gallo, me gritó, si lo vuelves a golpear te regreso a casa de tus papás, para que te metan a un convento de recogidas.

Ojalá me la hiciera buena. Yo estaba muy a gusto en Alvarado, con mi cuerda de saltar y mis matatenas. Ahora ni siquiera puedo jugar a las muñecas, porque Antonio les cogió tiricia desde nuestra noche de bodas. Como yo esperaba dormir sola, acomodé mis quince muñecas en la cama, debajo de las frazadas, y cuando Antonio vino a acostarse no había lugar para él. Quita esas monas, me dijo. No, yo siempre duermo con ellas. Que las quites, con un carajo. Y las aventó al suelo como un barbaján. Yo las quise recoger, pero él me agarró de los brazos, y se montó a horcajadas encima de mí: ¿Qué, tu mamá no te habló nada sobre tus deberes de esposa? Yo estaba tan enojada que le escupí en la cara. Entonces él me desgarró el camisón, me apretujó los pechos y abusó de mí con una urgencia feroz. Fue como si me abrieran en canal con una navaja. Al día siguiente mis muñecas habían desaparecido. Nazaria, la mucama, me dijo que el señor las había mandado quemar.

Soy algo parecido a una esclava de lujo, porque en esta hacienda tengo de todo. Hay dos comedores, uno grande y otro pequeño, al que llaman el chocolatero, porque sólo se usa para tomar chocolate. También dos cocinas pegadas a cada comedor, con un torno que gira para sacar y meter los platos (yo lo uso para oír las conversaciones de Antonio, cuando viene a verlo gente del gobierno). Se supone que debería estar contenta por ser la dueña de un lugar tan bonito, pero no me hallo, me siento como prestada. No sé darles órdenes a mis criadas, y a veces siento que me vigilan. Sólo con Nazaria he podido hacer migas, porque tiene mi edad y sabe jugar a las matatenas. A veces me quedo a dormir la siesta con ella porque me siento más cómoda en su hamaca de cáñamo que en mi edredón de seda. El otro día nos robamos unos cigarrillos de La Fama que le regalaron a Antonio. Vienen en una cajetilla litografiada, con tenacillas de argento para liar el tabaco. Al principio me hicieron toser, pero ya les voy agarrando el gusto.

Fuera de ti, Nazaria es la única persona en el mundo a quien puedo contarle mis penas. Pero hasta esa pequeña felicidad me quiere quitar Antonio. El otro día se me hizo tarde para servirle de comer porque Nazaria me llevó a nadar en el río. Cuando llegamos las dos con los vestidos mojados, se nos quedó viendo muy enchilado. No me gusta que te lleves así con la servidumbre, me dijo, eres la señora y te debes dar tu lugar. Escuché su regaño con la cabeza baja, como me dijiste que debe hacerlo una buena esposa, pero al día siguiente, cuando se largó en su caballo a ver las plantaciones de caña, cogí mi yegua y me llevé a Nazaria a recoger capulines. La pobre tiene miedo de que el patrón la corra si la ve conmigo. Pero yo le ofrecí protección, porque para eso son las amigas.

Espero en Dios que vengas pronto a visitarme, pues me aburro mucho aquí sola. Besos a mis hermanitos.

Manga de Clavo, 4 de octubre de 1826

Madre mía:

Gracias a Dios, la niña ya está mejor. Le di el jarabe que me mandaste y ahora ya le bajó la fiebre, pero la pobre todavía devuelve el estómago, porque tiene atoradas las flemas. ¡Creerás que Antonio ni siquiera se ha acercado a la cuna de Guadalupe! Para no tener que soportar su llanto, en las noches se va a dormir a otro cuarto y me deja sola con el paquete. Todo el santo día se la pasa en el criadero de gallos, o haciendo cuentas con el administrador de la hacienda. Pero no hay mal que por bien no venga, pues ahora ya no tengo que aguantar sus cochinadas.

Desde mi embarazo he cambiado mucho. Sigo extrañando Alvarado, pero ahora ya no pienso tanto en mí sino en mi criatura. ¿Qué importa que yo sufra y padezca si todas las mañanas me ilumina con su sonrisa? Gracias por tu libro de recetas. Lo necesitaba mucho porque ahora estamos invitando mucha gente a comer y Antonio no quiere que guise la cocinera, porque según él yo tengo mejor sazón. Creo que prepara un levantamiento, pero no me preguntes a santo de qué, pues a mí esas cosas me entran por un oído y me salen por el otro.

La desaparición de Nazaria me tiene desconsolada. Antier la fui a buscar al real de la hacienda y encontré vacía su choza de bambú. Nadie me supo dar razón de ella, tal parece que se la hubiera tragado la tierra. Desde hace tiempo la notaba rara, como que había perdido la confianza conmigo. Quién sabe qué mosca le habrá picado. Doña Chonita, la lavandera, dice que a lo mejor le salió un novio y se fue con él. Pero nada le costaba venir a despedirse. A lo mejor pensó que yo la iba a retener aquí por la fuerza. Qué tonta. Si me hubiera confiado sus planes, hasta le habría regalado el ajuar para la boda.

¿Qué noticias me tienes de Alvarado? Por favor, mantenme informada de todos los chismes del pueblo. Si Dios quiere te iré a visitar en junio. Saludos a la familia.

P.D. En un paquete aparte te mando los mantelitos bordados que me pediste. ¿Verdad que son un primor?

Manga de Clavo, 25 de abril de 1827

Querida madre:

Cuando más tranquila estaba criando a mi Lupita, Antonio me ha clavado un puñal por la espalda. Ya no me queda ninguna duda: mi esposo no es un ser humano; es un cabrón capaz de pasar por encima de todo con tal de revolcarse en el fango. Pero ésta me la va a pagar muy cara, de ahora en adelante no le voy a abrir la puerta de mi cuarto. Que vaya a fornicar con las rameras de Jalapa, o con las yeguas de la caballeriza, al fin que él agarra parejo. Cuánta vergüenza siento, cuánta rabia. Mejor me hubiera metido a un convento. Mejor hubiera sido fea y jorobada, para que ningún hombre se fijara en mí.

Pero vamos al grano: como patrona de la hacienda tengo el deber de velar por la gente humilde y ayer me vino a llamar Pedrito, el hijo de la comadrona, con un recado urgente de su mamá, que necesitaba mi ayuda en un alumbramiento difícil. Mandé ensillar mi alazán y pedí un burro para Pedrito, que venía exhausto. La parturienta vivía más allá de la cañada, donde empiezan los naranjales, en un solitario jacal con techo de palma. Era un lugar propio para una guarida de malhechores, pues no había un alma en tres leguas a la redonda. Cuál no sería mi sorpresa cuando voy encontrando a mi amiga Nazaria recostada en un petate, con la tez amarilla y la frente perlada de sudor. ¡Dios mío, pero qué haces aquí!, le dije. Entre los dolores y el llanto estuvo un rato sin poder hablar.

Cuando por fin se repuso, me contó su larga cadena de desventuras. Desde mi embarazo, el patrón había empezado a molestarla con sus piropos y manoseos. Ella nunca me lo dijo porque le daba pena y temía las represalias de mi marido. Se resistió cuanto pudo, pero un día Antonio la encontró sola en el granero, la derribó sobre unas pacas de algodón y le ordenó que se callara, mientras le alzaba las enaguas y le chupaba el cuello. No tuvo más remedio que estarse quieta mientras él hacía su gusto. Pero el remedio le salió peor que la enfermedad, pues el patrón tomó su resignación como una señal de consentimiento, y al día siguiente le regaló unos aretes de concha nácar. Desde entonces tuvo que complacerlo cuando le apetecía, ya fuera en el granero, en los pastizales o en mi propia alcoba, a las horas en que yo estaba cocinando... Se moría de vergüenza, pero no tuvo valor para confesarme su traición. Cuando arreciaron las lluvias de julio empezó a sentir mareos, y fue a ver a una curandera de Medellín que le pasó por el vientre un huevo de codorniz. La yema salió roja y supo que estaba preñada. Para entonces Antonio ya tenía otro capricho: la esposa de un capataz recién contratado, con la que se veía a la orilla del río. Nazaria era pobre, pero muy digna y no quiso pedirle ningún favor: empeñó los aretes de concha nácar, metió en un hatillo sus pertenencias y se fue a enterrar en vida en ese paraje olvidado de Dios.

Lo que más rabia me dio fue la reacción de Antonio cuando le llevé a enseñar al fruto de su pecado. Escuchó mis reclamos con el semblante impasible, sin el menor asomo de culpabilidad. Lo maldije hasta quedar afónica y lo amenacé con un mosquete cargado. Sólo entonces logré perturbarlo un poco: «Está bien —me dijo—, reconozco que es mía y le voy a dar mi apellido, pero ya deja de hacer mitote». La niña se llama Agustina y ahora vive conmigo como entenada. Que Dios me perdone, pero la veo con odio y temo transmitírselo a Guadalupe. Nazaria sigue trabajando en la casa, con instrucciones de avisarme de inmediato si el señor le vuelve a poner una mano encima.

¿Qué voy a hacer con este garañón? ¿Recoger a todos los hijos que vaya dejando regados por el mundo? ¿Alguna vez papá te hizo lo mismo? El cura de la hacienda me recomienda paciencia y resignación, pero si me sigo resignando a todo voy a terminar convertida en roca. Escríbeme por favor, necesito el bálsamo de tus consuelos. Me siento tan vieja y tan humillada, que a veces no me reconozco en el espejo. Mi cara y mi cuerpo ya no tienen nada que ver conmigo.

Cuando más alejado parecía de la vida política, en realidad estaba fortaleciendo mis bases de apoyo. Dispensaba a mis peones un trato paternal, por si acaso los necesitaba incorporar a mis tropas, y como la hacienda me dejaba grandes ganancias, tenía dinero de sobra para hacer favores y comprar voluntades entre la clase política. La vida de un hombre ocupado en gastar su fortuna es una forma de especulación. Colocaba mi capital en amigos, en alianzas, en protectores, y mi poder se incrementaba con cada nuevo allegado a mi círculo. Hasta mi hermano Manuel depuso su actitud orgullosa y me pidió un préstamo para fundar un periódico de oposición moderada, *El Veracruzano Libre*, que yo acabé dirigiendo tras bambalinas. Abrigaba grandes ambiciones, pero ahora las ocultaba mejor, porque necesitaba refutar a la opinión pública que me había hecho fama de levantisco. Pero mi conducta no logró disipar los recelos del presidente, y a los pocos días de casado me nombró vicegobernador de Veracruz, no porque hubiese recobrado la confianza en mí, sino para vigilarme de cerca.

En aquel tiempo, por influencia de Poinsett, cobraron auge las logias masónicas, en especial la del rito yorquino, donde militaba Guadalupe Victoria. Los yorquinos eran federalistas, antiespañoles y partidarios del despotismo de las masas. Contra ellos conspiraba la logia escocesa —formada por antiguos iturbidistas—, que tenía menor número de afiliados, pero contaba con el respaldo del clero y del gran capital. Defensores de la religión católica, los escoceses querían firmar la paz con España e imponer un régimen centralista de mano dura. Su jefe era don Nicolás Bravo, a la sazón vicepresidente de la República. Las dos sectas intentaron reclutarme en sus filas, y si bien llegué a simpatizar con la logia escocesa, pues en ese momento estaba disgustado con Guadalupe Victoria, siempre tuve claro que en ambos bandos, los intereses personales estaban por encima de las doctrinas políticas. En realidad, la logia yorquina era una gran bolsa de trabajo, pues a ella acudían en busca de empleo los políticos que se habían quedado cesantes. Salvo algunos fanáticos, nadie se tomaba muy en serio los preceptos de moralidad republicana que ambas sociedades pregonaban y los cambios de casaca eran el pan de todos los días. Así lo demuestra la trayectoria de mi encarnizado enemigo Gómez Pedraza, que perteneció al rito escocés cuando le bebía los alientos a Iturbide, pero a la caída del emperador ingresó a la logia yorquina, donde encabezaba el ala moderada.

El choque de los partidos puso en escena la cuestión de los españoles, que parecía traída a propósito para agriar los ánimos. Cediendo a las presiones del Congreso, Guadalupe Victoria decretó su expulsión, aunque trató de suavizar la medida exceptuando a los que tenían capitales invertidos en la agricultura y la minería. Fue el máximo error de un gobierno plagado de errores, porque todos los expulsados se llevaron sus capitales consigo —alrededor de doce millones de pesos— y el país quedó al borde de la bancarrota. Tuve el honor de asestar el golpe definitivo al Imperio español en las orillas del Pánuco, por lo que nadie puede acusarme de parcialidad hacia la península. Sin embargo, jamás he abrigado rencores mezquinos contra la madre patria, como algunos criollos descastados y oportunistas. España nos dio lengua, religión, industrias y leyes. Gracias a los conquistadores, los indios abandonaron sus creencias diabólicas y dejaron de hacer sacrificios humanos. Por razones históricas, morales y financieras, México nunca debió desligarse totalmente de España. La Independencia era irreversible, en eso estábamos todos de acuerdo, pero no es lo mismo desatar suavemente un cordón umbilical que cortarlo de un machetazo. Malaconsejado por Lorenzo de Zavala, Esteva y otros radicales, Victoria se inclinó por una solución violenta con la que yo no podía estar de acuerdo, porque desde niño tenía lazos de amistad con los comerciantes españoles residentes en Veracruz. En privado traté de infundirles ánimos y les ofrecí interceder por ellos, pero mi obligación de guardarle lealtad al régimen me ataba de manos para defenderlos.

El partido conservador reaccionó con rapidez: a los tres días de promulgado el decreto se pronunció en Otumba un lugarteniente de Nicolás Bravo, el coronel Montaño, con un plan que exigía al gobierno abolir el decreto de expulsión, prohibir las logias masónicas y enviar a Poinsett de regreso a Estados Unidos. Los sublevados establecieron contacto conmigo por medio de mi hermano Manuel, que había protestado en su diario contra la expulsión de los españoles. Manuel quería que me sumara de inmediato a las filas rebeldes, pero cuando estaba sopesando la situación recibí un despacho del ministro de Guerra, con órdenes de unirme a las tropas de Vicente Guerrero para combatir a los sediciosos. Pasé una noche de insomnio sin saber qué partido tomar. Disipó mis dudas una afectuosa carta de mi amigo Nicolás Bravo, que había salido subrepticiamente de la capital y esperaba en Tulancingo la adhesión de otros generales. Bravo tenía absoluta confianza en el éxito de la revuelta y me aseguraba que los comandantes de todas las provincias lo respaldaban.

Confiado en su palabra me dirigí a Tulancingo, haciéndole creer al gobierno que iba en auxilio de Guerrero. Por el camino mandé imprimir una proclama en la que vitoreaba a Bravo y Montaño. Pero al acampar en Huamantla tomé la providencia de enviar como adelantado a mi ayudante de campo, para conocer la fuerza militar de Guerrero. Su reporte me infundió pánico: Guerrero contaba con tres mil efectivos, mientras que Bravo apenas había reunido ochocientos desharrapados. En cuanto a los generales que según él eran adictos a su causa, esperaban cómodamente el resultado de la batalla para decidir si le brindaban apoyo. ¿Por qué debía yo ser el primero en abrirme de capa, si los demás actuaban con una cautela rayana en la cobardía?

Preferí hacer tiempo en Huamantla bajo la excusa de que me faltaban pertrechos de guerra. De ese modo no traicionaba a Bravo, pero tampoco me comprometía con la sedición. Para protegerme por los dos flancos mandé imprimir una nueva proclama, en la que sólo cambié los nombres de Bravo y Montaño por los de Victoria y Gómez Pedraza, sin modificar una palabra del texto. Como lo temía, Guerrero aplastó a Bravo en Tulancingo y lo tomó prisionero. Yo me presenté en su campamento poco después de la batalla gritando vivas a la federación y al presidente Victoria. Mi retraso despertó suspicacias en los mentideros políticos, pero ahí estaban las proclamas impresas para cerrarle la boca a quien me acusara de infidencia. El propio Guerrero salió en mi defensa, no tanto porque creyera en mi honestidad, sino para evitar batirse conmigo con sus tropas diezmadas. Dolido por mi actitud, Bravo me envió desde el castillo de Ulúa un recado soez en donde me tachaba de oportunista. Así son los pendejos: primero hacen las cosas mal, y luego se molestan porque uno les da la espalda.

Si bien aseguré mi supervivencia política, no considero ese lance como una victoria, porque le debo una dolorosa pérdida. Desterrado del país junto con otros cabecillas del pronunciamiento, mi hermano Manuel zarpó de Acapulco en dirección a Colombia y su barco naufragó en medio del océano. La muerte de Manuel me causó un hondo pesar, porque si bien es cierto que no congeniábamos, de cualquier modo le tenía afecto. Cegada por el dolor, en la misa de réquiem su mujer me acusó de haberlo comprometido en una aventura política desastrosa. La dejé desahogarse por respeto a su dolor pero no me sentía ni me siento culpable de nada. En realidad, mi hermano fue una víctima de sus propios errores. Yo nací para la gloria y él para consultar legajos en un escritorio. ¿Quién le mandaba seguir mis pasos?

Ratificado en mi cargo administrativo, al volver a Veracruz encontré un ambiente hostil, pues los españoles que habían esperado mi auxilio ahora me creían un traidor. Hasta mi esposa estaba enojada conmigo, porque detestaba a Guadalupe Victoria y me había suplicado que moviera influencias para evitar la expulsión de sus padres. Pobrecilla, nunca entendió los dobles juegos de la política. Si me hubiera unido a los insurrectos, habría tenido que huir del país, y en mi lugar hubiera quedado un radical hispanófobo. Gracias a mi aparente traición, desde el gobierno de Veracruz pude impedir el destierro de muchas familias, incluyendo por supuesto a mi familia política, que gracias a mis gestiones permaneció en el país y ni siquiera fue afectada en sus propiedades.

Manga de Clavo, 26 de diciembre de 1827

Querida mamá:

Estoy empezando a entender la política, porque Antonio me ha hecho sentir su poder en carne propia. Desde principios de año le había rogado que intercediera por ustedes ante el gobierno y él me decía que no me preocupara, que ya estaba tomando cartas en el asunto. Mentira: no había movido un dedo para ayudarlos, por eso papá recibió el majadero ultimátum del Ministerio de Relaciones exigiéndole partir a Cuba en un plazo de tres meses. Al enterarme de lo sucedido volví a pedirle a Antonio que hablara con Guadalupe Victoria. Eso va a estar difícil, me dijo, no puedo molestar al presidente por una pequeñez. ¿Pequeñez?, le respondí furiosa, ¿te parece una pequeñez que una estúpida ley me separe para siempre de mi familia? Exasperado, Antonio se levantó del equipal donde estaba limpiando su pistola y me sujetó bruscamente las manos. ¡Basta ya, en esta casa el único que puede gritar soy yo! Tú quieres que dé la cara por tus padres, pero ni siquiera me cumples como esposa. ¿Cuánto hace que no me dejas entrar a tu cuarto? Va para un año, y por tu culpa he tenido que buscar afuera lo que no tengo en casa. Ya me colmaste la paciencia con tus remilgos. Quiero un hijo varón, y si no me lo das, vete yendo al malecón a despedir a tus padres.

Me pasé toda la noche sin dormir, rezándole a la Inmaculada Concepción, que siempre me ha sacado de apuros. Pensé en largarme a Alvarado con mi hija, para demostrarle a Antonio que conmigo no valen las amenazas. Pero mi amor filial se sobrepuso al orgullo. Papá lleva cuarenta años de vivir en México, ha invertido toda su fortuna en el rancho, y se moriría de tristeza si tuviera que marcharse a una tierra extraña. Yo he sufrido tanto en mi matrimonio que ya me estoy volviendo inmune al dolor. Nada me costará tolerar las suciedades de Antonio, si con ello logro salvarlos a ustedes.

Al día siguiente de la pelea desayunamos juntos en el chocolatero y le dije que esa noche lo dejaría entrar al cuarto. Como a las diez vino muy perfumado y trató de ser galante conmigo, pero no correspondí a sus ternezas. Inmóvil como una muerta, fijé la vista en la Inmaculada para darme valor y soportar el asco. Desde entonces recibo su visita una noche sí y otra no, como un enfermo a quien los médicos han prescrito una medicina amarga. Ahora sé que una mujer no necesita echarse por la calle de en medio para ejercer la prostitución: puede hacerlo en su propio hogar y con su propio marido. Gracias a Dios, mi sacrificio no ha sido en vano, pues Antonio ha cumplido su parte del trato. Antenoche me enseñó un documento en que el ministro de Relaciones Exteriores agradece a papá sus servicios a la República y le otorga la residencia definitiva en México. Te lo envío para que mi padre duerma tranquilo, pero por favor, no le digas cómo logré obtenerlo.

Te manda un beso tu nieta, que está hecha un tocotín. Ni siquiera me deja un respiro para escribir: todo el tiempo la tengo encima y si me descuido un segundo rompe un vaso o se tira de cabeza a la pileta del patio. Gracias por la jalea de membrillo, te quedó muy rica. ¿Podrías mandarme una caja de cigarros La Fama? Mejor que sean dos, para tener mi reserva. Ya se me hizo costumbre fumar después de cada comida. Salúdame a mis hermanos y diles que soy la mujer más feliz del mundo. No es verdad, pero me gusta que ellos lo crean.

Manga de Clavo, 12 de agosto de 1828

Madrecita chula:

Como lo temía, el señor Santa Anna ha vuelto a enseñar el cobre. Ya me extrañaba que hubiera estado tan atento conmigo a lo largo del embarazo. Le ilusionaba tanto la idea de tener un hijo varón, que me mandó hacer unos zapatos especiales en Veracruz, para que pudiera caminar con los pies hinchados. Hasta llegué a pensar que me quería un poquito, con decirte que no me dejaba ni subir escaleras. Pero qué va, él sólo se quiere a sí mismo y a la gente que le quema incienso. Yo no le importo, desde luego, pero tampoco ninguna de sus amantes: sólo servimos para darle brillo y alimentar su monstruoso egoísmo.

Antonio quería estar conmigo en el parto, pero la criatura se adelantó cuando él andaba jugando a los gallos en Paso de Ovejas y me las tuve que arreglar sola con la partera. Gracias a Dios no tuve mayores problemas, pero la Divina Providencia se interpuso en los planes de Antonio y quiso darme otra niña. Pedí a Sixto que se fuera volando a Paso de Ovejas para avisarle al señor que la cigüeña se había adelantado y nos había dado otra niña. Como a las tres horas escuché ruido de caballos y pedí a Nazaria que vistiera a la niña con el ropón de encaje. Fue inútil. Sixto había regresado solo y al entrar en mi cuarto se descubrió la cabeza muy apenado: «Disculpe, señora, el patrón estaba jugando unos tapados y me dijo que orita no puede venir».

Sentí como si me echaran sal en las entrañas. Con esa bofetada, Antonio quiso darme a entender que lo había defraudado por no darle un hijo. ¿Pero la nena qué culpa tiene de eso? ¿Cómo pudo negarse a verla por una mugrosa pelea de gallos? Pobrecita: la trajimos al mundo por un capricho de su padre y su padre es tan desalmado que ni siquiera le tira un lazo. Es horrible estar casada con un hombre que te desprecia y ni siquiera intenta disimularlo. Pero esta vez sí me largo a vivir con ustedes. Ni siquiera voy a despedirme de Antonio. Si le interesa conocer a su hija que vaya a Alvarado, y si no que se vaya al demonio.

Por favor, manda limpiar mi recámara, y tenme listo el moisés para la niña. Se llamará María del Carmen, ¿te gusta? Quisiera bautizarla pronto y que tú seas la madrina.

Nunca fui un hombre de ideas fijas, ni el país donde me tocó vivir se prestaba para ello. Quien me acuse de no haber guardado lealtades debe tomar en cuenta que en mis tiempos, el partido de los cambios y el de la inmovilidad estaban separados por una línea muy delgada. El primero enarbolaba la causa del progreso y la libertad, el segundo defendía el orden público y la religión, pero esas voces eran entendidas de diversa manera por cada uno de los actores políticos. Si hubiera sido un esclavo de mis ideas, cuando Bravo cayó en desgracia debí acercarme al núcleo moderado de la logia yorquina, donde muchos escoceses buscaron cobijo, pues desde entonces veía las nefastas consecuencias del sistema federalista, que había dividido a la nación en feudos caciquiles. En particular me irritaba que las legislaturas locales quisieran reducir los justos emolumentos de la milicia, motivo por el cual tuve algunos roces con el Congreso veracruzano. Pero en ese momento, el jefe de los yorquinos moderados era el pillastre de Gómez Pedraza, con quien estaba enemistado a muerte, y tuve que acercarme al bando contrario, el de los federalistas puros, a pesar de no comulgar con su demagogia.

Se acercaban las elecciones presidenciales y el partido yorquino había postulado dos candidatos: uno era Gómez Pedraza, el otro Vicente Guerrero. Venerado por sus hazañas en la guerra de Independencia, Guerrero tenía de su parte al pueblo bajo, al embajador Poinsett y a sus viejos compañeros de armas. Pero los grandes propietarios, el alto clero y las personas de alcurnia, renuentes a dejarse gobernar por un mulato iletrado, conspiraban a favor del antiguo iturbidista, que les ofrecía mantener intactos sus privilegios. Por sufragio directo, Guerrero hubiese obtenido un triunfo aplastante. Pero la nueva Constitución disponía que el presidente fuera elegido por las legislaturas de los estados, donde los partidarios del orden hicieron valer su dinero y su influencia.

Aunque la victoria de Gómez Pedraza parecía ajustarse a la ley, la evidente venalidad de los congresos locales provocó una oleada de protestas. La derrota de Guerrero significaba mi ruina política y quizá mi bancarrota económica, pues temía que Gómez Pedraza se ensañara conmigo al extremo de confiscar mi hacienda. Puesto entre la espada y la pared, no me quedó más remedio que abandonar Jalapa y levantarme en armas.

Se corre un gran riesgo al encabezar un pronunciamiento sin saber a ciencia cierta quién lo apoyará. Pero cuando uno tiene todo en contra, más vale agitar las aguas que hundirse en la quietud del pantano. En mis albazos juveniles descubrí que un embustero puede hacer milagros a partir de la nada, porque una mentira produce una opinión y esa opinión produce resultados reales y efectivos. Encerrado en Perote con ochocientos hombres, necesitaba que otros generales se unieran a mi rebelión. Para infundirles ánimos les aseguré por escrito que contaba con un ejército de tres mil soldados y que la provincia entera estaba en mi poder, cuando en realidad sólo podía hacer correrías por los pueblos circunvecinos. Fui tan convincente que a los pocos días el general Montes de Oca y el coronel Juan Álvarez se pronunciaron en la sierra del Sur, adoptando mi plan con todos sus puntos. Desde entonces apruebo que los militares sean un poco jactanciosos, pues lo mismo que un hierro aguza a otro hierro, las proezas y jactancias de los unos estimulan el valor de los otros.

Gómez Pedraza quiso aplastarme antes de que mis aliados pudieran venir en mi auxilio y encargó la tarea al general Manuel Rincón, un viejo conocido mío, que Iturbide me había endilgado como superior para castigar mi orgullo. Rincón puso sitio a la fortaleza de Perote con dos mil hombres, pero Gómez Pedraza, que ocupaba la cartera de Guerra pero era un perfecto ignorante de la ciencia militar, olvidó proveerlo de cañones para el ataque. En el pecado llevó la penitencia, pues yo sí contaba con algunas piezas de artillería y pude resistir el sitio sin grandes bajas. Nuestra alimentación era muy frugal —potajes de hierbas, galletas rancias, chocolate con leche de cabra— pero uno se acostumbra a todo con tal de llenar la panza. Transcurrió un mes y mis tropas tenían la moral muy alta, pues casi todas las noches se pasaba a nuestras filas algún oficial enemigo, atraído por mi fama de soldado valiente y generoso. Por ellos me enteré de que Gómez Pedraza había prometido enviar a Rincón veinte piezas de artillería. Temiendo la llegada del nuevo armamento, reuní a mis oficiales en el patio de la fortaleza y les expuse un plan para romper el sitio con una salida nocturna. Fue tan ordenado el movimiento de la tropa y tan correcta la observancia de mis reglas, que a la noche siguiente, cuando la luna se había ocultado, burlé la vigilancia de Rincón con más de setecientos hombres. Sus centinelas no escucharon nada porque tomé la precaución de forrar con trapos los cascos de los caballos. Luego de alejarnos tres o cuatro leguas de Perote, ordené a las tropas hacer alto y nos entregamos al sueño en campo raso.

Al amanecer, destaqué cien jinetes a las órdenes de los tenientes coroneles Mariano Arista y José Antonio Mejía, con órdenes de caer violentamente sobre Orizaba e imponer un préstamo de diez mil pesos. Notable jinete y diestro lancero, Mariano Arista aprendió mucho de mí en aquella difícil campaña. También el cubano Mejía, que luego confundiría la guerra con los negocios y el interés nacional con su interés personal. Ambos se distinguieron en el campo de batalla, porque su afán de emularme les infundía un valor temerario. Para dárselas de valentón, Arista entraba a los pueblos que tomábamos montado en un becerro amansado por él mismo. Como era bien parecido y tenía el pelo azafranado, por todas partes lo perseguía un enjambre de muchachas. Era capaz de comer lumbre con tal de recibir una felicitación mía. ¡Quién se hubiera imaginado que al cabo del tiempo me guardaría tantos rencores! ¿O quizá ya me envidiaba desde entonces y no lo noté? Pero basta de malos recuerdos: prefiero olvidar al cretino que me negó el auxilio de sus tropas en plena invasión francesa, y conservar en la memoria al intrépido coronel que me ayudó a realizar hazañas dignas de Ulises cuando el avance del general Rincón nos obligó a retirarnos hacia Oaxaca.

DEL DIARIO DE CAMPAÑA DE MARIANO ARISTA

22 de octubre de 1828

Por caminos impracticables, en medio de una tupida neblina, la tropa avanza con una lentitud que me desespera. Hoy se cayeron dos mulas cargadas con bastimento cuando íbamos ladereando el desfiladero de Cuicatlán; mañana puede tocarle a uno de nosotros. Empiezo a creer que el general no sabe ni por dónde anda y sólo finge conocer la sierra para darnos ánimos. Pero ni modo, cuando se monta en su macho, ni Dios Padre puede hacerlo entrar en razón. Más nos vale seguir hasta Oaxaca, si acaso esta vereda va para allá, porque en Veracruz el gobierno ya se hizo fuerte. Ojalá sea cierto que en Oaxaca tenemos un montón de partidarios. ¿O será otra mentira piadosa del general? A juzgar por su comportamiento, cualquiera diría que estamos en un día de campo. Ayer, por ejemplo, llegó un correo extraordinario con un mensaje del capitán Paniagua, que reportaba haber visto a las tropas de Rincón salir de Tehuacán hacia Oaxaca, reforzadas por un nuevo contingente llegado de México, a las órdenes del general Calderón. Eso quiere decir que el enemigo ha duplicado su fuerza y viene pisándonos los talones, pero en vez de alarmarse, Santa Anna detuvo la marcha de la tropa, mandó colgar su hamaca de un oyamel y ordenó a los músicos del regimiento que tocaran una jarana para arrullarlo.

Al otro día dispuso dividir nuestras fuerzas en dos grupos: uno bajaría la cuesta de Cuicatlán al mando del coronel Heredia, los demás seguiríamos por el Espinazo del Diablo. Se trataba de agilizar nuestros movimientos para entrar en Oaxaca antes que el enemigo.

—¿Pero si teníamos que ganar tiempo, por qué no salimos anoche? —me atreví a preguntarle.

—Usted está muy joven y todavía no conoce bien a la tropa —me palmeó en el hombro—. Anoche estaba muy nervioso y no quise dar órdenes en ese estado. ¿Sabe por qué? Porque el miedo se huele y cuando los soldados creen que su vida peligra empiezan las deserciones. Por eso preferí descansar un rato. Aunque tengamos la soga al cuello, la tropa nunca debe saberlo.

28 de octubre de 1828

Hoy fue mi día. Tuve la fortuna de ser el primero en entrar a Oaxaca, al mando de una columna de dragones. Sólo nos opuso alguna resistencia la milicia cívica llamada Los Triquitraques, que se atrincheró por el rumbo del mercado, pero gracias a Dios la disolvimos a la segunda embestida. El gobernador ya se había largado con su escolta y no dejó un céntimo en las arcas del palacio. Lástima: lo hubiéramos utilizado como rehén a cambio de dinero y pertrechos. Santa Anna entró con el resto de la tropa cuando ya no había ningún riesgo, pero en el parte de guerra que envió a Guerrero se adjudicó todo el mérito por la toma de la ciudad, sin darme siquiera un pequeño crédito. Eso es lo que más odio de su carácter: como general se esmera por borrar las jerarquías, pero en tratándose de la gloria no tolera competidores. Bajo su máscara de sencillez y compañerismo, no deja de ser un sapo hinchado de vanidad.

Lo peor fue que la supuesta victoria se quedó en entredicho, porque esta misma tarde, las tropas del general Calderón tomaron el poniente de la ciudad. Para no comprometer nuestra posición, tuvimos que encerrarnos en el convento de Santo Domingo, donde los frailes tienen pocos víveres o los están escondiendo. La cena de hoy fue una sopa aguada de quelite, mañana quién sabe si tengamos desayuno. Los muros del convento son tan gruesos que podemos resistir de aquí a Navidad. Pero si esto sigue así no tardaremos en comer ratas.

30 de octubre de 1828

Hoy a mediodía Santa Anna discurrió otro plan muy ingenioso para remediar nuestras carencias de bastimento: vistió a un piquete de soldados con hábitos de frailes, cruzó la ciudad sin ser notado por los guardias de Calderón y escaló con sigilo las murallas del convento. Una vez dueño del patio, llamó a misa para congregar a las familias principales que frecuentan el templo de la orden.

Por poco cae en el garlito el propio general Calderón, que iba en camino a la iglesia cuando un oficial lo previno de que el convento estaba en nuestro poder. Reunidos ya los fieles, el general subió al púlpito, se quitó la capucha y pidió a los ricos oaxaqueños una contribución en metálico para la sagrada causa de la libertad. Más que pedir les arrebató el donativo, pues en ese mismo instante los falsos frailes recorrían la nave del templo expropiando alhajas, leontinas y talegas de oro a la atónita concurrencia. Según el coronel Mejía, confiscaron incluso la limosna para los Santos Lugares de Jerusalén que guardaba en la sacristía el guardián del convento. Todo ocurrió en menos de quince minutos y cuando Calderón se impuso de lo ocurrido, Santa Anna ya estaba de vuelta en Santo Domingo con un botín de veinte mil pesos.

Yo no participé en el asalto (el general me ordenó cubrirle la retirada a las afueras del convento) pero sí en la fiesta de celebración, donde por fin llené el estómago, que traía encogido desde

Perote. En la bacanal hubo jaraneros y hasta prostitutas para los oficiales de alta graduación. Al calor de los mezcales, la tropa gritó vivas a Santa Anna.

Sigo dolido con él y sin embargo le di un abrazo fraterno, porque es de gente bien nacida olvidar los agravios.

7 de diciembre de 1828

Desde el primer día del pronunciamiento, el general nos prometió que la rebelión se extendería por todo el país. Pero nuestros aliados no se dieron prisa para condenar la elección de Gómez Pedraza, y algunos pesimistas —entre quienes yo me contaba— empezábamos a temer que nos dejarían colgados de la brocha. Según el general Santa Anna, el pronunciamiento ya empezó a dar frutos, pues la semana pasada hubo un sangriento motín en la Ciudad de México. Al parecer, el cerebro de la algarada fue Lorenzo de Zavala, el gobernador del Estado de México, si bien figuró como cabecilla el general José María Lobato, que tenía a su cargo la guarnición de La Ciudadela. Tras haber liberado a los presos de La Acordada, Lobato intentó en vano controlar a sus huestes enardecidas, que se lanzaron a saquear el mercado del Parián, causando gran mortandad entre los comerciantes españoles. La guardia presidencial sólo contaba con trescientos soldados y Lobato pudo avanzar con facilidad hasta Palacio Nacional. Tuvo en sus manos derrocar al presidente Victoria, pero lo impidió la oportuna intervención de Zavala, que sólo demandó la destitución inmediata de Gómez Pedraza. Se cumplió así el objetivo de anular las elecciones y colocar a Vicente Guerrero en el Ministerio de Guerra, sin tener que nombrar un gobierno provisional.

Por más cruento y deplorable que haya sido el motín de La Acordada, para nosotros fue un milagro caído del cielo. En las últimas semanas, mi general Santa Anna intentó disuadir a Rincón de entrar en combate, alegando que los españoles planeaban un desembarco en playas mexicanas, y hasta le propuso unir fuerzas contra el enemigo común. Desde luego, Rincón no mordió el anzuelo, pero tampoco rompió las hostilidades, tal vez porque esperaba refuerzos de la capital. Ahora ha depuesto su actitud arrogante y ayer nos envió una comisión de oficiales con una carta en que alaba el patriotismo de Santa Anna y le propone firmar un acuerdo de paz. Bajo la excusa de que estaba muy ocupado, el general hizo esperar a sus enviados más de dos horas mientras jugaba al cubilete con un grupo de coroneles. Que se chinguen, decía, los voy a obligar a morder el polvo de la derrota. Cuando por fin los recibió les pidió una disculpa hipócrita por su demora y se fingió entusiasmado por la propuesta de Rincón. «Cuánto me alegra que don Manuel haya escuchado mis ruegos —dijo—. Dos hermanos no deben pelear, estando en juego los intereses de la nación». Y aunque devolvió con creces las alabanzas de su adversario, se opuso a que la firma de los acuerdos fuera en el cuartel de Rincón, «para enseñarle que ahora soy yo quien pone las condiciones».

Por la tarde, a nombre de los federalistas oaxaqueños, el licenciado Manuel Embides le ofreció un brindis de honor al que asistió la plana mayor del Instituto de Ciencias y Artes. Como siempre ocurre en estos actos, los leguleyos se arrebataban la palabra para elogiar con frases ampulosas a Santa Anna y al futuro presidente Vicente Guerrero. La única voz discordante fue la de un jurisconsulto zapoteco, negro como la pez, que parecía un zopilote enfundado en su levita negra. Cuando le tocó el turno de hablar, celebró la derrota de la facción aristócrata encabezada por Gómez Pedraza, pero lamentó la ruptura del orden constitucional, que pondría en duda la legitimidad del nuevo gobierno. Irritado por el comentario, Santa Anna le preguntó su nombre:

—Benito Juárez, para servirle.

—Mire, licenciado Juárez —el general se aclaró la voz—. He arriesgado la vida por defender la Constitución. Si violamos la Carta Magna fue precisamente para hacerla cumplir.

—Pero una vez roto el marco legal, cualquiera tiene pretexto para actuar fuera de la Constitución —replicó Juárez.

Al ver que Santa Anna comenzaba a sulfurarse, Manuel Embides entró al quite y desvió la conversación hacia las hazañas guerreras del general, sin permitir que Juárez volviera a tomar la palabra. Pero Santa Anna no olvidó sus impertinencias.

—Qué indio tan terco, y cuánto respeto le tiene a su mugrosa ley —me dijo al salir del brindis—. Es lo malo de educar a la gente que nació para andar descalza.

México, 25 de mayo de 1875

Apreciado amigo:

Acepto sus excusas y no le guardo rencor por haber dudado de mi honradez. En esta ciudad abundan los pícaros y es natural que usted me haya tomado por un estafador. Yo mismo he tenido que defender al general de una pareja de estafadores que hace poco intentaron venderle armamento para una nueva revolución, atraídos por la leyenda de su inmensa fortuna. Los pillos se hicieron pasar por enviados del general oaxaqueño Porfirio Díaz, que según la prensa prepara un levantamiento contra el gobierno de Lerdo. Por fortuna llegué a tiempo para impedir la estafa, cuando su padre estaba a punto de firmar pagarés por medio millón de pesos, y corrí a los dos bellacos a punta de cintarazos. Pero el daño ya estaba hecho. Esa misma tarde, con el habla atropellada por la emoción, don Antonio propuso a los Veteranos congregados en la taberna del Romeral que lo acompañaran a tomar las armas para liberar a la patria de sus cadenas. Muchos de ellos están lisiados, otros padecen el mal de San Vito, y como es natural, su arenga fue tomada a chunga. Ofendido por las risas, el general tachó de cobardes a todos los tertulianos y me pidió que lo trajera a casa.

He intentado explicarle que un caudillo como él, identificado con el partido conservador y cubierto de oprobio por la prensa liberal, sólo acarrearía desprestigio a los pronunciados, si acaso fuera verdad lo del alzamiento. Pero no he podido desengañarlo y mis advertencias sólo han despertado su cólera, pues ahora me acusa de ser un espía al servicio de Lerdo. Cualquiera en mi lugar ya lo habría abandonado, porque a pesar de su decaimiento aún le queda ingenio para proferir injurias hirientes. Pero me comprometí a brindarle protección y nada me hará cejar en mi empeño.

Como los polvos de ipecacuana ya no le hacen efecto, tuve que valerme de un ardid para apaciguarlo. La semana pasada le propuse que le dirigiera una carta a Porfirio Díaz, para preguntarle si en verdad lo había invitado a participar en la insurrección. Con la malicia de sus mejores tiempos, don Antonio me dictó un largo ditirambo patriótico, lleno de encendidos elogios a Díaz, donde sólo mencionaba el pronunciamiento con indirectas, para no comprometerse a nada si el mensaje caía en manos del gobierno. Le ofrecí llevar la carta al correo y esa misma noche la rompí en pedazos. Supuse que don Antonio olvidaría el asunto al cabo de una semana, pero la inquietud con que esperaba la respuesta de Díaz me obligó a enviarle por correo una carta apócrifa donde el general oaxaqueño lo colmaba de alabanzas, pero desmentía los rumores sobre el alzamiento. «Considero un gran honor que el héroe del Pánuco me ofrezca su espada, que daría enorme fuerza moral a mi ejército, pero de momento no tengo intenciones de alzarme en armas, ni he destacado emisarios a la capital con el objeto de recabar fondos».

Repuesto ya de la decepción, don Antonio parece haber sentado cabeza y ha vuelto a su rutina de todos los días. En los pliegos que le adjunto podrá usted constatar su lucidez, nublada aquí y allá por algunos arrebatos de exaltación que le aconsejo pasar por alto. No permita usted que el recuento de su vida se empañe con el salitre de la amargura. A veces el general increpa a la patria como un amante despechado. Está en su derecho, pues tiene motivos de sobra para guardarle rencor, pero los mexicanos del futuro no deben saber que su patriotismo ha flaqueado con la edad y los desengaños.

Lo saluda su humilde servidor que besa su mano,
Manuel María Giménez

Gracias a Dios, en México todavía quedan hombres. A diferencia del presidente Lerdo, que me trata con una descortesía rayana en el insulto, el general Porfirio Díaz ha tenido la gentileza de enviarme un saludo afectuoso. Una vez más, la nobleza de los militares ha puesto en evidencia la mezquindad de los civiles. Díaz se cubrió de gloria en la guerra contra los franceses, pero los politicastros de su partido, que jamás han estado en una trinchera, le arrebataron la presidencia por medio de argucias electorales, y ahora está confinado en su rancho de la Candelaria, como yo tuve que hacerlo en mis momentos de infortunio, cuando me retiraba dignamente a Manga de Clavo. Siento por Díaz un cariño paternal y creo que estamos unidos por el destino, pues ambos fuimos enemigos de Juárez, a quien el demonio tenga en sus apretados infiernos. Como es natural en un indio de mala entraña, Juárez no podía tolerar a los hombres superiores, en especial si llevaban la aureola del heroísmo. Lo conocí en Oaxaca en casa del licenciado Manuel Embides, cuando todavía era un pobre estudiante de Leyes, tan pobre que trabajaba como sirviente del licenciado y nos sirvió la comida descalzo. Al enterarme de sus méritos escolares le di veinte pesos para comprarse zapatos, favor que al parecer dejó una huella indeleble en su orgullo. Así son los resentidos: te pagan el bien con mal y nunca perdonan una ofensa, aunque sea involuntaria. ¡Cuánto se ensañó conmigo por haberlo querido ayudar! Pero si yo no pude cobrarme sus atropellos, Díaz sabrá imponerse a los juaristas y sacarlos de Palacio Nacional.

Perdona si vuelvo a traspapelar mis recuerdos, pero a veces siento que la historia da vueltas en círculo y repite situaciones del pasado con diferentes actores. Ahí tienes el injusto ninguneo de Porfirio Díaz. Es idéntico al que yo sufrí cuando Vicente Guerrero —otro paria venido a más— faltó a su promesa de concederme el Ministerio de Guerra, nombrando en mi lugar al general Moctezuma, en represalia por mi supuesta complicidad con el partido escocés en la insurrección de Montaño. Una vez más, los usufructuarios de una revolución que yo había iniciado me quitaban de en medio sin reconocer mis méritos. Guerrero era un hombre de buena fe, pero debió conformarse con gobernar su rancho, porque no tenía capacidad para presidir la República. En su breve periodo de gobierno el país no tuvo pies ni cabeza. Los ministros del gabinete mandaban por él y le hacían firmar decretos absurdos que anulaba a la semana siguiente, cuando algún consejero le hacía notar su equivocación. Al parecer, en muchos casos firmaba los decretos a ciegas, porque le daba pena confesar su condición de analfabeto. La clase pudiente lo aborrecía por los desmanes cometidos en el motín de La Acordada, y aunque sus corifeos quisieron presentarlo como el héroe providencial que México necesitaba, en los corrillos políticos se cruzaban apuestas sobre la fecha de su caída. En mis cartas yo le aconsejaba llevar con firmeza las riendas de la nación, pero dudo que alguna vez llegara a tomarlas.

Desde luego, Guerrero no me dejó totalmente descobijado, pues como premio de consolación me concedió la gubernatura de Veracruz. Por no desairarlo ocupé el cargo un par de semanas y luego delegué mis funciones en un vicegobernador, para dedicarle más tiempo a mi hacienda y a mi familia. Sordo a las sirenas de la política, me dediqué sin descanso a las labores del campo, introduje algunas mejoras agrícolas y me preocupé por dar un trato humanitario a mis peones. A diferencia de los viejos propietarios que tenían por costumbre tutearlos, yo los trataba respetuosamente de usted, pues la experiencia en el manejo de tropas me había enseñado que cuando el tú no se usa entre iguales puede tomarse como una señal de desprecio. Pero entre jarochos no es fácil guardar distancias y mi calidad de patrón no me eximía de su espíritu bullanguero. En cierta ocasión asistí como padrino al bautizo del hijo de un caporal, y al terminar la misa hubo un fandango en el real de la hacienda. El arpista, que también era mi compadre, como llegaron a serio la mayoría de mis peones, improvisaba coplas burlescas que regocijaban a todos los invitados, menos a las víctimas de su ingenio. Llegado mi turno me compuso una copla que iba más o menos así:

> Ya es general y tan mozo
> dije al verle, sorprendido,
> y él replicó, relamido
> y acariciándose el bozo:
> «Nada los merecimientos
> tienen que ver con mi edad,
> si me falta antigüedad
> me sobran pronunciamientos».

Otro en mi lugar le hubiera impuesto un duro castigo, pero yo lo felicité por su ingenio, aunque a decir verdad, el chascarrillo me cayó en el hígado. Además de ser una escuela de tolerancia, la hacienda me enseñó a producir y administrar la riqueza. La clave estaba en el rendimiento de los peones. Así me lo hizo notar el embajador Poinsett, cuando Guerrero tuvo que expulsarlo de México por la presión del Congreso, y en su trayecto a Veracruz hizo una escala en Manga de Clavo para despedirse de mí. Después del almuerzo recorrimos a caballo mis tierras de labranza. Al pasar por el platanar, le comenté que por la negligencia de mis peones, había perdido la cosecha del año anterior.

—¿Cuánto ganan sus peones?

—Real y medio o dos reales de jornal, como en todas partes.

—Eso lo explica todo —Poinsett chasqueó la lengua—. Este pobre país no ha salido del atraso porque los dueños de la tierra explotan a los indios como si fueran bestias.

—Óigame —le reclamé—, aquí por lo menos no existe la esclavitud.

—Le aseguro que nuestros esclavos viven mejor que sus peones: comen carne, leche y huevos, tienen jornadas de trabajo más cortas y llevan ropa decente. Si un negro muere con deudas, no se las transmite a sus hijos, en cambio ustedes esclavizan a los indios por varias generaciones.

—Pero en su país los negros no son personas.

—Claro que no: son herramientas de trabajo —admitió Poinsett—. Por eso los alimentamos bien, para que trabajen muchos años y nunca se enfermen.

Aunque la aspereza de Poinsett hirió mi orgullo nacionalista, sus palabras me hicieron reflexionar. ¿Cómo exigirle actividad y esfuerzo a un peón endeudado con sus patrones que apenas se alimenta con tortillas y chile? Para mejorar las condiciones de vida de mis campesinos, les condoné las deudas que habían contraído con la tienda de raya, algunos desde varias generaciones atrás, y les ofrecí aumentar sus sueldos al doble si lograban superar la cosecha del año anterior. La inversión me dio buenos frutos, pues a partir de entonces redoblaron su esfuerzo y dejaron de hacer san Lunes. Por cuidar mis herramientas mientras otros las dejaban oxidarse, llegué a tener la hacienda más próspera de la comarca. El trabajo bien pagado es el trabajo más productivo. Ésa fue la máxima que traté de inculcarle a mis ministros de Hacienda, durante los breves periodos en que los militares díscolos me dejaron gobernar en paz. Pero mis buenas intenciones siempre se toparon con la incomprensión de una oligarquía empeñada en obtener el máximo de ganancia con el mínimo costo. Cualquier medida que buscara fomentar la agricultura o poner a trabajar las tierras ociosas se enfrentaba con su terca oposición y con una maraña de impedimentos legales. Debí mandarlos a galeras y administrar el país como si fuera mi rancho.

Dedicado por entero a mis tierras, sólo recibía de vez en cuando visitas de militares y diputados a las que prestaba poca atención, pues me había resignado a llevar una vida pacífica y ordenada. No fue la ambición ni el mezquino interés lo que me obligó a cambiar el arado por la espada, sino la noticia de que el Imperio español, al tanto de nuestras continuas revoluciones, había destacado tropas a La Habana para enviar una expedición a México. Gracias a mis contactos con algunos patriotas cubanos, supe que las fuerzas invasoras ascendían a cinco mil efectivos y que el objetivo de la corona era encomendar los destinos de la nación a un príncipe de sangre real, posiblemente el infante Francisco de Paula. Informé con prontitud a Guerrero de los preparativos bélicos en La Habana y le pedí facultades extraordinarias para organizar la defensa de Campeche, el puerto que según mis contactos había sido elegido como punto de desembarco. Al comprender la gravedad de la situación, Guerrero me autorizó a exigir un préstamo forzoso por veinte mil pesos, y aunque obtuve menos de la mitad, porque el ayuntamiento andaba escaso de fondos, conseguí levantar un ejército de dos mil hombres.

Los periodistas de la capital me acusaron de haber inventado el cuento de la invasión para reunir un ejército propio y pronunciarme contra el gobierno. Fueron los mismos oportunistas que meses después me quemaban incienso y componían exaltados panegíricos en mi honor, tan falsos como sus anteriores infundios. Si de ellos hubiera dependido la defensa de la nación, México habría vuelto a ser una colonia española. En el fondo tal vez lo deseaban, pues las naciones borrachas de libertad muchas veces sienten nostalgia por los azotes de sus viejos amos.

Con el dinero incautado no me alcanzaba ni para cubrir la soldada de mis tropas. Por fortuna, los reclutas tenían la moral muy alta gracias a mis inflamadas arengas y aceptaron cobrar al prorrateo. Tuve que poner de mi bolsa para comprar pertrechos y municiones, pues el tiempo apremiaba y no podía esperar que llegara ayuda de la capital. Si mis informantes me tenían al tanto de lo que pasaba en La Habana, los españoles también contaban con orejas en México. Por algún infidente se enteraron de que nos aprestábamos a defender Campeche, y en un irreflexivo cambio de planes, el general Isidro Barradas prefirió desembarcar en las inhóspitas costas de Tamaulipas, creyendo que así nos tomaría por sorpresa. Fue el primero de los incontables errores de mi adversario, que al parecer subestimó nuestra capacidad de defensa. Si la guerra es una partida de ajedrez, la peor manera de comenzarla es elegir un tablero insalubre y cenagoso, donde las fuerzas naturales son el principal enemigo a vencer.

DEL DIARIO DE CAMPAÑA DE ISIDRO BARRADAS

23 de julio de 1829

Esta mañana navegábamos rumbo a la barra de Tampico, azotados por las turbonadas del océano, que sigue muy agitado, cuando perdí de vista una de nuestras fragatas. Pedí al almirante Laborde que le diera alcance, y me advirtió que si se desviaba de su ruta, la corriente podía llevarnos lejos del puerto.

—¿Qué tan lejos? —le pregunté.

—Hasta Nueva Orleans —me dijo—. Si usted quiere declarar la guerra a Estados Unidos, por mí encantado.

No estaba para bromas y le arrojé unos platos a la cabeza. Menudo insolente me ha resultado el señor almirante. Si la fragata se pierde tendré quinientos hombres menos. Pero qué importa: los españoles residentes en La Habana me han asegurado que apenas desembarque en México, la mayoría de las tropas y el pueblo, movidos por el clero, se pasarán a mi bando. Probablemente no sea necesario disparar un solo tiro para adueñarme del puerto. Pero tampoco me gustaría que las cosas fueran tan simples, pues en España me escatimarán el mérito de la reconquista si no sostengo por lo menos un par de combates. Desde que avistamos tierra no dejo de pensar en la hazaña del gran Cortés. ¿Tendré tamaños para repetirla? Anoche soñé que unos indios con taparrabos me proclamaban rey y me llevaban en andas hasta la cumbre de una pirámide. Pero una vez en la cima sacaban sus cuchillos de pedernal y me obligaban a acostarme en un brasero. No fue un mal augurio: simplemente me estaba asando en mi camarote, que se ha vuelto un horno, pues ahora duermo con la escotilla cerrada para que no entren los moscos.

Esta tarde hubo un pleito a navajazos entre el cabo Iriarte y el sargento Zertuche. Mandé a los dos al calabozo, para evitar futuras indisciplinas. ¿El calor los tendrá inquietos o quizá les he contagiado mi nerviosismo? No debería estar preocupado, porque a pesar de la fragata perdida tengo un ejército bien pagado y mejor entrenado. Pero hay algo que me huele mal en todo esto, quizá el desgano que percibo en mis hombres, o la ambigua sonrisa con que el gobernador de Cuba me despidió en la fortaleza del Morro, como si la expedición le pareciera un colosal disparate. De cualquier modo, ahora ya no me puedo echar para atrás. Mañana tocaremos tierra y debo mantener el ánimo en alto, para que la tropa se sienta segura de la victoria.

24 de julio de 1829

Maldita sea mi estampa. En el desembarco de hoy ocurrió una tragedia que me ha dejado una espina en el corazón. Apenas habíamos fondeado en la barra, el cabo Pedro Orihuela, natural de la Coruña, que se unió a la expedición en La Habana, bajó de la balandra como los demás soldados y tuvo la desgracia de caer al agua enredado en la cuerda del barco. Perdió la cartuchera y el morrión y se fue a tierra nadando, entre las burlas de los demás tripulantes, que al verlo hecho una sopa se mofaron de su torpeza con risotadas hirientes. A pesar de su carácter jovial, Orihuela tenía un temperamento irascible. Herido por la humillación, cogió el fusil de un compañero suyo que estaba cargado, se apuntó debajo de la barba, soltó el gatillo con el dedo del pie y se levantó la tapa de los sesos. De tal suerte que mi primera visión al pisar tierra mexicana fue una playa bañada con sangre española. Se supone que un militar debe contemplar la sangre con el rostro impasible, pero esta vez no pude contener el llanto, porque en el suicidio del pobre Orihuela vi representado el destino de todos nosotros. Esta tierra les pertenece a sus legítimos dueños. ¿Con qué derecho venimos a hollarla? Fui traído con engaños a un país desierto y hostil, donde tal vez encuentre mi tumba, como todos los soldados que me acompañan.

Temeroso de que yo también me pegara un tiro, mi secretario me pidió aceptar la voluntad del Señor y desechar de mi aspecto toda impresión de debilidad: «Usted es el jefe de la expedición, qué dirá la tropa si lo ve en ese estado». Sus palabras de aliento no me consolaron por la pérdida de Orihuela, pero reavivaron mi sentido del deber. Una vez enjugadas mis lágrimas, me presenté ante mis hombres con el rostro sereno y les ordené que hicieran un campamento en el bosque. Según mis ayudantes, estamos a nueve leguas del Pueblo Viejo de Tampico, donde podría haber una guarnición enemiga. Pero la marcha no comenzará hasta mañana, pues he preferido conceder un descanso a las tropas. Al caer la noche, con el fin de ahuyentar los enjambres de moscos, mandé prender una fogata en la entrada de mi tienda, pero al parecer la lumbre no los espanta, porque me han cosido a piquetes. En mi vida he visto cosa igual. Tengo los brazos llenos de ronchas y temo que no me dejarán en paz. ¿Qué hizo Cortés para librarse de esta plaga? ¿Habrá dormido con la armadura puesta?

Por culpa de un temporal que azotó las costas del golfo a mitad de la travesía, me vi obligado a desembarcar en Tuxpan cuando los españoles ya se habían apoderado de Tampico, donde el general Felipe de la Garza (un idiota cuya única hazaña fue haberse manchado las manos con la sangre de Iturbide) había cometido la muchachada de atacar al enemigo con fuerzas insuficientes, lo que le costó abandonar sus posiciones y perder cerca de trescientos hombres. Gracias a Dios, lo acompañaba el general Manuel Mier y Terán, un antiguo insurgente con probada capacidad, que al enterarse de la invasión había unido sus tropas a las de Garza. Cuando hablé con él me sentí más tranquilo, pues congeniamos rápidamente y comprendió con facilidad mi plan para enfrentar a los invasores. Barradas necesitaba salir de Tampico en busca de víveres, porque al abandonar el puerto sus pobladores habían quemado las trojes. Cuando lo hiciera tendríamos la oportunidad de asestarle un golpe mortal, si lográbamos coordinar nuestras fuerzas con rapidez.

Mientras Barradas preparaba la salida de sus tropas se abrió un compás de espera en el que me dediqué a explorar el terreno, impaciente por entrar en combate. Hallarme en la provincia que había sido el teatro de mis primeras batallas redoblaba mi excitación, pues veía en esa coincidencia la mano de Dios. ¿Quién me hubiera dicho entonces, cuando luchaba a las órdenes de Arredondo bajo el pabellón español, que alguna vez me enfrentaría con mis antiguos camaradas a la cabeza del ejército mexicano? Los alrededores de Tampico y la ribera del Pánuco me traían vívidos recuerdos de la campaña en que recibí mi primera herida de guerra. ¡Cuánto había progresado en veinte años! Ni en los sueños más optimistas de mi juventud había imaginado llegar tan alto. Era tan grande mi ambición que por momentos olvidaba los riesgos de la campaña. Tal vez el heroísmo consista en narcotizar la conciencia para olvidarse de los peligros. No temía la muerte pero sí la derrota, porque en mi febril imaginación me representaba a Barradas como un militar sanguinario y astuto, con la misma catadura moral del coronel Arredondo. Guardaba un profundo rencor a mi antiguo jefe, pues había caído muy bajo con tal de ganarme su voluntad, y ahora tenía la oportunidad de cobrarme todas sus humillaciones: las palizas, los castigos, las ejecuciones masivas de prisioneros, los toques de corneta a medianoche para formar filas enfrente de sus queridas. Barradas era para mí la reencarnación de Arredondo, el padre déspota que venía de ultramar con el sable desenvainado, para meter en cintura a un hijo desobediente.

DEL DIARIO DE BARRADAS

16 de agosto de 1829

Hasta el momento no hemos recibido por parte del pueblo las muestras de adhesión que me prometieron en Cuba, pero salimos bien librados de los primeros combates y hemos obtenido algunas ventajas estratégicas, gracias a los yerros del enemigo. Llevamos un par de semanas en el Pueblo Viejo de Tampico y las enfermedades empiezan a diezmar a la tropa. Entre los deshidratados y los infectados de vómito negro, tengo casi doscientos hombres en cama. He ordenado que les improvisen un refugio con varas de bambú, para que al menos puedan descansar a la sombra, mientras otro batallón repara el Fortín de la Barra, donde colocamos las piezas de artillería arrebatadas a sus defensores. Nuestra fácil victoria en las primeras escaramuzas con el ejército mexicano ha levantado la moral de la tropa. Pero la falta de bastimento causa tales estragos que algunos soldados han recurrido a la carne de perro, hasta despoblar de canes las polvosas calles de Tampico. En un intento por mitigar la hambruna, mandé repartir entre todo el regimiento mis últimas reservas de pescado seco y alubias. Por desgracia, mi gesto fraternal sólo caldeó más los ánimos, pues los que no alcanzaron ración montaron en cólera y se liaron a golpes con los encargados de repartir la comida.

No puedo permanecer en Tampico en estas condiciones. Pero la salida de la ciudad también implica riesgos, porque afuera está al acecho el general Santa Anna, recién llegado de Veracruz con una fuerza de tres mil hombres.

Entre morir de hambre y morir en la refriega, elegí la alternativa más honorable. Temía, sin embargo, que al ordenar la movilización, una parte de mis tropas huyera en los barcos fondeados en la barra del puerto. Para evitarlo ordené que la escuadra naval regresara a La Habana, como Hernán Cortés cuando quemó sus barcos en el puerto de la Vera Cruz. Fue una decisión descabellada, pero necesaria para aguijonear el valor de mis hombres, porque el soldado español puede ser indolente y rijoso, pero lucha como fiera acorralada cuando sabe que no puede dar marcha atrás.

Antenoche me dirigí a la Villa de Altamira al frente de dos mil hombres, dejando en el Pueblo Viejo de Tampico una pequeña guarnición al mando del coronel Salomón. Esperaba un asalto del enemigo en algún punto del camino, pero sólo hallé partidas dispersas con las que sostuvimos algunas escaramuzas. Al clarear el día comprendí por qué nos habían cedido el terreno: Altamira era un pueblo fantasma donde no quedaba ni una migaja de pan. Sin duda, los mexicanos quieren llevarnos tierra adentro, para caernos encima cuando el hambre y el calor nos hayan debilitado. Apenas repuesto de la cabalgata nocturna, recibí la noticia de que el general Santa Anna había atacado Tampico aprovechando mi ausencia. Me cago en sus muertos, grité, este criollo de mierda se ha creído que puede verme la cara. Desandamos el camino a todo galope, sin importar que se reventasen algunas cabalgaduras. Con un poco de suerte podía coger desprevenido a Santa Anna y aguarle la fiesta. Llegué en el momento más oportuno, cuando el coronel Salomón capitulaba en las puertas de la ciudad. La tranquilidad de Santa Anna me impresionó, pues en vez de correr por su vida me saludó muy campante. Pude hacerlo prisionero en el acto, pero me pareció preferible entrar en negociaciones, pues según mis informes, Santa Anna es un general sin escrúpulos, que muda de chaqueta a su conveniencia.

Con tono amable pero firme, sin dar el menor asomo de temor o debilidad, le ofrecí que si deponía las armas y reconocía el derecho del Imperio español a recuperar su colonia, el rey Fernando lo nombraría Duque de Tampico. Advertí en sus ojos el destello de la ambición, pero como buen político me respondió con evasivas corteses. Confieso que la personalidad de Santa Anna me ha impresionado. Esperaba vérmelas con un tosco rufián y me he encontrado con un hombre de ingenio vivaz y maneras desenvueltas que no haría mal papel en la corte madrileña. Sin duda le ilusiona la idea de obtener un título, o de lo contrario no me hubiese hablado de Su Majestad en términos tan encomiásticos. En el fondo los criollos siempre se han sentido españoles, sólo hay que saber echárselos en la bolsa. Ellos hicieron la Independencia porque España cometió el error de relegarlos en el ejército y en la administración, pero si los tratamos mejor serán aliados nuestros.

Al parecer, la calma de Santa Anna obedece a que ha reunido un ejército formidable de veinte mil hombres. Razón de más para tratarlo con tiento. Para darle una muestra de buena voluntad, acepté de mil amores la tregua que me pidió para estudiar mi oferta. Si todos los generales del país son tan amigables como él, esta guerra será un grato paseo.

Esperaba un tigre y encontré un cordero, porque inopinadamente la corona española encomendó la reconquista de México a un militar asustadizo y torpe. Quizá no tenían mejores hombres a la mano o menospreciaron tanto nuestra capacidad defensiva que creyeron poder doblegarnos con un general de segunda fila. Sostuve mi primera y única entrevista con Barradas en circunstancias muy apuradas, cuando acababa de vencer al coronel Salomón y me creía dueño de Tampico. El comandante de la plaza estaba capitulando cuando Barradas se presentó en las puertas de la ciudad con toda su división de dos mil quinientos hombres: embarazado me vi con las miradas de todos los presentes sobre mi rostro y maldije al estúpido general De la Garza por no haber cumplido mis instrucciones de interceptar a Barradas en su marcha de Altamira a Tampico. Perdida la ocasión más bella para haber destruido la vanguardia del ejército invasor, me disponía al combate contra toda la fuerza enemiga, cuando Barradas, con un candor extraño, me invitó a una entrevista en medio de ambas fuerzas, a la que accedí por el compromiso en que podía verse el honor nacional.

Aprovechando la ocasión le ponderé mis fuerzas hasta persuadirlo de que tenía veinte mil hombres en el cuartel general de Pueblo Viejo. Acobardado, me rogó con insistencia que volviese a mi cuartel y así logré venderle como favor lo que exigía mi situación comprometida. Semanas después, al cerciorarse de que en Pueblo

Viejo no había más de mil soldados al momento de nuestra charla, Barradas lloró amargamente y se arrancó las insignias de general: sus lamentaciones excitaban la compasión.

Gracias a la tregua pactada pude ganar tiempo para obtener refuerzos, pues sabía que venía en camino la división de San Luis Potosí, al mando del general Velázquez. En castigo por su ineptitud, destituí al general De la Garza y entregué sus tropas a Mier y Terán, que se encargó de construir en la orilla del Pánuco dos emplazamientos de artillería para cortar la navegación de los españoles. Obstinado en atraerme a su bando con tentadoras promesas, Barradas quiso volver a parlamentar, pero me negué a tener una nueva conversación, alegando que mi gobierno me lo había prohibido. Mientras tanto escribía cartas desesperadas a mi compadre Guerrero pidiéndole que me enviara recursos, pues los rancheros de la región, renuentes a sacrificarse por la patria, exigían que los víveres y el forraje se les pagaran por adelantado. Por fortuna, en el cuartel español la situación era peor todavía: diezmados por el vómito negro, que les había causado gran mortandad, tenían bloqueadas las salidas para abastecerse de alimento. Alarmado por las deserciones y la indisciplina de sus soldados, Barradas ya no quería queso, sino salir de la ratonera.

Cuartel General de Tampico, Tamaulipas,
8 de septiembre de 1829

Excelentísimo General Santa Anna:

La división a mi mando, después de haber cumplido con honor la misión a que fue destinada por orden del rey mi amo, ha determinado evacuar el país, a cuyo efecto propongo que entre vuestra señoría y yo se celebre un tratado sobre el particular, bajo las bases que se detallarán, nombrándose dos comisionados por cada parte, y suspendiéndose entretanto todo género de hostilidades, para dejar franca la comunicación en este punto de la barra.

No es la impotencia ni la debilidad lo que me ha sugerido abrir negociaciones, sino el deseo de evitar un derramamiento inútil de sangre, ya que mis soldados, curtidos en batallas y combates, aún pueden infligir graves daños al ejército mexicano. Hijos de una nación tan ilustre y respetada en los anales de la historia, conservamos un pundonor militar que no sabe transigir con el oprobio y la ignominia. Usted es árbitro de elegir entre una transacción con honor, o la lucha a muerte con una división de valientes.

Dios guarde a V.S. muchos años,

General Isidro Barradas

Cuartel General de Pueblo Viejo,
8 de septiembre de 1829

Señor don Isidro Barradas:

El territorio sagrado de la opulenta México ha sido invadido por V.S. tan sólo por el bárbaro derecho de la fuerza; la sangre del mexicano virtuoso e inocente que defiende sus patrios lares ha sido derramada, y yo, señor general, he tenido el alto honor de estar al frente de numerosas legiones de valientes para vengar en un solo día tantos ultrajes. Cumpliendo con tan caros como preciosos deberes, he bloqueado por todas partes a vuestra señoría, le he cortado todo auxilio y apenas puedo contener el ardor de mis numerosas divisiones, que se arrojarán sobre su campo si usted no se rinde a discreción con la fuerza que tiene en esa ciudad de Tampico, para cuya resolución le doy el perentorio término de cuarenta y ocho horas.

Espero que V.S. haya calculado lo crítico de la situación y ceda al imperio de las circunstancias, eximiéndome de un derramamiento de sangre que me será tan preciso como sensible.

Dios y Libertad,

General Antonio López de Santa Anna

9 de septiembre de 1829

Como Cristo en el huerto de los Olivos, tengo derecho a preguntar: Padre Mío, ¿por qué me has abandonado? ¿Acaso me castigas por haberme creído el nuevo conquistador de las Indias? Tienes razón, al lado de Cortés yo soy un aprendiz de soldado: él avanzó con un puñado de aventureros hasta el corazón del Imperio azteca, mientras que yo no puedo salir de este hediondo agujero donde la salud de mis hombres se deteriora a ojos vistas. Pero tampoco España es el Imperio de Carlos V. Si lo fuera no me hubiese enviado a la buena de Dios, con fuerzas insuficientes para librar una guerra de ocupación en un país de salvajes que le ha perdido el respeto al mundo civilizado. Todo va de mal en peor: esta mañana el médico me informó que ya hemos perdido quinientos hombres y otros tantos se encuentran enfermos de gravedad. La soberbia de Santa Anna no me deja más alternativa que presentarle batalla en condiciones desfavorables. Prefiero morir con la frente en alto a vivir deshonrado. A juzgar por su ambición desmedida, Santa Anna es más español que yo. ¿Por qué diablos no acepta firmar un armisticio que nos conviene a los dos y evitaría tantas muertes inútiles? Quiere una estatua de mármol en la plaza mayor de Tampico, aun si su pedestal es una montaña de cadáveres. Cría cuervos y te sacarán los ojos, dice el refrán. Amancebada con México, España ha engendrado un Cid Campeador con suaves modales de indio, que se ha vuelto contra su madre para escupirle en la cara. Pero si quiere guerra, guerra tendrá, que al cabo no estamos mancos ni cojos.

Temiendo que Barradas intentara fugarse a La Habana, estudié la situación con mi cuerpo de oficiales y decidí emprender con todos mis efectivos un asalto nocturno. Hasta el último detalle del ataque estaba previsto en el plan. La primera posición que debíamos tomar era el Fortín de la Barra, donde había una guarnición española de quinientos hombres. Con la boca del Pánuco cerrada a la navegación y el general Mier y Terán emplazado en El Humo, frente a las tropas bajo mi mando, habíamos encerrado a Barradas en una tenaza de la que no podría escabullirse, a menos que se abriera paso a cañonazos. Pero si lo intentaba, mis artilleros le responderían con fuego graneado desde el embarcadero de Pueblo Viejo. De modo que el nieto de Hernán Cortés y su ejército de ganapanes no podían sino aceptar la rendición o resignarse a una inminente catástrofe.

La noche señalada para el ataque comenzó a soplar una brisa refrescante que alivió por un momento los ardores de los soldados. Había estado lloviznando toda la semana y pensé que a lo mucho caería un leve chubasco. Mas de improviso azotó el puerto un impetuoso aguacero, seguido de un ventarrón espantable que levantó por los aires las tiendas de campaña y arrancó de cuajo los árboles más corpulentos. Los elementos parecían conjurados para hacernos sucumbir antes de pelear: las obras de fortificación desaparecieron, la lluvia anegó los almacenes de alimentos, el Pánuco se desbordó en minutos y sus aguas inundaron los terrenos donde acampaban mis tropas.

En medio del ciclón, cubierta la cabeza con una manga de hule, sólo pude salvar la mitad de las municiones y ordené una retirada al bosque, situado en un altozano donde las aguas no podrían alcanzarnos. A lo lejos veíamos flotar jacales, piezas de ganado, cadáveres de los heridos que no habían podido guarecerse en la arboleda. La tormenta no amainó hasta las cuatro de la tarde del día siguiente. Al hacer el recuento de mis hombres descubrí que muchos habían desertado: eran los cívicos de San Luis, reclutados por medio de levas, que aprovecharon el ciclón para volver a sus tierras. Como el Fortín de la Barra estaba en un montículo, había resistido la inundación sin ser evacuado. En cambio, la guarnición de Mier y Terán fue barrida por el huracán y sus hombres quedaron con el agua en el cuello. Lo más prudente hubiera sido esperar hasta el tiempo de secas para emprender el ataque. Pero no siempre la prudencia es la mejor consejera de un soldado. Andaba escaso de víveres y si dejaba correr el tiempo mis hombres perderían el arrojo. O empeñaba un ataque con una tropa cubierta de lodo hasta la cintura o permitiría que un nuevo temporal me obligara a retroceder, como sin duda lo deseaba el enemigo.

Elegí lo primero y mandé asaltar el fortín al teniente coronel Lemus, que reaccionó con disgusto al escuchar la orden. Pero, ¿cómo, general?, me reclamó. ¿Quiere que luchemos en medio del fango? Exactamente, le dije. Y si no está de acuerdo, entrégueme el mando de su batallón. Para no exponerse a un consejo de guerra, Lemus tuvo que obedecer. Pero si bien titubeó al acatar mi orden, en el campo del honor se batió como los bravos. Lo más difícil fue conquistar el primer parapeto: tres horas de una sorda lucha cuerpo a cuerpo, en que los nuestros llevaban las de perder, forzados a pelear sin auxilio de la artillería, que no podíamos mover en el fango. Al caer la noche, los españoles se retiraron al segundo parapeto. Como caídos del cielo nos llegaron entonces mil hombres de refuerzo, que se pusieron a las órdenes de Mier y Terán. Le ordené atacar con ellos el segundo parapeto, pero ya no fue necesario, pues apenas las tropas empezaban a escalar el Fortín, en el campamento de Barradas se levantó la bandera blanca. El once de septiembre de 1829, al extender el sol sus benéficos rayos, la primera división del ejército español me entregaba sus armas y sus banderas, que remití por correo al presidente Guerrero, junto con el parte de guerra donde le narraba mi golpe maestro de intrepidez.

La nación entera se volcó a las calles pare celebrar mi proeza. En Veracruz me recibieron como salvador de la patria y fui llevado en hombros desde el muelle hasta el palacio, entre una lluvia de papel picado, con las campanas de los templos repiqueteando a mi paso. Ascendido a general de División y nombrado por el Congreso Benemérito de la Patria, las legislaturas de todos los estados me otorgaron condecoraciones y obsequios. Por encargo del gobierno, el poeta Luis Antepara compuso en mi honor un himno del que sólo recuerdo los primeros cuartetos:

> Ya Santa Anna a la América puso
> en su globo divino asentada;
> de diamantes y perlas ornada,
> nos anuncia la lucha y el bien.
>
> Celestial su sonrisa, nos dice
> que en el mundo será la señora;
> que aproxima a los cielos la aurora
> de su grande y eterno poder.

Cuán lejos habían quedado las coplas burlescas en que el pueblo hacía mofa de mis ambiciones. ¿O quizá los versos de Antepara fueran una burla encubierta? No lo sé: con el tiempo y los desengaños aprendí a desconfiar de mis panegiristas, pues me parecía que sus hiperbólicos elogios lindaban con la chacota. Pero creo que las loas de Antepara fueron sinceras, porque las compuso en un momento de exaltación patriótica, cuando todo el pueblo vibraba de orgullo por mi gesta heroica. Mis críticos me reprochan haber sacrificado ciento cuarenta hombres en la toma de Tampico, cuando pude haber aceptado la evacuación de Barradas sin tener una sola baja. Pero una victoria tan deslucida no hubiese producido el mismo efecto en el alma de la nación. Un pueblo no existe como tal hasta convencerse de su grandeza. México necesitaba doblegar a los invasores para sacudirse un yugo de tres siglos que pesaba y sigue pesando sobre las espaldas encorvadas del indio. Lo que distingue a un pueblo de una población es el despertar interior del nosotros. Cuanto más profundo es ese sentimiento, más fuerte será la unidad nacional. Nuestro pueblo era una mezcla heterogénea de culturas y razas. Yo soy el principal artífice de su historia, por encima del cura Hidalgo, porque le di fisonomía y cohesión espiritual a una masa de huérfanos desvalidos.

México nació el once de septiembre de 1829, pues antes de esa fecha era una inmensa tierra de nadie. Así lo reconocían hasta hace poco todos los mexicanos bien nacidos, ya fueran centralistas o conservadores, militares o civiles. Por su valor simbólico, la victoria de Tampico se conmemoraba con igual o mayor pompa que el grito de Dolores. Ese día el pabellón nacional ondeaba en la catedral, en el Palacio y en la Diputación; los edificios todos se engalanaban con festones y cortinajes; cinco mil hombres desfilaban luciendo sus cascos y sus morriones, sus estandartes y sus banderolas. Al centro de la plaza mayor, en un altar resguardado por un precioso dosel, se oficiaba una misa que yo presidía desde el balcón central de Palacio, acompañado por mi gabinete y mi Estado Mayor. Pero en su afán por enterrarme en vida, los liberales han pisoteado las tradiciones y los sentimientos del pueblo. ¡Ojalá hubiera muerto joven, para no ser testigo de tanta ignominia! ¡Cómo se atreven a insultar así la memoria de los caídos en la orilla del Pánuco! Un país como el nuestro, ayuno de victorias, necesita preservar en la memoria las contadas ocasiones en que ha vencido a una potencia extranjera. Mis enemigos podrán culparme por todas las desgracias nacionales, pero nadie tiene derecho a privar al pueblo de sus epopeyas.

Nota de Giménez:

Precisamente cuando el general evocaba la gesta de Tampico, un memorialista que oculta su identidad bajo el seudónimo de Polvorín publicó en *El Monitor Republicano* un artículo falaz y tendencioso donde atribuye la victoria sobre Barradas al genio militar de Mier y Terán, que años más tarde se quitó la vida sobre la tumba de Iturbide. Según Polvorín, don Antonio fue culpable indirecto del suicidio, por haberlo ninguneado en sus partes de guerra. Cuando el señor me pide leerle algún periódico liberal, procuro saltarme las invectivas en su contra, pero esta vez cometí el imperdonable descuido de leer el artículo completo. Don Antonio perdió la compostura a tal punto que deseaba batirse en duelo con el autor del infundio. Para calmarlo le ofrecí publicar un desmentido, que apareció al día siguiente en el mismo diario, donde probé con documentos oficiales que el general elogió el valor de Mier y Terán en sus partes de guerra.

Mi aclaración provocó una grosera réplica de Polvorín, en la que llama a don Antonio «momia tullida» y a mí «escudero lambiscón». Esperaba una respuesta de ese jaez, porque los paniaguados de Lerdo han convertido la prensa en un muladar. Por desgracia, el general hizo un colerón y recayó en la manía de hablar solo. En lo más álgido de su delirio sostuvo conversaciones imaginarias con Mier y Terán en un tono lastimero que me erizaba la piel: «Tú sí te supiste morir a tiempo, Manuel, lo mismo debí hacer yo cuando Houston me tenía prisionero en la guerra de Texas. Ahora nadie me respeta y ni siquiera tengo fuerzas para encajarme una espada. Ven, camarada, sosténme la empuñadura para que pueda alcanzarte en el otro mundo». Por si las dudas, escondí todas sus armas, tanto las de fuego como las blancas, y lo llevé de excursión a la Viga, donde alquilé una trajinera pagada de mi bolsillo.

Poco a poco el aire le devolvió la cordura, pero no las ganas de vivir. Fue necesario mantenerlo ayuno de periódicos toda la semana para disipar la obsesión que lo atormentaba. Gracias a Dios, don Antonio tiene la sangre ligera y no sabe guardar rencores. Ayer amaneció con buen apetito, se desayunó dos grandes chirimoyas y me pidió que tomara la pluma para reanudar su dictado. Haré hasta lo imposible por evitarle un nuevo quebranto emocional, pues temo que no pueda sobreponerse a otra recaída.

Entre los defectos de Guerrero olvidé mencionar la vanidad. Mandó poner su retrato en todas las oficinas públicas, no se quitaba las condecoraciones ni para ir al retrete y hasta le mudaban los colores cuando alguien le recordaba sus heroicos años de guerrillero en las montañas del sur. Al ocupar la Suprema Magistratura, los aduladores lo utilizaron como escalón para asaltar el poder. El que más miel derramó en sus oídos fue sin duda Anastasio Bustamante, a quien Guerrero premió con la vicepresidencia, desoyendo mis consejos y los de Zavala, que tratamos de prevenirlo contra esa y otras sabandijas incrustadas en el gabinete. A un hombre se le conoce por sus apodos y los de Bustamante reflejan su depravada naturaleza. Los militares le llamaban «El Tío» o el «Come Huevos», lo primero porque se hacía llamar así por sus numerosos hijos naturales, lo segundo porque acostumbraba desayunar media docena de huevos tibios.

Antiguo oficial realista, el Tío siempre guardó lealtad a Iturbide y en sus periodos presidenciales honró su memoria con una devoción cercana a la idolatría. Pero al igual que Gómez Pedraza, al caer el Imperio cambió el credo monárquico por el republicano como si fueran máscaras de carnaval y se afilió a la secta yorquina, donde alcanzó los últimos grados de la masonería. Cuando Barradas mancilló nuestro suelo, Guerrero le ordenó formar una división de reserva para acantonarla en Jalapa, Córdoba y Orizaba, por si acaso mi ejército no podía frenar a los invasores. En una carta le expuse mi desacuerdo con su decisión, porque no confiaba en la lealtad de Bustamante. «Despreocúpese —me respondió Guerrero—, Bustamante es un hombre de honor y si bien puede cambiar de partido, no elegirá para dar este paso un momento tan delicado». En efecto, el Come Huevos no cometió la sandez de pronunciarse cuando estaba en peligro la soberanía nacional. Pero apenas tuvo noticia de mi glorioso triunfo, volvió a la querencia del partido escocés, que le brindó apoyo en metálico para persuadir a sus oficiales de volver las armas contra Guerrero.

Conozco bien los detalles del pronunciamiento, pues Bustamante tuvo el descaro de invitarme a encabezarlo, no porque yo fuera santo de su devoción −fuimos enemigos desde siempre−, sino por el prestigio que podía granjearle tener en sus filas al héroe de Tampico. Rehusé con la mayor suavidad posible, pues no quería traicionar a Guerrero, pero tampoco estaba muy seguro de que pudiera sostenerse mucho tiempo en la presidencia. Por desgracia, en este país de caníbales nunca se puede mantener una posición neutral. Traté de actuar como mediador entre el presidente y el general pronunciado, pero el alzamiento del comandante Francisco Toro en Campeche dio al traste con mis gestiones. Guerrero creyó que yo era el instigador de la revuelta y ni siquiera se dignó responder las cartas donde le recomendaba negociar con los sublevados. Herido por su desprecio, abandoné la gubernatura y la comandancia de Veracruz y me retiré a Manga de Clavo, maldiciendo por igual a escoceses y federalistas.

Ahora me arrepiento de haber prestado oídos a Bustamante en vez de apoyar a mi compadre con más determinación. Pero nadie podía sospechar su trágico fin, porque hasta entonces, los caudillos importantes habíamos obedecido una regla no escrita que consistía en respetar la vida del adversario, si acaso llegaba a caer prisionero. Por conveniencia mutua, los pronunciamientos de aquella época eran guerras civilizadas donde podían morir quinientos o mil soldados, pero nunca un general de División. Bustamante rompió ese pacto entre caballeros. Si al principio, respetuoso de las formas legales, se limitó a ejercer presión sobre el Congreso para defenestrar a Guerrero, cuando alcanzó el poder actuó como un tirano execrable. Derrotado en Tulancingo por Nicolás Bravo, mi compadre ya no representaba ningún peligro para el nuevo gobierno. Bustamante pudo haberlo expulsado del país o dejarlo retirarse a su rancho, donde habría envejecido sin pena ni gloria. Cuando Guerrero estaba preso en Cuilapan, intercedí por él atendiendo a las súplicas de su mujer, pero mi petición de clemencia cayó en el vacío, porque Bustamante quería borrar del mapa a sus enemigos. Triste destino el de nuestros próceres: Iturbide y Guerrero sellaron la Independencia con el abrazo de Acatempan, y el país los recompensó con el paredón. Yo he sido despojado de mis bienes y deshonrado públicamente. Quizá el escudo nacional debería modificarse para colocar un buitre en lugar del águila.

Por desgracia, los crímenes de Estado tienen el efecto de apuntalar a los malos gobiernos. El asesinato de Guerrero fue tan sorpresivo y causó tal conmoción, que ningún patriota pudo reaccionar, ya sea por falta de tropas, como en mi caso, o por temor a embarcarse en una aventura funesta. El partido del clero y de los propietarios quería que el Tío se perpetuara en la presidencia, y con tal fin, su gobierno desató una cacería de opositores que incluyó el cierre de periódicos liberales, la persecución de diputados y el asesinato de militares desafectos al régimen. Era la dictadura con un ropaje democrático y la vuelta al centralismo bajo la fachada de un sistema federal que en la práctica ya no funcionaba. Quienes recuerdan ese periodo como un paréntesis de paz en medio de la anarquía, olvidan las atrocidades que Bustamante cometió para imponer el orden. Un cementerio es fácil de gobernar, lo difícil es conciliar las voluntades entre los vivos. El tribunal de la historia podrá hacerme muchos cargos, menos el de haber recurrido al crimen para conservar el poder. Cuando el pueblo me daba la espalda yo renunciaba de inmediato a la presidencia, pues gobernar contra su voluntad me hubiera parecido tan ruin como forzar a una mujer esquiva. Bustamante era de otra pasta: él quería tener amarrada en el lecho a la dama refunfuñante que lo mordía y arañaba.

Los viejos insurgentes iban en caravanas a Manga de Clavo en busca de un paladín que librara al pueblo de sus cadenas, pero yo estaba atado de manos, porque al retirarme a mi hacienda juré que sólo tomaría la espada para combatir a una potencia extranjera, y nunca más participaría en contiendas civiles, mandara Roque o Martín. Paradojas de la política: en otros tiempos me faltaba prestigio para encabezar un levantamiento; ahora me sobraba pero no quería echarlo por la borda en una cadetada. Con sus demostraciones de fuerza, el Come Huevos había intimidado a los comandantes provinciales. Nadie gobernaba con tal firmeza desde tiempos de los virreyes, y aunque se tratara de una firmeza aparente, en política las apariencias cuentan más que la realidad. Saneadas las finanzas públicas, el ejército recibía puntualmente su paga y no tenía motivos de queja. En esas circunstancias era suicida intentar un levantamiento, pues el general que lanzara el primer disparo corría el peligro de quedarse solo. Me tomé las cosas con calma y respondí con evasivas a quienes me pedían entrar en acción, confiado en el proverbio que dice: «Ten paciencia y verás pasar frente a tu puerta el cadáver de tu enemigo».

Pero no hay situación más incómoda que esperar la caída de un gobierno sin flanco débil. Bustamante ya se había sostenido en el poder año y medio, periodo muy dilatado para los presidentes de entonces, y el ministro de Relaciones Lucas Alamán empezaba a promover con acierto el desarrollo industrial. Me sentía derrotado cuando vino a visitarme a Manga de Clavo mi amigo y confidente José María Tornel, que me había brindado sus sabios consejos desde los tiempos de mis querellas con Iturbide. Alto, de ojos negros y frente amplia, más que político Tornel era un excelente actor: su elocuencia retumbante y campanuda le granjeaba burlas, pero causaba impresión en el parlamento. Afecto a los pellizcos de rapé, sembraba la conversación con epigramas punzantes, que destruían de un plumazo carreras y reputaciones. Nombrado por Guerrero Ministro Plenipotenciario de México en Estados Unidos, el Come Huevos lo había destituido por su amistad con Poinsett, motivo por el cual deseaba su caída tanto como yo. Después de cenar un maravilloso pámpano almendrado que Inés sólo preparaba cuando Talleyrand venía de visita, pasamos a tomar un digestivo a mi despacho.

—¿Cómo ves el gobierno del Tío? —me preguntó con preocupación.

—Muy firme —le dije—. No tiene para cuándo caer.

—Es verdad —admitió Tornel—. Se está afianzando cada vez más, y nosotros tenemos la culpa por cruzarnos de brazos.

—¿Pero qué podemos hacer? El ejército lo apoya, los propietarios están contentos.

—Eso puede acabar si le movernos el piso. No hay mal que dure cien años, ni pueblo que los aguante.

—No me voy a embarcar otra vez en una revolución —le advertí con enfado—. Ni siquiera tenemos armas.

—¿Ah, no? ¿Y esto qué es? —Tornel se acercó al escritorio y tomó de mi lapicero una pluma de ganso—. ¿Tienes papel?

—¿Para qué lo quieres?

Sin responder, Tornel sacó un pliego del cajón, remojó la pluma en el tintero y empezó a borronear una carta, mientras yo lo miraba por encima del hombro.

Excelentísimo General José Antonio Facio
Ministro de Guerra

Estimado General:

Como ferviente patriota y amigo de la paz, considero mi deber ponerlo al tanto de los peligros que se ciernen sobre el gobierno del general Bustamante. Perdóneme que por esta vez lo haga de manera embozada, pero mi posición dentro del gobierno me obliga a mantener el anonimato. Los ministros de Guerra confían a ciegas en sus comandantes, y si usted no diera crédito a mis palabras, las denuncias que voy a hacer podrían revertirse en mi contra. Los enemigos más temibles del régimen no son los que luchan a cara descubierta, sino los militares con mando de tropas que fingen adhesión al general Bustamante, pero al mismo tiempo conspiran para derribarlo. De ellos quiero hablarle y de la telaraña que están tejiendo en la sombra con el propósito de alzarse en armas.

En primer lugar, tenga mucho cuidado con el general Moctezuma, que anda hablando muy mal de usted y del señor presidente. Hace poco me recibió en la guarnición de Tampico. Nos tomamos una botella de catalán y con la sinceridad propia de los borrachos me confesó que está reuniendo municiones para pronunciarse. Al parecer está sentido con usted porque no lo tomó en cuenta en el último reparto de bonos para los cuadros superiores del ejército. Con aires de fanfarrón, me aseguró que cuenta con el apoyo del general Mejía. Quizá esté mintiendo, pero le aconsejo vigilar de cerca a los dos, porque en un santiamén pueden parar de cabeza la provincia de Tamaulipas.

Quizá no le sorprenda la actitud de Moctezuma, pues de tiempo atrás corre fama de levantisco. Pero incluso los militares que disfrutan la confianza del gobierno hacen un doble juego, como es el caso del general Valencia. En el oficio fechado el 5 de los corrientes usted le ordenó mantener el orden por el rumbo de Zacatlán, pero el mes pasado hizo un misterioso viaje a Durango para entrevistarse con el general Urrea. Testigos presenciales de su charla me aseguran que Urrea y Valencia planean un cuartelazo. Sólo esperan que las legislaturas de los estados desconozcan al gobierno, pues necesitan darle al levantamiento una apariencia legal. Para describir la perfidia de Urrea me basta con referirle un detalle revelador. ¿Recuerda usted el frutero de plata que el general Bustamante le obsequió el día de su boda? Pues ahora lo utiliza como escupidera y a decir de sus ayudantes, se imagina la cara del presidente cada vez que le tira un gargajo.

Créame, general, no es grato para mí tener que abrirle los ojos, pues de sobra sé cuánto duelen los desengaños. La reacción natural de un ministro es ignorar los anónimos, más aún cuando se refieren a sus compañeros de armas. Arroje usted mi epístola al basurero si lo he importunado, pero no deje de vigilar a los generales mencionados. Más vale cortar el mal de raíz que dejarlo extenderse como la gangrena.

Que Dios lo ilumine para tomar la mejor decisión.

—¿Qué te propones con esto?

—Me admira que siendo liebre no sepas correr en llano —Tornel roció marmaja sobre la carta para secar la tinta—. Sólo quiero sembrar la discordia en las filas del enemigo. Conozco a Bustamante y sé que tiene nervios de *prima donna*. Cuando Facio le lleve el anónimo empezará a sospechar hasta de su sombra.

—Pero lo que dices en la carta es falso.

—No del todo. El general Moctezuma en verdad está descontento, pero no se atreve a enseñar las uñas. Nomás le hace falta un empujoncito para sublevarse contra el gobierno. Y si esta carta surte efecto, el propio gobierno se lo dará.

—Pero Valencia y Urrea sí son leales a Bustamante.

—Hasta hoy sí, mañana quién sabe. El primer paso para distanciarlos es que el Come Huevos los empiece a ver con recelo. Ellos se sentirán injustamente relegados y entonces la mentira empezará a volverse verdad.

—Estás loco. Ningún gobierno ha caído por una campaña de anónimos. Yo he recibido miles y nunca les hago caso.

—Déjame hacer la guerra a mi modo —Tornel enrolló el pliego y me dio un golpecito en el pecho—. Te aseguro que mis cartas pueden hacer más daño que tus fusiles.

Meses después le tuve que dar la razón. Con su campaña de anónimos, Talleyrand no sólo hizo perder la cabeza al ministro de Guerra, sino que logró indisponer con el gobierno a los comandantes de muchas guarniciones, haciéndoles creer que el presidente desconfiaba de ellos y tenía preparada su destitución. Sus cartas eran eficaces porque estaba familiarizado con las intrigas del ejército y sabía combinar las patrañas con las medias verdades. Unas veces imitaba la letra de Nicolás Bravo, otras la de algún diputado eminente, de manera que si los papeles caían en manos de la autoridad, las sospechas recayesen en funcionarios de alto coturno. Al poco tiempo el gobierno era un hervidero de ambiciones y resentimientos. A Manga de Clavo'llegaron emisarios de todos los generales malquistados con Bustamante, y aunque no accedí a sus ruegos de encabezar una insurrección, pues temía que algunos fueran orejas del Tío, los dejé abrigar esperanzas para el futuro cercano.

Tornel caldeó los ánimos con su guerra de palabras, pero fue el propio Bustamante quien se puso la soga al cuello por ahogar en sangre todas las protestas contra el gobierno. En Jalisco, el comandante militar de la provincia, un despreciable tiranuelo de apellido Inclán, se había propuesto pacificar la región a punta de bayoneta. El gobernador jalisciense pidió su destitución y Bustamante lo sostuvo en la comandancia, a sabiendas de que Inclán, entre otras lindezas, estaba acusado de violar a una señorita de sociedad. Como en Veracruz también crecía la agitación, el Ministerio de Guerra envió a imponer el orden a un émulo de Inclán, cuyo apellido se me escapa. Cuando iba en marcha hacia el puerto, los coroneles Hernández y Andonegui vinieron a avisarme que se habían sublevado, exigiendo la remoción de Facio. Actuaron sin mi permiso, pero tomé el mando del ejército porque mi suerte ya estaba echada: si hubiera desoído el clamor de mis compatriotas, de cualquier modo Bustamante me hubiera atribuido el levantamiento.

Aconsejado por Tornel, al principio me limité a exigir el cese de la represión y el respeto a los gobiernos de los estados, pero habiendo salido triunfante en mis primeros encuentros con el general Calderón, enviado desde México para sofocar la revuelta, decidí perseverar hasta la victoria total. Con las aduanas marítimas en mi poder tenía al gobierno cogido por los tompeates. El tiempo corría a mi favor y me limité a hostilizar con patrullas nocturnas a los sitiadores del puerto. Confiado en la torpeza de mi adversario, a quien había escarnecido desde el inicio de la contienda por la lentitud de su avance hacia Veracruz, se me hizo fácil derrotarlo en una batalla a campo abierto y salí con mis tropas al pueblo de Tolomé. Hasta me di el lujo de enviar al campo enemigo un papalote con la caricatura del general Calderón, llevando sobre la espalda una concha de tortuga. Fue una insolencia fatal, porque si un enemigo pequeño se crece cuando le pican la cresta, con más razón un general experimentado que además gozaba de ventaja numérica.

Por la escasa preparación militar de mis hombres, Calderón me propinó en Tolomé una derrota de padre y señor mío. Por poco pierdo la vida junto a la mitad de mis hombres, pues un obús me pasó tan cerca de la quijada que me quemó las patillas. Esa misma noche recibí un escueto mensaje firmado por Calderón: «Tú escupirás muy aguado, pero a mí no me salpicas». Al día siguiente hubo una tregua para enterrar a los muertos. Los cadáveres apilados formaban montañas, y en el sitio donde fueron quemados no volvió a crecer el zacate. Hasta la fecha, el vulgo de la comarca evita cruzar ese llano, por haberse propagado la leyenda de que ahí espantan.

Gracias a Dios, cuando mis armas habían fallado, las de Tornel comenzaron a funcionar. Poco después de la tragedia de Tolomé se pronunció en Tamaulipas el general Esteban Moctezuma, uno de los militares bombardeados con anónimos. Obligado a distraer una parte de sus tropas, el gobierno aflojó el cerco de Veracruz. Calderón no las tenía todas consigo, porque sus soldados eran del altiplano y muchos enfermaron de vómito negro. Cuando advertí que levantaba el sitio de Veracruz para refugiarse en Jalapa, me aventuré a salir en su busca para cortarle la retirada. Desde Puebla, el general Facio acudió en auxilio de Calderón y ambos reunieron sus tropas a las afueras de Jalapa. Estábamos a punto de entrar en batalla cuando recibí la visita de un mediador enviado por Facio que me propuso un cese de hostilidades. La tregua me vino de perlas, pues la opinión pública la interpretó como una señal de flaqueza por parte del gobierno. Al grito de «¡Viva la federación!», los enemigos del Tío que aún se mantenían embozados tomaron las calles y plazas. Invocando el respeto a la Constitución, la legislatura de Zacatecas desconoció al Come Huevos y exigió el retorno a la presidencia de Gómez Pedraza, a la sazón exiliado en Pennsylvania.

El decreto me colocaba en un predicamento, porque yo había sido el primero en repudiar a Gómez Pedraza. Detestaba entrar en componendas con mi peor enemigo, pero Tornel me hizo notar que si Gómez Pedraza aceptaba el trato, sólo gobernaría los tres meses que le faltaban para concluir su mandato, y después me dejaría el campo libre. Yo en su lugar hubiera rechazado la oferta, pero como todos los políticos de su calaña, Gómez Pedraza antepuso el interés personal a las convicciones. Dicen que mandarlo llamar fue un acto muy cínico de mi parte, pero en todo caso la indignidad fue suya, por haberse montado en el carro triunfador con el mismo general que lo derribó del poder.

Gómez Pedraza ya había desembarcado en Veracruz y las principales ciudades del país estaban en manos de generales rebeldes, pero Bustamante continuaba aferrado a la presidencia. Destrozada la división de Facio en San Agustín del Palmar, dejé una pequeña guarnición en Puebla y me dirigí hacia la capital. Venero tanto los monumentos de la bella México, en especial sus templos, que me limité a cerrar los acueductos de la ciudad, pues no quería dañarla con un cañoneo. La respuesta del Tío fue un acto cobarde y desesperado: mandó detener a mi prima María Cristina, monja reclusa en el convento de San Andrés, acusándola de haberme enviado información sobre las posiciones de los sitiados. ¡Cuán despreciable es un militar que se escuda tras las faldas de las mujeres! En represalia debí bombardear la ciudad, pero las cosas se presentaron de tal modo, que después de una fatigosa campaña en las inmediaciones de Puebla, donde Bustamante rehuía el combate, los propios subalternos del Tío entraron en arreglos con Gómez Pedraza y convencieron a su terco jefe de renunciar a la presidencia, que en estricto sentido nunca ocupó, pues gobernaba con el título de vicepresidente que le había dado Vicente Guerrero.

Depuesto el tirano, Gómez Pedraza y yo entramos a la capital en una carretela engalanada con flores y águilas doradas. La gloria compartida nunca me satisfizo, menos aun cuando las circunstancias me obligaban a compartirla con la hez de la política mexicana. En el salón de embajadores de Palacio Nacional escuché con disgusto el lacayuno discurso de Gómez Pedraza, que me llamó «genio singular» y «soldado ilustre del pueblo». Tornel me había preparado una réplica igualmente hipócrita, donde tenía que exclamar con fingido júbilo: «¡Albricias, mexicanos, un nuevo Foción ha empuñado el timón del Estado!». Me negué a leerla con el pretexto de haber contraído una laringitis, gesto que la prensa interpretó acertadamente como un desaire a Gómez Pedraza. Sólo permanecí una semana en la capital, asediado por los políticos covachuelistas de la facción triunfadora, que venían a besarme la mano en espera de una canonjía, de un cargo en el próximo gabinete o de una pensión para su hermana viuda, ufanándose de haber apoyado el pronunciamiento desde la primera hora. Su obsequiosidad me causó repulsión. ¿De modo que eso era el poder? ¿Repartir migajas a una camarilla de ratones postrados de hinojos? ¿Para eso habían muerto quinientas almas en Tolomé? ¿Para eso había luchado toda mi vida?

Quien ha saboreado la gloria no puede resignarse fácilmente a las miserias de la política palaciega. En mi juventud había creído que tomar el poder me produciría una exaltación próxima al vértigo. Ahora me daba náuseas el espectáculo de la sumisión ajena. Comprendí con horror que había estado persiguiendo un espejismo, que a mí no me gustaba estar por debajo de nadie, pero tampoco encima de todos, salvo para recibir ovaciones después de una campaña triunfal. Yo era un valiente acostumbrado a luchar con otros valientes, no un trepador oficinesco enfermo de soberbia, que se envanece por conceder favores a los demás. Si me dejaba arrastrar por la marea de la adulación, los intereses bastardos y las ambiciones embozadas me irían arrinconando en el despacho presidencial, hasta convertirlo en una suntuosa cárcel. En tal estado de abatimiento recibí la visita de Gómez Farías, el jefe de los liberales puros, que ya se frotaba las manos para asaltar el poder. Meses atrás le había prometido que si la nación me lo demandaba, participaría en las próximas elecciones como candidato de su partido a la presidencia.

—Ya está todo listo para registrar la candidatura —me dijo—. Sólo necesitamos que firme estos papeles.

Ni siquiera leí el legajo que me extendió.

—Olvídelo, don Valentín. He descubierto que no nací para gobernar. Mañana mismo me regreso a Manga de Clavo.

—Pero, ¿cómo? —protestó Gómez Farías—. Sólo usted garantiza la unidad nacional.

—Lo siento, amigo, tendrá que buscarse otro candidato —le devolví los papeles—. Yo soy un simple ranchero que sólo sabe de gallos.

Dios Todopoderoso, azote de los soberbios, Tú que premias a los justos y castigas las veleidades humanas: ¿por qué no me diste fuerza para porfiar en mi decisión?

Amado padre:

Lamento haber interrumpido nuestro intercambio epistolar, pero el trabajo en la notaría me fatiga tanto que cuando llego a casa sólo tengo ganas de acostarme a leer el periódico. Envidio a mis compañeros de oficina, que trabajan alegremente sin dar muestras de cansancio. Hasta silban tonadillas mientras copian documentos y transcriben actas, quizá porque nacieron para esto y se sienten conformes con su destino. Mi caso es diferente: yo soy un príncipe convertido en sapo que a los cuarenta años, después de una vida placentera y frívola, tuvo que valerse por sí mismo sin el temple necesario para luchar por el diario sustento. ¿Te acuerdas de los planes que tenías para mí? Querías que fuera un gran diplomático y te representara en las cortes de Europa. Hasta me pediste que acompañara a Gutiérrez Estrada en su viaje a Madrid, cuando fue a ofrecerle el trono de México a un príncipe español. Apenas tenía veinte años y nunca olvidaré las magníficas recepciones en el Palacio de Aranjuez, donde los nobles me preguntaban si los indios de mi país aún hacían sacrificios humanos. De tanto frecuentar los salones de la realeza me volví un experto en cuestiones de etiqueta. Nadie sabe mejor que yo cómo ir vestido a una función de ballet, ni dónde acomodar a dos aristócratas de la misma alcurnia en una cena de gala, sin que ninguno se sienta menospreciado. Pero, ¿de qué me sirve mi esmerada educación, si ahora ceno en figones de medio pelo? A veces pienso que la historia de mi vida también sería interesante, pues aunque no bebí como tú las mieles de la gloria, he probado el acíbar del desengaño a una edad más temprana.

Pero basta de lamentaciones. El motivo de mi carta es felicitarte por tu cumpleaños, que según mis cálculos estarás celebrando cuando leas estas líneas, si el correo no tarda demasiado en llegar. ¡ochenta y un años ya! Para un hombre con una vida tan agitada, haber llegado a esa edad es una proeza. Deberías darle gracias a Dios en vez de maldecirlo por tus infortunios. Tal vez te los ha enviado para disipar de tu cabeza hasta el último residuo de vanidad. No todos los hombres tienen la suerte de expiar sus culpas antes de entregar el alma al Señor. Pero ya te conozco: en vez de ponerte contento, seguramente recordarás con nostalgia las épocas en que tu cumpleaños era una fiesta nacional. No te pongas triste por cosas que no valen la pena. ¿O has olvidado la repugnante falsedad de aquellos festejos? Por la noche la guarnición de Tacubaya te dedicaba una salva de cañonazos, uno por cada año de tu existencia, pero tú ni siquiera te dignabas salir al balcón, pretextando un cólico o un resfrío. Despreciabas a tu cortejo de aduladores y acaso te despreciabas a ti mismo por tolerarlos. Pero eso sí, cuando vivíamos en Santo Tomás y celebrábamos tu cumpleaños en *petit comité*, recordabas entre sollozos la gloria que se te fue de las manos. Hay algo tortuoso en tu carácter, ¿no te parece? ¿Cómo puedes añorar lo que despreciaste? Ojalá y este cumpleaños hagas lo contrario y desprecies lo que añorabas.

Perdona si soy duro contigo, pero los últimos informes de Giménez me tienen muy alarmado, pues revelan que los demonios de la ambición todavía se agitan en tu interior. ¿Cómo está eso de que andabas hipotecando la casa para sumarte a la rebelión de Porfirio Díaz? ¡Por Dios, papá! Como sigas jugando a los cuartelazos te van a desterrar otra vez, y ahora sí no tienes en dónde caerte muerto. Quizá deberías interrumpir el dictado de tus memorias, pues te hacen confundir el presente con el pasado, y lo que tú necesitas es un baño de realidad, mirarte al espejo todos los días y repetir en voz alta: soy un viejo decrépito, la guerra terminó para mí, ni siquiera tengo fuerzas para tomar la espada. Estoy reconsiderando la idea de escribir tu biografía, pues creo que no debí aceptar el encargo. Me duele tratarte como si fueras un mocetón indisciplinado, pero necesitas un severo escarmiento. Sólo cambiaré mi decisión si me demuestras con hechos que has sentado cabeza.

México, 13 de junio de 1875

Querido don Manuel:

Ocurrió lo inevitable: como no es fácil ocultar la bonanza y doña Dolores tiene un olfato de sabueso para rastrear el dinero, descubrió que don Antonio había estado cobrando a escondidas la mensualidad que le envían los hijos de Escandón, sin pasarle un solo centavo. Ya sabe usted cómo se las gasta esa mujer cuando están de por medio sus intereses. Ayer bajó sin hacer ruido al despacho de don Antonio y nos encontró repantingados en un sofá, fumando habanos de los de a cinco pesos la caja.

—¿De dónde sacas para estos lujos? —chilló con su voz de guacamaya.

—Es un regalo de Giménez —mintió don Antonio—. ¿Verdad que tú me los trajiste, Manuel?

Asentí con una risa nerviosa, pero doña Dolores traía un as guardado bajo la manga.

—¿Y esto también te lo regaló Giménez? —acorraló al general contra una vitrina, sacándose del escote un frasco de lavanda inglesa que don Antonio había comprado la víspera en la perfumería de Jouvet—. ¡Tengo que hacer milagros para estirar el gasto y el señor vive como un marqués! Si eres tan rico, ¿por qué no pagas a una enfermera que venga a limpiarte los meados?

Traté de escabullirme para no presenciar el pleito, pero doña Dolores me vio con el rabillo del ojo.

—¡Alto ahí, que también con usted tengo cuentas pendientes! Ya estuvo suave de esquilmar a mi esposo. ¿Quién le compró esta levita de terciopelo? ¿Cuántas veces ha bebido de gorra en la taberna del Romeral?

Tartamudeante, don Antonio salió en mi defensa:

—Con Giménez no te metas, él es mi mejor amigo.

Dolores sonrió con sorna.

—¿Amigo? Este infeliz sólo quiere sacar tajada en tu testamento, y mientras tanto se conforma con recoger las migajas que dejas caer en el suelo. Gracias a Dios nomás tiene una mano, que si tuviera dos ya te hubiera dejado en cueros.

Lamento ser un caballero de la vieja guardia, pues en lugar de soltarle un mandoble aguanté la andanada de insultos sin mover un músculo. Tenía las tripas revueltas, pero más que mi humillación me dolía la impotencia de don Antonio, que había perdido el habla y lloraba en silencio mientras la señora, o mejor dicho el monstruo, revolvía los cajones del escritorio en una salvaje operación de cateo.

—¡Aquí está! ¡Aquí está lo que andaba buscando! —agitó con el puño una libranza firmada por los herederos de Escandón—. ¡Quinientos pesos mensuales! ¡Ya decía yo que aquí había gato encerrado! ¡Se acabaron los habanos y los perfumes! De ahora en adelante yo cobraré esta pensión para mantener la casa como Dios manda.

Cuando salió del despacho aconsejé a don Antonio que se fajara los pantalones. Le hubiera bastado enviar un mensaje al banco para conservar su dinero, pero la misma noche del pleito sucumbió a la extorsión de su maldita esposa, que amenazó con enviarlo a un asilo de ancianos si no le firmaba una carta poder. ¡Oh, destino traidor! ¡Cuánto me duele ver a un hombre de su talla convertido en un pelele! Dichosos los soldados que mueren en la flor de la edad y abonan con su sangre las verdes praderas, en vez de padecer la decrepitud con su largo cortejo de oprobios.

He ocultado al general la última carta de usted, que llegó la víspera de su cumpleaños, pues no considero prudente leérsela en estas circunstancias, cuando más necesitado está de comprensión y afecto. Una reprimenda tan severa caería como un puño de sal en las heridas que su mujer acaba de abrirle. Y aunque la sal tiene un poder curativo, por ahora el señor no puede tomar una medicina tan fuerte. Entiendo sus motivos para tratarlo con mano dura, pero creo que se equivoca al aconsejarle interrumpir el dictado de sus memorias. Si algo lo mantiene con vida son esos recuerdos. Yo mismo experimento una sensación de plenitud al transcribirlos, como si la gloria de don Antonio vivificara mi corazón exhausto. La palabra del general es una antorcha que no debe apagarse, pues junto con ella se apagaría su vida. Por el amor de Dios: no le quite la ilusión de reivindicarse ante la posteridad. Por lo pronto, y en espera de su respuesta, me he tomado la libertad de poner en boca de usted las palabras de aliento que le hacen falta para olvidar el atropello del monstruo. Mis mentiras piadosas serán la única alegría de su cumpleaños, que celebraremos esta tarde con atole y rosquillas, pues doña Dolores lo está castigando por el ocultamiento de la pensión y ni siquiera se dignó comprarle un pastel.

Además de la felicitación apócrifa, he redactado un cuestionario que presentaré al general como si usted lo hubiera escrito. Llevo la cuenta de todas las calumnias propaladas por sus enemigos y mis preguntas le darán oportunidad de refutarlas. Perdone si me tomo atribuciones indebidas, pero creo que la biografía debe tener un tono polémico. ¿No le parece?

Gómez Farías ha divulgado la especie de que tú lo usaste como un instrumento para conquistar el poder absoluto.

Habría que ver quién utilizó a quién. Él y su partido me necesitaban para ganar las elecciones, pero yo no quería sentarme en la silla presidencial por el desengaño filosófico y moral que ya he referido. Importunado por los ruegos de la clase política, acepté de buena fe integrar una planilla con Gómez Farías, bajo la condición de retirarme a Manga de Clavo una vez obtenido el triunfo. Pero Gómez Farías no cumplió con lo pactado, porque en vez de gobernar para todos los mexicanos, como yo se lo había exigido, tomó algunas medidas de carácter faccioso en contra del clero. Yo creí que era un político inteligente, pero resultó un fanático iconoclasta. Por algo se ganó el apodo de Gómez Furias. ¿Con permiso de quién se le ocurrió suprimir la coacción civil para el pago de diezmos? A Manga de Clavo llegaron emisarios del obispo de Puebla pidiéndome que derogara sus decretos y no me pude negar, porque estaba en juego la unidad nacional.

La versión de algunos historiadores es que dejaste actuar solo a Gómez Farías para precipitar su caída, ¿Es cierto que te molestaba compartir el gobierno con el partido liberal?

Yo no era un hombre de partido. Recuerda que siempre fui el árbitro de las querellas políticas y como tal debía situarme por encima de las facciones. A Gómez Farías le advertí desde el principio: «Yo no comulgo con sus ideas porque me parecen impracticables en un país como el nuestro. Al pueblo de México le faltan cincuenta años o más para aceptar la separación de la Iglesia y el Estado». Pero él tensó demasiado la cuerda y le tuve que parar el alto, pues mi función era evitar los extremismos de cualquier signo. El país necesitaba la prudencia reguladora de un gobernante neutral, o las enconadas diferencias de opiniones nos hubieran llevado al naufragio. Por desgracia, mi moderación fue interpretada como resistencia a los adelantos sociales y el bando conservador quiso atraerme a sus filas. Apenas asumí la presidencia, el general Gabriel Durán se pronunció en Tlalpan al grito de «Religión y Fueros», proclamándome Supremo Dictador de México.

Yo era completamente ajeno a la revuelta, pero la bancada liberal del Senado me acusó de atropellar el orden constitucional y de estar coludido con los insurrectos. Para desmentir el infundio salí con cincuenta dragones a sofocar el levantamiento y pedí a Mariano Arista que me cubriera la retaguardia, dejando en la presidencia a Gómez Farías. Si hubiera codiciado el poder absoluto, la ocasión se presentaba propicia para unir fuerzas con Durán. Pero mi ambición se hallaba satisfecha con el amor de mis conciudadanos y con el orgullo de haberlos servido. Por eso me batí contra mis partidarios más exaltados, en un acto de lealtad republicana que la historia ha juzgado torcidamente, quizá porque la nobleza despierta suspicacias cuando raya en lo insólito.

DE GABRIEL DURÁN A MARIANO ARISTA

Cuautla de las Amilpas, 2 de junio de 1833

Estimado General:

¿Se convence ahora de que estaba en lo cierto? Santa Anna ha tomado el mando del ejército porque piensa unirse con nosotros, de lo contrario hubiese encomendado la expedición al ministro de Guerra. Yo nunca me hubiera atrevido a mover un dedo sin su aprobación, pues mi lealtad al general no tiene fisuras. Es verdad que nunca me habló claro, pero al buen entendedor, pocas palabras. Juzgue usted si no tengo motivos de sobra para confiar en su adhesión a la causa: a mediados de abril, cuando el gobierno acababa de promulgar los decretos contra la Iglesia, fui a visitarlo a Manga de Clavo para llevarle un recado del obispo Vázquez. Me recibió en su palenque, donde estaba curándole las heridas a un hermoso gallo de blanco plumaje. Charlamos un rato de nimiedades hasta que me preguntó el motivo de mi visita.

—Su Ilustrísima me manda decirle que el país necesita orden y sólo usted puede garantizarlo.

—Como presidente no puedo hacer mucho, porque el Congreso me tiene atado de manos —suspiró el general—. Voy a derogar esos decretos, pero temo que mi decisión desate la anarquía. Para gobernar como yo quiero necesitaría facultades omnímodas.

—Si los liberales le estorban, podríamos hacerlos a un lado.

—He jurado respetar la ley y no puedo violentar el orden constitucional.

—¿Y si el pueblo se lo pidiera? —insistí—. El descontento crece y en estas circunstancias puede haber un motín.

—En ese caso tendría que pensarlo —admitió Santa Anna—. Yo nunca he contrariado la voluntad popular.

Usted conoce al general mejor que yo y sabe muy bien que no le gusta comprometerse con nadie. Pero si sus palabras fueron ambiguas, su mirada expresaba una total aquiescencia. Estoy cierto de que ve con simpatía el alzamiento, pues hemos hecho todo lo posible por halagarlo. Ya tiene el pretexto que necesitaba para erigirse en Protector de la Nación: ahora sólo falta convencerlo de dar el paso decisivo. Es una feliz casualidad que usted lo haya acompañado en esta expedición, pues dada su cercanía puede persuadirlo de acaudillar el pronunciamiento. Santa Anna marcha muy despacio hacia el encuentro con mis tropas porque no desea enfrentarse con quien pronto será su aliado. Pero no se abrirá de capa mientras la moneda siga en el aire, porque Gómez Farías aún conserva las milicias cívicas de la capital. Usted puede prestarle un gran servicio a la causa si precipita las cosas de tal manera que Santa Anna se vea obligado a tomar partido. La sublevación de la capital estallará de un momento a otro, pero su éxito depende en gran medida de que Santa Anna incline la balanza a nuestro favor.

En sus manos está la suerte de nuestro plan. Le ruego actuar con energía y prontitud para salvar a México del fanatismo liberal que pretende arrancar de un tirón las hondas raíces religiosas de nuestro pueblo.

Yautepec, 5 de junio de 1833

Distinguido General Durán:

En atención a sus ruegos, esta mañana al salir de Tenango congregué a mis tropas en un llano, y proclamé a Santa Anna Supremo Jefe de la Nación, desconociendo al gobierno de Gómez Farías. El general me llevaba tres leguas de ventaja, pues había emprendido la marcha hacia Cuautla más temprano que yo, de manera que le envié un mensaje con el coronel Moreno, quien lo alcanzó en la sierra de Juchi. Tenía usted razón: don Antonio sólo estaba esperando que su gente lo empujara a tomar decisiones. Hoy por la tarde me recibió con los brazos abiertos en la hacienda de Atlihauayán, donde habíamos convenido encontrarnos, y agradeció las aclamaciones de la tropa con una sencillez enternecedora. Contra su costumbre no quiso dirigirles ninguna arenga, pues había tenido una jornada muy difícil, me dijo, y no estaba de humor para echar discursos.

Agasajados por el dueño de la hacienda, que nos sirvió un platón de mole negro, por la tarde planeamos la estrategia a seguir en los próximos días. A reserva de que el general hable con usted, le adelanto que tiene intención de marchar sobre Puebla a la mayor brevedad. Me preguntó si sabía algo sobre la inminente sublevación de la capital y le dije que tenía el éxito asegurado, pues el jefe de gendarmes era de los nuestros.

—¿Quién tuvo la ocurrencia de confiarle una misión de tal importancia a ese pobre diablo? —me respondió frunciendo las cejas.

Le dije que usted lo había planeado todo.

—¡Ah, qué Durán! —exclamó—. ¿Y usted quiere que me ponga en manos de ese pendejo?

Se lo paso al costo para que esté prevenido cuando el jefe le pida cuentas. Terminada la merienda quise acompañarlo a su dormitorio para seguir la charla, pero me pidió que por favor lo dejara solo, pues quería dictarle una carta a su secretario.

Es claro que el señor no aprueba la manera en que se ha efectuado el pronunciamiento, pero ahora debemos ponernos a sus órdenes para corregir desviaciones y enmendar yerros. Dios mediante, pasado mañana estaremos en Cuautla. Le recomiendo que tenga limpias y formadas a las tropas cuando el general presidente haga su entrada en el pueblo. En materia de pulcritud es muy estricto y nunca le ha gustado que sus hombres anden descamisados.

Queda de usted su amigo y seguro servidor,
Mariano Arista

PROCLAMA DE VALENTÍN GÓMEZ FARÍAS
AL PUEBLO DE MÉXICO
(7 DE JUNIO DE 1833)

Os anuncio, mexicanos, una maldad digna sólo de los que compraron la cabeza ilustre del general Guerrero. Por conducto de su secretario Manuel Castrillón, el presidente de la República me informa que ha sido preso en Juchi por los mismos traidores que lo proclamaban dictador para lisonjear al ejército. Lo mantienen con centinela de vista en el pueblo de Yautepec. ¡Así han correspondido a la magnanimidad del Héroe de Tampico! Atentado tan horrible será castigado ejemplarmente por la nación, que no puede olvidar el mérito y la gloria del vencedor de los españoles. Los buenos soldados de la patria y todos los mexicanos se armarán para castigar un delito tan aborrecible. ¡Guárdense los infames de atentar contra la vida del presidente! Yo les juro que se les devolverá sangre por sangre, y que el escarmiento será del tamaño del crimen. ¡Mexicanos, tenemos Constitución, poderes designados por ella, valor y firmeza para sostener nuestros derechos y vengar los agravios nacionales!

Los historiadores liberales sostienen que lo de tu aprehensión fue una comedia, porque desde el principio estabas de acuerdo con los sublevados. ¿De verdad estuviste preso?

Yo no organicé la sublevación, y me ofende que algunos lo crean así, porque de haber sido el cabecilla la hubiera planeado mejor. El pronunciamiento de Arista me tomó por sorpresa, porque estaba seguro de su lealtad. Fingí beneplácito, es verdad, o de lo contrario me hubiera tenido que batir con su división en desventaja numérica. Pero en ningún momento acepté el título de Dictador Supremo, y la misma noche de nuestro encuentro en Yautepec envié a Gómez Farías un mensaje donde lo imponía de lo sucedido y le reiteraba mi lealtad a la Constitución. No estaba preso físicamente, pero sí era un rehén de los alzados, de manera que no incurrí en ninguna falsedad. Mi comportamiento en Yautepec se prestó a malentendidos, pero gracias a esa comedia, como le llaman algunos, logré confundir a los enemigos de la libertad, mientras esperaba noticias sobre la sublevación en la capital, que afortunadamente resultó un fracaso. Entonces huí a la capital con mi escolta y dejé a los pronunciados con un palmo de narices.

¿Qué habrías hecho si Gómez Farías hubiera sido derrotado en la capital?

No me gustan los hubiera, porque la historia se escribe con hechos. Pero ya que me obligas a hacer conjeturas, te hablaré con franqueza. Si el gobierno constitucional hubiese caído, seguramente habría aceptado la dictadura, no porque deseara el poder, sino para frenar con mi autoridad los abusos del partido conservador. En las contiendas civiles que me tocó vivir, ninguno de los bandos en pugna buscaba el bienestar de la patria. Bajo el sistema centralista, la concentración de poder sólo engordaba a los agiotistas, al clero y a los empleados públicos, como sucede cuando las inflamaciones concentran la sangre en un punto del cuerpo que aumenta de volumen a expensas de otros órganos. Pero el federalismo era una calamidad mayor, porque al otorgar una soberanía parcial a las provincias, los gobiernos locales quedaban a merced de jacobinos y demagogos. Conocí muy bien a los liberales puros, porque muchas veces fueron mis aliados, y te aseguro que no eran gente de fiar. Patriotas de oficio, parásitos del erario, rastreros con pitanza, querían los bienes de la Iglesia para enriquecerse con ellos, mientras la nación se disgregaba en islotes ingobernables. Por eso yo trataba de mantenerme neutral, aplicando la política de palo a la burra blanca y palo a la burra negra.

¿Cómo fue tu trato con Gómez Farías?

Reconozco que él sí era un hombre decente. Nunca se enriqueció al amparo del poder, es más, al dejar el cargo tuvo que vender su biblioteca para subsistir. Pero como político adolecía de graves defectos: creía demasiado en la ley y no tenía sentido de la oportunidad. Trataba de hacer valer su fuerza moral para colocarse por encima de los militares, lo que le concitó el odio de los cuadros superiores del ejército. Por nuestra diferencia de edades –él era quince años mayor que yo– me dispensaba un trato paternal y afectuoso, como el de un preceptor hacia su discípulo. Pero sólo me enseñó cuál era la vía más rápida para sumir a la nación en el caos. En su embestida contra el clero no le faltaba razón, porque en ese tiempo la Iglesia poseía la quinta parte de los bienes nacionales, y muchos de sus miembros practicaban descaradamente la simonía, negándose a impartir los sacramentos a las familias humildes que no podían pagarlos.

Antes de salir por segunda vez a reprimir la sublevación de Durán, le propuse que aplicara sus reformas paulatinamente, para no echarnos encima a un enemigo tan formidable. Pero él tenía demasiada prisa, tal vez porque presintió que no gobernaría mucho tiempo. Para colmo, su ofensiva anticlerical coincidió con la epidemia de cólera más devastadora de la que tenga memoria. Por las calles desiertas sólo pasaban carros cargados de cadáveres que la gente veía pasar con los brazos en cruz y la Iglesia se apresuró a propalar que Dios estaba castigando a México por las reformas de Gómez Furias. La epidemia mermó a la tercera parte de mis hombres, pero nadie quería alistarse en las filas del gobierno. La campaña difamatoria de los curas llegó a empañar mi reputación. Cuando andaba por el Bajío persiguiendo a los sublevados, en el sótano de una parroquia encontré una pila de octavillas donde se me acusaba de tener pacto con Belcebú. Por traficar en forma tan ruin con el dolor del pueblo, los promotores del oscurantismo necesitaban un escarmiento. Tuve que ahogar la rebelión en sangre y expulsar del país a cincuenta notables del partido conservador, incluyendo por supuesto a los generales Arista y Durán. Pero la política es un péndulo muy delicado, cuyos vaivenes producen efectos impredecibles. Derrotada la facción liberticida, el partido federalista ya no tuvo contrapesos y me quiso arrastrar en su demencial carrera al abismo.

DE VALENTÍN GÓMEZ FARÍAS A FRANCISCO GARCÍA, GOBERNADOR DE ZACATECAS

México, 19 de diciembre de 1833

Estimado amigo:

La victoria obtenida sobre los partidarios del retroceso nos ha dejado fortalecidos, pues ahora ningún interés mezquino me impedirá poner en marcha nuestro plan de gobierno. Con la presente le adjunto un informe sobre la deuda interior de la federación que hizo favor de enviarme el doctor José María Luis Mora. Como usted sabe, el país ya no puede sostener su reputación financiera si ha de atenerse a las entradas ordinarias de sus rentas. Debemos confiscar los bienes de manos muertas en poder de la Iglesia para saldar el capital y los intereses de la deuda. Es injusto y escandaloso que en un país lleno de carencias, el clero posea más de dieciocho millones de pesos en fincas rústicas y urbanas. Debemos fraccionarlas y rentarlas a particulares, como aconseja Mora, pues así crearemos una fuente de riqueza y una nueva clase de propietarios.

Pero lo más urgente es debilitar al enemigo, quitándole el control de la educación y los hospitales. En los próximos meses voy a suprimir la Universidad Pontificia y el Colegio de San Pedro y San Pablo: necesitamos ingenieros de caminos, médicos, agricultores, no cuervos de sotana que sólo propagan la superstición. De ahora en adelante la provisión de curatos y plazas eclesiásticas quedará en manos del gobierno, como un primer paso para secularizar las funciones administrativas que la Iglesia acapara indebidamente. En el futuro la autoridad civil se hará cargo de los panteones, pues en ese renglón los curas han cometido grandes abusos. Me indigna sobremanera que los indios vayan a dar con sus huesos a la fosa común cuando sus familias no tienen dinero para pagar los gastos del funeral y los derechos del párroco. Tampoco deben estar obligados a pagar el diezmo, pues apenas les alcanza para malcomer. En cuanto tenga oportunidad aboliré esa contribución impía, que ningún pueblo amante de la libertad puede tolerar.

Gracias a Dios, Santa Anna me ha dejado el campo libre unos meses, porque otra vez ha pedido licencia para restablecer su quebrantada salud. Cualquiera diría que es un viejo achacoso, porque la mitad del año se la pasa enfermo en Manga de Clavo. Curiosamente siempre se enferma cuando la situación política no lo favorece. Ha preferido retirarse porque no aprueba mi programa de reformas y quiere dejarme la responsabilidad a mí solo. Él quisiera cambiar las cosas despacio, si acaso quiere cambiarlas, pues a veces siento que preferiría dejar el país como era en tiempos del virreinato. Pero creo que esta vez no intentará frenarme, porque le guste o no, con la expulsión de los conservadores quedó uncido a nuestra carreta.

Aun así debemos tomar providencias, por si acaso los militares vuelven a sacar las uñas. Lo felicito por su decisión de armar al pueblo de Zacatecas: enviaré una circular a los demás gobernadores para que sigan su ejemplo. Ya verá usted cómo esos milicos entran al aro en cuanto vean que la ciudadanía empuña las armas para defender la ley. Manténgame informado sobre el adiestramiento de la tropa y cuente con el apoyo del gobierno central si surge algún problema con el comandante de su provincia. Por mi parte seguiré disminuyendo la partida presupuestal para gastos de guerra, porque la federación no puede ni debe sostener un ejército donde hay un general por cada cincuenta soldados. Ya es tiempo de que esos zánganos se retiren a sus ranchos, que bastante han pescado en el río revuelto de la discordia civil.

Gracias por la Biblia empastada en piel que hizo favor de enviarme. Ayer, en el único rato libre que tuve, reconforté mi espíritu con la lectura del Evangelio. Cuanto más cerca estoy de la excomunión más se robustece mi fe en Jesucristo y más lamento el daño que le han hecho a la religión sus negocios terrenales. Hasta cierto punto, nuestra lucha por afianzar el poder civil también es una cruzada para devolverle su pureza al culto católico. Cristo iba descalzo por los caminos de Judea y sólo era dueño de su palabra, que le bastaba para mover montañas, mientras el obispo Vázquez se pavonea por los salones de la aristocracia con su traje talar de púrpura y su pectoral de amatistas. ¡Con qué autoridad moral nos acusa de atentar contra la religión!

Mientras Santa Anna convalece de sus males imaginarios, debemos actuar con una mezcla de precaución y firmeza. No quiero provocar a la fiera con bravatas innecesarias, pero tampoco daré un paso atrás hasta haber fundado un Estado laico. Dios está de nuestra parte y con su ayuda lograremos que México ocupe un lugar entre las naciones civilizadas.

Ofrezco a V.E. las sinceras protestas de mi consideración.

Por un tiempo toleraste a Gómez Farías. ¿Cuál fue la gota que derramó el vaso?

Su mezquindad con los veteranos de la Independencia. Al hacer su recorte de gastos los dejó en total desamparo, sin importarle un ardite los servicios que habían prestado a la nación. De todas las quejas que recibí en Manga de Clavo, ésa fue la que caló más hondo en mi espíritu, por los lazos de amistad que me unían con los viejos insurgentes. Para entonces Gómez Furias ya actuaba como un pequeño Robespierre. Se le había hecho costumbre obrar sin consultarme, como si yo fuera una figura decorativa. Por sus tompeates expulsó al obispo Vázquez, el confesor de mi esposa. Lo dejé obrar tres o cuatro meses, limitándome a modificar alguno de sus decretos, mientras iba creciendo el clamor en su contra, porque él tenía el Congreso a su favor y yo necesitaba una manifestación de repudio popular para destituirlo. Entonces vino esa bofetada a la clase militar, que además de ser un acto de ingratitud era una estupidez mayúscula, y me sentí obligado a intervenir por el bien de la patria. No hice nada contrario a la ley, porque se trataba precisamente de fundar otra legalidad sobre bases más firmes y duraderas. El Plan de Cuernavaca, promulgado por un grupo representativo de todos los estamentos sociales, me confirió autorización para destituir al vicepresidente, disolver las cámaras y desarmar a las milicias cívicas, que en lugares como Zacatecas habían llegado a reunir cinco mil efectivos.

Por ese golpe al federalismo, el doctor Mora te llamó «Atila de la civilización mexicana».

El epíteto le viene mejor a su compinche Gómez Farías, o al discípulo de ambos, Benito Juárez, que no dejó piedra sobre piedra en la Ciudad de México. Como todos los hombres de ideas, Mora me creía un traidor, pero se equivocaba de cabo a rabo. Yo jamás traicioné mis convicciones por la simple y sencilla razón de que nunca las tuve. Es cierto que meses atrás, cuando expulsé a la plana mayor del centralismo, aposté por el sistema federal con gran ardor y con perfecta sinceridad, pero muy pronto advertí mi equivocación. De aquí a cien años, el pueblo mexicano no estará capacitado para la libertad. Dada la influencia de la Iglesia católica, el despotismo es el único gobierno aconsejable, pero no hay razón para que este despotismo no sea sabio y virtuoso. Esa voluntad numérica de los pueblos, esa degradación de sus representantes hasta mandaderos, no son sino quimeras inaplicables en la práctica, porque consideran al hombre en abstracto, y ese hombre no existe en la sociedad. ¡Cuántas razones se podrían exponer contra la soñada República de los mexicanos! La naturaleza nada produce por saltos, sino por grados intermedios. Querer pasar repentinamente de la servidumbre a la emancipación es un imposible que sólo cabe en la cabeza de un demente.

¿Al romper con los federalistas caíste en manos de la Iglesia?

Más bien la Iglesia cayó en las mías. La política es el reino de los hechos y yo no podía negar que la Iglesia tenía un enorme poder. Pero de ahí a convertirme en su títere hay un gran trecho. Cuando dejé sin efecto los decretos de Gómez Farías y suspendí las órdenes de expulsión de los religiosos, la jerarquía católica en pleno se puso a mis pies. El cabildo metropolitano de México llevó su entusiasmo al extremo de comparar mi entrada a la capital con el nacimiento del Mesías. El día de mi cumpleaños dispuso que toda la oficialidad llevara en el sombrero una cinta blanca o azul con el lema *Viva la religión y el ilustre Santa Anna*. Pero a pesar de las misas y los ambigús en mi honor, siempre mantuve las distancias con la gente de sotana. La prueba es que no cambié del todo el sistema de gobierno ni quise devolver al clero el patronato eclesiástico. Deseaba colocarme tan distante de la tiranía como de los excesos exterminadores de una libertad mal entendida. Por desgracia, los ultramontanos creyeron que mi moderación era indecisión y empecé a recibir ataques dictados por la misma gente que me adulaba en público. Esas hipocresías y los molestos avatares de la burocracia me colmaron el plato, y siguiendo el ejemplo de Cincinato, pedí licencia al Congreso para volver a tomar el arado, mientras se encargaba de la presidencia el general Miguel Barragán.

¿Cambió tu carácter al probar las mieles del poder absoluto?

Me gustaban las aclamaciones de júbilo popular, porque el pueblo no sabe fingir cuando externa sus afectos. Pero nunca olvidé que sólo era una pobre criatura de barro, y en mi gestión como presidente mantuve siempre una estricta modestia republicana.

Manga de Clavo, 23 de febrero de 1835

Querida mamá:

Antonio está de vuelta en casa, con un carácter de los mil diablos. No entiendo para qué volvió, si todo el santo día se la pasa refunfuñando porque sus camisas tienen el cuello manchado o porque no encuentra sus espuelas de plata. Con eso de que todos le hacen caravanas, el señor está insoportable. Me tiene tan harta que ayer le dije: ya estuvo bueno de gritos, aquí no eres presidente, si extrañas a tus lacayos te hubieras quedado en la capital. Todos los días viene a verlo gente de México, cuando no es un diputado es un general o un obispo, y ahí me tienes de punta en blanco dándoles la bienvenida, porque Antonio está en la gallera o los hace esperar adrede, para hacerles sentir su poder. Por lo que he escuchado en las sobremesas, todos vienen a darle quejas del general Barragán, y a pedirle que vuelva a tomar su puesto. Poco falta para que se le hinquen. En mi vida había escuchado un lenguaje tan zalamero. Pero en vez de rechazar las adulaciones, Antonio los deja enhebrar un elogio tras otro, entornando los ojos como si escuchara una música celestial. ¡Cuánto le gusta hacerse del rogar! Aquí entre nos, creo que sólo pide licencias para que los lambiscones del centro vengan de rodillas a suplicarle su inmediato regreso.

Antes admiraba la audacia de mi marido, ahora temo que la vanidad lo lleve a la ruina. Lo he sorprendido frente al espejo, peinado de atrás para adelante como Napoleón Bonaparte, con la mano metida entre los botones de la casaca. Sin duda le han sorbido el seso los curas que le propusieron elevarlo al trono. Como cree que muy pronto ceñirá la diadema de emperador, ya está pensando en un heredero. El otro día volvió a suplicarme —o más bien a exigirme, porque hasta sus ruegos parecen órdenes— que lo deje entrar a mi lecho para darle un hijo varón. Los hombres tienen muy mala memoria, le dije, ¿ya se te olvidó que cuando nació Carmela ni siquiera te dignaste venir a verla, porque estabas muy ocupado con tus malditos gallos? Desde entonces le cerré la tiendita, como dicen allá en Alvarado, y no habrá poder humano que me haga abrirla de nuevo. Dios me concedió una segunda virginidad, la virginidad del orgullo herido. Pero Antonio es muy atrabancado y cuando no le dan algo por la buena, se lo quiere tomar por la mala.

Lo que me hizo anoche no tiene perdón de Dios. Después de tomar un baño de asiento, me dormí temprano y soñé que salía en mi caballo a pasear por los cafetales. De pronto un buey se desprendía de su yunta y venía corriendo hacia mí. Picaba espuelas en dirección a los corrales, pero el buey era muy veloz y me alcanzaba antes de llegar al establo. Al verlo de cerca descubría que no era un buey, sino un toro de lidia. Embestía a mi caballo y yo caía sobre el terregal golpeándome las costillas. Creía que el toro me iba a matar, pero en vez de cornearme acercó a mi boca su negro hocico y trató de usarme como una vaca. Lo más repulsivo eran las palabras tiernas que murmuraba en mi oído: «Inesita chula, capullito lindo, quédate quieta, paloma, no te voy a lastimar». Al abrir los ojos descubrí con horror que Antonio se había montado encima de mí para poseerme mientras dormía.

—¡Ya te dije que de eso nada!— lo aparté de un violento empellón—. ¡Lárgate a tu cuarto, infeliz gusano!

—Es la última vez que aguanto tus remilgos de señorita —me dijo con los calzones a medio poner—. Soy tu marido y merezco respeto.

—El respeto se gana —lo reté con sorna— y tú no te has ganado el mío.

—No estoy jugando, Inés —me apretó un brazo con rencor—. Necesito un hijo, y si no me lo das, te voy a repudiar para casarme con otra, como Napoleón repudió a Josefina.

Me quedé muda de espanto, porque la amenaza iba muy en serio, y estoy segura de que si no cedo cumplirá su amenaza. Últimamente ha hecho grandes migas con el clero y nada le costaría tramitar la anulación papal de nuestro matrimonio. La separación no me espanta, es más, de eso pido mi limosna, porque sola vivo mucho más a gusto. Pero ya sabes cómo es la gente: cuando un marido repudia a su mujer, de inmediato los murmuradores empiezan a levantarle falsos y a poner en entredicho su honor. Si esto sucede con cualquier hija de vecina, imagínate lo que pasaría con una primera dama. Por lo que a mí concierne, bienvenido el escándalo: tengo la conciencia tranquila y no me harían mella las calumnias de los maldicientes. Lo que me dolería es heredar un baldón a mis hijas. No quisiera que el día de mañana la gente las apuntara con el dedo o sufrieran desaires por mi mala reputación. ¿Tú qué me aconsejas, mamá? ¿Debo mantener en alto mi dignidad o tragarme el orgullo por el bien de las niñas? Necesito tu ayuda para tomar una decisión. Mañana puedo recibir otra visita del toro.

Volviste de tu retiro para encabezar la campaña contra los insurrectos de Zacatecas. ¿Era indispensable que el presidente sofocara la rebelión?

Está mal que yo lo diga, pero en esos años era indispensable para todo. Aunque había muchos otros generales capaces, ninguno tenía mi autoridad moral y mi ascendiente sobre la tropa. Los soldados no peleaban igual con otros mandos, porque yo inspiraba a mis hombres la misma confianza que un padre inspira a sus hijos. Por ello tuve que acceder a los ruegos del general Barragán y cambié las delicias del hogar por el fragor del combate. En esta ocasión el sacrificio me dolió como nunca, porque Inés estaba encinta, y hubiera preferido brindarle mis cuidados. De todos nuestros hijos, tú fuiste el que más guerra le dio durante el embarazo, porque la pobre tuvo fuertes hemorragias y los doctores la obligaron a guardar reposo absoluto.

De todo esto me enteré por las cartas de tu madre, mientras libraba cruentas batallas con las milicias cívicas del gobernador zacatecano Francisco García. Aunque numerosas, sus tropas carecían de instrucción militar por haber sido reclutadas mediante leva, y no podían imponerse a un ejército profesional. No me alegro ni me ufano de esa victoria, pues siempre deploré tener que batirme con mis compatriotas. Tras haber ocupado la plaza quise dar una lección al pueblo de Zacatecas, que sirviera de advertencia a otras provincias separatistas, como Yucatán y Texas. Me encontraba meditando cuál sería el correctivo más adecuado, cuando recibí la visita de una distinguida dama de Aguascalientes, doña Luisa Fernández Villa. Desde tiempos de la Colonia existía una vieja rivalidad entre su provincia y la de Zacatecas, me explicó, y venía a rogarme que le diera fin concediéndole la independencia al estado de Aguascalientes. No me hice mucho de rogar, pues tengo debilidad por las mujeres hermosas, y la petición de doña Luisa me venía como anillo al dedo para castigar a los vencidos. En agradecimiento, la ciudad de Aguascalientes me recibió con repiques de campanas, cohetes y arcos triunfales. Las damas de sociedad, con doña Luisa Fernández a la cabeza, me obsequiaron un colchón de raso azul lleno de seda floja, para que diese blando reposo a las fatigas de la guerra.

Durante el desfile, doña Luisa se unió al cortejo de notables que me acompañaron en el balcón del Palacio Municipal. Ahora iba más descubierta y pude admirar a mis anchas las rubias guedejas de su cabellera. Tenía hoyuelos en las mejillas y una piel de nácar que hubiera envidiado la Venus de Praxíteles. Los festejos se repitieron en Guadalajara y en todas las ciudades que recorrí de camino a la capital, como si hubiera derrotado a un formidable enemigo. Era demasiado argüende para una victoria doméstica, pero yo no podía desairar a la gente que me profesaba un cariño espontáneo. Se hizo costumbre que los caciques locales vaciaran las arcas del erario para quedar bien conmigo. Yo jamás aprobé tales despilfarros, pero me hacía de la vista gorda, pues, ¿acaso no era eso lo que deseaba el pueblo? Yo era un pretexto para el desenfreno popular y la gente me quería porque gracias a mí podía olvidarse de sus miserias. Los tiranos creen que el poder se conserva a punta de bayoneta. En México no es así: basta con repartir a la masa un puñado de cohetes y unos barriles de pulque.

DE AGUSTINA DÍEZ DE TORNEL
A INÉS DE LA PAZ GARCÍA

México, 25 de junio de 1835

Querida Inesita:

Me alegra mucho que después de tanto padecer por fin te hayas levantado de la cama. Eso quiere decir que la criatura ya se acomodó en tu placenta y de ahora en adelante no te dará más problemas. ¿Ya ves qué bueno es el té de boldo? Igual me pasó con Chabela: en los dos primeros meses no paraba de sangrar, pero luego, con ayuda del té, la hemorragia cesó como por arte de magia y tuve un parto sin contratiempos. Ojalá Dios te conceda la dicha de tener un niño, para que el sufrimiento valga la pena.

Aquí hay un gran alboroto desde la llegada de Antonio. Con decirte que no he podido ni sentarme a terminar el ropón para tu criatura. El domingo hubo *Te Deum* en la catedral, ayer una función de ópera en su honor, esta noche le ofrecen un banquete en el palacio del arzobispado. El programa de festejos ha sido un negocio redondo para los modistos, porque las damas de sociedad son capaces de empeñar hasta los cubiertos de plata con tal de estrenar vestido todas las noches. En las ceremonias oficiales he tenido un gran éxito, porque se ha corrido la voz de que soy tu amiga y todos los miembros de la corte me utilizan como intermediaria para enviarte sus respetos. No te fatigaré con sus parabienes, pues la experiencia me ha enseñado que en esta ciudad corrompida, la gente murmura en secreto de las mismas personas que alaba en público. Comprendo que prefieras la paz de tu hacienda a vivir en este nido de víboras. Pero cuando una mujer está lejos de su marido, como tú lo has estado en los últimos meses, alguien debe prevenirla de los nubarrones que amenazan con perturbar la tranquilidad de su matrimonio.

No me gusta dar malas noticias, pero como amiga tengo el deber de informarte que tu marido se ha enredado con una tal Luisa Fernández, que tuvo el descaro de venir con él desde Aguascalientes, y está hospedada a costa del erario en una lujosa residencia de la calle Plateros. Si se tratara de una furcia común y corriente, ni siquiera me molestaría en escribirte. Como sabes, mi marido también es un picaflor y desde hace tiempo me resigné a sus calaveradas. Pero según parece, lo de Antonio no es una simple aventura, porque ha cedido a su amiga una parte de su escolta y ya le regaló un brazalete de esmeraldas. Ayer los vieron en el paseo de Bucareli, ella en un carruaje, tu marido a caballo, caracoleando como un mocetón. De ahí fueron a cenar al Café Veroly, el restaurante favorito de la aristocracia, donde brindaron con champaña arrullados por un conjunto de violines. No conozco a la fulana, pero dicen que tiene buen porte y exquisitos modales. Al parecer es una de esas viudas mosquimuertas que se fingen devotas para engatusar mejor a los hombres, pues me han contado que todas las mañanas reza el rosario en la iglesia de San Andrés. Seguramente le pide a Dios que la ilumine para asaltar braguetas.

No creas que me he cruzado de brazos mientras Antonio se pavonea por las calles con esa lebrona. Hay reglas de urbanidad que ni los poderosos pueden violar y he movido todos los hilos a mi alcance para que tu marido no pueda asistir con su amiga a ninguna reunión de alta sociedad. Por fortuna, las familias decentes sienten la misma indignación que yo, y han excluido a la Fernández de todos los bailes que serán celebrados en honor de tu esposo. Pobre de ella si se atreve a llegar sin invitación, porque los porteros la pondrían en la calle. Pero el repudio social no basta para detener a las meretrices. La principal agraviada eres tú y deberías hacer algo para defender tu matrimonio. No es justo que Antonio te falte al respeto de esa manera mientras pasas las de Caín para darle un hijo. Escríbele a México una sentida carta y dile que has vuelto a ponerte grave, aunque no sea verdad. Lo urgente es separarlo de esa ramera, enfriar su romance antes de que malgaste con ella el patrimonio de tus hijos y el patrimonio de la nación.

Ánimo, Inés: no estás sola en este valle de lágrimas. La verdadera amistad se demuestra en momentos como éste y tú sabes que yo te quiero como una hermana. Mientras Antonio siga en México, te mantendré informada de todos sus movimientos.

México, 30 de julio de 1835

Adorada Inés:

Nada me gustaría más que volver a Manga de Clavo para estar al pie de tu lecho, pero tengo la desgracia de gobernar un país sin pies ni cabeza, donde nadie sabe dar un paso sin mi aprobación. Oficialmente, el general Barragán ocupa la presidencia, pero no detenta el poder, porque todos acuden a mí para tratar asuntos de Estado. Los miembros del gabinete me consultan hasta las minucias administrativas, porque ninguno tiene pantalones para tomar una decisión. Los generales no dejan de importunarme con sus pequeñas intrigas y el clero me abruma con sus atenciones interesadas. Sólo me entiendo con Tornel, que ha sido mi brújula en este mar de ambiciones. Juntos hemos emprendido la titánica tarea de reorganizar al ejército desde sus bases. Pero a cada momento nos topamos con la oposición del Congreso, que se obstina en regatearle dinero a los militares. ¡Dios mío, qué difícil es servir a la patria! Cuando menos debo permanecer en México tres meses más, para no echar a perder lo avanzado.

Me duele en el alma no poder acompañarte en estos momentos. Pero gracias a Dios tienes a tu madre, ese ángel guardián que siempre ha velado por ti. No desfallezcas, mujer: ya pasaste lo peor del embarazo. Aunque hayas vuelto a tener hemorragias, estás fuerte como una potranca y podrás recuperarte con facilidad. Confío en que de aquí a septiembre ya me habré librado de mis compromisos, pues quiero estar contigo en el parto para estrechar en mis brazos al Rey de Roma.

Recibe un beso de tu amantísimo esposo.

México, 12 de junio de 1835

Querida amiga:

A pesar de mis esfuerzos, el enemigo va ganando terreno. En los últimos días tu marido ha observado una conducta que no sabría si calificar de cínica o descarada. La repulsa de la buena sociedad en contra de su querida ha resultado punto menos que inútil, porque Antonio se ha empeñado en llevarla a todas partes. Por las noches salen a caminar al Paseo de las Cadenas, a un costado de la catedral, o toman un refrigerio en el Café del Sur, donde la concurrencia no tiene más remedio que saludar a la viuda para quedar bien con el Benemérito de la Patria. El sábado los vieron cogidos del brazo en el salón de fiestas de la calle Zuleta, donde se exhibe un nuevo invento traído de Europa, la luz de gas, que según dicen los enterados, dentro de poco reemplazará a las bujías de aceite.

Parece que ella busca la notoriedad, tal vez para vengarse de los desaires que le han infligido las familias de alcurnia, y con tal de obtenerla no le importa arrastrar por el fango la autoridad moral de tu marido. Según mis informantes, Antonio concedió la independencia al estado de Aguascalientes porque ella se lo pidió en la alcoba: la prueba es que el nuevo escudo de la provincia tendrá como emblema unos labios de mujer, en recuerdo de su augusta libertadora. Pero eso no es lo peor: todos los días tu marido le envía ramos de orquídeas con billetes perfumados donde la compara con María Walewska, la heroína que obtuvo la libertad de Polonia gracias a sus amores con Napoleón. ¿Qué te parece? Hasta romántico nos ha salido el muy perillán.

Perdido el respeto a la moral pública, la pareja de tórtolos va de un escándalo en otro. Ayer ofrecieron un espectáculo bochornoso en la plaza de toros de San Pablo, frente a la multitud que asistió a presenciar la ascensión del primer globo aerostático traído a nuestro país. Antonio fue recibido con las habituales aclamaciones, y el capitán Robertson, responsable de la ascensión, lo invitó a subir al globo en compañía de la señora Fernández, que apenas cupo en el canasto con su ancha crinolina. El ascenso produjo vértigo a la viuda alegre, que se abrazaba a tu esposo como una niña desamparada. Cuánto me hubiera gustado bajarla del globo a punta de mojicones. Pero estaba en el palco de honor a un lado del general Barragán y tuve que aplaudir con fingido entusiasmo. Cuando aún no había tomado suficiente altura, el globo fue impulsado por el viento y se dirigió peligrosamente hacia las torres de una iglesia. Que Dios me perdone, pero mientras la gente gritaba de pánico yo deseaba con toda el alma que se estrellaran. Para mi desdicha, Robertson alcanzó a sortear el obstáculo, conduciendo el globo hacia las afueras de la ciudad. Media hora después bajaron en una pradera llamada Las Culebritas, y como el descenso fue lento, el público de la plaza tuvo tiempo de acudir al llano para darles la bienvenida. Los aeronautas no estaban para escuchar fanfarrias de honor, porque la viuda se había vomitado en la casaca de tu marido. Para colmo, doña Melindres se falseó un tobillo al bajar del canasto y dio con sus huesos en tierra. Yo no los vi, pero me contaron que Antonio, angustiado, pidió a gritos una camilla, como si hubiera ocurrido un grave accidente.

Ya conoces las malas noticias, ahora paso a las buenas. Para separar a tu marido de esa horizontal, tenemos al clero de nuestra parte. Mi marido me contó que Antonio está en malos términos con la Iglesia, y nadie conoce mejor que José María los entretelones de la política. Se ha echado como enemigo a don Juan Cayetano Portugal, el obispo de Michoacán, a quien él mismo nombró ministro de Asuntos Eclesiásticos en la pasada administración. Hará cosa de un año, Portugal fue a exponerle un asunto importante y tu marido lo hizo esperar más de dos horas, aduciendo por boca del secretario que tenía una junta de ministros en el salón contiguo al despacho presidencial. Exasperado por la antesala, el obispo abrió la puerta del salón y encontró a tu marido curándole las heridas a uno de sus gallos, el Cola de Plata, que había peleado esa mañana en el palenque de San Agustín. La indignación de Su Ilustrísima fue mayúscula, no sólo por la ofensa recibida, sino por el hecho de que Antonio hubiese convertido el salón de ministros en una gallera. Desde entonces ha conspirado en la sombra para que la Iglesia retire su apoyo político a tu marido, y está en camino de lograrlo, pues ha hecho un frente común con otros importantes prelados.

Si Antonio estuviera a partir de un piñón con el clero, quizá le perdonarían sus devaneos con la señora Fernández. Pero como la Iglesia le ha declarado la guerra, en los púlpitos de la capital ya se empiezan a escuchar sermones alusivos a la conducta disoluta de los poderosos. Para sacar partido de la situación, ayer me entrevisté con el obispo Belaunzarán y le hice creer que las infidelidades de tu marido te están matando. Conmovido, Su Ilustrísima me ofreció intervenir y entre los dos hemos fraguado un plan para expulsar a la viuda de la ciudad. En agosto o septiembre, cuando nazca la criatura y Antonio vaya a pasar unos días en Manga de Clavo, Belaunzarán amenazará a la señora Fernández con negarle la comunión si continúa amancebada con tu marido. Para infundirle pavor, afuera de la iglesia de San Andrés, donde la zorra acostumbra rezar el rosario, la estará esperando un grupo de damas devotas que la cubrirán de improperios. Como su mala fama se ha extendido por todas partes, no habrá chocolatería, taberna o casa de modas en donde pueda entrar sin recibir insultos. Se trata de obligarla a que agarre sus tiliches y vuelva al terruño de donde nunca debió salir. Te prometo que tu marido no volverá a verle el pelo a esa mujerzuela, o dejo de llamarme Agustina Díez de Tornel.

Espero darte pronto buenas noticias.

P.D. Ya terminé el ropón para tu criatura. Es rosita con hebras doradas, porque estoy segura de que va a ser niña.

SOLICITUD DE INGRESO AL BEATERIO DE CAPUCHINAS DE AGUASCALIENTES (20 DE SEPTIEMBRE DE 1835)

La que suscribe, Luisa Fernández viuda de Hinojosa, ruega ser admitida en esta comunidad, asegurando ser fiel católica y estar limpia de toda mancha infamante. Declara que no la mueve a tomar esta decisión un acto de despecho ni un arranque de exaltación religiosa, sino la fe y el amor a Nuestro Señor Jesucristo, con quien desea vivir en desposorio espiritual, afrontando todas las penalidades de la clausura. La postulante acepta renunciar a sus bienes terrenales en favor de los pobres, y solicita la aquiescencia de la madre abadesa para tomar el velo a la mayor brevedad, por encontrarse en el límite de la edad requerida para ingresar a la orden.

Vivit post funera virtus.

Manga de Clavo, 12 de octubre de 1835

Querida Agustina:

No tengo palabras para agradecerte lo que has hecho por mí. Llegué a sentirme tan ultrajada con la conducta de mi esposo que pensé ir a México para sorprenderlo en brazos de esa cortesana, pero el médico se opuso con firmeza, pues temía que los vaivenes y los tumbos de la litera me causaran nuevas hemorragias. No soy celosa ni me importaba el comportamiento disoluto de Antonio, sino el hecho de que se mostrara con ella en lugares públicos. Lo menos que se le puede pedir a un marido infiel es un poco de consideración con su legítima esposa, más aún cuando está embarazada. Ni siquiera tuvo el comedimiento de venir a verme cuando le dije que estaba en peligro de muerte. Pero eso sí: ahora es el padre más feliz de la tierra y quiere invitar a quinientas personas al bautizo del niño, algo que jamás hizo con sus dos hijas. Adoro a Manuelito, pero cuando pienso en los sacrificios que hice para traerlo al mundo y en la canallesca actitud de su padre, mi felicidad se tiñe de negro, como un cielo infestado de zopilotes.

Por fortuna ya no soy la niña boba y espantadiza que se casó con Antonio. Me complace informarte que al fin he probado las mieles de la venganza y estoy embriagada con su dulzura. Fue un golpe bien premeditado, como el que tú le asestaste a la viuda de Aguascalientes. Desde la llegada de mi marido me había mostrado muy fría con él, porque me repugnaban sus compasivas muestras de afecto. Respondía con monosílabos a sus intentos de charla y ordené a las criadas que le sirvieran las tres comidas. Nunca le expliqué el motivo de mi enojo, pero él debió sospechar que yo sabía de sus amoríos, porque aceptó mi frialdad como algo natural. Esperaba una reclamación suya para tronar de cólera, pero él sólo tenía ojos para el niño. Ante su indiferencia me vi precisada a cambiar de táctica. El domingo me puse un vestido nuevo y lo sorprendí llevándole el desayuno a la cama, en una bandeja adornada con gladiolas.

—¿A qué se debe este milagro?

—A que hoy me levanté de buenas y quiero atenderte como a un sultán —le acaricié el mentón—. Ya mandé llenar la tina de agua caliente. ¿Vas a querer que te cepille la espalda?

Halagado por mis ternezas, en el transcurso de la mañana me doró la píldora con falsos cumplidos. Quería que yo lo acompañara en su próximo viaje a la capital, pues allá se sentía muy solo y no tenía nadie a quien abrirle su corazón. La sociedad mexicana quedaría deslumbrada conmigo, pues allá la sencillez era una virtud muy rara. Mujeres bellas había por montones, pero ninguna con mi encanto natural, que la maternidad había acrecentado. ¿Por qué no me dejaba retratar con Manuelito en los brazos, como las madonas de Botticelli? Sacamos al nene del moisés y me ayudó a bañarlo entre risas y carantoñas. En ningún momento dejé de pensar que nuestra dicha era una comedia, y sin embargo me conmoví de verdad, imaginando lo bella que sería mi vida si me hubiera casado con un hombre cabal. Antonio mandó ensillar su caballo y salió a dar un paseo por el platanar. A la hora de comer le preparé su plato favorito: mole de guajolote. Cuando terminó de lamer los huesos le ofrecí una crema de menta y yo me tomé un anís dulce, porque necesitaba armarme de valor para dar el paso siguiente.

—¿Sabías que tu amiguita María Walewska se recluyó en un convento de Aguascalientes? —le solté a quemarropa.

—¿Qué amiguita?

—No te hagas el inocente —endurecí la voz—. Todo México sabe que estuviste enredado con la señora Fernández.

Antonio se atragantó con la crema de menta.

—Calumnias. ¿Cómo puedes creer en esos infundios?

—¿Vas a negar que te subiste con ella en un globo de gas? —me levanté golpeando la mesa—. ¿Vas a negar que le pusiste casa? ¿Vas a negar que la atendiste como una marquesa, mientras yo me desangraba por darte un hijo?

—¡Basta ya! —Antonio se hizo el ofendido—. Alguien te ha calentado la cabeza, pero yo no tengo por qué soportar tus escenas.

Salió del comedor y se fue caminando a grandes zancadas hacia el portón, dejándome con las ganas de echarle en la cara la olla de mole. Pero yo guardaba un as bajo la manga y me senté a tejer en una mecedora con la paciencia del cazador que acecha desde la sombra, confiado en sus trampas y señuelos. Media hora después Antonio regresó con la frente sudorosa y el semblante lívido, como si hubiera perdido la más importante de sus batallas.

—¿Se puede saber qué pasó con el Cola de Plata? —me preguntó en tono amenazante—. Fui a sacarlo de su jaula y no lo encontré. Sixto dice que anoche le dio de comer y lo encerró en su jaula.

—Es verdad —admití con una sonrisa cruel—. Ahí estaba anoche, pero yo lo saqué hoy en la mañana.

—¿Y ahora dónde está?

—En tu barriga —le sobé la panza—. ¿Verdad que es sabrosa la carne de gallo?

Como había previsto, Antonio me tumbó de una bofetada. Pero con tal de ver su reacción de estupor hubiera soportado con gusto una andanada de latigazos. No te imaginas como gocé mientras vomitaba el mole entre maldiciones y juramentos. Creo que le guardará luto a su gallo por varios meses.

Cuando yo nací habías decidido retirarte de la vida política y militar. ¿Qué te obligó a volver?

El amor a mi patria. Unos días antes de tu bautizo mi compadre Tornel vino a informarme que los colonos extranjeros de Texas se habían sublevado contra el gobierno, en protesta por la abolición del sistema federal. Otro en mi lugar habría encomendado la misión a un subalterno. Si me hubiera quedado en Manga de Clavo, reclinada la testa en el dulce regazo de mi mujer, ahora sería un héroe nacional del tamaño de Hidalgo, Bolívar o San Martín. Pero sentí la traición de los texanos como una ofensa personal y no tuve corazón para dejar a mi pueblo desamparado. Lo peor es que nadie me ha agradecido mi sacrificio, porque la historia es cruel con los perdedores. Los perros obstinados en orinar mi estatua olvidan que marché a Texas por voluntad propia, sin pedir a cambio ninguna retribución, mientras muchos que hoy presumen de patriotas no aportaron un tlaco para los gastos de guerra. El largo crepúsculo de mi vida empezó en esa funesta campaña, pero creo que a partir de entonces me volví más humilde y más sabio. El dolor curte a los hombres, los endurece y al mismo tiempo los purifica, como un revulsivo que desgarra las entrañas para curar los malos humores. Antes de verme reducido a cepos era un hombre vano y superficial, enamorado de su propio reflejo. El cautiverio me deparó la más amarga lección que puede recibir un héroe. Como Cristo en el Huerto de los Olivos, en Texas ausculté mi corazón y descubrí que no tenía madera de redentor.

DE LUCAS ALAMÁN A MANUEL MIER Y TERÁN

México, 27 de marzo de 1830

Estimado don Manuel:

En primer lugar, permítame felicitarlo por su desempeño como Jefe de la Comisión de Límites entre México y Estados Unidos. De sobra sé que usted aceptó el nombramiento por su sentido de la disciplina, pues no es grato para nadie vivir por largo tiempo en las feraces llanuras del norte, privado del sociable trato de las gentes. Tenía usted por delante una inmensa tarea y la ha cumplido con acierto a costa de fatigas y penurias, en medio de los vaivenes políticos que amenazan con desquiciar nuestra precaria estabilidad. He leído con detenimiento sus informes sobre la provincia de Texas y comparto su alarma por los designios expansionistas de los Estados Unidos. Apenas llevo dos semanas en el Ministerio de Relaciones y ya he tenido varias discusiones agrias con el coronel Butler, a quien el presidente Jackson comisionó para negociar con México la venta de dicha provincia. Con la falta de tacto que distingue a todos los embajadores yanquis, Butler no alcanza a entender que la temeraria pretensión de su gobierno es un insulto para el honor nacional. A pesar de mis enérgicas negativas no se ha dado por vencido y temo que al fracasar en su tentativa, el gobierno norteamericano enviará mayores contingentes de colonos a la provincia, con el propósito de concretar una anexión de facto.

Para evitar las incursiones de filibusteros disfrazados de colonos, considero indispensable reforzar los puestos militares que usted ha establecido en las poblaciones de Anáhuac, Nacogdoches,

Velasco, Brazos, Goliat y Béjar. He impuesto de la situación al presidente Bustamante, que me prometió destinar una partida presupuestal para tal efecto. Pero ya sabe usted que en tratándose de finanzas, las cosas en palacio van despacio, y me temo que el Ministerio de Hacienda no le dará prioridad al asunto, endeudado como está con los agiotistas que respaldaron la revolución contra el usurpador Guerrero.

Por lo pronto, con el objeto de poner un dique a la colonización, el gobierno impondrá restricciones a los nuevos colonos en lo referente a la inicua trata de esclavos. En los próximos días el Congreso de la Unión aprobará una ley de mi autoría donde se estipula que los esclavos norteamericanos serán declarados libres al pisar territorio mexicano, sin quedar sujetos a los convenios de extradición entre México y Estados Unidos. Con ello desalentaremos la colonización, ya que los propietarios de tierras no podrán traer esclavos para explotar sus tierras, y por consecuencia verán reducidos sus márgenes de ganancia. Me preocupa tanto como a usted la actitud despectiva de los colonos texanos hacia la religión católica. No debemos permitir que la herejía protestante se extienda de norte a sur, pues la manzana podrida podría contaminar al resto de nuestras provincias. A solicitud del nuncio apostólico, con quien mantengo estrecha colaboración, el gobierno exigirá la fe de bautizo a los nuevos solicitantes de tierras y negará la nacionalidad mexicana a quien incumpla este requisito. Sé que el problema es de gran magnitud, pero le prometo defender sin descanso la integridad de nuestra nación.

En su carta fechada el 4 de enero lo noté pesimista y alicaído. Ánimo, don Manuel: en México cuenta usted con amigos que lo estiman y comprenden la importancia de su misión. No desespere por la lentitud de nuestro gobierno en enviarle ayuda, recuerde que Zamora no se ganó en una hora.

Nacogdoches, 13 de mayo de 1830

Amable don Lucas:

Sus elogios a mi desempeño en esta misión me colman de orgullo por venir de un hombre con prendas morales e intelectuales tan altas. Con gente como usted al frente de la República, doy por descontado que muy pronto dejaremos atrás la discordia civil para tomar el camino de la civilización y el progreso. Celebro las restricciones al comercio de esclavos y las nuevas medidas que el ministerio a su digno cargo ha tomado para proteger nuestra religión, pero me temo que las nuevas leyes podrían quedarse en letra muerta, como sucedió con las anteriores, si no contamos con la fuerza necesaria para aplicarlas. Con mi desmedrado y raquítico ejército no puedo ejercer una vigilancia adecuada en una extensión de terreno tan vasta. A pretexto de negociaciones mercantiles, los inmigrantes seguirán llegando por carretadas, mientras no hagamos algo por poblar la región y superemos en número a la colonia angloamericana.

Ése ha sido nuestro problema con las provincias del norte desde tiempos del virreinato, cuando el fatídico Moisés Austin, a imagen y semejanza del patriarca bíblico, introdujo cientos de familias en la tierra prometida de Texas. ¿Por qué se concedió ese privilegio a un protestante de Missouri y no a los católicos de la Nueva España? Ocupados en la guerra de Independencia, los últimos virreyes descuidaron el territorio y permitieron que Austin multiplicara en unos cuantos años el número de colonos. Ahora su hijo Esteban se siente dueño de la región y aunque no escatima las adhesiones verbales a México, en privado lamenta estar uncido a nuestro país. Texas ya es un cuerpo extraño en el organismo de la nación, y no creo que podamos arrancarlo sin amputar el miembro afectado. Por aquí muy pocos hablan español, nadie venera a la virgen de Guadalupe, y son contados los texanos que saben algo sobre la historia de México. ¿Cómo retener en nuestro seno a un pueblo tan distinto en raza, lengua y costumbres?

Según informes del embajador Montoya, se ha formado en Nueva York una compañía de bienes raíces que se propone revender y poblar una gran extensión de territorio texano. Al parecer están al frente del negocio dos connotados federalistas, Lorenzo de Zavala y José Antonio Mejía, que durante la pasada administración compraron grandes extensiones de la provincia a un precio irrisorio, con apoyo financiero de empresarios norteamericanos. La conducta de Mejía no me sorprende porque nació en Cuba y siempre lo consideré un extranjero, pero la actitud antipatriótica de Zavala me colma de indignación. ¿Qué se le perdió en Texas a ese yucateco mal nacido? En previsión de un desembarco de colonos he mandado reforzar el puerto de Galveston con un escuadrón de lanceros, pero me temo que arderá Troya si los empresarios perjudicados elevan sus reclamos a la presidencia de Estados Unidos. Lo mantendré informado puntualmente de todo lo que acontezca.

DE LORENZO DE ZAVALA A STEPHEN AUSTIN

México, 17 de enero de 1833

Apreciado amigo:

Con el derrocamiento y la expulsión del liberticida Anastasio Bustamante, los partidarios del retroceso han vuelto a los sarcófagos enmohecidos de donde nunca debieron salir. Se inicia una era promisoria para los estados de la federación, y en particular para los colonos de Texas. Recluido en Manga de Clavo, Santa Anna ha dejado el gobierno en manos del vicepresidente Gómez Farías, que ha reemplazado la persecución y la arbitrariedad por el imperio de la ley. Renovado el pacto federal entre estados libres y soberanos, ningún obstáculo impedirá el éxito de nuestros negocios. Desde mi escaño en el Congreso, promoveré a la mayor brevedad una iniciativa para derogar la retrógrada y absurda Ley Alamán, que prohíbe la entrada de nuevos colonos estadunidenses a Texas. Libre de impedimentos legales, la Galveston Bay and Texas Land Company reanudará sus actividades y usted será uno de sus principales beneficiarios, ya que la llegada de nuevos pobladores incrementará el valor de las tierras.

Todo estado tiene el derecho de alcanzar la prosperidad de la manera que más le convenga. Simpatizo ampliamente con la lucha del industrioso pueblo texano por sacudirse el yugo del gobierno central, pues en mi estado natal, Yucatán, hemos padecido la misma tutela asfixiante desde tiempos del virreinato. La clave está en la recaudación de impuestos, que Bustamante manipuló a su antojo para debilitar a los gobiernos de los estados. Pero se acercan tiempos mejores: el vicepresidente Gómez Farías es un ferviente partidario del federalismo y si le dejan las manos libres otorgará a nuestras provincias la misma libertad política y económica que hoy disfrutan los estados de la Unión Americana. Ayer tuve una larga entrevista con él y le aconsejé aplicar con rapidez nuestro programa de reformas, antes de que la oligarquía y el clero recompongan sus fuerzas, o de lo contrario estaría en riesgo el promisorio futuro de la República.

Admiro el tesón del pueblo texano y su voluntad de hacer florecer el desierto, mientras el país se desgarra en luchas intestinas. En ustedes ha reencarnado el espíritu emprendedor y el temple moral de los primeros pobladores de Nueva Inglaterra, virtudes que pueden sernos muy útiles en estos momentos, cuando el país quiere adoptar las instituciones políticas de Estados Unidos y sacudirse de una vez por todas la herencia española que sumió al país en un letargo de siglos. Mientras el resto del país mira hacia el pasado, Texas ve hacia el futuro. Por eso estoy y estaré con ustedes, aunque los diarios ultramontanos me acusen de alta traición. Los mexicanos y los texanos progresistas luchamos por la misma causa ¿Qué importa si ustedes profesan otra religión y hablan otra lengua? Para mí el bienestar de los pueblos es mucho más importante que los atavismos y las tradiciones.

Espero verlo en San Antonio Béjar apenas concluya el periodo legislativo.

DE STEPHEN AUSTIN A SAM HOUSTON

Saltillo, 12 de enero de 1834

Tenía usted razón: fui muy ingenuo al creer que el nuevo gobierno daría curso favorable a nuestras demandas. Me encuentro prisionero en la inmunda cárcel de esta ciudad, a causa de un arbitrario edicto firmado por el vicepresidente Gómez Farías. Como si la importante misión que me encomendó la Convención texana fuera un negocio turbio, en este viaje sólo he padecido humillaciones y descortesías. Primero el señor Santa Anna estaba muy ocupado batiendo a los sublevados de Guanajuato, luego se negó a darme audiencia, so pretexto de tener que atender asuntos de Estado. Pasaron semanas y meses sin que se dignara concederme una entrevista, y aunque don Lorenzo de Zavala me puso en contacto con algunos miembros del gabinete, ninguno tenía capacidad para tomar decisiones. Si mis exigencias hubieran sido exorbitantes, comprendería la mala voluntad del gobierno. Pero no vine a pedir imposibles: me limité a solicitar la condición de estado independiente dentro de la República mexicana y la derogación de los impedimentos legales que obstaculizan la entrada de nuevos colonos a Texas. En la tribuna del Congreso, Zavala expuso los inconvenientes de que nuestro territorio siga perteneciendo al estado de Coahuila, pero su discurso fue mal recibido por el ala moderada del partido liberal, y los periódicos hablaron de una tentativa separatista.

Desesperado por la incomprensión de los mexicanos, en octubre pasado envié un despacho a Texas en el que referí el fracaso de mi gestión y recomendé a los ayuntamientos de la provincia organizar un gobierno local, adscrito a la federación mexicana. Iba en camino a Nacogdoches cuando un piquete de soldados me detuvo a las puertas de esta ciudad. Prevenido por el comandante militar de Béjar, Gómez Farías había ordenado mi aprehensión por considerar sediciosa mi carta a los convencionistas de Texas. Con esta jugarreta no sólo mi persona es objeto de vilipendio, sino toda nuestra provincia. Si un federalista radical y supuesto amigo de Texas me dispensa ese trato, ¿qué podemos esperar del bando conservador? Antes de partir a mi comisión, usted me advirtió que los mexicanos no entendían el lenguaje de la diplomacia, sólo el de las balas, y le dije entonces que había condiciones en México para un arreglo pacífico. Me equivoqué y ahora le pido ayuda. Como presidente de la Convención, lo autorizo a negociar un préstamo de un millón de dólares en Estados Unidos para armar a los ayuntamientos rebeldes. Haga usted valer sus contactos en el gobierno americano y explique nuestra apurada situación al presidente Jackson. Él ve con simpatía la lucha del pueblo texano y estoy seguro de que tomará partido por nosotros si el gobierno mexicano intenta someternos por la fuerza.

En cuanto salga libre hablaré con usted para definir la estrategia a seguir en los próximos meses.

DE VALENTÍN GÓMEZ FARÍAS
AL GENERAL ESTEBAN MOCTEZUMA

Nueva Orleans, 7 de noviembre de 1835

Muy querido amigo:

Al disolver el Supremo Congreso y hacer público su vergonzoso connubio con el partido conservador, Santa Anna ha roto el pacto federal y pisoteado la Constitución. Ya no podemos dudar que la libertad se ha perdido y la Independencia peligra, y en tales circunstancias, no dudo que usted desenvaine su espada para evitar la ruina de la nación. Aunque me encuentro en el exilio, sigo siendo vicepresidente por mandato constitucional y mi investidura me obliga a defender la legalidad por todos los medios a mi alcance. En esta ciudad he trabado contacto con muchos patriotas que buscan restablecer el federalismo en nuestro país, en alianza con los jefes militares de los estados desafectos al régimen. Hace unos días sostuve amistosas conversaciones con el señor Esteban Austin, a quien cometí el error de encarcelar hace un año, mal informado por la comandancia militar de Coahuila, y estoy cierto de que Texas no abriga intenciones separatistas. Los texanos sólo han reclamado la condición de Estado libre y soberano y es falso de toda falsedad que abriguen intenciones de romper con la federación para fundar una República independiente.

Como prueba de su lealtad al gobierno legítimo, los colonos ricos de la provincia han financiado la creación de un ejército que pronto zarpará de Galveston a Tampico al mando del general José Antonio Mejía. El objetivo de la expedición es capturar los puertos de Tampico y Matamoros, para privar al gobierno del dinero proveniente de las aduanas marítimas y debilitar a las divisiones del ejército que vigilan la frontera con Texas. Como jefe militar de Tamaulipas, usted puede prestar un gran servicio a la patria si ataca por sorpresa la guarnición de Tampico en el momento del desembarco. Conquistada la libertad del pueblo texano, la rebelión cundirá en todo el país, y la dictadura del protervo Santa Anna se derrumbará como un castillo de naipes. Brinde su espada a los amigos de la libertad, con los que tantas veces se ha cubierto de gloria, y vuelva a tener una parte activa en la defensa de los más caros intereses de la patria.

DE JOSÉ ANTONIO MEJÍA A GÓMEZ FARÍAS

Bahía de Matagorda, 23 de diciembre de 1835

Excmo. Señor Vicepresidente:

Desbordado el río de las ambiciones mezquinas, los acontecimientos han tomado un rumbo que no esperábamos. Con la derrota del general Cos en San Antonio Béjar, los sumisos colonos texanos han asumido una actitud soberbia y no se conforman ya con las libertades que les concede el sistema federal: ahora quieren independizarse de México. Mi objetivo al venir aquí fue luchar por el restablecimiento del orden constitucional violado por el golpe de la facción conservadora. Hasta hace poco creí como usted que los convencionistas de Texas tenían el mismo propósito. Pero engreídos por sus victorias, ahora se creen favorecidos por el destino y quieren llevar la guerra hasta sus últimas consecuencias. He advertido a los señores convencionistas que si declaran la independencia unificarán en su contra a todos los mexicanos. Pero con mi reputación maltrecha por el fracaso de la expedición a Tampico, mi llamado a la prudencia provocó una rechifla general, acompañada de insultos y abucheos.

Yo nací en Cuba pero mi amor a México me obliga a condenar un alzamiento que será un golpe artero para el país donde he echado raíces. Le aconsejo que haga lo propio y no avale con su prestigio la criminal intentona de los texanos. Usted ha luchado siempre en el marco de legalidad y caería muy bajo ante los ojos del pueblo si se presta a las maquinaciones de la Convención, como lo ha hecho nuestro viejo amigo Lorenzo de Zavala, que no vaciló en cometer la más ruin de las traiciones por defender sus intereses en la provincia. Cuando llegó a Texas, hace algunos meses, los colonos todavía eran reacios a sublevarse. Fue Zavala quien más los enardeció con su oratoria vehemente. ¡Con qué facilidad ha enarbolado la bandera texana, como si la patria fuera un saco que se pudiera quitar y poner!

Hemos quedado al margen de una contienda en la que ningún resultado será favorable para nosotros: si el gobierno latrofaccioso de Santa Anna reprime la sublevación, el partido monárquico se afianzará en el poder; si los texanos conquistan la independencia, se nos acusará de haber colaborado con ellos. Pero nuestra responsabilidad histórica será menor si nos deslindamos cuanto antes de la tentativa separatista. Le aconsejo romper de inmediato con Austin y hacer pública su posición en los diarios de México. Todavía está a tiempo de limpiar su nombre y enderezar la nave del partido liberal para las futuras contiendas donde estará en juego el futuro de la nación.

Que Dios lo ilumine en esta coyuntura difícil.

DE SAM HOUSTON A STEPHEN AUSTIN

Washington, 27 de diciembre de 1835

Estimado amigo:

En mis entrevistas con los políticos y banqueros de esta ciudad he podido comprobar que se da como un hecho nuestra victoria sobre el ejército mexicano. La independencia de Texas es una inversión a futuro que muchos consideran altamente redituable, y no he tenido dificultad alguna para obtener préstamos. Mi amigo el presidente Jackson me puso en contacto con el banquero neoyorquino Anthony Dey, que nos ha otorgado un crédito por seiscientos mil dólares, y otro tanto han contribuido las compañías inmobiliarias de Nueva York. Como lo dispuso la Convención, en todos los casos los empréstitos han sido respaldados por concesiones de tierras que serán entregadas a sus propietarios al término de la guerra.

Contamos pues, con un respaldo financiero que nos permitirá equipar un ejército decoroso, pero todavía nos queda mucho por hacer en el terreno militar. Concluida mi labor en Estados Unidos, marcharé de inmediato a Texas para ponerme al frente de las tropas y entrenar a los nuevos reclutas. Mi conocimiento del terreno y la experiencia que adquirí peleando al lado de los *cherokees* me serán muy útiles a la hora de entrar en combate, pero los mexicanos son bravos y no será fácil vencerlos en campo abierto. Prepárese usted para una guerra encarnizada y sangrienta. Confío en el valor de los colonos que lucharán por sus tierras, pero temo que los mercenarios reclutados en Nueva Orleans huyan al primer disparo. Esa gente está muy maleada. Debemos vigilarlos de cerca e imponerles la pena capital cuando abandonen la línea de fuego, para que los demás aprendan en cabeza ajena.

Dele mis parabienes al coronel Bowie por la toma de San Antonio Béjar. Es una plaza muy importante, pues una vez que los mexicanos hayan cruzado el río Grande no podrán abastecerse de comida en ningún poblado. En esta guerra, las inmensas llanuras de la provincia cobrarán más víctimas que los fusiles. Dejemos que la distancia, el calor y el hambre hagan lo suyo antes de presentar batalla. Los mexicanos ven a Texas como un traspatio y ni siquiera conocen su verdadera extensión. Sería un acto de estricta justicia que fueran derrotados por la vastedad del territorio que no supieron cuidar.

DE TORNEL A SANTA ANNA

México, 4 de enero de 1836

Querido compadre:

La pobreza del erario y la necesidad de obtener fondos para la campaña de Texas me han convertido en algo semejante al limosnero mayor de la catedral. Desde tu partida a San Luis, el patriotismo del que hacen gala nuestros prelados brilla por su ausencia. Como tú no estás aquí para meterlos al aro y el presidente Barragán no les inspira respeto —su carácter blandengue lo ha hecho objeto de escarnio en plazas y mercados—, se niegan en redondo a soltar el dinero, aduciendo que el gobierno les adeuda sumas considerables. En cuanto a las arcas públicas, siguen a la cuarta pregunta. Quise averiguar a cuánto asciende el fondo de reserva destinado a la defensa nacional y el ministro de Hacienda me ha dado un informe desolador: sólo hay en caja diez mil treinta y cuatro pesos. En cuanto al decreto para gravar la exportación de metales, ha tenido un efecto del todo contrario a lo que esperábamos: los dueños de las minas dejaron de exportar en protesta por el gravamen y en los últimos meses sólo hemos recaudado poco más de ochenta mil pesos fuertes, contando los vales de alcance. Todos los bienes de la nación están empeñados a los agiotistas, incluyendo los ingresos aduanales, que representan el noventa por ciento de las rentas del fisco. Y los gobiernos de los estados no han aportado un céntimo para gastos de guerra, como si la emergencia nacional que enfrentamos fuera una cuestión ajena a sus intereses.

Ni yéndome a bailar a Chalma podría reunir el millón de pesos que me solicitas para uniformar al ejército y comprar municiones. Después de haber rebajado a la mitad mi sueldo y el de todos los empleados del ministerio, apenas he podido reunir doscientos mil pesos, que Dios mediante llegarán a San Luis la semana próxima. Te aconsejo repartirlos al prorrateo para aliviar las carencias de la tropa. Pero si quieres más dinero, tendrás que obtenerlo en los departamentos del interior, por la vía del préstamo forzoso. Allá en San Luis tiene su rancho el acaudalado usurero español Cayetano Rubio, que podría financiar él solo toda la expedición. En octubre pasado, una patrulla militar interceptó en Nuevo León un correo extraordinario de Rubio que llevaba libranzas a favor del insurrecto José Antonio Mejía con valor de cuatrocientos cuarenta mil pesos. Con esa prueba de infidencia lo tenemos cogido por los tompeates: o te presta por la buena o lo llevas al paredón. Ya es hora de que ese gachupín podrido en oro retribuya al país de los moctezumas un poco de lo que ha ganado chupando la sangre del pueblo. Como justo castigo por hacer negocios con el enemigo debe indemnizar generosamente al gobierno, para que los muertos de los dos bandos vayan endosados con su firma.

Todavía estoy a tiempo de viajar a San Luis, si requieres mis servicios como miembro de tu Estado Mayor. Encabezar el Ministerio de Guerra es un altísimo honor, pero quisiera estar a tu lado en el teatro de la guerra, para brindarte mi apoyo moral y mis humildes consejos. Quizá debiste confiar la misión a un general subalterno, pero ya que te has embarcado en ella espero que tengas la cabeza fría a la hora de tomar decisiones. La masa no tiene memoria y actúa por impulsos primarios. El pueblo que te aclamó por la gesta de Tampico no te perdonaría una derrota en Texas. O vuelves cubierto de laureles o tendrás que esconder tu vergüenza en Manga de Clavo. Quizá mis advertencias te parezcan un poco subidas de tueste, pero como amigo y confidente debo hablarte con absoluta franqueza. Esta campaña no será un paseo militar, como cree tu cortejo de aduladores, que ya prepara la corona de laureles para ceñirla en tu frente. Por favor, mantén los pies en la tierra y no menosprecies al enemigo.

Que Dios y la suerte estén contigo.

La polvareda que levantan los caballos me obliga a cerrar los ojos. Al abrirlos contemplo la tierra cuarteada con las hileras de nopales al fondo. Aquí no llueve nunca, la llanura desértica se extiende hasta el horizonte. Al frente van las tropas del ejército regular, detrás las carretas con el bastimento y una muchedumbre de indios descamisados. Esto no es un ejército: es una pelotera de indigentes. Ni un brujo los podría convertir en soldados. A paso de tortuga la columna entra en San Luis, la ciudad de muslos apretados que tan malos recuerdos me trae. Son las cinco de la tarde y el cielo parece marcado con hierro candente. Con la novedad de que los comercios están cerrados, me reporta mi ayudante de campo José Batres. ¿Ah, sí? Pues que los abran a punta de culatazos. No soy un forajido, cabrones, soy el General en Jefe del Ejército mexicano. Dolor de ijares, pesadez en los párpados, hartazgo de dar órdenes y de cargar a la patria en el lomo, como si llevara a cuestas mi estatua de bronce. ¿Quién me ayuda a cargar la inmortalidad? ¿Quién nació para mandar en este país de agachados? Nadie alza la voz, nadie se hace responsable de nada, soy un halcón solitario que describe círculos en el aire, mientras sus polluelos esperan el alimento en el nido. Texas no significa nada para ellos. Les daría lo mismo ir a pelear a la Patagonia o al Congo. Si no fuera por mi voluntad, la nación se desgajaría como un tronco podrido.

Me hago hospedar en casa de un rico minero de apellido francés. Enfrente del dueño sacudo el polvo de mi levita verde y me acuesto en un *chaise longue* sin quitarme las botas manchadas de barro, para que los ricos del pueblo se enseñen a respetar a la autoridad. Llega el correo extraordinario con los periódicos de México.

Alarma entre la población por la aparición del cometa Halley, el mismo que anticipó la caída del Imperio azteca. El abad de la Basílica teme grandes calamidades para México. Sólo esto me faltaba, que el clero venga a echarme la sal, cuando más necesitamos elevar la moral de la tropa. Pero eso no es lo peor: el diputado Cortázar aconseja suspender la expedición a Texas y vender la provincia a Estados Unidos, para ahorrarle gastos a la nación y sufrimientos al pueblo. Dios mío, cuánto cretino anda suelto. Ya entrados en gastos, ¿por qué no vender también Yucatán, Sonora y las dos Californias, como una putilla que se despoja de sus prendas cuando el cliente le desliza un billete en el seno? Según Cortázar, lo más sensato en estas circunstancias sería hacer un buen negocio en vez de librar una costosa guerra. Sépalo, señor diputado, sépanlo todos los vendepatrias, he de fijar la frontera con Estados Unidos junto a la boca de mis cañones. Coronel Batres, tire a la basura este inmundo pasquín y tráigame algo de comer. Necesito reponer fuerzas porque mañana empezamos la leva.

Al despuntar el alba salgo a recorrer los pueblos aledaños a la ciudad con una escolta de cincuenta dragones. Mis oficiales llevan riatas al hombro como si fueran a lazar reses bravas. A lo lejos, en una hondonada, se ve una capilla con techo de teja y un conjunto de chozas apeñuscadas. En la cima de una ladera oímos el disparo de un fusil. Es la señal con que los indios anuncian la proximidad de la tropa, me advierte el coronel Andueza, viejo zorro en estas lides. Ordeno picar espuelas para que no se nos escape la indiada, pero ya es demasiado tarde. En la aldea sólo encontramos hembras y niños, los varones han desaparecido como por ensalmo. Un chamaco desnutrido asoma la cabeza por encima de un tecorral. Jálense a éste, ordeno a mi escolta, y entre dos hombres lo atan con una cuerda para llevarlo a rastras. Una india de mediana edad se arroja al paso de mi caballo y me reclama en su lengua, una lengua chirriante como el graznido de un cuervo. Es la madre del chaval, me traduce Batres, dice que su hijo no puede ir a la guerra porque ya está casado. Ah, chingá, ¿y dónde está la esposa? El muchacho entiende castilla y señala con el dedo a una niña esquelética que a lo sumo debe tener trece años. Los indios de estas comarcas son muy mañosos, me previene Andueza, casan a sus hijos desde muy chicos, para que no los agarre la leva. Pues casado o soltero se viene con nosotros, advierto a la india quejosa, y nos alejamos picando espuelas mientras ella se desgañita en el suelo. Sí, señora, la guerra es cruel. Perdone usted, pero no me puedo andar con delicadezas. Necesito reunir diez mil hombres de aquí a diciembre y quiero ponerle la muestra a mis oficiales, para que no se ablanden a la hora de reclutar voluntarios.

Camino al norte, la leva continúa en todos los pueblos que atravesamos. Para coger a los indios desapercibidos, los días de plaza mandamos por delante una carreta con barriles de pulque y el cabo Ruelas se pone a venderlo a mitad de precio en un tenderete. Cuando los indios ya se tambalean de borrachos les cae encima un escuadrón de lanceros, y si alguno quiere huir se topa de manos a boca con los piquetes de soldados que vigilan las entradas del pueblo. No sé por qué son tan reacios a tomar las armas. Aquí en el ejército por lo menos les damos un sarape, allá en sus pueblos andan cubiertos con una pichita y cuando corren para escapar de la leva se quedan en cueros. Apenas llegan al campamento el coronel del cuerpo les lee los artículos de ordenanza: el cobarde que vuelva las espaldas al enemigo será muerto en el acto. El desertor lo pagará con la vida. Si contesta los golpes de un oficial será azotado tres veces más. Por supuesto, el reglamento no se cumple al pie de la letra, pero sirve para espantarlos, porque los reclutas que no han recibido instrucción militar son los más propensos a huir. Páselos por cajas, ordeno al coronel, sin escuchar los ruegos del padre capellán que me pide excluir a los de mayor edad. Una vez registrados en los libros de la comandancia los formamos en una cuerda, pero sus mujeres no se resignan a la separación y los siguen por varias leguas. Allá van, lacrimosas y desgreñadas, con toda la prole detrás. Hasta guajolotes y cerdos llevan, como si la marcha de la tropa fuera una evacuación o un éxodo. A una orden mía, el capitán Medina las hace retroceder con un fuete, pero se quedan a prudente distancia de la columna, para darles comida o agua a sus hombres. ¿Cómo poner en pie un ejército disciplinado y moderno, si llevo a la retaguardia un centenar de familias que entorpecen todos mis movimientos?

Por fin Saltillo, tengo la espalda molida de tanto dar tumbos en el carruaje, una cama por Dios, una cama y una mujer, aunque sea la cocinera de la división. El coronel Batres me trae a una moza de gruesas caderas con la cara manchada de colorete. Véngase para acá mi reina, si se porta bien le regalo una cadena de oro. Después de un palo apresurado, la fatiga me vence. Despierto a media noche anegado en sudor, la cabeza hirviente como una fragua. Me pesan los huesos, casi no me atrevo a sacar la mano de las frazadas para darle un sorbo al agua del buró. Y esto apenas comienza, todavía no hemos disparado un tiro, si las cosas siguen así voy a llegar a Texas en una caja de pino. Que traigan al médico de la tropa, me estoy muriendo. No hay doctores, general, el único que venía con nosotros desertó en Matehuala. Pues tráigame a uno de los del pueblo. Al cabo de una hora mi ayudante de campo vuelve cariacontencido. Los doctores de la ciudad se están escondiendo, señor. No pude encontrar a ninguno. Hijueputas, ¡y así quieren que ganemos la guerra! Desde que salimos de la capital no he podido formar un cuerpo de sanidad, ningún doctor quiere renunciar a su consulta y a sus ingresos para venir a padecer privaciones en una campaña que puede durar varios meses. Mucho juramento de Hipócrates, pero cuando la patria les exige un sacrificio se hacen ojo de hormiga.

A falta de galenos, una curandera me prepara una infusión de boldo con miel de abeja. Débil todavía, pero con la cabeza más despejada, a la mañana siguiente dicto instrucciones para el movimiento de tropas. General Urrea, ya es hora de separarnos para marchar a Texas. Mañana mismo sale usted rumbo a Matamoros con su regimiento de caballería, allá se le unirán dos piquetes de montados de Tampico, los auxiliares de Guanajuato y trescientos mayas que nos mandará por barco el gobernador de Yucatán. Quiero que avance por las playas del golfo hasta llegar a Lipatitlán, donde se reunirá con usted el general Ramírez y Sesma. Yo continuaré hasta Monclova con el general Filisola, y después de cruzar el río Grande nos reuniremos en San Antonio Béjar. La idea es formar tres columnas para atacar las principales guarniciones del enemigo, tal y como están indicadas en este plano. ¿Entendido? ¡Sí, señor presidente!

No confío en mis subalternos, cualquiera de ellos sería capaz de pronunciarse en mi contra. Necesito traerlos con la rienda corta y moverlos como peones de ajedrez, para que ninguno tenga iniciativas propias. Les he asignado un discreto papel en la campaña y no deben aspirar a más. Temo su deslealtad, pero más aún sus posibles aciertos, que me obligarían a repartir entre dos o más cabezas los laureles de la victoria. Aún convaleciente salgo a supervisar el entrenamiento de la tropa. En mi afán por dirigirlo todo desempeño funciones que le corresponden a los brigadieres, al cuartelmaestre, al mayor general y hasta a los instructores de artillería. Los oficiales de alto rango me recomiendan reposo, pero yo conozco los resortes que mueven a las masas. Mi actividad tiene un efecto saludable sobre la moral de la tropa, porque al verme rodilla en tierra con la casaca manchada de barro, los soldados de condición humilde me cobran afecto y lealtad.

De Monclova en adelante la marcha se vuelve un infierno. Las carretas con bastimento que venían de San Luis fueron atacadas por los comanches, y la falta de provisiones, que ya de por sí eran magras, me obliga a tomar medidas de emergencia. Atención, señores: a partir de mañana la ración de totopo y galleta se reduce a media libra diaria por cabeza. Miradas rencorosas, murmullos de cólera reprimida. El soldado mexicano es muy sufrido, pero los míos están llegando al límite de sus fuerzas. No los alimento, pero tampoco les pago. Por falta de fondos adeudo a la tropa la soldada del mes de enero, retraso que sin duda provocará nuevas deserciones. Tenía razón Tornel: debí quedarme en los salones de palacio, bien atendido por mis lacayos, departiendo con embajadores y damiselas de buen palmito. Con este frío se congela hasta el patriotismo. El suelo amanece con una capa de escarcha y los soldados que duermen a la intemperie tosen flemas con sangre. Déjenlos atrás, ordeno, que no se interrumpa el avance por culpa de los enfermos. Para soportar el cierzo nocturno, los otomíes que recogimos en el valle del Mezquital hacen un agujero como si cavaran su propio sepulcro, queman adentro algunas ramas y pencas de maguey, y cuando el fuego se apaga se meten al temascal de ceniza, que todavía conserva un calor intenso. A cambio de un abrigo momentáneo, el horno les produce llagas horribles. Agrietada por el cocimiento, su piel destila sangre y pus, y el olor a carne podrida atrae a las aves de rapiña que vuelan en círculos por encima del campamento. En mi vida he visto cosa más repugnante.

Pero me corto un huevo si no cruzo el río Bravo con mi agónico ejército de parias. Que los hombres más fuertes derriben árboles para improvisar chalanes. Yo mismo ayudo a cortar las ramas y amarro los troncos con gruesos cordajes, entelerido por el viento helado que viene del norte. Mala época para una travesía tan larga y difícil. Pero tampoco César tuvo un día de campo cuando atravesó el Rubicón. Por fin construimos dos barcas grandes y resistentes, o al menos eso parecen. Mando por delante las carretas tiradas por bueyes con la mitad de las municiones. Desde la margen opuesta del río, cinco oficiales fornidos jalan el chalán con una cuerda. Los bueyes resoplan y mugen al sentir el empuje de la corriente, que parecía tranquila al inicio de la maniobra, pero va cobrando intensidad cuando el chalán se aleja hacia la otra orilla. Un buey cae al agua, la carreta se tambalea sobre los troncos y el remero que trata de sostenerla pierde el equilibrio. Lo veo forcejear con el agua, le arrojan la cuerda desde la otra orilla pero no puede asirla y sólo alcanza a gritar una maldición antes de sumergirse en el lecho del río. No cabe duda: todos los elementos se han confabulado para impedirnos el paso. Iracundo, castigo a las aguas del Bravo con una andanada de latigazos. Habrá que dejar el cruce para mañana, si la corriente nos lo permite.

Ganar la otra orilla es obra de muchos tamaños, que sólo un nuevo Homero podría describir. Cuando al fin logramos vencer la impetuosa corriente, una copiosa nevada nos da la bienvenida en la provincia de Texas. ¿Hasta cuándo me golpearán los coletazos del cometa Halley? Salvo raras excepciones, mis hombres no habían visto nunca la nieve, ni tienen ropa adecuada para soportarla. Luchan como fieras por las cobijas y se disputan a golpes el espacio de las carretas, donde sólo hay cabida para unos cuantos privilegiados. Otros aprovechan la ocasión para dispersarse, como si pudieran llegar muy lejos en medio de la tormenta. General Castrillón, ponga a su gente en orden, que los centinelas disparen a todos los desertores. La nevada se prolonga por varios días y el campamento se convierte en un cementerio donde la muerte está de manteles blancos. Entre los prófugos y los congelados sufro una merma de cuatrocientos hombres. Cualquiera en mi lugar ordenaría la retirada, para reanudar la expedición en otra época del año. Pero yo conozco a mi gente y sé que se crece en la adversidad, como los viejos caballeros águila. ¡Arriba, mis valientes! Ahora menos que nunca podemos retroceder.

Ordeno repartir a todos los efectivos una generosa ración de mezcal que les devuelve los arrestos y la esperanza. Bebo con ellos hasta sentirme un poco mareado. Ánimo, compañeros, nadie está zafo de una mala hora. Ya nos tocó lo peor, ahora vamos por el desquite. Seguimos la travesía rumbo al norte con declinación al occidente por unos lomeríos suaves, entre motas de bosque alto y zacatales que me dan al estribo. Como el enemigo puede andar cerca, ordeno que no se dé ningún toque de corneta o clarín. Forzando la marcha al máximo llegamos al río de Medina a las dos de la tarde, tras haber recorrido cosa de diez leguas. La entrada del cauce no está escarpada y la corriente se extiende sobre un lecho de piedra menuda que nos permite vadear el río con facilidad. A poco divisamos a nuestro frente algunas fogatas. Son incendios que el enemigo ha ido dejando en los campos para cerrarnos el paso. Cobardes, ¿tanto nos temen que arrasan con bosques enteros?

Pero parece que el cometa ya se pasó a nuestro bando, pues cae una lluvia tupida que dura más de una hora y apaga todas las lumbres de la arboleda. Entre el humo y la negrura de los zacatales quemados no alcanzo a distinguir a mi escolta, que debe estar a tres varas de distancia, a juzgar por los relinchos de los caballos. Avanzamos con mucho tiento, como niños jugando a la gallina ciega, y a cada paso que damos se nos figuran barrancas y desfiladeros. Que la tropa contenga la respiración y se ponga trapos húmedos en la nariz. Las mulas se enredan en las ramas caídas de los árboles, para destrabarlas hay que levantar troncos enteros. Oigo estertores de asfixia, sin duda la espesa humareda empieza a cobrar víctimas. Cuidado con el tiro de los cañones, que no se vaya a desbarrancar. Cuánta salación, carajo. Llegando a México me hago una limpia con los brujos de Catemaco.

Pasada la zona de incendios el panorama se aclara. Por donde quiera veo oficiales rezagados, mulas y bueyes muertos, cajones y carretas abandonadas. Cualquiera diría que somos un ejército en derrota. Sigue nevando, tengo las manos moradas y cuando bajo del caballo a orinar el miembro se me congela. En la ribera del río Nueces sale a mi encuentro Martín Perfecto de Cos, el pusilánime que se dejó arrebatar San Antonio Béjar por un puñado de colonos texanos. Fatal error: le di esta misión porque es mi cuñado, en vez de nombrar a un general con más experiencia. Debería reprenderlo con acritud, pero su ejército mueve a compasión: más que soldados parecen almas en pena. Aunque los míos tienen igual o peor catadura, todavía conservan el orgullo ileso y no manifiestan un desconsuelo tan hondo. Rehúyo el abrazo de Cos y le doy un tibio apretón de manos. Aquí me tiene, general, por su culpa he tenido que venir a sacar las castañas del fuego. Defendimos la plaza hasta con los dientes, pero los rebeldes tenían ventaja numérica. No quiero excusas, deme un informe detallado sobre las posiciones del enemigo.

En mitad de la conferencia llega un mensajero del general Urrea, para informarme que su jefe ha batido a los texanos en San Patricio. El corneta mayor toca una diana, los oficiales echan sus gorras al aire. ¡Viva México, hijos de la chingada! Todos se alegran menos yo. Urrea debe estar hinchado como un pavorreal, no debí concederle el mando de la columna. Hay que enviar un correo extraordinario a México para dar parte de la victoria, propone Castrillón. De ninguna manera, me opongo, sólo es un triunfo parcial, todavía no debemos echar las campanas al vuelo. Sin darle descanso a la tropa sigo camino a San Antonio Béjar, con una precipitación que asombra a mis oficiales. Hoy cabalgaremos toda la noche, mañana habrá tiempo para dormir. Necesito entrar en batalla y eclipsar la gloria de Urrea. Primero muerto que dejarme comer el mandado por un subalterno.

Acampamos a las afueras de la ciudad, sin resistencia del enemigo, que se ha parapetado en la misión del Álamo, un cuadrilongo rectangular improvisado como fortaleza, con gruesas paredes de piedra y lodo. De vez en cuando los rebeldes disparan riflazos a nuestra trinchera, sólo para inquietar a los centinelas. No deben ser más de doscientos, pero están engallados porque esperan refuerzos de un momento a otro. Afuera se han quedado los esclavos negros, que saludan con regocijo nuestra llegada. Los libro de sus cadenas a martillazos y a cada uno le regalo un peso y un sarape. Me conmueven sus muestras de gratitud, en especial los besos de los pequeñines. Corran y díganle a sus hermanos de raza que en México todos son iguales ante la ley sin distinción de color ni de nacimiento.

A las diez de la mañana salgo a revisar los campos y las baterías, acompañado del coronel Juan Nepomuceno Almonte, que ha patrullado la zona desde varias semanas atrás. Hijo natural del cura Morelos, que dejó niños regados por toda la sierra del sur, Almonte pasó la infancia en Washington y habla el inglés a la perfección. Como militar es un cero a la izquierda, pero lo tengo en mi Estado Mayor para que me sirva de intérprete. Con razón los texanos fanfarronean: tienen catorce cañones enfilados desde los torreones y las paredes laterales del Álamo. Un oficial regordete con la barba crecida se baja los pantalones y me enseña el trasero por encima de los parapetos. Santa Anna, *fuck your mother!* ¿Quién es este infeliz? Un pelafustán de apellido Bowie, lleva quince días provocando a la tropa con sus indecencias. ¿Y qué esperan para llenarle las nalgas de plomo? Por la tarde ordeno al coronel Almonte que se acerque al fuerte con bandera blanca para intimar la rendición de los sitiados. Travis, el comandante de los texanos, se niega a parlamentar y responde con un cañonazo al lugar donde se encuentra la avanzada. Esta chusma protestante debe creer que soy el diablo en persona. Jamás enemigo alguno me había mostrado un odio tan demencial.

Dejo pasar tres días más con la esperanza de que Travis deponga su actitud altanera. Pero él continúa retándome con insultos y cañonazos, confiado quizá en la llegada de sus refuerzos. Con mi largavista lo veo acodado en el parapeto. Tiene barbas de chivo, masca una asquerosa bola de tabaco y sus ojillos azules despiden una cólera helada. Lástima, güero, me obligas a aplastarte como un gusano. ¡Compañeros de armas! Estáis desnudos y mal alimentados. Habéis hecho marchas forzadas sin zapatos y muchas veces sin pan. Sólo las falanges de la opulenta México, sólo los guerreros del noble Guatimoz fueron capaces de soportar lo que vosotros habéis soportado. Nuestros más sagrados deberes nos han traído hasta aquí para combatir a una caterva de aventureros ingratos, que habiendo aprovechado aviesamente nuestras disensiones internas han levantado el pendón de la rebelión con el fin de sustraer a nuestra República este fértil y vasto departamento. ¡Miserables! ¡Pronto verán su locura!

LA LIMA DE VULCANO
(20 DE MARZO DE 1837)

Las armas nacionales se cubren de gloria

Esta mañana, desde la tribuna de la Cámara de Diputados, el ministro de Guerra y Marina José María Tornel rindió un informe a la nación sobre los últimos sucesos en la campaña de Texas. Según partes oficiales recibidos ayer, los sublevados que defendían el Fuerte del Álamo en el poblado de San Antonio Béjar fueron derrotados a sangre y fuego por el ejército pacificador que comanda el invicto General Presidente don Antonio López de Santa Anna. Tras doce días de continuo fuego de cañón, la madrugada del 6 de marzo, su excelencia resolvió emprender el asalto de la fortaleza, con los batallones de zapadores, Aldama y Toluca, que en conjunto ascendían a mil cuatrocientos infantes, provistos de escalas, tablones, barras y picas. A la intrepidez de los asaltantes, los defensores contestaron con andanadas de metralla. Los mexicanos retrocedieron a las primeras descargas, que causaron gran mortandad en nuestras filas, pero en una nueva arremetida, el coronel Juan Morales se apoderó de una pieza de artillería montada en un ángulo del muro, la enfiló contra los sitiados y aprovechando la confusión reinante introdujo a la fortaleza un gran número de efectivos.

Después de tres cuartos de hora de horrible fuego, siguió una encarnizada lucha con arma blanca. Las cuatro columnas y el cuerpo de reserva, que fue preciso mover también, coronaron a un tiempo los muros enemigos. Para las seis y media de la mañana el fuerte ya estaba en poder de los mexicanos. Salvo un chiquillo de catorce años, dos mujeres y un criado negro, ni uno solo de los defensores del Álamo quedó vivo. El jefe de los grays, coronel Travis, murió como valiente con la carabina al hombro, pero el perverso y fanfarrón Santiago Bowie, su segundo, fue acribillado bajo un colchón donde corrió a esconderse. En aquel día y los siguientes se quemaron doscientos cincuenta y siete cadáveres. El general en jefe del Ejército de Operaciones reportó sesenta muertos y trece heridos.

Al terminar su alocución, el señor ministro arrojó al suelo la bandera con la estrella solitaria arrebatada a los texanos, que el Benemérito de la Patria envió como trofeo de guerra, y exclamó con vehemencia mientras pisoteaba el pabellón enemigo: «¡Juro en nombre de la Nación que pronto quedarán exterminados los disidentes y los traidores!». Para cerrar con broche de oro la memorable asamblea, el insigne poeta Lauro Rossi leyó un epinicio dedicado al vencedor del Álamo:

> Ilustre Santa Anna, preclaro caudillo,
> todo a tu presencia se vuelve vencible,
> eres en el triunfo clemente y sencillo,
> pero en el combate, con razón terrible...

DEL DIARIO DEL SOLDADO
CARLOS SÁNCHEZ NAVARRO

Se han quitado al enemigo un punto fuerte, veintiún piezas de varios calibres, muchas armas y municiones, pero no puedo alegrarme porque hemos pagado un altísimo costo. Sobre trescientos mexicanos quedaron en el campo y los heridos, más de cien, no tardarán en sucumbir por falta de auxilio. Con otra victoria como ésta nos lleva el diablo. ¿Por qué será que el señor Santa Anna siempre quiere que sus triunfos se marquen con sangre y lágrimas?

Como lo preví, la toma del Álamo nos ha dado una fuerza moral prodigiosa. Mi nombre azora a los enemigos, que huyen despavoridos a ocultarse más allá de los ríos Trinidad y Sabina. El incendio y la devastación que dejan en cada pueblo son sus únicas señales de vida. Mis hombres conciben ahora un justo desprecio por los invasores de Texas, sentimiento que yo mismo les he imbuido, para hacerles sentir que la expedición acabará pronto. Pero este arroz todavía no se cuece: a pesar de la vergonzosa huida, nuestros flancos no dejan de ser molestados por guerrilleros prevalidos del conocimiento del terreno que causan diarios estragos en nuestras filas. No quiero detenerme a batirlos en la espesura del bosque, pues daría tiempo al grueso del ejército contrario para preparar un plan de defensa. El general Castrillón cabalga hacia mi tienda, el ceño arrugado por una grave preocupación. Malas noticias, general, me acaban de informar que don Miguel Barragán murió a principios de marzo. Carajo, ya me parecía que todo iba demasiado bien. ¿Sabe quién se quedó de presidente interino? Según el despacho oficial, el Congreso nombró al licenciado José Justo Corro. Reprimo mi cólera delante de Castrillón, pero me voy a la cama con el ánimo por los suelos. Obediente y sumiso, Barragán era incapaz de mover un dedo sin haber recibido línea. Corro puede ser un peligro si le da por tomar iniciativas. Sólo falta que ahora me escatime los gastos de guerra, o que se alíe con los esbirros del Come Huevos para darme un golpe de Estado.

Paso la noche en vela estudiando los reacomodos políticos que provocará la muerte de Barragán, hasta oír el canto de los gallos. Si algo me pone los nervios de punta es la falta de sueño. El barbero me hace una pequeña cortada en el mentón. Me estás desollando, imbécil. Lo saco de mi tienda a puntapiés y mando que lo encierren en un calabozo, por tener pulso de borracho. No puedo librar una guerra rodeado de inútiles. Mientras intento contener con alcohol el hilillo de sangre, un mensajero empolvado de pies a cabeza desmonta de su caballo y me entrega una carta lacrada. Con el tono jactancioso de un caudillo en ciernes, el general Urrea se ufana de haber vencido al enemigo en un punto llamado Encinal del Perdido sin contar con su artillería, mientras el coronel Fannin lo sometía a un vivísimo fuego de cañón. A pesar de su ventaja numérica, tras un asalto a bayoneta los sublevados sacaron la bandera blanca y logró capturar cerca de cuatrocientos prisioneros. Hará con ellos lo que yo disponga, pero considera favorable para nuestra causa perdonarles la vida. Claro, ya está pensando en su futuro político y quiere sentar plaza de vencedor magnánimo. ¿Perdonar a una miserable partida de criminales? ¿Pero qué se ha creído este imbécil? ¿Ignora acaso que el Congreso dispuso ejecutar a todos los extranjeros sorprendidos con las armas en la mano? La gloria de los demás me duele físicamente, pero en mi respuesta cubro de elogios al general Urrea y descargo en los mercenarios la irritación que me causa su victoria, la muerte de Barragán y la cortada en la barbilla. A nadie cedo en compasivo, dicto a mi secretario, pero esos extranjeros, a fuer de bandidos, se han lanzado sobre el territorio de la República para robarse una parte de él y por ello el Supremo Gobierno ha ordenado tratarlos como piratas. ¿Con qué facultades podría indultarlos? ¿Pretende usted que caiga sobre mí la indignación nacional, como sucedería si protegiera a semejantes forajidos? Nada tan saludable como un baño de sangre, decía Napoleón. Los fusilamientos causan espanto en el enemigo, que retrocede en desorden y deja de hostilizarnos. Buen momento para regresar a la capital, donde otros enemigos más insidiosos deben estar conspirando en mi contra.

Reúno a mis generales y les hago saber que daré por concluida la expedición y me embarcaré en un bergantín para volver a México. Recapacite general, me pide Filisola, todavía no hemos entrado en combate con el grueso del ejército rebelde. Si dejamos el campo libre, volverán a ocupar las posiciones que hemos ganado. Por eso aborrezco las juntas de guerra, nunca falta algún testarudo que se opone a mis planes. Pero quizá Filisola tenga razón. Si quiero poner en orden el gallinero político, primero tengo que derrotar a los texanos en toda la línea, o de lo contrario se me acusaría de haber dejado la campaña a medias. Necesito acabar esta guerra a la mayor brevedad, dejar las plazas bien guarnecidas y volver a México investido con la pompa de los triunfadores romanos. Sólo así tendré la aprobación popular cuando empiece a cortar cabezas.

Contra la opinión de mis generales, mantengo la estrategia de dividir el ejército en tres columnas, para evitar la marcha lenta y embarazada de todas las fuerzas reunidas. Urrea se encargará de limpiar la costa, el general Ramírez y Sesma seguirá por el centro con mil cuatrocientos hombres, mientras las brigadas de Gaona y Tolsá se mantendrán a la retaguardia. Tengo fresco el recuerdo de Tampico y no quiero volver a luchar en medio de un diluvio. Si no aprovechamos los cuatro únicos meses en que la estación es favorable, quedaremos a merced de las inundaciones. Pero la primavera también presenta algunos inconvenientes. Los ríos que atraviesan el país son caudalosos y en esta época del año tienen crecientes ocasionadas por las nieves derretidas de las montañas. A cada momento debemos detenernos para construir barcas chatas, labor que toma diez o doce días por la escasez de carpinteros y la lejanía de los bosques. Maldita sea, con este paso de paquidermo alcanzaremos a los texanos la próxima Navidad. En medio de tantas fatigas y contrariedades recibo una grata noticia: el general Samuel Houston acampa en la margen oriental del río Colorado con cerca de ochocientos hombres. Apenas lo puedo creer, ¡el jefe de los texanos a tiro de pichón! Con mi séquito de treinta dragones acudo a reforzar la brigada de Ramírez y Sesma, para dirigir en persona la persecución de Houston. De ésta no se escapa, a menos de que tenga pacto con Satanás.

Ahora o nunca: es preciso cabalgar día y noche para acortar distancias, sólo redoblando el esfuerzo le daremos alcance a los filibusteros. Un sol inmisericorde calienta el agua de las cantimploras. Reviento mi montura, la dejo en el camino y subo al rosillo que me ofrece el coronel. La cola de rezagados nos impide avanzar aprisa. Como no entienden por la buena los hago marchar a fuetazos. Cráneos de vacas pelados por los buitres, estanques de agua hedionda, llanuras infinitas como la sed de un náufrago. Compañeros, el bastimento se agota, hoy ayunaremos para ahorrar provisiones, pero no desfallezcan, les prometo que llegando a San Felipe haremos una barbacoa. Tras una jornada extenuante por fin entramos al pueblo, si se le puede llamar así a un caserío reducido a cenizas donde no ha quedado un animal comestible ni una miga de pan. Houston recula como gallo chinampero. Sabe que sus mercenarios huirán como ratas al entrar en combate y quiere vencernos por agotamiento.

Almonte interroga en inglés a una familia de colonos que no tuvo tiempo de abandonar el pueblo. Pálido como la cera, el padre dice ignorar el paradero de las tropas, pero nos revela que la Convención de Texas está reunida muy cerca de aquí, en el pueblo de Harrisburg, al otro lado del río Brazos. Entusiasmado con la idea de tomar prisionero al presidente Burnet o al traidor Zavala, dejo al general Filisola con la mayor parte de la brigada y a la cabeza de trescientos jinetes busco un lugar propicio para vadear el río. El Paso de Thompson está protegido por un destacamento de cien o doscientos grays que defienden un pequeño muelle, las cabezas ocultas en la maleza. Los hago dispersarse con una descarga de fusilería y les arrebato tres canoas sin perder un solo efectivo. Pobres infelices, ni el parque les dio tiempo de levantar. Esta guerra es como jugar vencidas con un tullido. Ya me veo retratado en un óleo de tintes épicos, la levita rasgada, el sable teñido en sangre, poniéndole cepos a los mandarines del gobierno texano.

Pero en Harrisburg no hay un alma. Burnet huyó con todos los miembros del gabinete en un bote de vapor, dejando en su habitación un puro encendido y una carta a medio escribir, dirigida a Samuel Houston, donde le advierte que los colonos ya están hartos de su indolencia. «He sabido que usted ha dejado de beber licor para entregarse al opio —lo acusa— sin hacer preparativo alguno para salir al encuentro de los mexicanos. Haga favor de enmendar su conducta o me veré obligado a destituirlo». Hasta pena me da pelear con un general tan ilustre. ¿De qué presidio lo habrán sacado? En la oficina del periódico local descubro debajo de las mesas a dos tipógrafos muertos de miedo. Por ellos me entero de que Houston ha retrocedido hacia Lynchburg. Por lo menos aquí el enemigo dejó algo de comer. Pero no podemos detenernos a descansar, la gallina ya está acorralada y es hora de torcerle el pescuezo. Por medio de un correo extraordinario pido al general Filisola un refuerzo de quinientos soldados escogidos. No necesito más para vencer a un ejército de rufianes dirigidos por un opiómano.

Al día siguiente libro mi primera escaramuza con el enemigo, que sólo nos lanza unos cuantos disparos de artillería y se repliega en un bosque a orillas del río San Jacinto. Poco después llegan los refuerzos que mandé pedir. A primera vista noto contravenida mi orden, pues en vez de soldados escogidos, Filisola me envía reclutas enganchados en las levas, indios harapientos y enfermos que no tienen fuerzas ni para cargar el fusil. El muy ladino se quedó con la tropa selecta y me ha dejado la carne de cañón: su felonía le costará un Consejo de Guerra. El general Cos, que viene al frente de la columna, me pide un descanso antes de entrar en batalla, so pretexto de que su gente no ha comido ni dormido en veinticuatro horas. Animado por la favorable reacción que percibo en mis hombres, cuyos semblantes se iluminan con la llegada de los refuerzos, concedo un descanso a todo el ejército, juzgando el momento propicio para reponer fuerzas. Houston ocupa una posición muy desventajosa y el incremento de nuestras tropas seguramente le impondrá temor. Por si las moscas, ordeno montar una guardia al general Castrillón y me acuesto a la sombra de un encino. La verdad, a mí también me hace falta una siesta. No he pegado el ojo desde que cruzamos el Paso de Thompson.

En mi sueño planeo el futuro venturoso de las tierras que hemos reconquistado. Para mí no pido ninguna recompensa material, diré ante el Congreso, pero considero de elemental justicia recompensar con amplias extensiones de terreno a los jefes, oficiales y tropa que han participado en la campaña. Ovación de pie, la medida se aprueba por aclamación. Miles de mexicanos bien nacidos fincan su residencia en Texas y prosperan rápidamente gracias a la fertilidad del suelo. Por cada templo deslavado que los protestantes han erigido a su triste Dios, levantan imponentes catedrales con cúpulas que arañan el cielo y labran en sus fachadas una vegetación de piedra. El pueblucho de Béjar cobra tanta animación como la feria de San Agustín de las Cuevas: hay palenque, mesas para jugar albures, plaza de toros y una hermosa alameda donde la gente de razón sale a pasear en los días de fiesta, mientras los indios truenan cuetes y beben pulque.

Los norteamericanos tendrán prohibido el acceso a la provincia. Si alguno se atreve a mancillar nuestro suelo, le dispensaremos el mismo trato que ellos daban a los negros. Sólo venderemos tierras a los extranjeros, a razón de un peso fuerte por cada fanega, con trato preferencial para nuestros hermanos de la América Hispana. Yo mismo dirijo a trasmano la oficina encargada de fraccionar los terrenos y obtengo comisiones fabulosas por allanar los trámites. Mi capital y mi prestigio crecen al parejo. Bajo mi tutela el país prospera con rapidez y se eleva por encima de las grandes potencias. Los principales diarios de Europa reconocen que México está gobernado por un estadista visionario, tan providente en la paz como temible en la guerra. Nuestro formidable ejército invade Cuba, de ahí sale una expedición hacia la Florida y Luisiana. Fuera, canallas, entregad la América septentrional a sus legítimos propietarios. Avasallados por mi genio militar, los países de Centroamérica se reincorporan al Imperio mexicano. El Napoleón de América recibe en su palacio el tributo de los pueblos conquistados. Diamantes para doña Inés, espolones de oro para los gallos de su Excelencia. Se me hace chiquito el mar para echarme un buche de agua. Hasta el rey Luis Felipe y el zar de Rusia vienen a besarme los pies. Por favor, señores, levántense, no merezco tan alto honor.

Interrumpe mi sueño el ruido de las armas. Al despertar veo con sorpresa que el enemigo ha entrado a saco en el campamento. No tengo tiempo de ponerme las botas. Echo mano a mi sable y salgo corriendo en busca de un caballo, entre el silbido de las balas que me erizan la piel. ¿Qué pasó con las guardias de Castrillón? Tenía órdenes de reportarme el menor movimiento del enemigo. Al pasar frente a su tienda lo veo agonizar con un abanico de naipes entre los dedos, la cabeza reclinada sobre un huacal improvisado como mesa de juego. Tiene un boquete en la espalda y a su lado reposan los cuerpos de otros dos jugadores. Demasiado tarde para regañarlo. Trato de organizar la defensa, pero no puedo hacerme oír entre la barahúnda. Poseídos de espanto, los reclutas viejos se dejan matar a sangre fría sin hacer uso de sus armas. Otros huyen en calzones hacia el pequeño arroyuelo que está a la salida del bosque, donde los tiradores de Houston los cazan como conejos. Filisola los escogió, esto caerá sobre su conciencia.

Desconcertados por la confusión de los reclutas, los soldados aguerridos tratan de responder el fuego, pero la fragilidad de sus posiciones los obliga a retroceder. Me alejo a todo galope del funesto campo, seguido de cerca por dos oficiales texanos que me disparan pistoletazos. Para ser mercenarios tienen los pantalones bien puestos. Fue un error subestimarlos, pelean como si hubieran comido lumbre. Me interno en un tupido bosque, trepo a las ramas de un árbol y doy un fuetazo a mi montura para despistar a los grays, que pasan de largo siguiendo el rastro del caballo. Oculto en la copa del árbol espero hasta el anochecer, y cuando el enemigo deja de patrullar el bosque reanudo la marcha hacia el sur.

Atribulado por el aullido de los lobos, que esta noche se darán un banquete de carne mexicana, camino en la oscuridad con el sable desenvainado, por si alguno se me echa encima. El suelo está lleno de cardos y los pies descalzos me sangran. Hago una pausa para sumergirlos en la corriente de un arroyuelo. En un descuido todo se fue a la mierda. Pero, ¿quién se podía imaginar ese revés del destino? Al oír unos cascos de caballo me escondo detrás de unas matas. Entre las hierbas distingo las patas de un alazán que lleva atravesado en los lomos el cadáver del coronel Batres. Pobre José, hasta en la muerte ha sido servicial conmigo. Dejo su cuerpo en la margen del arroyo, tomo sus armas y le quito las botas. Que Dios te bendiga, hermano. Montado en el alazán tomo una vereda que me conduce a una cabaña abandonada. Los dueños debieron salir en estampida al escuchar el clamor del combate, pues ni siquiera se llevaron sus pertenencias. De un baúl saco un grueso levitón de cuáquero y una camisa de franela, el traje dominguero de los colonos texanos. Estoy exhausto, pero temo despertar frente a un pelotón de fusilamiento. No más sueños, al menos mientras dure esta pesadilla. Dormiré como las lechuzas, de pie y con un ojo abierto. En Harrisburg se quedó la brigada de Ramírez y Sesma. Debo cabalgar sin descanso para reunirme con ella.

Al clarear el día ya estoy a cuatro leguas de San Jacinto. Con ropas de texano soy irreconocible y me siento más protegido. Al pasar frente a una granja saludo con la mano a un hombre que saca agua de un pozo. Él me devuelve el saludo maquinalmente y sigue con su faena. Muy bien, todo es cuestión de actuar con naturalidad. Por aquí la gente se ve tranquila y despreocupada. Pero más vale seguir a campo traviesa, para evitar encuentros desagradables. Me bajo a orinar en un paraje desierto, donde sólo se oye el deslizarse de las lagartijas sobre las piedras calcinadas. Cuando estoy cerrando los botones de mi bragueta siento un cañón de rifle en la espalda. *Dont move, bastard! Where did you steal these clothes?* No entiendo una palabra de inglés y sólo atino a decir que soy gente de paz. Mi respuesta irrita al texano, que me golpea la quijada con la culata del rifle. Es un gigantón cargado de espaldas, con crines rojizas y dientes podridos. A un grito suyo se acercan otros seis soldados con la misma facha de hampones patibularios. Derribado en el suelo recibo golpes y escupitajos. El sargento de la patrulla, un batracio de ojos saltones, me pregunta en español si he visto al general Santa Anna. Va adelante, le respondo, arrojando un coágulo de sangre. Sus hombres no se tragan el embuste y quieren acabar conmigo a puntapiés, pero el sargento los contiene. Acerca su rostro al mío hasta que puedo oler su aliento sepulcral y me advierte que si estoy mintiendo, lo pagaré con la vida. Por si no tuviera suficiente castigo con la golpiza, ordena al grandulón que me ate las manos con una cuerda, y amarra el otro extremo a su silla de montar, para llevarme lazado como un pollino.

Con el cuerpo descoyuntado de tanto arrastrarme por ciénagas, breñales y empinadas cuestas, y las muñecas en carne viva por el roce del mecate, que me quema la piel con cada jalón del caballo, siento agitarse dentro de mí los manes de Cuauhpopoca y el espíritu indomable de Hernán Cortés. No soy yo el afrentado, es mi patria la que da con sus huesos en tierra y pierde el resuello por seguir el paso de la patrulla. El sargento me lleva adrede por terrenos pedregosos, complacido con la sangre que brota de mis rodillas peladas. El sufrimiento físico es tolerable, por momentos ni siquiera siento mi cuerpo. Lo me que duele es la humillación, el ultraje al águila mexicana. Todavía está a salvo mi investidura, sólo eso me da fuerza para soportar el martirio. Quizá deba pagar el precio de una muerte vulgar y anónima para vivir eternamente como símbolo nacional. Vencido por la fatiga sufro un desmayo. Al abrir los ojos ya estoy de nuevo en mi caballo y el sargento me moja los labios con un trapo húmedo. Su compasión es otra forma de tortura, la más hiriente, la más letal.

Unas horas después llegamos al campamento del general Houston. La celebración del triunfo no ha terminado. Dos oficiales borrachos desgarran una bandera de México. Los de mayor graduación bailan con un grupo de mujerzuelas alrededor de un ciego que toca la mandolina. Temo que alguien me reconozca y agacho la cabeza con disimulo. El sargento se detiene en una especie de establo donde están recluidos los prisioneros de guerra. Distingo a lo lejos al coronel Almonte y a mi cuñado Martín Perfecto de Cos, pero mantengo la vista clavada en el suelo. Debo mantener el incógnito a cualquier precio, así tendré más posibilidades de salvar el pellejo. Nos detenemos en la puerta del cercado, donde un capitán registra el nombre y el grado de los reclusos. Cuando voy a dar un nombre falso, Ramón Martínez Caro, mi secretario particular, se asoma por encima de las tablas y comete la estupidez de cuadrarse delante de mí. Cerca de veinte soldados siguen su ejemplo y hasta un imbécil exaltado grita con lágrimas en los ojos: ¡Viva mi general Santa Anna!

El sargento que me capturó cruza una mirada de inteligencia con el vigilante de la cárcel. *He is Santy Any, we 've got him!* Al oír su grito viene hacia mí una turbamulta de soldados enardecidos. Quieren bajarme del caballo a empujones, pero estoy atado a la silla y sólo consiguen desgarrarme la ropa. *Cut his throat, he is a bloody monster! Remember The Alamo!* Voy a ser linchado ante la mirada aquiescente del sargento, que no sólo está de acuerdo con la multitud sino que colabora con ella desatándome de la silla. Lástima, no veré crecer a Manuelito. Que Dios me perdone por haber engañado a la pobre de Inés. Yo pecador me confieso a Dios Todopoderoso. Por mi culpa, por mi culpa, por mi grande culpa. De pronto se oye una voz de bajo profundo que impone respeto a las fieras. La gritería cesa de golpe y los linchadores le abren paso a un hombre de cabello entrecano que lleva entablillada la pierna derecha. Al verlo de cerca me siento imantado por su perfil aquilino y su mirada de encantador de serpientes. *Glad to meet you, president, my name is Sam Houston.*

Para evitar que la soldadesca vociferante se haga justicia por mano propia soy conducido a una barraca estrecha y maloliente. El hedor de los cadáveres descompuestos abandonados en el campo de batalla, que llega en oleadas al campamento, me inspira sombrías reflexiones sobre la gloria terrenal. ¿Tanto celo patriótico terminará convertido en carroña? Con Houston me entiendo desde la primera charla, en la que Almonte funge de intérprete. Pese a la diferencia de idiomas hablamos el mismo lenguaje: el de la cortesía utilizada como herramienta para obtener beneficios mutuos. Pero Houston sólo es un jefe de operaciones, constreñido al mando militar. Los verdaderos árbitros de mi vida son los miembros del Directorio texano, el presidente Burnet y el ministro de Guerra Rusk, dos políticos vengativos y estrechos de miras con una grave incapacidad para negociar. A cambio de mi vida me exigen lo imposible: que todos los generales de mi Estado Mayor se entreguen prisioneros y el ejército entero rinda las armas. Bajo esas condiciones jamás llegaremos a ningún acuerdo, señores, protesto con las mejillas cundidas de rubor. Burnet alza un dedo amenazante: pues si no acepta el trato dejaremos que la gente de allá afuera le aplique la ley del Talión.

Burnet se retira sin darme la mano, disgustado por mi arrogancia. A solas con Houston se suaviza el tono de la charla. Para limar asperezas me ofrece un habano y reconoce que las pretensiones de

Burnet son desmedidas. Estos colonos saben muy poco de política, será mejor que nos entendamos usted y yo. Seamos prácticos, general: yo no quiero humillar sus sentimientos patrióticos, sólo quiero una paz justa y digna para las dos partes. ¿Por qué no tiene usted un gesto de buena voluntad hacia Texas y retira las tropas acantonadas en el río Brazos? Ayúdeme a convencer a Burnet, pero sobre todo a la tropa, de que nos conviene respetar su vida. De lo contrario no podré hacer nada por usted. Aunque Houston evita las amenazas directas, las descargas de fusilería provenientes del campamento resultan más persuasivas que sus razones. Los texanos no se tentarán el corazón para ejecutarme. Ya empezaron a fusilar prisioneros y yo soy la presa más codiciada del lote. Urrea tenía razón, fue un error pasar por las armas a los prisioneros del Encinal. Descuartizado por la plebe rencorosa, ni siquiera tendré una muerte honorable. ¿Y quién me asegura que el ejército mexicano pueda ganar la guerra sin mí?

Pido a Houston unas horas para meditar y enciendo mi habano con pulso vacilante. Bienvenida la muerte, siempre y cuando valga la pena. Pero hay heroísmos inútiles que no dejan huella en la historia. Para México soy más útil vivo que muerto, de eso no me cabe duda. Ningún otro caudillo tiene autoridad para evitar el desgajamiento de la República. Pero en estas circunstancias, la orden de retirada podría malinterpretarse como una traición. Mis enemigos se pintan solos para tergiversar los hechos y confundir a la opinión pública. Me tacharán de cobarde y dirán que vendí a mi patria para salvar el pellejo. ¡Cuánto daría por verlos en mi lugar! Ninguno hubiera tenido pantalones para oponerse a las pretensiones de Burnet. Cómodamente sentados en los cafés de postín, sin haber expuesto una uña del pie por la nación que dicen idolatrar, propagarán las calumnias más bajas para afear mi conducta, y la patria les dará crédito, sí, creerá sus patrañas a pie juntillas, porque la patria es una mujer inconstante que pasa con facilidad del amor al odio. Hoy te hace mimos, mañana cambia de humor y te da con la puerta en la cara. Infiel por naturaleza, no vacila en traicionar a sus amantes, pero exige que den la vida por ella. Si rehúyo el martirio nunca más me concederá sus favores. Si lo acepto llorará compungida en mis honras fúnebres y una vez pasado el duelo recibirá en su lecho al primer general que le guiñe un ojo. Por una causa noble daría con gusto la vida, ¿pero acaso estoy obligado a sacrificarme por una puta?

Campo de San Jacinto, 22 de abril de 1836

Excelentísimo General de División don Vicente Filisola:

Habiendo ayer tarde tenido un encuentro desgraciado la división que operaba a mis inmediaciones, he resultado estar como prisionero de guerra entre los contrarios, habiéndoseme guardado todas las consideraciones posibles: en tal concepto, prevengo a V.E. ordene al general Gaona contramarchar a Béjar a esperar órdenes, lo mismo que verificará V.E. con las tropas bajo sus órdenes, previniendo asimismo al general Urrea se retire con su brigada a la población de Guadalupe Victoria, pues he acordado con el general Houston un armisticio ínterin se arreglan algunas negociaciones que harán cesar la guerra para siempre.

Puede usted disponer para la manutención del ejército de los caudales y víveres llegados a Matamoros, además de los veinte mil pesos que se sacaron de Béjar. Espero cumpla estas disposiciones sin falta, dándome aviso cuando comience a ponerlas en práctica,

Antonio López de Santa Anna

Gracias a mi carta han cesado los fusilamientos. Pero me duele haberla dictado delante de Almonte. Sin duda reprueba mi decisión, pues ahora me ve con ojos acusadores. ¿O serán imaginaciones mías? En su impasible rostro de indio tarasco no se refleja emoción alguna, pero creo pertinente darle explicaciones, tal vez porque yo mismo las necesito. Esa carta no tiene validez legal, comento sin venir al caso, como si continuara en voz alta una conversación mental. Nada de lo que haga mientras esté preso puede dañar a la patria, sólo he intentado sacar el mejor partido de las circunstancias. Espero que Filisola sepa leer entre líneas. Nada lo obliga a obedecer mis órdenes. Mi estratagema le dará el tiempo necesario para juntar a las tres columnas del ejército y volver sobre el enemigo, ¿no le parece, coronel? Yo no estaría tan seguro, general, una orden es una orden. Pero estando preso yo no puedo ordenar nada, eso lo sabe hasta un cadete. Almonte guarda silencio, incrédulo. Dígame a lo macho, coronel, ¿usted cree que obré mal? No soy nadie para juzgarlo, general, sólo sé que mi padre nunca hubiera dictado esa carta. ¿Y qué quería, que nos fusilaran a todos? Usted es joven, Almonte, y tiene la cabeza llena de ideas románticas, pero créame, ese tipo de arrebatos le han hecho un daño enorme al país. A su edad yo también quería ser un héroe trágico. Ahora sopeso todos mis actos, y cuando está en juego el bien de la patria, prefiero siempre un arreglo decoroso a un sacrificio inútil.

Días después, cuando ya me acostumbré al perfume de los cuerpos insepultos, al punto de haberlo interiorizado, aparece en el campamento un enviado de Filisola, el general Adrián Woll, a quien los texanos humillan y maltratan al conducirlo a mi barraca, en un brutal desacato al derecho de gentes. Con el uniforme en jirones y el cuerpo lleno de cardenales, Woll me da la infausta noticia de que el ejército ha retrocedido hasta el río Colorado. Desde antes de recibir mi carta, Filisola había ordenado la retirada, me informa, y por si fuera poco, dispuso liberar a los prisioneros texanos en su poder, sin procurar un canje que hubiera podido salvar muchas vidas. Tamaña imbecilidad me subleva. Comprometido con Houston a cesar las hostilidades, entrego a Woll una carta en la que ordeno a Filisola prolongar la contramarcha hasta Monterrey y dejar sólo cuatrocientos hombres en territorio texano. Pero cuando Houston nos deja un momento a solas para irse a curar su pierna, le expreso mi desagrado por la conducta de Filisola. No haga caso de mi carta, la escribí bajo coacción. Tome usted el mando del ejército y cargue al enemigo hasta exterminarlo, pues así conviene al honor nacional. Más que una orden se trata de una bravuconada, porque Filisola no entregará el mando sin un documento con mi firma al calce ni es aconsejable un ataque cuando se aproxima la estación de lluvias. Pero quiero hacer constar ante la historia que mi voluntad es del todo contraria a mis órdenes escritas, y de paso, rehabilitarme ante el vástago de Morelos, el silencioso juez de mis actos, que observa la escena como una segunda conciencia. No me basta con salvar la vida, también necesito salvar la cara. Para eso debo tender una cortina de humo compuesta de medias verdades y testimonios contradictorios. Dicen que el pez por la boca muere, pero en mi caso la boca me puede resucitar.

Complacido por mi aparente claudicación, Burnet dispone embarcarme en el vapor *Yellowstone* hacia la isla de Galveston, donde según Houston quedaré a salvo de la plebe iracunda. Sin embargo, el enemigo no se ha dado por satisfecho y a bordo del *steamboat*, el ministro de Guerra Rusk me exige reconocer la independencia de Texas. Le prometo exponer el asunto al Congreso tan pronto llegue a México, sin comprometerme a nada concreto. Pero él lleva preparado un acuerdo de catorce puntos y al día siguiente me lo presenta con una sonrisa de estafador principiante. Firme usted, general, y ordenaré de inmediato su traslado a Veracruz. Por poco me voy de espaldas cuando Almonte me traduce el documento. Contiene hasta una cláusula que fija los límites entre las dos repúblicas. Yo nunca ofrecí tal cosa, ni tengo facultades para firmar esa clase de acuerdos, arguyo, porque no soy presidente en funciones. Indignado, Rusk me acusa de faltar a mi palabra. Houston intercede en mi favor. Discute a gritos con el ministro, a quien tacha de imbécil, y me promete gestionar mi libertad en las más altas esferas del gobierno norteamericano.

Pero al llegar al puerto de Velasco, mi valedor se marcha a Nueva Orleans para atenderse la pierna herida, y las represalias de Rusk se dejan sentir de inmediato. En vez de seguir el viaje hasta Galveston desembarcamos en Velasco porque según el capitán del vapor, la isla ofrece poca seguridad para mí. Recluido con Almonte y mi secretario particular en los altos de una casa habilitada como fonda, escucho con sobresalto los murmullos de una multitud que pide mi cabeza. Deliberadamente, las autoridades de Texas me han asignado una guardia pequeña, que los rufianes del puerto podrían doblegar con facilidad. Quieren infundirme pánico y temo que lo han conseguido. Armados con teas y tambos de chapopote, los cabecillas amenazan con prenderle fuego a la casa. Esto no es una negociación política, es una vulgar extorsión. Mi vida es demasiado valiosa para Rusk y no creo que me entregue al populacho. ¿Pero si el tumulto escapa de su control?

El presidente Burnet se apersona en el puerto para reanudar el estira y afloja. A pesar de mi debilidad, consigo modificar sustancialmente el primer acuerdo. En vez de reconocer la independencia de Texas, me limito a prometer que el presidente interino recibirá en México a un grupo de notables enviado por la Convención texana, para discutir el futuro de la nueva República. Y en cuanto a la espinosa cuestión de los límites territoriales, la pospongo para un debate oficial entre los dos gobiernos. Puro atole con el dedo, pero Burnet y Rusk creen haber obtenido una gran victoria. Rebosantes de júbilo, publican un bando que mandan pegar en las calles para anunciar el convenio y se comprometen a embarcarme a Veracruz en menos de quince días. Pobres ilusos. Ningún gobierno honorable tomaría en serio un documento firmado a título personal por un general prisionero. En mi estado actual tengo tanta autoridad para conceder la independencia de Texas como la de China o Brasil.

La víspera de mi partida, embarcado ya en la goleta *Invencible*, cuyo irónico nombre es un aguijón clavado en mi orgullo, recibo la visita de un abyecto personaje, el licenciado Lorenzo de Zavala, que ha renegado de su nacionalidad (la yucateca, pues nunca se sintió mexicano) y ahora es vicepresidente de la Convención texana. Su presencia me ofende, pero no tengo más remedio que tratarlo con algodones. ¿Cómo le va, don Lorenzo? Qué gusto verlo por aquí. El gusto es mío, general. A pesar de nuestras rencillas políticas, la admiración que le tengo permanece intacta. Como yo no puedo decir lo mismo, prefiero recordar las épocas en que fuimos aliados, cuando nos levantamos en armas para defender el triunfo electoral de Guerrero. Entonces era usted federalista, me reprocha Zavala, pero luego nos dejó en la estacada y se unió al partido monárquico. Yo nunca he servido a ninguna facción, sólo buscaba el bien de la patria. Quizá no me comprenda, don Lorenzo. Para usted las raíces tienen poca importancia, pero yo sí le tengo amor a mi tierra. Sin acusar recibo de la indirecta, Zavala contraargumenta que toda frontera es artificial y que un librepensador no debe reparar en ellas cuando está en juego el porvenir de los pueblos. Texas no tardará en integrarse a Estados Unidos por decisión voluntaria de sus pobladores, y México debería hacer lo mismo, si el sentido práctico se impusiera a la retórica aldeana. Una bandera es un trapo pintado, nadie debería morir por ella, general. En eso nunca estaremos de acuerdo, endurezco la voz, un hombre sin patria es un pobre gusano. Vamos, general, en el fondo usted piensa como yo. La prueba son los documentos que ha firmado a cambio de la libertad. El insigne Benemérito de la Patria no hizo mucho para evitar su mutilación. ¿De qué mutilación habla?, rechino los dientes. La guerra no ha terminado y ninguno de esos papeles compromete a mi gobierno.

Por la chispa que aparece en las pupilas de Zavala comprendo la magnitud de mi error. A eso vino, sin duda lo mandaron a sonsacarme y he caído en el garlito por perder la cabeza. No tolero verme igualado con un hombre de su calaña. ¿O quizá me duele oír en su boca los mismos reproches que me hago en las noches de insomnio? Aunque Zavala se despide con hipócritas muestras de afecto, me quedo intranquilo y paso la noche en vela, temiendo las intrigas que pueda urdir en mi contra, habida cuenta de su influencia en el gobierno texano. En señal de buena voluntad, el día señalado para mi partida escribo una lisonjera proclama con la que busco echarme en la bolsa a los soldados del puerto: «¡Amigos! Me consta que sois valientes en la campaña y generosos después de ella. Contad siempre con mi amistad y nunca lamentaréis las consideraciones que me habéis dispensado. Al regresar al suelo de mi nacimiento por vuestra bondad, admitid esta sincera despedida de vuestro amigo...». Voy a firmar el pliego cuando escucho tiros en el muelle. Alrededor de cien mercenarios recién llegados de Nueva Orleans se dirigen hacia mi barco armados con palos, espadas y rifles. A la cabeza marcha un filibustero de larga melena, que lleva un parche en el ojo y la piel cubierta de tatuajes. Con admirable bravura, Almonte baja de la goleta y trata de cerrar el paso a los asaltantes, pero su jefe lo hace a un lado de un violento empellón. Mientras los demás desarman a la tripulación del barco, el tuerto se para delante de mí con gesto amenazador.

Almonte me traduce sus ominosas palabras. Mi nombre es Thomas J. Green y soy capitán del ejército texano. A nombre de las víctimas del Álamo y Goliad venimos a darle su merecido. No permitiremos que regrese a México sin haber pagado su crimen. Habla sin convicción, como un mal actor a quien le hubieran hecho memorizar su papel. No hace falta ser adivino para ver a Zavala detrás del motín. Habrá convencido al gobierno texano de que los convenios firmados conmigo eran una estafa y armó esta batahola para impedirme partir.

Goleta Invencible, 1 de junio de 1837

Señor presidente Burnet:

No pudiendo menos de creer que mis enemigos han triunfado y que van a saciar en mi persona el bárbaro placer de la venganza, pido a V. E. me conceda, al menos, que se me fusile en este buque, pues aquí no faltan soldados que lo ejecuten y yo no he de salir de él sino muerto.

Reciba usted mi postrer saludo,
Gral. Antonio López de Santa Anna

La inmolación es una sublime locura, pero en política sólo ganan los hombres prácticos. En vista de que el gobierno de Texas se ha lavado las manos, me resigno a bajar de la *Invencible*, custodiado por la viciosa soldadesca de Green, que me insulta y jalonea como a un peligroso matón. A mi lado, Almonte recibe peor trato, pues le colocan una correa en el cuello. Por el camino se une al cortejo la gente del pueblo, excitada por el olor de la sangre. A la cabeza de la turbamulta va un sargento borracho que lleva una bandera con la estrella solitaria. Quiere que la tome, pero yo me resisto y recibo un gargajo en la cara. Perdónalos, Padre, porque no saben lo que hacen. Una loca de pelos tiesos corre a mi encuentro con una daga y alcanza a rozarme el cuello antes de que mis custodios le quiten el arma. Nadie se acomide a prestarme un pañuelo para detener la hemorragia. \

En la plaza pública, Green me hace subir al balcón del ayuntamiento, donde propone que mi suerte sea decidida por una asamblea popular. Gritos y aclamaciones. Los que estén a favor de colgarlo, que levanten la mano. Hasta las madres con niños de brazos alzan las manitas de sus criaturas. Por votación unánime, el asesino del Álamo será condenado a muerte. Hurras, disparos al aire, llantos histéricos de las mujeres. A una orden de Green, un sargento que ya tenía preparada la soga sube a la terraza para colgarla del barandal. Es el mismo canalla que me escupió en el muelle. A pesar de la opresión en el estómago, tengo cierta confianza en que el gobierno detendrá la carnicería. Si dejan actuar a Green perderán la oportunidad de usarme como rehén. Pero Almonte no cree en milagros y reza en voz baja. ¿Ahora sí me comprendes? ¿Ahora sí me perdonas?

Cuando ya tenemos la soga en el cuello entran en escena Burnet, Zavala y Rusk, que se abren paso con una escolta de lanceros. La ejecución queda en suspenso mientras charlan con el capitán Green. Como en las malas novelas de aventuras, el juego de las extorsiones empieza a seguir una secuencia previsible. Green es sólo un títere y hará lo que sus jefes le ordenen. Pero el gobierno debe guardar las apariencias, y al concluir la conferencia Zavala se acerca a venderme como un favor la intervención de la autoridad. Hemos logrado que la sentencia se posponga hasta la próxima Convención de la República, pero mientras tanto, seguirá bajo la custodia del capitán Green. Por el momento no podemos darle más garantías. El pueblo está rabioso y hasta nosotros corremos peligro si lo dejamos en libertad. Ni una palabra sobre mi traslado a Veracruz, el motín les ha venido de perlas para anular el convenio. Y me dejan en poder de Green para ver si con los malos tratos, las torturas y el miedo asumo una actitud más flexible. Estúpidos. Creen que la intimidación volverá a darles fruto, como si no supiera cuánto me necesitan.

De Velasco me llevan al pueblo de Columbia, enjaulado como un animal de circo. El pueblo se vuelca a las calles para exigir mi ejecución inmediata. Nuevo conato de linchamiento, que Green se demora en impedir para causarme pánico. El odio de esta gente arrinconada en el desierto excede a toda ponderación. Es como si quisieran hacerme pagar los agravios y penurias que han acumulado en décadas de ostracismo.

Llegamos a una finca en las afueras del pueblo, donde Green cree que estaré a salvo de nuevos ataques. Si por mí fuera lo quemaba vivo, me aclara amigablemente, pero el señor Burnet me pidió mantenerlo con vida. Jamás vi cosa igual: un amotinado que recibe órdenes. ¿Creerán que soy tan imbécil para no darme cuenta de su contubernio? En mi nueva celda, un jacalón de techo alto con piso de tierra, me acompañan Almonte y Ramón Caro, mi secretario. Al salir de Velasco alcanzó a rescatar la caja con la escribanía, lo que me permite dictar una carta a mi esposa. Almonte escucha a hurtadillas las charlas de los centinelas, dos mastodontes de anchas espaldas que combatieron en la batalla del Encinal del Perdido y abrigan contra mí un rencor enfermizo. En las semanas que siguen padezco un largo rosario de humillaciones. La comida es inmunda y a veces los guardias nos dejan en ayunas por días enteros, mientras ellos tragan lonjas de tocino a unos pasos de distancia. Compadecido de nuestras penurias, un pastor protestante nos regala un plato de arroz con leche que me juego al dominó con Almonte y Caro. Pierdo la partida y acuso a mi secretario de haberme visto las fichas. En la discusión el plato cae al suelo. Ya vio, imbécil, ahora recójalo a lengüetazos.

El hambre me escuece las tripas. Por un bistec entregaría el territorio de Texas junto con Arizona y las dos Californias. Pero ningún enviado del gobierno viene a pedirme nada. Tal vez el presidente Burnet me ha olvidado o ya no sabe qué hacer conmigo. Cuando llueve, casi a diario, el agua se filtra por las goteras del techo. Aunque Almonte me presta su capote, los escalofríos de la gripe no me dejan dormir. Para hacer aguas mayores tenemos que avisar a los centinelas, que nos llevan encañonados a una fosa séptica cubierta con tablones. Un día, mientras estoy obrando «de aguilita», escucho una detonación muy próxima que me afloja los intestinos. De vuelta en el jacalón, Almonte me informa que un borracho con uniforme militar se asomó por la ventana y atentó contra mi vida. Engañado por el bulto de las sábanas, creyó que usted estaba durmiendo en el catre. Ni siquiera apuntó bien, mire nomás el boquete que dejó en la pared. Otra vez el temblor de corvas y la sensación de caer en un pozo sin fondo. Yo no era cobarde, lo juro. Pero cualquiera se acalambra de tanto pensar en la muerte.

Al día siguiente recibo una visita de Esteban Austin, el agente diplomático del gobierno texano en Washington. Reprende con dureza a Green por descuidar mi vigilancia y haber permitido el intento de asesinato. No creo una palabra de sus disculpas: quizá él mismo ordenó el atentado para ablandarme. Habla un español defectuoso pero comprensible, que nos permite charlar a puerta cerrada sin la incómoda presencia de Almonte. Entre los colonos hay indignación, me explica, porque el ejército mexicano al mando del general Urrea ha cruzado el río Nueces y se dispone a continuar las operaciones. En represalia por la reanudación del combate, los delegados a la Convención piden mi cabeza. Él se opone a la ejecución, pues conoce a los políticos de Estados Unidos y cree que mi muerte complicaría el reconocimiento de Texas como república independiente. Pero mi vida pende de un hilo y no sabe por cuánto tiempo logrará contener a las fieras. Yo sé que usted desea la paz tanto como yo, general, y he venido a pedirle un favor. Escriba usted al presidente Jackson, póngalo al tanto de los convenios de paz que ha firmado con nosotros y pídale que interceda para obtener su liberación. Así saldremos beneficiados los dos: usted podrá volver a su patria y yo tendré un argumento muy fuerte para convencer a Jackson de que nuestra independencia es un hecho consumado.

Por fin el enemigo se quitó la careta. Como lo sospechaba, Jackson es el verdadero jefe de los sublevados, y aquí nadie mueve un dedo sin su permiso. Haberlo dicho antes y nos hubiéramos ahorrado muchas discusiones inútiles. Desde luego es una deshonra y una aberración jurídica pedirle mi libertad a un mandatario extranjero, más aún cuando las tropas de Estados Unidos, so pretexto de impedir las incursiones apaches, han cruzado el río

Sabina para ocupar Nacogdoches, en una acción de abierto respaldo a los colonos texanos. Pero si Urrea pasó por encima de los convenios de Velasco y el gobierno mexicano me abandona a mi suerte, ya no tengo ninguna obligación de guardar lealtades. Feliz con su nuevo quelite, la Gran Prostituta me ha vuelto la espalda y los bribones de siempre se aprestan a tomar el botín del Estado. Ya me parece que los veo repartirse la renta de las aduanas, el estanco del tabaco, los impuestos por la extracción de metales, mientras aparentan limpiar las finanzas públicas. Pero he de salir con vida para verlos humillarse a mis pies. Desprestigiado ya estoy. ¿Qué me importa una carta de más o de menos?

Escribo varios borradores hasta encontrar un lenguaje respetuoso y a la vez persuasivo, con el que trato de conmover a Jackson sin menoscabo de mi honor militar. Satisfecho con el tono y el contenido de la carta, Austin me promete enviarla de Nueva Orleans a Washington por correo extraordinario. La esperanza de ser liberado me infunde coraje para soportar el encierro. Pero Green está en desacuerdo con las gestiones de Austin, o finge estarlo en complicidad con él, y aduciendo razones de seguridad me traslada a Orazimba, un pueblo inhóspito colgado en las faldas de un lomerío, donde redobla hasta lo infrahumano los rigores de mi prisión. Refundido en una bartolina estrecha y sucia, como un cacomixtle en el nicho de una oscura pared, empiezo a ver con odio a mis compañeros, en especial a Caro, que cometió la estupidez de hacerme el saludo militar en el campo de San Jacinto. No tolero su costumbre de sorberse los mocos y cada vez que lo hace le doy un sopapo. Ahora tenemos prohibido el dominó, de modo que sólo podemos charlar o vernos las caras. Hablamos de todo menos de mujeres, para no echar más leña al fuego de la abstinencia, y a veces, por diversión, fraguamos imposibles planes de fuga, como el de afilar una pluma de ganso hasta convertirla en un estilete y amagar con ella a los guardias.

Una mañana, al abrir los ojos, me sorprende no encontrar a mi amanuense en la litera que comparte con Almonte. Al poco rato entra Green con los centinelas y a guisa de buenos días me da un puñetazo en la boca. He procurado tratarlo bien, general, pero usted me defrauda con su mala conducta. Un pajarito me dijo que está pensando escaparse. No quisiera molestar a un prócer de su talla, pero voy a tener que ponerle plomo en las alas. Los guardias me colocan en los pies una pesada barra de grillos, sujeta al piso por una bola de hierro. Sacan a Almonte de la cama y le colocan otra barra en el tobillo. Entre forcejeos, el tuerto le pregunta dónde tiene guardada la pluma de ganso. Almonte me traduce el interrogatorio antes de ser acallado por un golpe en el bajo vientre. Impuesto de la delación, acuso a Caro de ser un calumniador y protesto en nombre del derecho de gentes. Mis quejas sólo provocan la hilaridad de Green, que no se conforma con pisotear mi dignidad y discurre la demasía de encadenarme al coronel Almonte, de manera que dependamos el uno del otro para hacer el menor movimiento. Caer más bajo ya es imposible, he descendido casi al género de los reptiles. Sería un alivio morir en el paredón, para acabar de una vez con esta ignominia.

Los días se me quedan dentro en vez de pasar. Tengo los pies llagados por la fricción de los grillos, pero me duelen más las llagas del alma, si acaso la conservo todavía, pues a veces creo que mi vida espiritual ha muerto del todo. Sin proponérselo, Green me aplica una tortura moral, pues más que unido con Almonte me siento encadenado a mis culpas. Es como si formáramos un monstruo de dos cabezas, con atributos de ángel y demonio, donde cada mitad resiente los pecados de su contraparte. Cierto, mi hermano siamés ha tolerado el suplicio con entereza y no puedo quejarme de su conducta. ¿Sería tan amable de levantarse un momento, general?, me pregunta muy comedido cuando tiene ganas de orinar. En el renglón de las necesidades fisiológicas yo he sido más bien desconsiderado, pues la disentería que padezco no me permite ser tan cortés, pero Almonte nunca da señales de hartazgo, no obstante oler mi excremento seis veces al día. ¿Será un santo que siguió por error la carrera de las armas? A veces desearía que fuera menos perfecto, que me gritara denuestos y maldiciones cuando a medianoche lastimo sus tobillos al jalar bruscamente de la cadena. Pobre hombre, ya tiene los pies en carne viva, y ni por ésas me alza la voz. Su abnegación debería complacerme y sin embargo me siento incómodo, tal vez porque no estoy seguro de merecerla.

A los cincuenta y dos días de llevar grillos en los pies, cuando ya coqueteo con la idea del suicidio, recibo la visita de Samuel Houston, el más amado de mis enemigos. Sano de la pierna, con la barba recortada y una flamante levita de terciopelo, ha trocado la rudeza del guerrero por el donaire del político triunfador. Enfrentado a su pulcritud tomo conciencia de mi deplorable suciedad y me siento más disminuido, como un mendigo andrajoso llevado a una cena de gala. Hasta pena me da abrazarlo, por miedo de mancharle el traje. Tengo dos noticias para usted, una buena y otra mala. La buena es que la Convención me nombró presidente en lugar de Burnet. Desde mi nueva posición puedo ayudarlo mucho, siempre y cuando usted colabore conmigo. ¿Y la mala?, pregunto con ansiedad. La mala es que Jackson se rehúsa a intervenir en el conflicto. El embajador de México en Washington le ha hecho saber que mientras usted esté prisionero, no podrá suscribir convenios a nombre de su gobierno. Jackson lo estima y le envía por mi conducto un saludo afectuoso, pero considera inútil gestionar su libertad ante el gobierno texano, toda vez que usted no puede firmar un acuerdo de paz.

Soy de lágrima fácil y no puedo evitar un acceso de llanto. ¿Para esto me rebajé a implorar clemencia? ¿También Jackson quiere extorsionarme? ¿Cómo puede fingir neutralidad cuando es el principal instigador de la rebelión? Houston me ofrece un pañuelo para secar mis lágrimas, murmurando palabras compasivas que Almonte me traduce en tono de pésame. Ánimo, general, no todo está perdido. Tengo algo que le dará valor y optimismo para enfrentarse a la adversidad. Extrae de su talega una pipa de marfil con una cabeza de dragón tallada en el mango y enciende un fósforo en la suela de sus zapatos. Fume usted, verá cómo se disipan sus penas. Titubeo antes de chupar la pipa, pues temo que Houston quiera introducirme en el vicio del opio. Sí, éste debe ser el fragante veneno que ha postrado en la indolencia a millones de chinos.

Coloco mis labios en la cabeza del dragón y aspiro con fuerza el humo violáceo. Después de todo ya no tengo nada que perder, sólo me queda esperar la muerte y para eso es mejor adormecer la conciencia. Del inicial aturdimiento paso a una grata sensación de ligereza, como si flotara en un lecho de espuma. Todo se hace blando y flexible a mi alrededor, incluso la cara de Houston, que se alarga y deforma como una jarra de vidrio soplado. Por fin me siento libre de mis cadenas, se ha roto el cordón umbilical que me unía con Almonte. Basta de culpas y reconcomios. Tengo el alma limpia como si me hubiera bañado en agua bendita. El tiempo retrocede a razón de mil horas por segundo. Recuperada la inocencia de la niñez, vuelvo a los brazos de mi madre y asciendo con ella a los cielos, como en las estampas de la Asunción de María. ¿Qué son las patrias vistas desde el empíreo? Nebulosas informes, retazos de tela cortados por un sastre borracho. Houston se ha ido y las ratas de la celda brincan por encima de mi cuerpo inerte, pero yo vago en el firmamento sin ver hacia abajo y entre espasmos de risa burlona, la risa desencantada de un Dios amargo, escucho el murmullo lejano de una multitud que me grita: «traidor, traidor, traidor...».

DE SAM HOUSTON A ANDREW JACKSON

Orazimba, 25 de agosto de 1836

Querido Andrew:

Nuestro negocio marcha a pedir de boca. Impedidas de atacar por la temporada de lluvias, las tropas del general Urrea se han retirado más allá del río Bravo y a juzgar por los periódicos mexicanos, tan proclives a exhibir las miserias de su país, la pobreza del erario impedirá al gobierno azteca patrocinar otra expedición, por lo menos en lo que resta del año. A pesar de todo quiero tener cubiertas las espaldas y he reforzado el ejército con dos mil efectivos reclutados en Nueva Orleans, por si acaso los mexicanos quieren darnos una sorpresa. Stephen Austin gestiona para tal efecto un préstamo por medio millón de dólares ante los bancos de Nueva Orleans. ¿Serías tan amable de concederle tu aval?

Gracias por haber acelerado el reconocimiento de nuestra independencia. Como sabes, entre los colonos hay muchos partidarios de la anexión a Estados Unidos y era indispensable que tu gobierno diera ese paso para no desalentarlos, pues todos aquí sabemos de sobra que Texas no tiene futuro como República independiente. El recibimiento en Washington de nuestro primer embajador plenipotenciario ha provocado gran alborozo. Sé que por ahora debes guardar las formas para mantener las relaciones con México, pero si obtuviéramos el voto favorable del Congreso, la anexión podría concretarse este mismo año. Como argumento puedes esgrimir que la guerra con México le ha costado al tesoro mucho menos de lo que pensaba pagar por el territorio de Texas.

En cuanto al precio de las tierras, una vez reconocida nuestra República, se ha triplicado en menos de un mes. Levantado el veto a la importación de esclavos que impuso el gobierno de México, las acciones de nuestra compañía inmobiliaria están por las nubes. No te podrás quejar, pues al dejar la presidencia tendrás el holgado retiro que te mereces. ¿Quién dijo que las finanzas no se llevan con la política? Nuestro caso demuestra lo contrario. Proporcionar a los texanos los medios para librarse de sus cadenas fue un buen negocio, pero sobre todo un acto de justicia. Si fuera posible prever la condición futura de este país siendo parte de México, donde quedaría sujeto al despotismo militar retrógrado durante varias generaciones, y comparar luego la prosperidad que alcanzará en industria, comercio, artes y relaciones sociales con la anexión a Estados Unidos, la humanidad apoyaría violentamente su independencia y la filantropía de las naciones sancionaría desde luego el acto.

Pero un hombre de negocios también debe hacer cálculos pesimistas y prever los vuelcos desfavorables de la fortuna. México es un país con grandes recursos naturales, que podría levantar cabeza bajo un gobierno responsable y honesto. Entre sus políticos hay hombres con grandes luces, relegados a segundo plano por la insaciable ambición de los militares. Si alguno de ellos logra sostenerse en el poder, quizá México tenga la fuerza suficiente para reclamar con las armas el territorio del que ha sido despojado. Debemos, por tanto, fomentar la discordia civil por todos los medios a nuestro alcance y para ello puede sernos muy útil el general Santa Anna, que en los últimos diez años ha sido cabecilla de otros tantos pronunciamientos. Contra el sentir de muchos convencionistas, que desearían comérselo vivo, prefiero dejar en libertad al ave depredadora. Te suplico reconsideres tu posición y le concedas una entrevista en Washington. La conferencia no reportaría beneficio alguno, pero servirá de pretexto para ponerlo a salvo y facilitarle el regreso a su patria, donde será nuestro mejor agente subversivo. Con su díscolo genio agitando la arena política, ningún gobierno podrá enderezar la nave del Estado y México se mantendrá sumido en el caos, donde nos conviene que permanezca por mucho tiempo, para que su débil ejército no pueda impedir las futuras anexiones de Arizona, Colorado y las dos Californias.

Si estás de acuerdo en recibir al maltrecho caudillo, te ruego me lo hagas saber a la mayor brevedad, precisando, si es posible, la fecha de la entrevista. Ojalá sea pronto, pues me temo que las penalidades del encierro están acabando con su salud.

Salimos de Orazimba hace tres semanas y todavía siento los grillos en los pies. A bordo del vapor *Tennessee*, Almonte y yo celebramos la Navidad con un brindis de cerveza tibia, cortesía del capitán

Patton, jefe de nuestra escolta. Hasta en la cubierta del barco me persiguen mis custodios, no vaya a ser que me tire al agua y remonte a nado la corriente del Mississippi. Quietos, mastines: no voy a escaparme ahora, cuando por fin veo la salida del túnel. Acodado en el barandal de la proa, contemplo el imponente paisaje con el viento silbando en mis sienes. Todo en este país es inmenso: los ríos, los valles, la maldad humana. Me subleva escuchar los fúnebres cantos de los esclavos negros en las barracas levantadas a la vera del río, junto a las plantaciones de algodón. Desde niños, los blancos les marcan las carnes, como si fueran piezas de ganado. Pero esta gente progresa, como lo haría el demonio si empleara su perfidia en construir fábricas y telares. No se ve por ninguna parte un campo sin cultivar. Tampoco hay bienes de manos muertas ni cerdos con sotana dedicados a echar panza con el producto de sus rentas. Para bien o para mal, la religión protestante es la religión del trabajo. Mientras mis paisanos jarochos montan a sus mujeres o sestean en la hamaca, los granjeros americanos trabajan como hormigas. Pero si el afán de lucro les infunde vigor y coraje, por otro lado les amarga el carácter. Según Almonte, aquí está mal visto permitirse ningún placer que no sea el de contar dinero. Me impresiona el semblante adusto de las mujeres. Con cuánta melancolía ven pasar el barco desde los muelles. Pobrecillas: si bien les va, sus maridos las han de montar dos veces al año.

Desembarcamos en Louisville y continuamos el viaje en ferrocarril. Finjo serenidad pero me horroriza la velocidad de este diabólico invento. ¡cuarenta millas por hora y ni siquiera frena en las curvas! La angustia me impide leer los viejos periódicos mexicanos que Almonte consiguió en Louisville. En cambio, los pasajeros yanquis duermen a pierna suelta, como si fueran acostados en una litera. Para ellos el futuro ya es una costumbre. Con qué facilidad se han adelantado al resto de América. ¿O somos nosotros los que nos hemos ido rezagando por nuestra funesta mezcla de razas? Todo es culpa de los misioneros españoles que salvaron a los indios en tiempos de la Colonia. Sin esa rémora seríamos un pueblo civilizado, donde la gente de razón resolvería sus diferencias políticas en un ambiente de paz y concordia. La solución es importar sangre europea, contrarrestar la pereza ancestral de los indios con grandes contingentes de industriosos campesinos germanos. Parada en la estación de Nashville, un pueblo con tabernas de ladrillo y chimeneas en abundancia. En el andén se aglomera un gran concurso de gente que grita mi nombre y porta mantas con letreros en inglés. ¿Quieren lincharme otra vez?, pregunto a mi fiel escudero Almonte. No, general, lo están vitoreando: son antiesclavistas que se oponen a la anexión de Texas. Me asomo por la ventanilla con la cabeza descubierta y agradezco las ovaciones con el sombrero. Sólo alcanzo a musitar unas palabras de gratitud, pues el capitán Patton cierra bruscamente la cortina. *You are under arrest*, vocifera, *this is not a political campaign.*

Pero el cariño del pueblo me cobija como un edredón de plumas en el largo trayecto por los campos nevados de Maryland y todavía lo siento pegado a mi piel cuando llegamos a Washington, donde otra multitud me recibe con fanfarrias de honor. Gracias, amigos, he sufrido una injusta prisión por defender la soberanía de mi patria, pero sabed que por encima de las fronteras territoriales, el pueblo mexicano es vuestro aliado en la lucha por libertad. Las barriadas miserables y el lodo de las calles me recuerdan a México. Al parecer todas las capitales hieden. ¿Acaso porque son las sedes del poder? Hay más negros que blancos, los charcos de aguas pútridas abundan por doquier y los niños pobres defecan al aire libre, como en la Candelaria de los Patos. Avanzamos con lentitud porque los carruajes atascados en la nieve nos cierran el paso. El aspecto de las casas mejora cuando entramos en las calles alumbradas con luz de gas. Aquí viven los burócratas y los banqueros, me explica Almonte. Los suntuosos mármoles de los edificios públicos tienen más volumen que estilo, pero dan una impresión de fortaleza y rectitud moral, desmentida sin duda por la conducta de sus ocupantes.

No me impresiona el lujo de la Casa Blanca. Cualquier general mexicano de segunda categoría tiene un palacete más opulento. Patton me deja entrar solo, porque no está invitado a la charla privada con el presidente Jackson. Tampoco Almonte, pues Jackson tiene sus propios intérpretes. Recibimiento informal en un salón ovalado decorado con tapices y espejos. Procuro ser el más enjundioso en el apretón de manos y hago los cumplidos de rigor a la hija de Jackson, una rubia deslavada y pecosa que hace las veces de primera dama, pues Jackson es viudo. Hablamos un rato de nuestras familias, del clima, de mis privaciones durante el cautiverio. Cuando la hija hace mutis pasamos a los temas de alta política. Jackson elogia el *common sense* que mostré al firmar los convenios de Velasco y celebra mi buena disposición a reconocer la independencia de Texas. Perdone, lo interrumpo, no recuerdo haber expresado tal cosa en ningún documento. Jackson carraspea y se acomoda el cuello de la camisa. Bueno, ya sé que no es conveniente precipitar las cosas, pero si México exige una indemnización por desprenderse del territorio, mi gobierno estaría dispuesto a pagarla.

Recuerdo con amargura las pilas de cadáveres abandonados en el campo de San Jacinto y los colores me suben al rostro. Jackson me trata como a un vendedor de bienes raíces. Para este mercader de la política, los conceptos de patria y honor son algo tan baladí como la letra menuda de un contrato inmobiliario. Aunque me siento ultrajado logro desviar la charla al cómodo terreno de las vaguedades, sin dar ninguna respuesta a la grosera oferta de Jackson. En la jerga taurina esto se llama sacar el toro a los medios, para evitar la riesgosa lidia junto a las tablas. Jackson se repliega con cautela, sin volver a mencionar el tema en lo que resta de la entrevista. Hasta cierto punto he obtenido una victoria diplomática. Pero al salir de la residencia, escoltado por dos guardias de porte hercúleo, me queda la sensación de que mi rival ha estado jugando conmigo, de que sólo quería calarme para saber hasta dónde soy capaz de llegar. Habrá dicho: a este pillo le compro Texas en dos patadas. ¿Qué pensará de México, si tiene un concepto tan bajo de mí?

Pero al menos Jackson no falta a su palabra, como los infames capitostes del gobierno texano; y a los pocos días de la entrevista pone a mi disposición la corbeta *Pioneer*, fletada ex profeso para mi viaje a Veracruz. En el trayecto al puerto de Norfolk, Almonte me impone de lo acontecido en el país durante mi larga ausencia. Los periódicos de todas las tendencias lo acusan de alta traición, general, dicen que usted firmó convenios secretos con Texas y a instancias del partido moderado, el Congreso lo llamará a rendir cuentas. Sus noticias no me afligen demasiado: estoy vivo, eso es lo que importa, ya tendré oportunidad de limpiar mi nombre. Cuando la corbeta sale a mar abierto me lleno los pulmones de aire salado, libre al fin del peso moral que he llevado en los hombros desde la derrota de San Jacinto. Es un alivio dejar atrás la luz de gas, los caminos de fierro, las locomotoras, volver al edén inmutable donde nada cambia y nada se mueve. Allá quiero estar, tendido en la hamaca, echando raíces en el tiempo estancado de mi señorío medieval, de espaldas al progreso que estropea las costumbres y los paisajes. ¿Pero hasta cuándo podremos dormir la siesta? Si tuviera un cetro en las manos, mi deber histórico sería derrotar a esta nueva forma de barbarie, enseñarle a Jackson que la dignidad de un pueblo no tiene precio. Pero pongamos los pies en la tierra: ¿cómo hacerme respetar por el insolente enemigo si México es un cuerpo descoyuntado, un avispero que nunca he podido someter a mi autoridad? ¡Oh, destino espantable! Sobrado de genio y valor para ser el verdugo de los yanquis, presiento que tarde o temprano me sentaré a regatear con ellos.

SEGUNDA PARTE

México, 9 de agosto de 1875

Estimado amigo:

Como habrá notado en los últimos pliegos remitidos a usted, la campaña de Texas y el largo cautiverio al que don Antonio fue sometido le dejaron tan honda impresión que recuerda los hechos y describe sus emociones en tiempo presente, como si el pasado cobrase vida y actualidad en el teatro de su memoria. Si esto fuera un mero artificio retórico, no habría motivo para inquietarse. Lo grave es que el general lleva más de quince días en un estado de completa enajenación, adormecido por el tictac de un reloj de pared. Ya ni retira la mano cuando le acerco a la piel una vela encendida: se ha ido a otra parte, como los videntes de las sesiones espiritistas o los místicos en estado de gracia. Pero eso sí, a la menor pregunta sobre su pasado reacciona como un histrión que escuchara el dictado de un apuntador, ora vivaz y alegre, ora grave y sentencioso, según lo requiera cada pasaje del relato.

Al parecer, durante su exilio en Nassau, don Antonio había sufrido ya un trastorno similar en el que habló hasta por los codos, sin recordar una palabra de lo dicho al recuperar la conciencia. Es la edad, me dijo la señora Tosta, la sangre ya no le irriga bien el cerebro. Pero en tratándose del monstruo la suspicacia nunca está de sobra. En su empeño por restarle gravedad al asunto percibo una oculta intención que hasta el momento no he podido penetrar, pues nadie la iguala en el arte del disimulo. Robustece mis sospechas la circunstancia de que en los últimos días, doña Dolores me ha restringido el acceso a su casa y sólo me permite ver al general por las tardes, de cinco a ocho, cuando antes podía visitarlo a cualquier hora. ¿Qué hace por las mañanas con su pobre marido? Nada bueno sin duda, pues de entonces para acá el estado del general ha empeorado con rapidez. El viernes pasado llegué a verlo más temprano que de costumbre porque mi viejo reloj se adelantó media hora, y en el zaguán de la casa me topé con un extraño sujeto que salía acompañado por doña Dolores. A primera vista me pareció un anciano prematuro. Endeble, caído de hombros, con bolsas en los ojos y la barba gris en forma de candado, llevaba un maletín de cuero marrón y se guarecía del sol con un sombrero hongo. Ambos se turbaron al verme, como dos rufianes sorprendidos en la escena de un crimen. Repuesta del sobresalto, Dolores nos presentó con forzada amabilidad.

—Wolfgang Fichet, el doctor que está atendiendo a mi esposo. Manuel Giménez, el secretario de mi marido.

Al saludarlo me impresionó el contraste entre su débil constitución y el brillo metálico de sus ojos azules, atributo común a los lunáticos y a los genios. Los doctores extranjeros cobran caro y no creo que la señora Tosta lo haya contratado para curar a su esposo. Tal vez quiera despacharlo a un manicomio para vender la casa y largarse de México, pues a últimas fechas se queja mucho del clima y las costumbres nacionales. Le prometo investigar más a fondo qué clase de pájaro es el doctor Fichet, y cuáles son las verdaderas intenciones del monstruo, pues necesito recabar más información antes de tomar cartas en el asunto. Por lo que se refiere a los dictados del general, no reanudaré la transcripción hasta que vuelva en sí, pues el carácter cínico y descarnado de sus monólogos contraviene nuestros fines vindicativos. Es verdad que ahora no desvaría, como le ocurrió bajo los efectos del peyotl, pero se juzga con demasiada severidad, como si viera su reflejo en un estanque de aguas negras.

Don Antonio solía decir que en política la franqueza equivale a un suicidio. Si ahora le ha dado por confesar pecados como un moribundo en espera del viático, nuestro deber es cuidarle las espaldas, pues en manos del enemigo, los pasajes que nosotros encontramos conmovedores serían tergiversados dolosamente para arrastrar por el fango su ya de por sí maltrecha reputación. Pero un contratiempo no debe hacernos abandonar la obra en que don Antonio ha cifrado tantas esperanzas. Compenetrado con mi jefe al punto de que muchas veces adivino su pensamiento, me tomaré la libertad de continuar el relato donde él lo dejó, exponiendo mi punto de vista sobre su actuación en la Guerra de los Pasteles.

Fui un devoto del general desde antes de conocerlo, porque siempre me sentí atraído por los hombres de talento superior que conjugan la simpatía personal con la bravura y el don de mando. Español por nacimiento, pero mexicano de corazón, había luchado por la Independencia en el glorioso Ejército Trigarante, donde alcancé el grado de teniente, y al darme de baja puse un comercio de telas en Veracruz, que me daba lo suficiente para vivir con holgura. Muerto Iturbide, consagré mi admiración al héroe del Pánuco. En un álbum con tapas doradas llevaba un registro de sus victorias, de sus entradas triunfales en la capital, de las condecoraciones que había recibido y de los pronunciamientos que había encabezado. Cuando cayó prisionero en Texas le recé un novenario en la parroquia de San Agustín. Fui uno de los pocos entusiastas que acudieron a recibirlo en el muelle a su regreso de Washington, cuando la prensa lo cubría de invectivas. Evacuado del sepulcro después de haber sufrido prisión y tortura por la más santa de las causas, el venenoso diente de la envidia lo tachaba de traidor, pero también de imprevisor y temerario en la dirección de la campaña. Hasta su fama de clemente quedó en entredicho por la supuesta crueldad con que había tratado a los defensores del Álamo y a los prisioneros del Encinal del Perdido.

Era un linchamiento en forma, pero don Antonio lo soportó con la cabeza erguida y tuvo la elegancia de responder con buenas maneras al lenguaje tabernario de los boletines. Leí emocionado el manifiesto a los mexicanos donde atribuía la derrota de San Jacinto a la negligencia del general Filisola y alegaba que sus convenios con el gobierno de Texas sólo contenían promesas que dependía del gobierno mexicano inutilizar, como en efecto ocurrió. Eran argumentos irreprochables que lo absolvían del cargo de alta traición, pero no convencieron del todo al pueblo, que hubiera preferido llorarlo como héroe trágico. A la sazón ocupaba la presidencia el vengativo Anastasio Bustamante, que hacía leña del árbol caído desde los periódicos del gobierno, para quitarse de en medio al único enemigo que le podía disputar el poder. Dilacerado su prestigio, perdida la fe en los hombres, don Antonio anunció el fin de su carrera pública, y cambió el uniforme militar por las ropas de paisano. Recluido en Manga de Clavo, se dejaba ver poco en el puerto, desairando a los facciosos que buscaban atraerlo a sus filas. Incluso contempló la idea de emigrar y llegó a solicitar un pasaporte al Ministerio de Relaciones, pues le parecía injusto tener que pagarse una escolta para vivir a cubierto de los bandidos, cuando había servido al gobierno sin cobrar sueldo. La Providencia dispuso entonces el bloqueo naval de Veracruz por parte de la escuadra francesa, que reclamaba una indemnización de ochocientos mil pesos por los daños infligidos a un pastelero francés durante un motín de soldados en Tacubaya. Para México fue un conflicto humillante y ruinoso; para el general, una tabla de salvación.

La prudencia aconsejaba pagar la deuda, pues el país no contaba con fuerza naval para defender sus puertos, pero el Tío quiso dárselas de patriota y dejó que el bloqueo se prolongara por más de ocho meses sin ceder a las presiones de Francia. Quizá pensaba ganar la guerra con saliva, pues dejó desamparada a la guarnición de Veracruz y retuvo por largos periodos la paga de los soldados. Como el general Manuel Rincón era comandante de la plaza, y don Antonio lo detestaba de tiempo atrás, no quiso tomar la espada hasta que los franceses comenzaron a bombardear el castillo de Ulúa. Entonces hizo a un lado sus rencores y cabalgó hacia el puerto en su caballo blanco, seguido por una pequeña escolta. Al verlo cruzar el baluarte de la Concepción, resplandeciente en su casaca azul de solapa roja, los centinelas lanzaron vítores y disparos al aire, como si el apóstol Santiago viniera a librarlos de los moros. Contagiado por el entusiasmo de la tropa, desempolvé mi viejo uniforme de teniente, cerré mi comercio y ocurrí a ofrecerme como voluntario en el cuartel del Fijo. Por azares de la fortuna coincidí con el general en el salón de oficiales, donde hacía antesala para hablar con Rincón.

—¿Con quién tengo el gusto? —me preguntó cuando le hice el saludo militar.

—Manuel María Giménez, para servirlo. Soy un santanista convencido, general, y mi respeto por usted sigue incólume a pesar de sus desventuras. De joven viví un tiempo en Bayona y domino el francés. Si me lo permite puedo servirle de intérprete.

—No creo que vaya a necesitarlo. Rincón tiene la plaza bajo su mando y él decidirá si le conviene parlamentar con el enemigo. Yo sólo vine a ayudar en lo que se ofrezca.

—No crea que soy un improvisado. Algo sé de la ciencia militar y llegué a jefe de Ingenieros en el Ejército Trigarante. Me sentiría muy honrado si pudiera servirle en algo.

—Está bien, Giménez —don Antonio me puso una mano en el hombro, conmovido quizá por mi sincera adhesión—. A partir de hoy será mi ayudante de campo.

Receloso de que Santa Anna le quitara el mando, Rincón le asignó una misión indigna de su prestigio: inspeccionar el castillo de Ulúa para evaluar los daños causados por el bombardeo. Esa misma tarde fuimos en lancha a la fortaleza y encontramos un escenario desolador. Las bombas habían destruido el mirador de Caballero Alto, con un saldo de cincuenta soldados muertos en el derrumbe. El coronel Gaona, defensor del castillo, no podía responder el fuego por haber perdido a todos sus artilleros. Fue un sacrificio inútil, se quejaba, ni siquiera pudimos abollarles el casco de sus naves. Por todas partes había montañas de cascajo, cañones destrozados, hileras de cadáveres cubiertos con mantas. El asta bandera milagrosamente se había conservado en pie, pero un calcetín ondeaba en lugar del lábaro patrio, descuido que provocó la ira del general. Nunca izamos la bandera, se disculpó Gaona, porque no hubo dinero para comprarla. Conmovido e indignado a la vez, don Antonio le sugirió que evacuara a sus hombres al amparo de la noche y volara la fortaleza con la pólvora del almacén, a fin de evitar que los franceses la tomasen como bastión para atacar Veracruz. Era una salida honrosa, pero Gaona ya había pactado la entrega del castillo con el almirante Baudin, jefe de la escuadra francesa. De regreso al puerto, el general vino echando pestes de Gaona. Tampoco aprobó la evacuación del puerto que Rincón ordenó al día siguiente, bajo la excusa de ahorrarle sufrimientos a los habitantes de Veracruz. Un pueblo sin dignidad es un pueblo muerto, vociferaba. Cuando ese menguado entregue la plaza a los franceses, el orgullo nacional quedará por los suelos. Sin duda le dolía ver holladas las playas donde creció, pero más aún perder la oportunidad de batirse con los franceses. Trae una espina clavada, pensé, no puede olvidar la fatídica siesta de San Jacinto.

Pero si en Texas los hados le jugaron las contras, en Veracruz estuvieron a su favor. La prudente pero impolítica retirada de Rincón provocó la condena unánime del Congreso, y Bustamante se apresuró a destituirlo, nombrando en su lugar al Benemérito de la Patria, como debió hacerlo desde un principio, dada la enorme diferencia de categoría entre ambos jefes. Investido de poder, o mejor dicho, devuelto a su estado natural, don Antonio desarrugó el entrecejo y trató de infundir optimismo a los cuadros superiores del ejército, con la sencilla grandeza del hombre acostumbrado a mandar. Su primer acto de autoridad fue anular los convenios que Rincón había firmado con Baudin y declarar la guerra al invasor.

Aquí no entra ningún francés, ordenó. Que cierren las puertas de la ciudad y los guardias no permitan salir a nadie, sin distinción de personas. Por la tarde me pidió que lo acompañara a revisar la colocación de la artillería en el baluarte de La Merced. Cuando por fin se dio un tiempo para cenar, le avisaron que acababa de llegar el general Mariano Arista, enviado por Bustamante con mil efectivos para socorrer a los defensores de Veracruz. El Come Huevos se sigue cagando fuera de la bacinica, me comentó por lo bajo. Cómo se le ocurre mandar a este hijo de la chingada. Recordó con molestia el episodio del año 33, cuando Arista lo había tomado prisionero para obligarlo a proclamarse dictador. En otras circunstancias le negaría el saludo, me dijo. Pero estando en juego el supremo interés de la patria tuvo que interrumpir la comida y salir a recibirlo con un fraternal abrazo, acompañado por fuertes palmoteos en la espalda.

—General Arista, me da mucho gusto que venga usted en mi auxilio.

—El gusto es mío. Pensé que no volveríamos a vernos las caras.

—Espero que no me guarde rencor por nuestras viejas rencillas.

—Las he olvidado del todo, ¿y usted?

—Completamente, general. Tengo entendido que viene con mil hombres de refuerzo.

—Se quedaron acampando en Santa Fe.

—Los quiero en el cuartel de Pocitos.

—Por supuesto señor, se hará lo que usted ordene —Arista frunció el ceño levemente. A pesar de su habilidad para fingir, no podía ocultar que le molestaba recibir órdenes de un enemigo—. Mandaré movilizar la tropa esta misma noche.

Quedaron de verse a las diez en la casa acondicionada como dormitorio del Estado Mayor. Al retirarse, Arista llamó a su ayudante de campo, el sargento Jaime Liñán, y le dio una orden que a la distancia no pudimos oír. Años después hice amistad con Liñán en la guerra del 47 y le pregunté cuál había sido la orden de Arista: Ninguna, respondió, me dijo que nadie se moviera de Santa Fe. Sin sospechar hasta dónde llegaba su perfidia, esa noche el general lo agasajó como huésped distinguido y después de la cena le ofreció una copa de coñac. Al calor de los tragos, Arista perdió la compostura y afloraron sus resentimientos.

—Explíqueme una cosa, general. ¿Por qué aceptó que lo proclamara Supremo Dictador y luego se me volteó?

—Quedamos en que no íbamos a reavivar antiguos rencores.

—No, si no le guardo rencor, pero admita que me utilizó para una jugada muy sucia.

A un guiño del general, me llevé la botella de coñac.

—Quizá abusé de su confianza, Arista, pero lo hice por el bien de la patria.

—Usted suele confundir el bien de la patria con su propio bien.

—Seamos francos, general. ¿Por qué aceptó el nombramiento de Bustamante?

—Por amor a mi país. Ya no tengo ambiciones políticas.

—A otro perro con ese hueso —Arista soltó una risilla soez—. Usted lo que quiere es cubrirse de gloria para volver a estar en el candelero.

Santa Anna se incorporó de la mesa con las aletas de la nariz hinchadas de rabia.

—No quisiera entrar en una discusión estéril, general. Será mejor que nos vayamos a descansar. Mañana nos espera un día muy agitado. Buenas noches.

Cuando se alejaba por el pasillo, Arista le gritó en son de burla:

—Que sueñe con los angelitos, o mejor dicho, con la silla presidencial.

Don Antonio se dio la media vuelta y respondió con aplomo:

—A palabras de borracho, oídos de cantinero.

Me tocó dormir en la pieza contigua a la suya. Tardé mucho en conciliar el sueño, pues Arista ocupaba el cuarto de enfrente y estuvo canturreando letrillas obscenas hasta bien entrada la noche. Como a las cuatro de la madrugada me despertó una fuerte detonación. El general salió de su cuarto en ropa de cama.

—Giménez, ¿qué es eso?

—No sé, señor, no es el cañonazo de diana, porque el ruido ha sido más fuerte.

Un cabo del baluarte de la Concepción que había venido a todo correr entró a la recámara muy agitado.

—Póngase a salvo, general. Los franceses han desembarcado en la plaza y volaron la puerta del muelle.

En las inmediaciones de la casa empezamos a oír un nutrido fuego de fusilería y las voces de *Vive le roi! Vive la France!* Recargado en la balaustrada vi cómo los franceses, prevalidos de la oscuridad, irrumpían en el patio central y pasaban a los guardias por la bayoneta.

—Vienen por usted, jefe —grité—. Quieren llevárselo de rehén.

Don Antonio me impuso silencio y preguntó en voz baja:

—¿Hay alguna puerta trasera por donde podamos salir?

—No, señor, sólo por el zaguán.

—Sígame, Giménez, y si le preguntan algo no abra la boca.

Alcancé a envolver con una sábana el uniforme y las botas del general, y lo seguí escaleras abajo. En el segundo rellano chocamos con un elegante oficial francés que llevaba en el tricornio una pluma de pavorreal. Era el príncipe de Joinville, hijo del rey Luis Felipe, que según el *Correo de Dos Mundos*, el diario de la colonia francesa en México, se había incorporado a la expedición «para foguearse en el arte de la guerra». Tras él venía un alférez que nos alumbró la cara con un quinqué.

—¿Quiénes son ustedes? —preguntó Joinville en español.

—Yo soy el cocinero de la tropa y él es mi pinche —respondió don Antonio.

—¿Sabe dónde está el general Santa Anna?

—Allá arriba. Primer cuarto a mano izquierda.

Me quedé asombrado por el temple del general. No sólo salvó el pellejo, y de paso el mío, sino que tuvo la malicia de enviar al enemigo al cuarto de Arista, para cobrarle las insolencias de la noche anterior. El infeliz pasó una cruda muy amarga, pues Joinville se lo llevó prisionero a un bergantín atracado en el muelle, donde estuvo recluido por espacio de varios meses. Dios lo castigó por haber dejado los refuerzos en Santa Fe, envidioso de los lauros que su odiado rival obtendría con la victoria sobre el invasor.

Salimos en penumbras a la calle de las Damas, mientras los soldados de Joinville saqueaban la casa y violaban a las mujeres. Afuera había una niebla tan espesa que no se podía distinguir quién luchaba contra quién. Guarecidos de la metralla en un oscuro portal, entregué al general el envoltorio con sus ropas, pues me parecía indecoroso que la tropa lo viera en calzones. Gracias a la resistencia del heroico batallón Hidalgo, que se repuso de la sorpresa y rompió el fuego sobre la columna de Joinville, pudimos abrirnos camino hasta los cuarteles. El general hizo un colerón cuando supo que las tropas de Arista no estaban en Pocitos. Pero en vez de perder los estribos y darse a los mil demonios, afrontó la adversidad con una firmeza digna de encomio. Apoderado de todos los baluartes, el enemigo destruía los montajes de los bastiones, el parque y demás útiles de guerra y maestranza. Con el fin de impedir nuevos desembarcos, don Antonio reunió al cuerpo de reserva en la plaza del Matadero, y ordenó a la tropa que formara barricadas en las calles que daban al muelle. A falta de mejores materiales empleamos para tal efecto colchones de plumas, sacos de maíz y pencas de maguey. El general daba instrucciones a pecho descubierto, sin cuidarse de las balas que le pasaban silbando por encima de la cabeza. Alarmado por su actitud, no diré suicida, pero sí temeraria, le pedí encarecidamente que se colocara lejos del tiroteo, pero él se mantuvo en la línea de fuego. Creo que buscaba la redención por medio del sacrificio, pagar un tributo de sangre a sus compatriotas para que nunca más lo pudieran tildar de cobarde. Mas quién soy yo para escrutar el alma de un héroe.

Como a las once de la mañana, el enemigo sacó la bandera blanca. ¡El principito se rinde, vamos a cortarle la retirada!, ordenó el general. Por el rumbo de la carnicería formó una columna de trescientos hombres escogidos y dispuso una carga sobre el enemigo. A la cabeza de la columna, cabalgó hacia el embarcadero, donde no quedaban más de setenta u ochenta franceses, con un cañón de a ocho dirigido a la puerta del muelle. Un poco antes de llegar a ese punto, nos mandó hacer medio cuarto de conversión sobre la derecha. Las cajas que antes venían a la sordina tocaron marcha redoblada, y al grito de «¡Mueran los invasores!» nos lanzamos con la espada desnuda en pos de los prófugos para impedir su reembarco. A cien pasos de distancia, los franceses dieron fuego a la pieza de artillería, con tan buen tino que sus proyectiles derribaron el caballo de don Antonio y lo hirieron de gravedad en la pierna izquierda. Alcanzado por el mismo cañonazo, caí por tierra a media vara del general, que aún herido seguía arengando a la tropa. Al ver entre la nube de polvo que mi sangre y la suya se habían juntado en un arroyuelo, sentí un orgullo tan grande, una emoción tan pura, que me preparé gustoso para entregar el alma al Señor.

Pero como dice el refrán, nadie muere la víspera sino el día. Después de dos horas privado del sentido, abrí los ojos en la sala de banderas del cuartel principal de Pocitos. A mi lado estaba el general tendido en un catre, con los huesos de la pantorrilla izquierda hechos pedazos y un dedo de la mano derecha roto. Yo tenía ocho heridas repartidas por todo el cuerpo, la más grave en el brazo derecho, que puso mi vida en inmenso peligro. El médico y su ayudante comentaban en voz baja que la pierna del general se podía gangrenar si no amputaban de inmediato, pero temían que no resistiera la operación, pues continuaba perdiendo sangre y no podían estancarla.

—Cumpla con su deber, doctor —intervino don Antonio—. Si es necesario amputar, tiene mi autorización.

—Muy bien, general, prepararé los instrumentos.

—Y usted traiga papel y tinta —ordenó al contrito coronel García Conde, que lo había llevado en camilla hasta el hospital de sangre—. Voy a dictar mi último parte de guerra.

Escuché conmovido su inmortal manifiesto a los mexicanos, y aunque esté mal decirlo, a tal punto me sentía hermanado con él que me pareció como si yo mismo lo dictara:

Compatriotas: El día de hoy tuve la fortuna de rechazar a los invasores, precisándoles a reembarcarse a la bayoneta, no obstante la sorpresa que habían logrado. Probablemente ésta será la última victoria que ofrezca a los mexicanos, pues en la acción he resultado herido de gravedad y los médicos que me atienden opinan que no amaneceré con vida. Pero en tales circunstancias la muerte no me causa congoja: muero lleno de placer porque la Divina Providencia me ha concedido la oportunidad de consagrar mi sangre al glorioso servicio de la patria. Al concluir mi existencia no puedo dejar de manifestar la satisfacción que también me acompaña, por haber visto principios de reconciliación entre los mexicanos. Di mi último abrazo al general Arista, con quien estaba desgraciadamente desavenido, y lo dirijo desde aquí a Su Excelencia el Presidente de la República, por haberme honrado en el momento de peligro. Pido también al gobierno que en estos mismos médanos sea sepultado mi cuerpo, para que sepan todos mis compañeros cuál es la línea de batalla que les dejo marcada. Que los mexicanos todos, olvidando mis errores políticos, no me nieguen el único título que quiero donar a mis hijos: el de buen mexicano.

A resultas de la amputación de mi brazo, me acometieron por más de veinte días terribles convulsiones que opusieron obstáculos de gran tamaño a mi curación. Cuando estaba entre la vida y la muerte me alegró sobremanera saber que la despedida del general, leída en todos los púlpitos del país y reproducida en los diarios de la capital, le había restituido el cariño y la admiración del pueblo, que ahora rezaba plegarias por su salud. Los mismos escritores asalariados que antes lo tachaban de vendepatrias, ahora le componían panegíricos y comparaban la gesta de Veracruz con la batalla de Ratisbona, donde Napoleón resultó herido en un pie. Por fin se nos hacía justicia, y hablo en plural, porque la gloria de don Antonio se extendía por contagio a todos los que participamos en su intrépida acción, sobre todo a los heridos como yo.

Apenas reuní fuerzas para tomar un quitrín, me puse en marcha a Manga de Clavo, donde el general convalecía en cama bajo los cuidados de su abnegada esposa, con las costuras de la pierna mutilada al aire. Se alegró al verme y le dijo a doña Inés que yo era un valiente.

—Ya le tocó estar conmigo en las malas, Giménez. Le prometo que también me va a acompañar en las buenas.

El pie mutilado dormía en un frasco de formol colocado sobre una cómoda. Se habría confundido con una prótesis a no ser por el racimo de ligamentos y venas azules que asomaba por el tocón superior como un penacho sanguinolento. Su aspecto repulsivo y a la vez entrañable me recordó mi propia invalidez y a duras penas logré contener el llanto. Junto con la bandeja del desayuno, doña Inés trajo una pila de periódicos recién llegados de la capital y don Antonio me pidió que se los leyera. La noticia del día era la vergonzosa indemnización a Francia que había puesto fin a la guerra, medida reprobada por los opositores al gobierno, que le reprochaban al Tío tapar el pozo cuando ya se había ahogado el niño. «Apenas puede concebirse que después de perder el erario tres o cuatro millones por consecuencia del bloqueo naval, con la ruina consiguiente a la paralización mercantil del puerto, se otorgue por ignominia lo que pudo y debió concederse de buena voluntad», decía un redactor del *Siglo XIX*. Cuando empezaba a leer el encabezado del *Cosmopolita*, el general me preguntó con impaciencia si había alguna información sobre las condecoraciones a los defensores del puerto.

—No, señor, de eso nada.

Don Antonio rechinó los dientes y golpeó una almohada con el puño.

—Lo suponía. Bustamante me envidia tanto que a pesar del clamor general se niega a rendirme honores.

—Cálmate, Antonio —lo reprendió doña Inés—. Tu herida no ha cicatrizado del todo y el médico te advirtió que si haces corajes puede venirte otra infección.

—Maldita pierna. Ojalá el cañonazo me hubiera matado. Así al menos hubiera tenido un homenaje póstumo.

El ama de llaves anunció la llegada de un mensajero que traía una carta del presidente. Momentos después, un soldado cohibido que no podía despegar la vista del suelo se cuadró ante don Antonio y le entregó un pliego sellado.

—Léalo, Giménez.

Desprendí el sello con nerviosismo y me aclaré la garganta:

—En reconocimiento a su heroica defensa de Veracruz, la patria agradecida le concede una cruz de piedras preciosas, oro y esmalte con dos espadas cruzadas, que llevará por lema: al general Antonio López de Santa Anna.

Más que un golpe de suerte, el hecho de que yo leyera esa carta me parece un acto de justicia divina, pues a todas luces, el Señor quiso decirme que la cruz también me correspondía, si no materialmente, al menos en forma simbólica. Para rematar mi dicha, mudado el semblante huraño por una sonrisa triunfal, esa mañana el general me ofreció trabajo como secretario particular. Si quiere traer a su familia no hay inconveniente, me dijo, ya Inés verá dónde los acomoda. La paga no era demasiado buena —en mi tienda de telas ganaba el doble— pero al lado de don Antonio podría influir en sus decisiones, sacarlo de apuros, brindarle mi consejo en situaciones difíciles, y en suma, escribir la historia a trasmano, porque a despecho de las jerarquías y los estamentos, el conductor de un barco no es el capitán sino el timonel. Como lo había previsto, al cabo de unas semanas logré hacerme tan necesario que el general no podía resolver ningún asunto sin mí.

Siendo ambos hombres de hábitos fijos, no me resultó difícil adaptarme a su rutina diaria. Todos los días a las seis de la mañana una campana llamaba al almuerzo, que don Antonio tomaba con su esposa al salir del baño. Colocado de nuevo en el pináculo de la fama, decenas de visitantes lo importunaban a diario para pedirle favores, recomendaciones, empleos o para ofrecerle su espada en caso de que tomara las armas contra el gobierno. Al oír el toque de campana salían de todos los cuartos como una nube de langosta y se precipitaban al comedor. Entre ellos había canónigos, generales, abogados, agiotistas y otras gentecillas de menor importancia. Terminado el almuerzo, el general se dirigía a la sala principal de la hacienda, en cuyas puertas estaba mi escritorio. Daba las audiencias por rigurosa lista, según el día y la hora designados para cada persona. Como era muy distraído, yo tomaba notas de todos los asuntos que le exponían y otro secretario asistido de dos escribientes redactaba cartas en la pieza inmediata.

Don Antonio me delegaba las cuestiones de poca monta, circunstancia que me daba cierto poder, pues estaba en mis manos ayudar o no al sujeto que pedía el favor. Pobre del visitante que me hubiera mirado feo a la hora del almuerzo: archivaba para siempre su solicitud y nunca más volvía a concederle audiencia. En asuntos de alta política el general decidía por sí mismo, pero yo tomaba parte en sus conversaciones privadas, como el día en que vino a verlo don Guadalupe Victoria. Se presentó sin previo aviso un lunes por la mañana y lo pasé directamente a la sala de audiencias. Enfermo de tisis, el mal que lo llevó a la tumba, se veía muy desmejorado y arrojaba flemas cada vez que tenía un acceso de tos. Pero conservaba intacta la fuerza de carácter que le permitió sobrevivir como una fiera acorralada hasta el triunfo de la Independencia. Venía de parte del presidente, que estaba pasando grandes aprietos, pues los generales Urrea y Mejía se habían pronunciado contra el gobierno en Tampico, enarbolando la raída bandera de la federación.

—Juro por mi honor que no tengo nada que ver con los sediciosos —se exculpó don Antonio.

—No se trata de eso. El presidente tiene plena confianza en ti. Sólo quiere saber si aceptarías ocupar interinamente la presidencia, mientras él combate a los pronunciados.

Una chispa brilló en las pupilas del general, que sin embargo enarcó las cejas para disimular su entusiasmo.

—La presidencia es para gente robusta y sana. ¿Qué puede darle al país un pobre lisiado como yo?

—Seguridad y orden —Victoria lo tomó por los hombros como un padre afectuoso—. En estos momentos de anarquía y confusión debe tomar las riendas del Estado un hombre que sea un símbolo de unidad. Y tú lo eres, Antonio.

—Lo siento, Guadalupe, estoy retirado de la política.

—Qué lástima. En la capital ya se preparaba un desfile de carros alegóricos y un *Te Deum* en tu honor —Victoria hizo una pausa para observar la reacción de don Antonio, que se mordió los labios con ansiedad, como un ermitaño tentado por los placeres mundanos—. Los niños de todos los hospicios iban a tejer guirnaldas de flores para darte la bienvenida, y hasta creo que algunos poetas te habían compuesto elegías... Pero comprendo que prefieras cuidar tu salud a ocuparte de un gobierno asediado por todos los flancos. Le escribiré a Bustamante que rechazaste su oferta.

Victoria tomó su sombrero para despedirse.

—Espera un momento —lo detuvo el general—. Lo he pensado mejor y creo que el bien de la patria está por encima de mi comodidad personal.

Si bien don Antonio era muy sensible a los halagos, faltan a la verdad quienes lo acusan de haber aceptado el cargo por vanidad. Sólo habían pasado dos meses desde nuestras amputaciones y el incómodo viaje a la capital representaba más molestias que honores. De hecho, el tumultuoso recibimiento perjudicó gravemente su salud y la mía, pues tuvimos que guardar cama para reponernos de tantos festejos. Resentido por la espontánea manifestación de júbilo popular, Bustamante empezó a ponernos obstáculos por medio de sus ministros, temeroso de que el general se erigiera en dictador y derogara la Constitución, como pedían a gritos los redactores de algunos diarios oportunistas. Nada más lejano a sus intenciones que utilizar el interinato como un trampolín al poder absoluto. La mejor prueba de ello fue la dureza con que reprimió a los sublevados cuando avanzaron sobre Puebla. Otro en su lugar hubiese pactado con Urrea y Mejía para derribar al gobierno del Come Huevos. Pero el general estaba enemistado con sus antiguos subalternos y no les veía posibilidades de triunfo. «Está la leña verde pa' que pueda arder con semejante ocote», me dijo cuando le pregunté si otros militares secundarían el pronunciamiento.

Bustamante se hallaba entonces en los departamentos de Oriente y don Antonio tuvo que tomar el mando del ejército para hacerle frente a la emergencia. Lo acompañaba el general Gabriel Valencia, un advenedizo sin escrúpulos que ya empezaba a sacar las garras y quiso imponernos sus planes para defender la ciudad, como si fuéramos neófitos en esas lides. Naturalmente, don Antonio revocó todas sus órdenes, mandó colocar a las tropas en el rancho de Acajete y aunque el dolor de la pierna le impedía montar a caballo, observó la batalla desde su litera con un largavista. La distribución de los efectivos fue tan acertada —en buena medida gracias a mis consejos— que los sublevados sufrieron una derrota aplastante. En la acción cayó prisionero el cubano José Antonio Mejía. Don Antonio lo estimaba porque había sido su hombre de confianza en las campañas de Oaxaca y Tampico, pero no pudo perdonarle la vida, porque Bustamante había ordenado ejecutar a los cabecillas de la insurrección. Más tarde lamentó con amargura la muerte de Mejía. Las guerras de antes eran guerras de caballeros —me dijo—, esto se jodió cuando empezaron las venganzas sangrientas.

En México nos recibieron con repiques de campanas y arcos triunfales. El pueblo salió a las calles y tomó en hombros la litera del general, que agradecía los vítores con el muñón de su pierna al aire, para excitar más aún el fervor popular. Valencia cabalgaba detrás como un monigote incoloro. Ignorado en las reseñas de la batalla, se dedicó a propagar el infundio de que Santa Anna no tenía mérito alguno en la victoria, pues había contemplado el combate a una legua de distancia. Impuse a don Antonio de las habillas, pero él menospreciaba tanto a sus malquerientes que desoyó mi advertencia. En la guerra del 47 pagó las consecuencias de no haber aplastado a la cucaracha.

El interinato duró un suspiro porque el Tío era muy quisquilloso y temió que el general le comiera el mandado. El motivo de su alarma fue la iniciativa de reformas constitucionales enviada al Congreso, donde se proponía el nombramiento de un nuevo presidente encargado de mantener el orden mientras las reformas se promulgaran. Yo mismo redacté la iniciativa y puedo asegurar que don Antonio sólo quiso facilitar los trabajos legislativos. Pero el Come Huevos se sintió amenazado y en los periódicos ministeriales empezaron a aparecer violentos ataques contra el general, donde se nos acusaba de haber urdido una torpe maniobra para desplazar del poder al legítimo presidente. Los diputados adictos a Bustamante clamaron por su inmediato regreso, y como el general prefería conservar su prestigio que conservar el poder, renunció a la presidencia para darles una bofetada con guante blanco. La verdad es que no le gustaba gobernar con tantas limitaciones: cuando caiga Bustamante vendrán a rogarme que vuelva a la presidencia, profetizó, y entonces podré imponerles mis condiciones a los partidos. Su renuncia fue una jugada maestra, pues convenció al pueblo de que no compartía las mezquinas ambiciones de los políticos. Para mí fue como una segunda mutilación, porque yo sí me había encariñado con el poder.

Posdata:

De unos días para acá me he dedicado a investigar en mis ratos libres al doctor contratado por la señora Tosta. Según mis informantes, médicos mexicanos de calidad moral intachable, Wolfgang Fichet llegó al país el año pasado, procedente de Curazao, donde tuvo problemas con la comunidad científica por su afición a la magia negra. Nacido en Austria, pero emigrado desde su juventud a Suiza, fue discípulo de Francisco Antonio Mesmer, el célebre descubridor del magnetismo animal, que atribuía los trastornos de la psique a un desequilibrio en el fluido magnético alojado en el alma humana y curaba las enfermedades nerviosas por arte de encantamiento. A finales del siglo pasado y principios de éste, Mesmer llegó a ser una celebridad en Europa, y si bien las academias de medicina lo tildaron siempre de charlatán, algunos científicos han continuado sus estudios a contrapelo de la medicina tradicional. Uno de ellos, el inglés Joseph Braid, descubrió hace treinta años una técnica llamada neurohipnosis, que consiste en dominar la voluntad del paciente induciéndolo al sonambulismo. Sin duda alguna Fichet se ha valido de esa técnica para hechizar al general, pues tal parece que soñara despierto. Si con ello intenta curarlo de sus dolencias, ni usted ni yo tendríamos nada que reprocharle, pero la secrecía con que doña Dolores ha manejado el asunto me hace pensar que el tratamiento de Fichet persigue fines inconfesables.

A pesar de su mala fama, Fichet ha reunido una nutrida clientela de mujeres ociosas y aristócratas decadentes que acuden en tropel a probar sus métodos de curación y pagan un Potosí por cada consulta. Para matar varios pájaros de una sola pedrada, todas las tardes en punto de las cinco reúne a sus pacientes en la terraza del inmueble de la calle Donceles donde tiene su consultorio. Ayer me colé al edificio y observé desde la azotea una de sus curas milagrosas. Cogidos de las manos alrededor de una tina llena de ácido sulfúrico, los enfermos veían boquiabiertos las evoluciones de su médium, ataviado con una túnica azul cobalto y un turbante blanco. No puedo negar que Fichet es un magnífico actor. La lenta ondulación de sus brazos, similar al movimiento de una cobra irguiendo la cabeza, el fuego de su mirada y la letanía incomprensible que murmura entre dientes perturban a su clientela mucho más que los hediondos vapores del ácido. Los miembros más sensibles de la «cadena magnética» empezaron a retorcerse y a entrechocar las mandíbulas sin necesidad de que los tocara. Su auxiliar atendió personalmente a los que tardaban más en llegar a la crisis, y al poco tiempo aquello se volvió un pandemónium: las mujeres se arrastraban por el suelo en poses indecentes, un viejo conde se privó con los ojos en blanco y tuvieron que darle sales, algunos enfermos vomitaban bilis negra, otros hipaban como borrachos o hablaban a la perfección lenguas extranjeras que jamás habían escuchado.

Para dar por terminada la consulta, Fichet se limitó a dar tres palmadas y un silbatazo, que obraron el milagro de serenar al círculo de posesos. Se supone que después de experimentar la crisis, los pacientes sanan de sus achaques. El «milagro» es fácil de explicar, pues según los doctores que he consultado, la mayoría de los enfermos padece males imaginarios. Pero aunque Fichet sea un charlatán, no debemos subestimar la influencia que puede ejercer sobre don Antonio. Corresponde a usted tomar cartas en el asunto y exigir a la señora Tosta que suspenda el tratamiento de inmediato, pues a diferencia de los pacientes reunidos en la cadena, el general no ha podido despertar del sueño magnético, o su encantador lo mantiene a propósito en duermevela. No sé si atribuir la brutal sinceridad de sus monólogos a las exigencias de Fichet, o a un error en el tratamiento, pues dudo mucho que doña Loló esté pagando dinerales para escudriñar el alma de su marido. De cualquier modo, los resultados son consternantes. Ayer el general confesó entre sollozos que al perder la pierna se redujo el tamaño de su miembro viril y de ahí en adelante sólo pudo cogerse a la patria. Prefiero la muerte a reproducir esos disparates en letras de molde, pues más allá de las consideraciones éticas, no creo que el testimonio de un anciano mesmerizado tenga valor histórico alguno. Mientras permanezca bajo el dominio de Fichet, seguiré la narración desde mi punto de vista, el más fidedigno y autorizado, no en balde fui su báculo, su confidente y su eminencia gris durante los felices años en que la nación se nos entregó con los brazos abiertos.

Bustamante era un hombre de ideas fijas que abrigaba un odio irracional contra los viejos insurgentes, a los que había dividido en dos clases: los impíos y los bandidos. Para cortar de raíz los brotes de rebeldía, organizó un ejército de espías que llenaron los calabozos del antiguo Palacio de la Inquisición. Todo sospechoso de sansculotismo corría el riesgo de ser aprehendido o fusilado bajo el cargo de conspiración, y sin embargo, como suele ocurrir en todo tiempo y lugar, el régimen despótico sólo aguijoneó a los verdaderos conspiradores. Desde su retiro, el general veía el endurecimiento del Tío como una señal de flaqueza. Contra más severo se ponga menos tardará en caer, me comentó cuando fue encarcelado el general Urrea. En esos días la actividad política del general era la de un observador que ve desde lejos una partida de ajedrez y predice con tino infalible los movimientos de los jugadores. Sin romper del todo con el Come Huevos, se mantuvo a la expectativa por más de un año, dedicado a las tareas agrícolas y a la crianza de sus gallos. En ese lapso descubrí una faceta poco conocida de su personalidad: la del hombre de hogar que disfruta la vida en familia.

Cuando hablo de familia no me refiero sólo a la que formó con doña Inés, sino a la que tenía desparramada por todas las ciudades donde dejó su simiente. Ángel y José, los dos hijos naturales que engendró antes de casarse, lo visitaban en Manga de Clavo cuando tenían licencia en el ejército. Eran dos mocetones de anchas espaldas que habían heredado el rostro cetrino del general y sus ganas de comerse el mundo. Al despuntar el alba, don Antonio los llevaba a cazar pichones y corregía sus defectos en el manejo de la escopeta. Ya entonces había extendido sus propiedades hasta Paso de Varas y ellos lo ayudaban a cobrar las rentas de los medieros, tarea que el general no confiaba a ningún administrador. Orgulloso de sus rápidos progresos en la carrera militar, cuando cumplieron veintiún años les regaló un ranchito a cada uno. Se lo cuento porque usted entonces era muy pequeño y todavía no intervenía en los negocios de la familia. Si don Antonio fue un padre generoso y responsable, como marido se desvivía por hacer feliz a su esposa. Para ahorrarle disgustos, nunca le dijo que aparte de los varones ya mencionados y de las hijas que tuvo con criadas de la hacienda, procreó dos niñas más fuera del matrimonio, Petra y Merced, que usted conoció años después, cuando falleció su señora madre. Ambas eran hijas de Amada Sandoval, una mestiza de nobles facciones, propietaria de una recaudería en el mercado de Veracruz, a quien yo visitaba todos los meses por encargo del general, para llevarle una pensión tan espléndida que de ella hubieran podido comer diez familias. Doña Inés nunca supo de su existencia, pero de haberla conocido sin duda la hubiese perdonado, pues una santa como ella era incapaz de guardar rencores. Para entonces había empezado ya la vida de penitencia y recogimiento que la llevó a estrechar lazos con su confesor, el obispo de Puebla, y a encerrarse todas las tardes en la capilla de Manga de Clavo, donde oraba con los brazos en cruz, como si presintiera la muerte y deseara prepararse para el último viaje.

Pero no quiero inmiscuirme demasiado en la vida privada del general, que apenas si conocí desde afuera. Yo sólo puedo hablar del hombre político, y eso con las debidas reservas, porque nunca se conoce del todo a los genios. Recuerdo cuánto me asombró su astuto comportamiento en la insurrección del año 40, cuando Bustamante cosechó la tempestad que había sembrado al llenar las cárceles de opositores. Apoyado por un grupo de conspiradores y el quinto batallón de infantería, el general Urrea escapó de prisión sobornando a sus celadores, tomó Palacio Nacional a la cabeza de doscientos hombres, y entró con ellos hasta la alcoba presidencial. Según los cronistas, Bustamante despertó al sentir una espada en la yugular y se salvó de ser asesinado en la cama gracias a la heroica intervención de un oficial de apellido Marrón, que contuvo a los sublevados. Don Antonio celebró la noticia con humor negro. «Pobre del Tío, se debe haber zurrado en la cama, tendré que cambiar el colchón cuando regrese a la presidencia».

Entre espasmos de risa me dictó una carta dirigida al ministro de Guerra, en la que lamentaba el cobarde atentado y hacía votos por la salud del presidente. Por la manera en que habían ocurrido las cosas dedujo que Gómez Farías estaba detrás del pronunciamiento, y había utilizado a Urrea como brazo armado para reponer la federación. Sus sospechas se confirmaron al día siguiente de la asonada, cuando el paladín del federalismo publicó un manifiesto a la nación desconociendo el gobierno de Bustamante. Obligado a moderar su fanatismo, don Valentín no sólo evitó las bravatas anticlericales sino que ofreció proteger a la religión con leyes sabias y justas, en un vano intento por atraerse la simpatía de la Iglesia. Vaya, vaya, comentó el general, parece que Gómez Furias se está volviendo prudente.

Los boletines de los días posteriores daban a entender que la victoria de los pronunciados no era segura. Si bien el Palacio Nacional estaba en manos de Urrea, y los rebeldes tenían de su lado a la plebe descalzonada, el general Valencia se había hecho fuerte en La Ciudadela y desde ahí bombardeaba a los insurrectos, que le respondían el fuego desde los torreones de palacio. Muchos civiles murieron en la batalla, entre ellos una mujer encinta que se asomó a un balcón en la calle de la Moneda. Por las calzadas que conducen a los alrededores de la capital, miles de emigrantes huían con sus pertenencias a pie, a caballo o en burro. En vez de obrar con rapidez militarmente y después resolver la crisis política, los pronunciados convocaron al ayuntamiento, al presidente de la Corte y a personajes influyentes de otros partidos, como Gómez Pedraza y Tornel, para redactar a la carrera un plan disparatado de diez artículos que sentaba las bases del nuevo gobierno. La intervención del general hubiera puesto fin a la cruenta lucha, pero no se inclinaba por ningún bando, porque les profesaba el mismo desprecio.

—Debería definirse, general, o México arderá en llamas —le aconsejé.

—¿A favor de quién? Entre tantos revoltosos no distingo a ningún patriota. ¿Crees que todos los que gritan «Federación o Muerte» o «Religión y Fueros» buscan el bien público? No, Giménez, ambos quieren lo mismo: hacer dinero y vivir a costa del erario con el mayor lujo posible. Nuestro país está lleno de Tartufos, unos en el poder, otros en la oposición. So capa de proteger el orden y la religión, los conservadores sólo buscan agrandar sus caudales. Los exaltados que llevan calzoneras, sarape y sombrero jarano, mañana tomarán el frac, la capa y el sombrero montado. Y así como mudan de aspecto, mudarán de alma.

A la semana de estallar las hostilidades se apersonó en Manga de Clavo el licenciado Juan Othón, uno de los federalistas más cercanos a Gómez Farías. Anuncié su llegada al general, que fumaba un habano echado en su hamaca.

—Dígale que estoy ocupado y que tardaré una hora en recibirlo —me sonrió con picardía—. Así se trata a los políticos cuando vienen a pedir favores.

En efecto, Othón quería pedirle un favor, y muy grande, pues su jefe lo había comisionado para rogar al general que se uniera a los sublevados. Don Antonio lo escuchó con un gesto de filosófica lejanía, y tardó un buen rato en meditar su respuesta.

—Me toma usted por sorpresa. He jurado fidelidad al gobierno, pero no puedo negar que simpatizo con la causa de la libertad.

—Es urgente que nos dé su apoyo —se entusiasmó Othón—. De lo contrario el gobierno recibirá refuerzos y los derechos del pueblo volverán a ser conculcados.

—No se preocupe, licenciado. Actuaré en el momento oportuno como me lo dicte mi conciencia.

Impaciente, Othón le preguntó qué respuesta debía llevar a don Valentín.

—Dígale que soy un ferviente partidario de la justicia.

Apenas se hubo marchado el visitante, don Antonio mandó preparar su litera y me ordenó que lo ayudara a ponerse el uniforme. Había resuelto marchar a Jalapa para reunir un ejército, tarea que no le representaba mayor esfuerzo, porque las guarniciones militares de la provincia sólo esperaban sus órdenes para entrar en acción. Recibido por los notables de la ciudad, salió al balcón de palacio municipal para dirigir una arenga a las tropas congregadas en la plaza mayor. Como la mayoría de los presentes, esperaba que diera su apoyo a los insurrectos, pero el general me sorprendió con una marometa de saltimbanqui.

—Los demagogos que se pronunciaron contra el gobierno quieren levantar una escalera de cadáveres para subir al poder. Como protector de la libertad, no puedo permanecer impasible mientras el país se desangra. Las circunstancias me obligan a dejar mi retiro para defender al gobierno legalmente constituido y someter a la canalla sedienta de sangre que invadió la alcoba presidencial...

Esa noche, cuando lo ayudé a desvestirse, le pregunté por qué había tomado partido por Bustamante, si era su principal enemigo.

—Cuando hablé con el licenciado Othón, comprendí que los federalistas estaban perdidos y querían agarrarse de mí como de un clavo ardiendo. Por eso decidí respaldar al Tío –don Antonio suspiró con resignación–. Es una rata inmunda, pero nunca me ha gustado estar con los perdedores.

En esa época la estrella de don Antonio brillaba tan alto que ni siquiera necesitó llegar a la capital para imponer el orden. Derrumbadas las torres de Palacio Nacional, las fuerzas leales a Bustamante ya empezaban a tomar ventaja sobre los rebeldes. En otras circunstancias los hubieran obligado a una rendición incondicional, pero al enterarse de que el Benemérito venía en camino, prefirieron ofrecerles un armisticio, temerosos quizá de que don Antonio aprovechara la ocasión para tomar el poder. Los términos de la capitulación indignaron a la gente afectada por los destrozos, porque el gobierno se comprometió a respetar las vidas y haciendas de los pronunciados, no les aplicó sanción alguna y poco faltó para que les diera un diploma. Mientras los contendientes volvían abrazados a sus cuarteles, el pueblo colmaba los panteones, donde fueron inhumadas más de novecientas víctimas civiles. Por todas partes se levantaban columnas de humo, pues aún quedaban muchos incendios sin apagar y los perros callejeros se disputaban los restos de los soldados muertos en las barricadas. Había tantos cadáveres enterrados en los patios, callejones y caballerizas de palacio, que al reanudar las sesiones de la cámara, los diputados llevaban cubrebocas, porque no podían sufrir el hedor.

La lenidad mostrada con los jefes rebeldes era una invitación para nuevos alzamientos. Le doy seis meses al Come Huevos, profetizó don Antonio, herido por la desconfianza que había suscitado su marcha a la capital. No le faltaban razones para indignarse, pues habiendo demostrado ya su completo desapego al poder, Bustamante lo trataba como si fuera un faccioso y ni siquiera le había agradecido su intervención. Estaba tan molesto que nuevamente solicitó su pasaporte, y amenazó al ministro de Guerra Almonte con emigrar a Colombia. Para limar asperezas, Almonte le suplicó que se quedara en México, para apoyar al gobierno en la conservación del orden interno. Quizá Bustamante lo retuvo en el país por temor a que organizara un ejército fuera de México y volviera como libertador de la patria.

Por esos años la provincia de Yucatán siguió el ejemplo de Texas y declaró su independencia, en protesta por el despotismo militar del centro, que despojaba a la península de todos sus recursos y esclavizaba a los campesinos cogidos en la leva. Aunque separados por diferencias de religión y raza, los texanos compartían con los yucatecos el odio a su enemigo común y enviaron al puerto de Campeche la corbeta Austin, junto con varios lanchones rápidos para que la hermana República pudiera defenderse de un ataque naval. Muy pronto la sedición se propagó a Tabasco y Campeche, donde los jefes locales se levantaron en armas. Con el doble objetivo de reconquistar las provincias rebeldes y mantener a don Antonio alejado del centro, Bustamante lo nombró comandante general de Veracruz. Pero como temía que su prestigio se alzara por las nubes con una nueva victoria, retrasó el envío de las tropas y el armamento. Así era el Tío, un cabroncito que tiraba la piedra y escondía la mano. Irritado por la falta de fondos, el general tuvo que poner treinta mil pesos de su bolsa para comprar dos bergantines de guerra. Fue una inversión política muy redituable, que lo enalteció a los ojos del pueblo y puso en evidencia la mezquindad del gobierno. Con mi auxilio y el de otros oficiales en poco tiempo reunió cerca de mil voluntarios, y logró poner en pie un ejército respetable. Pero en vez de embarcarse a Yucatán para defender las costas amenazadas por la cuadrilla texana, postergó la partida varios días, bajo el pretexto de que le faltaban piezas de artillería. En México las aguas están muy agitadas, me dijo, y en esas circunstancias no quiero lanzarme a la expedición. En realidad estaba ganando tiempo, pues disponía de información confiable para suponer que la hora de su revancha estaba muy cerca.

DE TORNEL A SANTA ANNA

México, 5 de agosto de 1841

Querido compadre:

El precario equilibrio que Bustamante había mantenido con alfileres no podrá mantenerse por mucho tiempo. ¿Te acuerdas de Morfit, el agente del gobierno británico que te rogó interceder ante el gobierno para derogar el impuesto del quince por ciento a las mercancías extranjeras? Pues ya se cansó de hacer antesalas y por la módica suma de trescientos mil pesos ha persuadido al general Mariano Paredes de que apoye su demanda con la fuerza de las armas. Todavía no se trata de un pronunciamiento en forma, pero el departamento de Jalisco ya está en manos de los sublevados y presumo que las guarniciones del Bajío no tardarán en sumarse a Paredes. Para despojar de su bandera a los descontentos, el Tío ha consentido reducir el dichoso impuesto al siete por ciento, pero en vista del éxito alcanzado con su proclama, dudo mucho que Paredes se conforme con una victoria parcial. Y como Bustamante ha concitado tantos odios, incluso entre su gente de confianza, en los corrillos políticos de la capital su caída se da como un hecho.

Hasta Valencia, que tanto lo adula, sostiene ya correspondencia con el general Paredes y sólo espera el momento adecuado para enseñar los dientes. Por canales secretos he averiguado que le guarda un profundo rencor a Bustamante por haber rebajado sus méritos en las jornadas de julio. Como recordarás, en aquella ocasión el Tío se hizo nombrar Benemérito de la Patria, y recibió la espada de honor en el salón de las Cámaras por mano del presidente del Congreso. Valencia obtuvo el mismo galardón por su lealtad al gobierno, pero el Tío dispuso que la espada le fuera entregada en el Salón de la Corte Marcial, menos majestuoso y más reducido. Fue un desaire fríamente calculado, que algunos diarios comentaron con escándalo, y como Valencia tiene más resabios que un caballo chorrero, desde entonces espera la oportunidad de reparar su honor. Por si fuera poco, la tolerancia del Tío con los pronunciados de julio le ha restado simpatías en el grupo conservador. Los que admiraban su reciedumbre ahora lo ven como un pusilánime que no tiene pantalones para exterminar a los demagogos. Paredes, en cambio, les inspira confianza por su mano dura y sus estrechos lazos con la Iglesia. Es tan devoto que ha metido de monjas a sus tres hijas, y aunque empina la botella con gusto, se dejaría manejar sin dificultad por los hombres de sotana. Pero tengo la certeza de que Valencia y Paredes harán mutis por el fondo del escenario si tomas la espada para restaurar la ley. México te necesita, Antonio. Sólo un hombre con tu alteza de miras puede disipar las tinieblas del caos y regenerar el edificio social sobre bases sanas.

Lo primero sería llegar a un acuerdo con Paredes y Valencia, tarea que yo mismo puedo desempeñar, si me concedes tu autorización. Ninguno de los dos tiene tamaños para disputarte la presidencia, ni están en condiciones de rechazar tu ayuda. Pero eso sí, habrá que tratarlos con algodones, en especial a Valencia, que tiene aspiraciones muy altas, está hinchado de vanidad y es capaz de jugarle una soletina a la madre que lo parió. Una declaración tuya en favor de los sublevados de Jalisco sería de gran ayuda en estos momentos, porque muchos indecisos quieren conocer tu postura antes de tomar partido. Si apruebas mi plan, escríbeme lo más pronto posible, para movilizar a los santanistas del Congreso y lanzar una campaña pidiendo tu regreso en los periódicos adictos a nuestra causa. Todos los gastos corren por mi cuenta, ya le presentaré la factura al Ministerio de Hacienda. Anímate, por favor, y no me salgas con que las tareas de gobierno te aburren. Por si no lo sabes, acaba de llegar a la capital una compañía de coristas francesas que hará muy grata tu estancia cuando entres a la ciudad en medio de aclamaciones.

Besos para tus hijos y un abrazo para mi comadre,
Talleyrand

Figurar como protagonista de las rencillas políticas iba contra el estilo de don Antonio, que prefería situarse por encima de ellas, para actuar como parte sin abandonar el papel de juez. Ante la disyuntiva de apoyar o condenar el alzamiento de Paredes adoptó una posición intermedia, la de ofrecerse como mediador entre el gobierno y los sublevados para resolver el conflicto sin derramamiento de sangre. De ese modo daba un espaldarazo a Paredes, que había marchado sobre Guanajuato al frente de seiscientos hombres, sin romper del todo con Bustamante, a quien seguía reclamando las tropas para la campaña de Yucatán. Le hice notar los riesgos de su estrategia, pero él desestimó mi advertencia: en este país el que juega limpio, limpio se va a su casa, me dijo. Sólo en esos momentos de tensión, cuando caminaba sobre una cuerda tendida sobre el abismo, lo vi apasionarse por la política tanto como por los gallos. Si bien disfrutaba el peligro, nunca se exponía más de lo necesario. Por eso no abandonó su papel de mediador hasta que Valencia se sublevó en la guarnición de La Ciudadela. Entonces endureció el tono de sus reclamos contra el gobierno, y en una carta al ministro de Guerra lamentó que a pesar de sus repetidas excitaciones para conjurar la borrasca, Bustamante hubiese rechazado su mediación y lo acusara de estar coludido con los sublevados: «¿Acaso es un crimen querer evitar una cruenta lucha? —se quejaba—. ¿Cómo podría ser indiferente a una revolución que tiene por objeto sacar al país del infeliz estado en que se halla, salvar su independencia y asegurar sus libertades? La voz de Jalisco no es la expresión aislada de un jefe extraviado por mezquinos intereses: es el grito penetrante de un pueblo cansado de sufrir».

La respuesta del Come Huevos fue enviar a Veracruz al general Anastasio Torrejón con instrucciones de ocupar el castillo de Perote. Prevenido de su marcha, don Antonio le ganó la fortaleza en un golpe de mano, a pesar de que sólo contaba con pequeñas y mal organizadas fuerzas de a pie. Al sentir que la suerte estaba de su lado cobró el ímpetu de un huracán y se lo contagió a sus humildes soldados, convirtiendo a los guiñapos en temibles guerreros. No quisiera dañar a nadie, me dijo, pero cuando he lanzado mi gran carro político, ¡pobre del que se encuentre bajo sus ruedas! La toma de Perote conmocionó a la opinión pública, a tal punto que muchos políticos empezaron a desempolvar los retratos del general y a colgarlos en sus despachos. De camino a Puebla, tras haber eludido el encuentro con Torrejón, don Antonio me encargó redactar una proclama flamígera donde explicara los motivos del alzamiento y acusara al Tío de infringir la Constitución. Le agradó tanto mi elevado estilo que ordenó se me doblara el sueldo y me prometió un ascenso a coronel.

Pero mi gran contribución a la victoria vino después, cuando nos reunimos con los generales Paredes y Valencia en el palacio arzobispal de Tacubaya. Extendida la rebelión a todos los departamentos de la República, Bustamante se aferraba al poder con punible obstinación, y aunque los sublevados contaban con ocho mil hombres, fuerza muy superior a la del gobierno, querían forzar su caída por medios pacíficos, en consideración a los infelices habitantes de la capital, que habían sufrido daños sin cuento con la revuelta del año anterior. En esas circunstancias, don Antonio tuvo un encuentro con sus dos aliados para planear la composición del futuro gobierno. El general Valencia se presentó a la cita con el lujo de un faraón: llevaba presillas de oro, cruces, escarapela en el hombro, espada de plata y la empuñadura de su bastón empedrada de diamantes. Alto, bien plantado, con bigotes de aguacero y pelo castaño, andaba por los cuarenta años y tenía la mirada zorruna de los recién llegados al poder. Su escandaloso lujo contrastaba con la sencillez republicana del general, que lo recibió con su modesta levita verde.

—De hombre a hombre y de patriota a patriota, lo felicito por su exitosa campaña —Valencia trituró con sus manotazos la espalda de don Antonio.

—Me siento honrado de colaborar con usted en esta cruzada por la regeneración nacional.

Poco después llegó Paredes, un gordo de toscas facciones, pequeño de cuerpo, de roma nariz y ojos pequeños, con doble papada y una gruesa medalla del Corpus Christi que colgaba de su cuello como un cencerro. Inutilizada de un balazo, la mano izquierda le colgaba de la muñeca como un apéndice inerte. Me pareció adivinar en su expresión astuta un tipo de codicia distinta a la de Valencia: la del cerdo roñoso que desea el dinero para guardarlo bajo la cama. Don Antonio me pidió que les trajera una botella de coñac, y brindaron «por el triunfo de la ley sobre el despotismo». Quería que aflojaran la lengua para verles un poco el alma, me confió después, y Paredes cayó redondo en el garlito, pues apenas empezó a calentar el gaznate, confesó que se había levantado contra Bustamante porque «no soportaba recibir órdenes de un maricón». Valencia, en cambio, apenas y se mojaba los labios con el licor, mientras el general aprovechaba los descuidos de los dos para derramar sus copas en una maceta. En un silencio de la charla les hice notar la semejanza de su triple alianza con el triunvirato formado por César, Pompeyo y Craso, comparación que los halagó mucho. Fue innecesario discutir quién ocuparía el papel de César, pues ambos coincidieron en que la autoridad del general era indisputable. A Valencia quizá le hubiera gustado añadir «por ahora», pero no quiso poner en evidencia sus ambiciones. En cambio fue muy explícito, casi grosero diría yo, al tratar el asunto de sus intereses pecuniarios.

—Al igual que ustedes deseo lo mejor para la República, pero antes quiero ventilar una inquietud: ¿cuál será la recompensa que obtendremos por nuestros servicios a la patria?

Don Antonio esperaba la pregunta y sonrió con malicia.

—A usted, general Valencia, tenía pensado otorgarle el Fondo Piadoso de las dos Californias, que actualmente pertenece a la diócesis de la provincia. Si lo maneja bien le dará una renta de cincuenta mil pesos mensuales.

Perdida la circunspección, Valencia se relamió los bigotes.

—¿Y a mí? —preguntó Paredes.

—A usted, general, por haber iniciado la insurrección, le corresponde un premio mayor: el cobro de las rentas públicas en los departamentos que están bajo su control.

—Caramba, esto hay que celebrarlo —exclamó Paredes con las mejillas arreboladas, y los triunviros volvieron a brindar, ahora por la paz, la religión y el progreso.

Repartido el pastel, pasaron a discutir las reformas constitucionales. Ahí fue donde mi sapiencia jurídica salió a relucir, porque habiéndose pronunciado sin orden ni concierto, Valencia y Paredes habían ofrecido «defender con su sangre» formas de gobierno diametralmente opuestas. El primero demandaba un gobierno en que las asambleas populares se reuniesen a deliberar como en los comicios de Roma. Paredes, en cambio, había exigido que una junta de generales eligiera al nuevo presidente. La flagrante contradicción ponía en un brete a don Antonio. ¿Cómo podía sostener al mismo tiempo cosas tan opuestas como el despotismo militar y las asambleas populares, la dictadura y la democracia?

Para sacar del aprieto a mi jefe y conciliar las proclamas de sus coaligados tuve que sacarme de la chistera un plan de gobierno que le permitiera ejercer un poder discrecional y al mismo tiempo guardar las formas democráticas. Derogada la Constitución del 36 y todos los poderes emanados de ella, el general quedaba facultado para elegir un Congreso constituyente, que designaría «con entera libertad» al titular del Ejecutivo. Y por si acaso el Congreso se le quisiera salir del huacal, el artículo séptimo le confería «todas las facultades necesarias para la organización de todos los ramos de la administración pública», lo que en los hechos significaba conferirle un poder absoluto. Cuando terminé de redactar el plan, que luego fue conocido como Bases de Tacubaya, don Antonio me hizo leerlo en voz alta y Valencia lo aprobó con entusiasmo, no así el general Paredes, que roncaba con la copa de coñac en la mano. La verdad, a los dos les importaba un ardite la forma de gobierno y hubieran firmado cualquier otro documento con tal de salvar la cara. Terminada la reunión, pregunté al general si no le molestaba lidiar con esa gentuza.

—Mucho, Giménez. Desgraciadamente la política exige sacrificios y uno de ellos, el más grande, es halagar a seres despreciables.

—Pero Valencia y Paredes no vacilarían en traicionarlo con tal de cumplir sus ambiciones.

—Por ahora, sus ambiciones me sirven de escudo —el general me aleccionó en tono paternal—. Querer privar a los militares de la ambición sería arrebatarles sus esperanzas. La conducta a seguir con ellos es mezclar de tal modo los favores y los reveses que no sepan a qué atenerse. Hoy me tocó apapacharlos, mañana les daré un soplamocos, ¿No es así como se doma a los perros?

Todavía Bustamante se resistió a entregar el poder por varias semanas, y cuando al fin envió a sus emisarios a discutir la capitulación, el ministro Almonte quiso pasarse de vivo, y organizó bajo cuerda una junta de notables celebrada en el Seminario Conciliar, donde algunos oficiales y jurisconsultos trasnochados proclamaron la federación. Su ridícula algarada no evitó la caída del gobierno, pero dio lugar a que recomenzaran las hostilidades, con grave perjuicio para la maltrecha Ciudad de México. Sobre sus edificios llovió un grueso número de granadas, y una de ellas penetró en el interior de la catedral por las ventanas del cimborio, causando gran mortandad entre los fieles congregados en la capilla del Rosario. Pero el accidente más funesto de la revolución fue el que padeció una niña de ocho años, vecina de San Antonio Abad, a la que dejó ciega una bala perdida. El caso se dio a la publicidad para mostrar la perfidia del gobierno, y cuando entramos en la capital, don Antonio colmó de regalos a la pobre víctima, que tenía el aspecto de un cadáver galvanizado.

Por esas fechas él también estaba ciego, pero de amor, pues había caído en las redes de una jovencita muy aventajada en el arte del coqueteo, que todas las mañanas salía a pasear con su madre por los huertos que rodean el palacio de Tacubaya. Se llamaba Dolores Tosta y no necesito describir su perversidad, porque usted y yo la conocemos de sobra. Blanca, espigada, de ojos claros y talle juncal, ejercía el poder de seducción que sólo puede alcanzar la perfidia revestida con los encantos de la belleza. Desde el balcón de su alcoba, don Antonio la vio correr por los prados alzándose las enaguas y se propuso conquistarla a cualquier precio. A la menor oportunidad trabó conversación con su madre, doña Manuela, una aristócrata venida a menos que aún se creía seductora y ansiaba volver a los primeros planos de la vida mundana. De tanto conversar se hicieron amigos, y aunque las negociaciones con los emisarios del Tío reclamaban su presencia en palacio, don Antonio se daba tiempo para visitar a la señora Tosta y a su lindo retoño. Cuando sus ocupaciones le impedían visitarlas, me comisionaba para enviar arreglos florales y costosas alhajas a la señorita Tosta, tarea que desempeñaba con gran repugnancia, por el respeto que siempre le profesé a doña Inés. Junto con cada obsequio, el general añadía otro para la madre de su «Loló», con el objeto de guardar las formas y disimular el nefando cortejo.

Que don Antonio estuviera casado por todas las leyes no contuvo un ápice a doña Manuela en su descarada labor de celestinaje. Loló, sin embargo, superaba a la madre en astucia y afectaba una completa inocencia, como si no sospechara siquiera las intenciones del general. Ocultos sus encantos debajo de una túnica suelta, sujetas las trenzas por una cinta de terciopelo, parecía la pureza personificada y cuando se quedaba a solas con el general tomaba sus requiebros a broma. Si don Antonio hubiera obtenido pronto lo que buscaba, sin duda la hubiese olvidado en un santiamén. Pero como la virtud es el trofeo más codiciado por un don Juan, su pasión se avivó a tal extremo que silbaba tonadillas románticas y dibujaba corazones traspasados en las juntas de avenencia con el enemigo. Ni tarda ni perezosa, doña Manuela se propuso capitalizar ese enamoramiento. Por esas fechas don Antonio me ordenó extenderle una libranza por diez mil pesos: la pobre tiene hipotecada la casa, me explicó, y los agiotistas le chupan la sangre. Aunque su primer marido hubiera sido coronel del Ejército Trigarante, doña Manuela no tenía derecho a las pensiones para las viudas de militares conocidas como «montepíos de viuda», por estar casada en terceras nupcias con Luis de Vidal y Rivas, un modesto comerciante de granos. Sin embargo, cuando el general asumió la presidencia mandó reformar la ley de pensiones y le otorgó un montepío a perpetuidad, en pago por sus servicios de alcahueta.

Al perder la pierna, el general había embarnecido por falta de ejercicio, y las canas empezaban a platear su hirsuta cabellera, rasgo de madurez que a mi juicio lo favorecía. Enemigo de los afeites y de los postizos, hasta entonces había exhibido su pata de palo en los actos públicos, orgulloso de las heridas que lo acreditaban como salvador de la patria. Pero creyéndose rechazado por falta de galanura, cambió a su viejo peluquero por un fígaro francés que le tiñó el pelo de negro y mandó importar de París una pierna artificial, con una hermosa bota napoleónica ajustada en la parte inferior. La prótesis llegó en vísperas de nuestra entrada a la capital: ligera y fuerte al mismo tiempo, con finos muelles y dóciles resortes, era casi tan flexible como una pierna de carne y hueso. Entusiasmado, el general se la quiso probar de inmediato, pues quería llevarla puesta en el *Te Deum* y en la recepción de palacio, ceremonias a las que había invitado a la familia Tosta, aprovechando la ausencia de doña Inés, que aborrecía los fastos del poder y prefirió quedarse en Manga de Clavo.

—Con mis dos extremidades me veo veinte años más joven, ¿no es cierto? —suspiró frente al espejo—. Ay, Doloritas, los sacrificios que hago por ti.

Me dolía verlo ocuparse en veleidades propias de un lechuguino, pero como subordinado suyo tuve que ayudarle a sujetarse la pierna. Por un error imputable a los fabricantes, la bota no embonaba con la pata de madera, y después de varios intentos por ajustarla me di por vencido.

—¿Cómo que no embona, imbécil? —el general se enfureció—. ¿Quieres que entre a la catedral rayando las baldosas con este palo de escoba?

—La culpa no es mía, señor. Esta pierna no es de su talla.

—Pues te doy un día para que me consigas otra de la misma calidad. Y no se te ocurra volver sin ella, porque te mando deportado a San Juan de Ulúa.

Maldiciendo a Loló y a todas las cortesanas del mundo, tuve que acudir a un viejo paisano mío, el zapatero Jacinto Muñoz, artesano de gran habilidad que tenía fama de hacer magníficas prótesis para lisiados. Pidió una fortuna por el trabajo, pero como tenía a mi disposición la caja del ejército no reparé en el gasto. Sólo le exigí que me entregara la pierna con todo y bota a las nueve de la mañana del día siguiente, pues el *Te Deum* empezaba a las diez. Tratar con genios tiene sus inconvenientes. La prótesis de Muñoz despertó la admiración de los sabios y los mecánicos y más adelante don Antonio la prefirió a las piernas metálicas que le remitieron de Europa. Pero como no le gustaba trabajar bajo presión, Muñoz se dejó vencer por el sueño y me entregó el trabajo a las once de la mañana. El desaguisado estuvo a punto de provocar una crisis política, porque don Antonio, montado en sus trece, no quiso partir al *Te Deum* sin la pierna postiza, y le dio una plancha de dos horas al arzobispo Posada, que lo estuvo esperando bajo un toldo en el atrio de la catedral, junto con los miembros del cabildo metropolitano.

Por si no bastara con el retraso, cuando el general apareció con su bota de flamante charol, exigió entrar a la catedral en litera y escuchar la misa bajo palio, privilegio que no gozaba ningún gobernante desde tiempos de los virreyes. La petición, o mejor dicho, la orden, se interpretó como un gesto de soberbia en los círculos eclesiásticos, y aunque el arzobispo accedió a los deseos del general, pues no le quedaba de otra, quedó tan resentido que a partir de entonces sostuvo una guerra no declarada contra el gobierno. Pero ese día don Antonio hubiera humillado a María Santísima con tal de impresionar a la bella damita que oyó entre bostezos la misa cantada, desde una de las bancas reservadas al cuerpo diplomático, y más tarde, cogida del brazo de su madre, llamó la atención de los curiosos en el besamanos de Palacio Nacional, cuando el señor presidente la distinguió con su primer saludo.

Desde la primera hora de su gestión lo rodeó un enjambre de aduladores que sólo agravó su mal genio. Brotaban como hongos parientes desconocidos suyos que venían a buscar una colocación. En las fiestas de sociedad se pusieron de moda los sones jarochos del Butaquito y la Petenera, las eses aspiradas, el chilpachol de jaiba y otros platillos veracruzanos. Harto de lidiar con hipócritas y lambiscones, el general se dedicó a pasear con las Tosta por Chapultepec y le dio la espalda a los graves problemas que había heredado de la administración anterior. No quiero ufanarme de mi valimiento con don Antonio, pero en esa época hasta los miembros del gabinete me rogaban transmitirle sus inquietudes. Preocupado por la enorme cantidad de moneda falsa que circulaba en el mercado, el ministro de Hacienda Ignacio Trigueros me rogó que le hiciera ver la gravedad de la situación y lo conminara a tomar medidas urgentes.

—El señor presidente no quiere saber nada de los asuntos públicos —le dije—. Ni siquiera lee los documentos que le presento a firma.

—Pero esto no puede seguir así —se alarmó Trigueros—. Necesito su autorización para retirar del mercado la moneda falsa.

—Mire usted, don Ignacio, el general es un hombre de carácter sanguíneo y he notado que está resentido por el frío recibimiento que le dio la ciudad.

—Pues hagamos algo para levantarle el ánimo. Aconséjeme por favor, Giménez, ¿cómo podríamos reparar esa afrenta?

Nadie conoce tan bien a un lisiado como otro lisiado. Quien ha perdido un miembro de su cuerpo siente que la humanidad ha contraído una deuda impagable con él, y espera de los demás una gratitud eterna, demostrada con hechos palpables. Para remediar el hartazgo de don Antonio, se me ocurrió rendirle honores fúnebres a su pie amputado, y darle cristiana sepultura en una ceremonia cívico militar. Entusiasmado, Trigueros le trasmitió la idea al jefe de la Comisaría de México, don Antonio María Esnaurrízar, que tuvo a su cargo la organización de las exequias. Nadie me dio crédito por la iniciativa, ni mi natural modestia me permitió reclamarlo, pero la posteridad debe saber que fui yo quien planeó desde la sombra uno de los homenajes más emotivos que la nación haya rendido a sus héroes.

Nunca olvidaré la solemne procesión hacia el cementerio de Santa Paula, con el Estado Mayor Presidencial en la descubierta, y a los lados, formando valla, los niños y niñas de las escuelas lancasterianas, cuyas dulces voces entonaban himnos en loor del inmortal guerrero, que se descubría la cabeza para saludarlos. A retaguardia marchaban dos regimientos de infantería y un escuadrón de caballería con sus respectivas músicas y la correspondiente dotación de artillería. Cuando el cortejo entró al camposanto, don Antonio ya tenía los ojos humedecidos y la voz quebrada por la emoción. ¡Oh, Dios! ¿Por qué no te lo llevaste en ese momento, y a mí junto con él, para ahorrarnos el oprobio de la vejez y los reveses de la ingrata fortuna? En su alocución, el insigne poeta don Ignacio Sierra y Rosso leyó un discurso donde presagiaba que el nombre de Santa Anna duraría hasta que el sol se apagase y las estrellas y los planetas todos volvieran al caos primigenio. Al escuchar las salvas de artillería, el presidente del Congreso colocó la urna cineraria en el cenotafio coronado con las armas de la República. Entonces la banda de música atacó la cavatina de *Semíramis*, la ópera favorita del general, y el numeroso pueblo congregado a las afueras del panteón estalló en vítores y aplausos. Al oír la universal aclamación de la multitud, que esa tarde se le entregó sin reservas, don Antonio prorrumpió en sollozos y besó el pabellón nacional que cubría la urna, como si el miembro amputado fuera un símbolo de su matrimonio espiritual con los mexicanos.

El prietito en el arroz fue la insolente conducta de Loló, que llevó a la ceremonia un perro chihuahueño y en lo más emotivo del acto se puso a corretearlo por los andadores del panteón. Su falta de respeto me ofendió a título personal, pues debo confesar que la víspera del entierro entré de noche al salón del Congreso donde reposaba la urna cineraria, y deposité en su interior los restos del antebrazo que perdí en la heroica defensa de Veracruz. Con ello no buscaba compartir la gloria de don Antonio, líbreme Dios de tal osadía: solamente quise rubricar la unión consustancial de nuestros destinos. Yo no valgo nada ni merezco la inmortalidad. Siempre fui un mozo de estoques, el actor de reparto cuyo nombre no figura en la marquesina, pero me ilusiona pensar que los mismos gusanos que royeron su pie también mondaron mis pobres huesos.

La Habana, 15 de septiembre de 1875

Estimado Sr. Giménez:

Le agradezco sus informes sobre el tratamiento al que mi padre ha sido sujeto, con la criminal aquiescencia de su mujer. No alcanzo a penetrar las intenciones de Loló, pero supongo que persigue fines de lucro, pues el dinero ha sido siempre el norte de sus afanes. Tal vez lo mesmerizó para disponer a su antojo de los últimos centavos que le quedan. Pero si ha gastado el oro y el moro para contratar a Fichet debe esperar que el tratamiento le reditúe mucho más. ¿Habrá dejado mi padre un tesoro oculto en alguna de sus haciendas o una cuenta bancaria que olvidó cancelar cuando partió al exilio? De la señora Tosta puede esperarse cualquier trastada. Ya vimos cómo sacó las uñas con la mensualidad de los Escandón y temo que sea capaz de llegar al crimen si está de por medio una cantidad fuerte. Tal vez quiera evitar que mi padre nos herede la fortuna recién descubierta a mis hermanos o a mí. Eso explicaría su afán por mantenerlo inconsciente, pues si el viejo despertara tal vez arruinaría sus enjuagues. En fin, desde aquí sólo puedo hacer conjeturas. Escribiré al monstruo pidiéndole explicaciones, pero como mi apretada situación económica no me permitirá viajar a México en mucho tiempo, le ruego que siga investigando y me tenga al corriente de sus avances. Quizá entre los dos llegaremos a resolver el misterio.

En cuanto al sueño magnético de mi padre, no me parece un contratiempo, sino un feliz accidente que debemos aprovechar al máximo para enriquecer la biografía. A estas alturas ya no tiene nada que perder y su franqueza puede sernos muy útil para conocer los entretelones políticos de su tiempo. Quiero escribir la vida de un hombre, no la de un santo, y mi padre siempre fue tempestuoso, iracundo, mordaz. ¿Por qué no habría de maldecir a una patria que le pagó tan mal? Yo mismo lo hago todos los días cuando mi señora me recrimina porque no le alcanza para el gasto. México nos dejó en la calle y ahora finge desconocer a su máximo caudillo como si el pasado pudiera abolirse de un golpe. ¿Quiere usted falsear su biografía para complacer a un país de hipócritas y ladrones? Le agradezco el celo con que protege al viejo, pero creo que ha ido demasiado lejos en sus funciones de guardaespaldas. ¿Con qué derecho se atreve a escamotearme las transcripciones de sus monólogos? Ningún actor de reparto puede suplantar al personaje central de una biografía, menos aun cuando el corifeo quiere darse importancia. Dicho sea sin ánimo de ofender, advierto en usted una tendencia a colocarse en el primer plano de la historia que a falta de otro nombre llamaré humildad protagónica. Como los políticos taimados, no pierde ocasión para hacer gala de su modestia y sin embargo se atribuye un papel decisivo en las victorias políticas y militares de mi papá. ¿En qué quedamos, pues? ¿Era usted un mozo de estoques o un ministro sin cartera?

Por otro lado, sus vacilaciones entre el yo y el nosotros revelan una identificación con mi padre que llamaría enfermiza si no fuera francamente abusiva. Que yo sepa, el viejo nunca tuvo un hermano siamés. Ni siquiera sus amigos íntimos, como Tornel o el poeta Sierra y Rosso, alcanzaron tal compenetración con sus acciones y pensamientos. No dudo que usted haya sentido como propios sus triunfos y descalabros, pero mi padre no pudo haber dependido tanto de un secretario, pues tenía un ejército de ayudantes y consejeros con mayores luces que usted. Modérese un poco, Giménez, y ponga los pies en la tierra. Si en verdad quiere honrar la memoria del viejo, registre sus palabras con escrupulosa fidelidad. No importa si pierde la chaveta o se autodenigra: ya decidiré yo lo que se puede publicar o no. Creo en su buena fe y estoy seguro de que no me tomara a mal esta amigable amonestación.

México, 26 de octubre de 1875

Claridoso don Manuel:

Al constatar el desprecio que le merecen mis trabajos, he sufrido una terrible desilusión, acompañada por un sentimiento de ultraje.

Primero me acusó usted de codiciar el dinero del general, ahora de querer robarle la gloria. Cuán lejos está de conocer mi verdadero carácter. No, don Manuel, yo no soy un pobre diablo ansioso por figurar a costa de un prócer, soy el servidor más desinteresado que ha tenido su padre, y el único amigo fiel que le queda en el mundo. Los parásitos que lo asediaban cuando el país le rendía pleitesía tal vez quisieran brillar de prestado, pero yo lo he seguido en las buenas y en las malas, algo de lo que nadie puede jactarse, ni siquiera usted, que se rasca la panza en La Habana mientras don Antonio sucumbe a las argucias de un hechicero. ¿Tan pobre está que no puede tomar un vapor a Veracruz? ¿O necesita pruebas palpables de que hay una herencia en juego para aventurarse al viaje? Si algo está matando al pobre general, es la ingratitud humana, empezando por la de sus hijos. Guadalupe y Carmela le escriben poco y vienen a verlo cada viernes y San Juan. Sus hijos naturales no se quedan atrás en egoísmo: sólo le mandan recaditos con frases cariñosas que rezuman falsedad. Claro, como ya no pueden exprimirlo se desentienden de su salud. Creí que usted era de otra pasta, pero según veo, la familia entera lo ve como un estorbo.

Si en verdad se ha propuesto evitar que otras voces interfieran con la de su padre, menudo trabajo le espera. Por si no lo sabe, don Antonio confesaba sin rubor no haber leído jamás una obra larga y seria. Siempre delegó la escritura de sus cartas, discursos, manifiestos y partes de guerra en personas de su confianza que conjugaban la buena pluma con el conocimiento de la arena política. El Santa Anna que la gente conoce y la posteridad juzgará es una creación colectiva de todos los que alguna vez hablamos en su nombre. Prescinda usted de los documentos apócrifos en la confección de la biografía y se quedará con un muñeco relleno de paja. Le guste o no, su padre es nuestro invento, y aun si decide reinventarlo tendrá que partir de un modelo más o menos ficticio, mucho más elocuente y pulido que el original.

He vacilado en responderle porque la dignidad me aconsejaba interrumpir nuestra correspondencia. Pero eso daría al traste con la biografía y mi lealtad a don Antonio es tan grande que prefiero hacer de tripas corazón y sujetarme a sus absurdas exigencias. Reproduciré con la mayor exactitud cuanto se le ocurra decir, salvo los anacolutos y solecismos, pues tampoco se trata de exhibirlo como un iletrado. Allá usted si cree que la franqueza puede reivindicarlo. Sólo me permitiré interpolar algunos comentarios aclaratorios, ya sea para iluminar los pasajes oscuros o para matizar alguna aseveración demasiado tajante. Si lo desea puede pasar por alto mis apostillas, pero no me obligue a enmudecer mientras el general desnuda sus llagas: me sentiría como un padre indolente que abandona a su hijo en medio de una tormenta, sin cobijarlo siquiera con un sarape.

Diantre de muchacha, ya me ganó el hocico y poco le falta para hacerme andar al paso. Adoro los palos que me da en el lomo, como esos jumentos de carga que se aficionan a la mano dura de su amo. No seas mala. Doloritas, ¿cómo fuiste a esconder mi pierna en los matorrales? Ayúdame a buscarla, por favor, ¿no ves que estoy cojito y no puedo bajar por esa ladera? Su risa juguetona endulza mis oídos como los acordes de un arpa. Basta de juegos, Loló, ya te dije que no le hagas esas bromas al señor presidente. Aquí tiene su pierna, don Antonio y disculpe a la niña, ya ve cómo es de traviesa. Ahora Loló toma un respiro y se sienta junto a mí en la banca del jardín. Sus muslos huelen a pan recién horneado. No se preocupe, doña Manuela: Doloritas puede hacerme todas las bromas que quiera. Si no fuera por las tardes que paso con ustedes, mi vida sería un infierno. El poder es una agilidad cargada de cadenas, uno termina por volverse esclavo de su puesto. Pero yo no me dejaré encerrar en Palacio Nacional: he decidido fijar mi residencia en Tacubaya. El aire de México me sienta mal. Aborrezco los pantanos que rodean la ciudad, los pregones de los vendedores, la suciedad de los léperos y, sobre todo, los inmundos olores de las acequias. Aquí tengo la cabeza más despejada y hasta me pongo de buen humor. Por cierto, ¿ya se saben el chiste del general que mandó meter las cartucheras en los cañones? Lo cuento y lo actúo con ademanes jocosos que hacen desternillarse de risa a Manuela. Su hija ignora los esfuerzos que hago por divertirla. Se ríe de mí pero nunca conmigo. Debería ofenderme y sin embargo estoy rendido a sus pies. No seas mala, princesa, sólo te pido una sonrisita.

Junta de ministros en el palacio arzobispal. Como de costumbre, problemas y más problemas. El viejo insurgente don Andrés Quintana Roo, recién llegado de Yucatán, me rinde un informe sobre su gestión de paz en la península. Dice que los rebeldes han accedido a enviar diputados al Congreso general y prometen deponer las armas si obtienen respuesta favorable a sus demandas. Pero antes que nada deben reconocer mi gobierno y jurar las Bases de Tacubaya, le advierto. Eso va a estar difícil, señor presidente, allá lo ven como la encarnación del centralismo despótico y no han olvidado su gestión como gobernador, en la que afectó muchos intereses. ¡Pues si no es por la buena será por la mala, pero esos cabezones tendrán que besarme el forro de los huevos! Dicto un despacho al general Miñón para que reanude la guerra, y ordeno a Tornel que mande más cuerpos de tropa para someter a los sediciosos. Pero cuando los periódicos anuncian el envío de refuerzos a la península, los escritores de oposición protestan por el alto costo de la campaña. Haga lo que haga siempre tienen que repelar. Juan Bautista Morales, el de lengua más afilada, se mofa del militarismo en *El Gallo Pitagórico*, un folleto satírico inserto en el *Siglo XIX*. Llamo al ministro de Hacienda y le pregunto si el periódico en cuestión recibe subsidio. Por supuesto, señor, el gobierno compra la mitad de los ejemplares y los distribuye en las oficinas públicas. ¡Pues entonces de qué se queja este infeliz! Mándenlo traer, yo le haré tragar sus palabras.

Calvo, miope, vestido con una levita de edad tan proyecta como su dueño, Morales me inspira más lástima que coraje. Su debilidad lo salva de un mandoble, pero no dc una reprimenda. He estado leyendo su papelucho, señor licenciado, y me extraña que un periódico favorecido por el gobierno conceda espacio a gente como usted. Yo acepto las críticas a mi persona, pero no permito nada contra México. Usted no es un periodista, Morales, es un traidor a la patria. Le ordeno que se retracte de sus palabras y escriba un panegírico del ejército enviado a combatir la rebelión yucateca. Morales me escucha impertérrito, sin mover un músculo de la cara. Nada me complace más que humillar a un hombre de letras. Vamos, viejo, qué esperas para echarte a llorar. ¿Te cortaron la lengua o estás buscando una respuesta entre tus herrumbrosas citas latinas? De repente Morales se pone de pie y me apostrofa con marcada resolución: no me retracto de nada, señor presidente. Yo he de seguir escribiendo como hasta hoy, le guste o no a su gobierno. Total, en lo más que puedo parar es en cuatro velas y un petate. Su respuesta me provoca una mezcla de furia y perplejidad. Así debí responderle a Houston cuando me trajeron a firmar la orden de retirada en el campo de San Jacinto. Es intolerable que un viejito enclenque me venga a dar lecciones de valor en mi propio despacho. ¡Guardias, llévense a este gallito a la cárcel de la Acordada. ¡Quiero que me lo tengan a pan y agua, a ver si se le quita lo respondón!

Debe hacerse notar que el general se retractó de su decisión y al poco tiempo dejó en libertad a Morales. Por lo demás, el militarismo que con tanta saña combatieron los liberales, por esas fechas obtuvo un triunfo glorioso con la anexión del Soconusco, la parte sur del departamento de Chiapas, que desde 1823 era objeto de litigios con Guatemala. La reconquista de ese territorio hubiera sido imposible sin un ejército fuerte, respaldado por un régimen militar. Ironías de la historia: se acusa al general de haber vendido el suelo patrio cuando es el único presidente que lo ha extendido a costa de renunciamientos y sacrificios.

El desgobierno del Tío ha dejado patas arriba la economía nacional. El ministro de Hacienda Ignacio Trigueros se esfuerza en vano por explicarme la crisis monetaria: no entiendo una palabra de finanzas y sólo alcanzo a dilucidar que la falsa moneda de cobre circula en abundancia. Hemos retirado setecientos pesos de la circulación para examinarlos, me explica y sólo nueve resultaron legítimos. A resultas de tal prevaricación, la moneda ha perdido la mitad de su valor y la masa ha visto reducido su poder de compra a extremos de hambruna. Me extiende una lista de presuntos falsificadores donde aparecen connotados generales y militares de alta graduación, varios de ellos amigos míos. Calculo sus ganancias y las comparo con mi sueldo: no puede ser, carajo, en este país cualquier pendejo gana más que el presidente de la República. Recoja toda la chagolla, le ordeno, y dé a los tenedores un plazo razonable para entregarla.

Pero en México no sirve de nada obrar con recta intención. El golpe a los chagolleros beneficia de rebote a otra clase de sanguijuelas, los agiotistas y los expendedores de víveres que trafican con el hambre del pueblo. Ahora los comerciantes exigen que se les pague con moneda de plata, pero dan por ella lo mismo que antes se compraba con la de cobre. Un inmenso concurso de gente miserable se agolpa en las panaderías y el ejército interviene para dispersarla. La mayoría de las tiendas de comestibles cierra, otras cuadruplican el valor de sus efectos, y mientras el pueblo no tiene un mendrugo para llevar a la mesa, las bodegas de chile, maíz y frijol están llenas a reventar. Ojalá mis haciendas produjeran diez veces más, para llenar de granos las tiendas y arruinarles el negocio a estos infelices.

Sancionar a los comerciantes y a los especuladores sería un paso en falso que sólo agravaría la situación. Ellos tienen la sartén por el mango y el mercado no se puede regular por decreto. En este país la prosperidad es incompatible con el respeto a la ley. La mitad de los mexicanos ha nacido para robar a la otra mitad, y esa mitad robada, cuando abre los ojos y reflexiona, se dedica a robar a la mitad que le robó antes. Quien más quien menos todos hacen trinquete, desde los pulqueros que bautizan el jugo del maguey en las acequias de la ciudad hasta los sastres que me cobran cifras estratosféricas por uniformar al ejército. La corrupción empieza por el gobierno y de ahí se escurre hacia abajo como una cascada. Yo no inventé esas costumbres ni esos modos de gobierno; ya estaban ahí desde los tiempos de la Colonia. Si les amarro las manos a mis hombres de confianza se sentirán traicionados y empezarán a conspirar en mi contra. Pero si aprovecho mis facultades extraordinarias, quizá pudiera convertir el trinquete en un factor de prosperidad, incrementar mi fortuna cuanto sea posible y valerme de ella para impulsar la agricultura, el comercio, la industria. No sería la primera vez que un aparente delito reporta beneficios al conjunto de la nación.

Pero tampoco se trata de esquilmar a cualquiera, el sano principio de la justicia distributiva debe normar mi política expropiatoria. Entre todas las fuerzas económicas, la Iglesia es la que más contribuye al estancamiento social. Con sus grandes extensiones de tierra ociosa y el inmenso capital que sus ministros tienen depositado en bancos de Europa, se podría igualar en pocos años la pujanza de Estados Unidos. Cuando la riqueza no produce derrama económica debe pasar a manos de particulares con espíritu emprendedor. ¿Y acaso hay en México un administrador más avezado y patriota que yo?

Venga para acá, Giménez, le voy a dictar un decreto. Con el fin de cubrir las urgentes necesidades de la Hacienda Pública, y en uso de las facultades que me conceden las Bases de Tacubaya, declaro suprimido el colegio de Santa María de Todos Santos y adjudico sus propiedades al ejército, así como la hacienda de Tepujaque, valuada en treinta mil pesos, que obraba en poder del hospital de San Juan de Dios. Buen ramalazo, pero esto apenas comienza. El arzobispo Manuel Posada y Garduño viene a quejarse por la «injusta enajenación» del colegio y me recuerda mi solemne promesa de respetar los bienes del clero. Perdone, Ilustrísima, las circunstancias me obligan a tomar medidas que yo soy el primero en deplorar. Como usted sabe, los Estados Unidos han presentado reclamaciones por dos millones y medio de pesos, alegando daños y perjuicios a ciudadanos de su país, y si no les pagamos podrían tomarlo como pretexto para anexarse Texas. Pero usted tampoco se ha portado muy bien conmigo. Tengo noticias de que ofreció al anterior gobierno hipotecar bienes de propiedad eclesiástica por quinientos mil pesos, ¿no es cierto? Posada asiente de mala gana. Pues si pensaba conceder esa suma al nefasto gobierno de Bustamante, presumo que hará usted un esfuerzo mayor para contribuir a los gastos de mi administración.

Pausa larga y rechinar de dientes, como si moliera los insultos que no se atreve a proferir. La Iglesia no es tan rica como usted cree, señor presidente. Los masones han propalado una leyenda negra para desprestigiarnos, pero la verdad es que nuestro modesto caudal se emplea íntegramente en socorrer al prójimo. Comprendo el sacrificio que representa para su diócesis un gasto semejante, Ilustrísima, pero ayudar al Estado también es una forma de caridad. Cuando mucho podría reunir cincuenta mil pesos. ¿Tan poco? Me ofende usted, con esa limosna ni siquiera podría pagar el primer abono a los yanquis. ¿Por qué no lo dejamos en cuatrocientos? Haciendo un gran esfuerzo y privando de ropa a los huérfanos del hospicio metropolitano, apenas y lograría juntar cien mil. Ni usted ni yo, dejémoslo en trescientos, ¿de acuerdo? Mi última oferta es ciento cincuenta, tómelo o déjelo. Pujar así es indigno de su investidura, señor arzobispo. No me deja usted otra alternativa, señor presidente, mi obligación es cuidar los fondos de la diócesis. Está bien, me conformo con doscientos, pero los quiero el lunes a más tardar y en una sola entrega. Vamos, Posada, no me haga esa cara de mártir. Apuesto que recoge el doble cuando pasa el cepillo en la catedral.

ACTA NOTARIAL 1089 BIS
(VERACRUZ, 18 DE ABRIL DE 1842)

Con esta fecha hago constar que el general presidente Antonio López de Santa Anna compró a don Antonio María Serrano los terrenos nombrados El Jobo, compuestos de un sitio para la cría de ganado mayor con extensión de mil trescientas fanegas de tierra, quince caballerías y un terreno cultivable de cuatrocientas noventa fanegas. El precio estipulado para la compra de los terrenos asciende a ochenta y nueve mil pesos, que el comprador se compromete a pagar en tres partes en el periodo comprendido entre mayo y septiembre del presente año, al término del cual la propiedad será escriturada a su nombre [...]

CONTRATO DE COMPRAVENTA REGISTRADO EN EL AYUNTAMIENTO DE JALAPA

En la ciudad de Jalapa, a 27 de mayo de 1842, el general presidente Antonio López de Santa Anna suscribe el presente contrato de compraventa con don Juan Francisco Caraza, propietario de la hacienda nombrada de Nuestra Señora de Aránzazu, mejor conocida como El Encero, sita a tres leguas de esta ciudad, devengando para tal efecto la cantidad de cincuenta mil pesos. El terreno comprende mil cuatrocientas cincuenta fanegas, incluyendo la capilla y el casco de la hacienda, que el propietario se compromete a desocupar a más tardar el 15 de julio de los corrientes [...]

En los periódicos clericales ya no me adulan como antes, ahora los voceros de la Mitra empiezan a sacar las uñas y se quejan de que mis exacciones han dejado en la miseria a monseñor Posada, que a últimas fechas no ha percibido ni un real de la masa capitular para sus sagrados alimentos. Pues no le sentará mal el ayuno, bastante rollizo está de tanto almorzar pastelillos y mantecados. El *Diario del Gobierno* responde con invectivas a mis detractores y ellos alegan que no hay verdadero motivo para imponer los préstamos forzosos. ¿Ah, no? ¿Y los pertrechos de guerra para las tropas que salieron a Yucatán? Además debo sufragar otros gastos de primera necesidad, como los uniformes de paño fino para mi nueva guardia de granaderos, que llevarán correas de charol, botas altas con hebilla de bronce y gorras de media vara forradas con piel de oso. Un decreto más, disponiendo que la casa del Seminario Conciliar se convierta en cuartel, para venderla después a particulares. Posada ya ni protesta, he logrado meterlo al aro, pero Vázquez, el obispo de Puebla, famoso por su colección de casullas bordadas en oro y sus dalmáticas con incrustaciones de pedrería, opone tenaz resistencia a mi gran cruzada de saneamiento económico. ¿De dónde voy a sacar quinientos mil pesos, se queja, si tengo que mantener un hospital de leprosos y una escuela para niños expósitos? Su Excelencia es un buen católico, debe comprender que la ayuda a los necesitados es más importante que los uniformes de su guardia. Las negativas me ponen furioso, más aún cuando vienen de un prelado simoníaco y avaricioso. A ver Giménez, carta para el comandante militar de Puebla, ordénele de mi parte allanar todas las iglesias de la ciudad para extraer los adornos de plata y oro. Sí, oyó bien: a católico nadie me gana, pero la locomotora del progreso se atora cuando nadie la empuja. Nada quiero para mí, sólo busco que la riqueza cambie de manos.

ARCHIVO DE NOTARÍAS, EXPEDIENTE 2356
(VERACRUZ, 23 DE NOVIEMBRE DE 1842)

Por la suma de ciento veinte mil pesos, pagadera en cuatro mensualidades, el general presidente Antonio López de Santa Anna, con residencia en Manga de Clavo, adquiere los ranchos El Huaje y Chipili, propiedad de doña Soledad Duarte Briseño y el general don José Rincón, vecinos de Jalapa, que comprenden en total dos mil trescientas fanegas de tierra, incluyendo treinta y cuatro caballerizas, quinientas veinticinco piezas de ganado bovino, terrenos para el cultivo y aperos de labranza [...]

COMPRAVENTA DE INMUEBLE RURAL

En la ciudad de Veracruz, a 24 de diciembre de 1842, el general presidente Antonio López de Santa Anna presentó constancia de haber adquirido por ochenta mil pesos los terrenos donde se halla la hacienda de Santa Fe, cuyos linderos se extienden desde la Boca de Collado tirando al Malibrán hasta Arroyo Moreno, y de allí en línea recta hasta Boca del Río. Dichas tierras comprenden un sitio de ganado mayor con extensión de mil doscientas veinte fanegas y treinta y cuatro caballerías. Dio fe de la compra el escribano don José María Velardo.

En abierto desacato a mi autoridad, los obispos de todo el país ordenan retirar las alhajas de los templos. ¿Acaso me toman por un ladrón? Pues en vista de su desconfianza y siendo prerrogativa de mi gobierno preservar la pompa del culto católico, cuya magnificencia se ha visto empañada por el retiro de cálices y custodias, ordeno castigar con seis meses de cárcel a los párrocos y mayordomos de órdenes religiosas que sustraigan los objetos preciosos de las iglesias. Como temía, los curas se apresuran a sustituir las piezas de valor por imitaciones de cobre y latón. Cuánta mezquindad, carajo. ¿No entienden que el país necesita una mínima parte de su capital para levantar cabeza? Pero esto no me va a detener. Le tengo echado el ojo a la hacienda de Boca del Monte, una gran extensión de tierra donde quiero plantar algodón. Valencia, ponga usted en venta las plazas del ejército. El grado de teniente costará mil pesos, una capitanía el doble, de coronel para arriba sólo acepte a gente distinguida, no quiero léperos de casaca. Ya tenemos demasiados oficiales, señor, hay tres por cada soldado. ¿Y eso qué importa? Sólo serán militares en el papel, se trata de explotar su vanidad para obtener ingresos.

Pero también los particulares deben contribuir al bienestar de la patria, todos tienen dinerito para importar mercancías de Europa y algunos guardan fortunas bajo el colchón. Señor Trigueros, imponga usted un gravamen extraordinario por la tenencia y el alquiler de casas. Recapacite, excelencia, eso dejaría en la calle a la mayoría de los inquilinos y a muchísimos propietarios. Mis órdenes no se discuten: destaque a sus recaudadores por todo el país y ordéneles embargar los bienes de la población insolvente. En el patio de Palacio Nacional se acumulan muebles, vajillas, candelabros de plata, camas talladas en caoba, pinturas antiguas, carruajes de dos y cuatro plazas. Demasiadas chucherías, Giménez, hay que rematar en almoneda pública todos los objetos confiscados, menos el cuadro de plumas michoacano con la efigie de Guadalupe. Ése mándelo a mi nueva finca del Encero, para el altar que voy a ponerle a la virgen. Tabaquera italiana con tapa de carey, sale a la venta con precio base de doscientos pesos. Doscientos cincuenta. Trescientos. Trescientos cincuenta. ¿Quién da más?

Todo el pasaje debe leerse con las debidas reservas, sin creer a pie juntillas los desvaríos de un anciano. Es una falsedad que don Antonio aprovechara su puesto para enriquecerse, aun cuando su fortuna personal se haya incrementado notablemente en ese periodo. Un político debe vivir de la política y asignarse sus emolumentos según la fuerza de que disponga, pues entre más grande sea su poder, mayores compromisos tiene. Pero Su Excelencia ejerció ese derecho supralegal con moderación y cordura. De haber sido tan rapaz como algunos creen, no hubiese vacilado en aceptar los cinco millones de pesos que por esas fechas el gobierno de Estados Unidos le ofreció a cambio de reconocer la independencia de Texas. Era una oferta muy tentadora, pero don Antonio la consideró un insulto y hasta reconvino al embajador inglés que le llevó la carta, por actuar como mediador en un intento de soborno.

Tampoco es verdad que haya despojado a la Iglesia de sus propiedades y tesoros con fines de lucro. Ciertamente la situación de emergencia y la penuria de las arcas públicas lo obligaron a confiscar algunos bienes del clero, pero compensó las enajenaciones con obras de caridad. Por esas fechas mandó construir el templo y la casa cural del pueblo de La Antigua, que le importó más de veinte mil pesos. Con una mano quitaba y con la otra daba, de manera que si despojó a la iglesia de propiedades, al mismo tiempo fue su benefactor. Como abogado del reo pregunto al tribunal de la historia: ¿es reprensible la ambición de los hombres públicos cuando se conjuga con la caridad y el amor al prójimo?

Malas noticias, el Congreso constituyente quiere volver a implantar la federación. Esos diputados no saben guardar lealtades. Hasta mandé colgar mi retrato en la cámara, para recordarles que le debían sus curules al señor de la levita verde. Pero ya se quieren salir del huacal y en un descuido me llevan entre las patas. Debí escogerlos mejor, pero la verdad es que no tenía mucha tela de dónde cortar. Como los monarquistas apoyaban a Bustamante y los liberales puros me odian a muerte, sólo podía recurrir a los moderados, que apenas consumada la victoria se tendieron a mis pies como alfombras humanas. Dios me libre de los políticos neutros, a la larga son los más peligrosos, nunca se sabe para dónde van a jalar.

Federación, maldita palabra, deberían borrarla del diccionario o convertirla en sinónimo de licenciatura y desbarajuste. Hay dos cosas que nunca podré compartir: las mujeres y el poder. Dividir la República en estados independientes me dolería tanto como entregar el cuerpo de mi querida Loló a una jauría de chacales. Pero tampoco me conviene aparecer ante el pueblo como enterrador de la democracia. Empiezo a toser en los actos públicos, guardo cama varios días y dejo correr la especie de que mi salud está quebrantada. No estoy para nadie, Giménez, dígales que me vio escupir flemas con sangre. Misas por mi pronta recuperación, misivas afectuosas de embajadores preocupados por mi enfermedad, eminencias médicas que vienen a examinarme al palacio de Tacubaya. Blanqueada la cara con polvos de arroz, pido licencia al honorable Congreso para abandonar temporalmente la presidencia y dejo en mi lugar al veterano insurgente Nicolás Bravo, que ya está un poco harto de ser mi suplente y pide cincuenta mil pesos de sueldo por aceptar el interinato. De acuerdo, Nicolás, tu prestigio los vale, pero no se te ocurra tomar decisiones sin consultarme.

Me alejo de la ciudad pero no del poder, porque Tornel se queda en el Ministerio de Guerra, con instrucciones de disolver el Congreso cuando haya pasado un mes de mi renuncia. Envalentonados por mi ausencia, los diputados cometen el desatino de promulgar una ley a favor de la libertad de cultos, que lastima las creencias religiosas del pueblo. La clase militar cierra filas con el clero y en los diarios que llegan a Manga de Clavo menudean los ataques al Congreso, la mayoría dictados por Tornel, que se pinta solo para manejar a los periodistas. Buen trabajo, Talleyrand, ahora pasemos a la segunda parte del plan. Una chispa cualquiera puede encender la mecha, todos los jefes de tropas están esperando nuestra señal. Pero debes tener cuidado en que todo parezca una insurrección popular. Echado en la hamaca recibo por correo extraordinario el eco victorioso de mis golpes, como un Júpiter que lanza sus rayos desde el Olimpo y escucha con efecto retardado el ruido de los truenos. Los vecinos de Huejotzingo son los primeros en desconocer al Congreso, por no merecer la confianza de los mexicanos y atentar contra la sagrada religión de nuestros padres. Multitud de pueblos secundan el alzamiento y el general Valencia coloca el batallón Celaya a las puertas del Congreso, para impedir la entrada a los diputados. Conque muy independientes, ¿no? Ustedes se lo buscaron por morder la mano que les dio de comer. Entiéndanlo de una vez, los pueblos se rigen por sentimientos, no por ideas abstractas, y al pueblo mexicano le repugna la federación. Rebasado por el ejército, Bravo me pide instrucciones. El pobre diablo nunca sabe cómo reaccionar cuando las cosas se ponen difíciles. Le ordeno disolver el Congreso y convocar a una Junta Legislativa formada por ochenta notables de mi entera confianza. Y por favor, ponle mordaza al *Siglo XIX*, no voy a tolerar ataques de los exaltados. Para esto sirven los interinos: para asumir las responsabilidades con las que yo no quiero cargar.

Mi dicha sería completa si no fuera por los reclamos de Inés, que se ha vuelto una santurrona y quiere obligarme a rezar el rosario todas las noches. Apenas tiene treinta años pero representa el doble, tan pálida y desmejorada está. Todo es culpa del obispo Vázquez, que la convenció de asistir a esos retiros espirituales en Puebla. Pero la prefiero metida en la capilla que padecer sus ataques de celos. Parece que se ha resignado a mis aventuras, pues ha dejado de vigilarme y ya no revisa los cuellos de mi camisa en busca de manchas delatoras. Aburrido de su beatitud, del aire ausente y huraño con que sirve la cena, huyo con el pensamiento a los brazos de la dulce Loló. No puedo tolerar una separación tan larga, ya empiezo a ver sus delicadas facciones y el color durazno de sus mejillas en el rostro de todas las criadas. Pero no me conviene volver a México hasta que se hayan calmado las aguas. Debo encontrar la forma de hacerla venir a mí sin menoscabo de su buen nombre. Apreciada doña Manuela: en agradecimiento por las atenciones que se sirvió dispensarme en su residencia de Tacubaya, tengo el honor de invitar a usted y a los suyos a mi nueva finca del Encero, donde tendré el gusto de agasajarla como se merece. Reciba usted junto con la presente una bagatela para su hija Dolores, a quien reitero mi respetuoso afecto. La bagatela es un prendedor de rubíes que me costó arriba de cinco mil pesos. No sé por qué la colmo de regalos. Ha desdeñado todas mis muestras de pleitesía y lo más probable es que ni siquiera me lo agradezca.

Para quitarme de encima a Inés le digo que voy al Encero a saldar unas cuentas pendientes con su anterior propietario. Llegado a mis dominios, pido al mayordomo de la hacienda que saque los patos de la laguna y la llene de cisnes. Basta de tanteos, quiero un escenario romántico para declararle mi amor a Loló: de ella dependerá romper en pedazos mi corazón o hacerme el más feliz de los hombres. En su alcoba mando poner una colcha de encaje de Brujas y cambio los aguamaniles de barro por otros de Talavera. La víspera de su llegada acaricio con ternura todos los objetos del tocador y siento como si estrechara sus manos angelicales. ¡Cuánto me excita besar los bordes de la bacinica donde posará su divino trasero!

Estoy enamorado como un mozalbete. Pero a decir verdad, nunca sufrí una conmoción igual en mi juventud. Entonces yo era siempre el dominador, sabía que jugaba a la segura porque las mujeres estaban locas por mí. Con Loló no tengo ninguna certeza, sólo sé que la vida y el poder perderían todo su encanto si ella me rechazara. ¿Será el amor este desamparo, esta zozobra del ánimo que me deja postrado largas horas frente a una puesta de sol? Miente quien dijo que el amor es un dulce quebranto. Más bien es una sensación de vacío, una pérdida del orgullo acompañada de escalofríos y sudores nocturnos. El temor al fracaso no me deja dormir. Ni en las mazmorras de Texas tuve tanto miedo.

Como buena lagartona, doña Manuela nunca pasa por alto las reglas del trato social y en cuanto baja de la litera me pregunta por mi mujer. La pobre tenía jaqueca, miento, se quedó descansando en Manga de Clavo, pero me encargó que le hiciera llegar un afectuoso saludo. Pobrecilla, debe estar agotada con tantas obras de caridad. Me han contado que sale a repartir frazadas y medicinas en los pueblos de indios. Es verdad, vivo con una santa, pero sabe usted, doña Manuela, a veces preferiría estar casado con una mujer. Para que no haya dudas sobre el sentido de mis palabras miro fijamente a Loló. Viene cansada del viaje, pero está en una edad en que las ojeras y el desorden del cabello realzan la belleza en vez de menguarla. Lleva puesto el prendedor de rubíes que le acabo de regalar, señal de que ha empezado a tenerme consideración. ¿O será que su madre la obligó a ponérselo? Sí, la vieja quiere venderme a Loló para salir de pobre y cuida todos los detalles para avivar mi pasión. Se comporta como una madame de burdel, sin perder en ningún momento el decoro de las señoras decentes de medio pelo. Si me abriera de capa con ella, hoy mismo podría tener a su hija en mi lecho. Pero no quiero comprar sus favores, me sentiría el más despreciable de los mortales. Doña Manuela ha dejado de ser una ayuda y se está volviendo un estorbo. Ya me cansé de abrigar falsas ilusiones, necesito saber si la nena me quiere o está jugando conmigo.

El tupido bosque tropical y la vegetación que esmalta los prados reaniman a Doloritas, que me encarga su sombrilla y se lanza a correr entre la hierba alta. Los laureles de la India agitados por el viento parecen inclinarse ante su belleza. Ven, hijita, quiero enseñarte la laguna que está detrás de la casa. Como en los cuentos de hadas, los cisnes aletean de felicidad en presencia de su dueña y señora. Le digo que los mandé traer para ella y me obsequia una sonrisa que traspasa mi corazón como un estilete. Cuidadosa de no hacer mal tercio, en el paseo por los alrededores de la finca doña Manuela se mantiene a prudente distancia. Loló no se apiada de mi cojera y camina deprisa por el andador del jardín, pero con tal de seguirle el paso no me importa sangrar del muñón. Al adentrarnos en el bosque, un cervatillo que ha bajado del cerro se acerca a jugar con ella y bebe agua en el cuenco de su mano. También yo estoy sediento, preciosa, no me dejes morir con la boca seca. Me recreo contemplando su perfil contra el fuego morado y escarlata de las buganvilias. Es como si el paisaje cantara, como si la naturaleza se hubiera puesto sus mejores galas para darle la bienvenida. ¿Te gustaría vivir aquí, Dolores? Claro que sí, señor. Este lugar es precioso. Lo compré pensando en ti, ¿sabes? De todas las bellezas que nos rodean, ninguna me arrebata el alma tanto como tú. Ay, señor, usted siempre tan zalamero. No me digas señor, llámame Antonio. Ya es tiempo de olvidar todas las barreras que hay entre nosotros. Estrecho su mano y la miro a los ojos con elocuente ansiedad, privado del habla por el huracán que rompe en mi pecho. Cuando estoy a punto de besarla me interrumpe un grito de doña Manuela, que tiene las faldas atoradas en un zarzal y nos pide auxilio agitando los brazos. Vieja taruga, a quién se le ocurre venir al campo con un vestido de cola.

Tertulia vespertina en el salón de música. Sentada en una silla china con incrustaciones de concha nácar, doña Manuela se abanica de espaldas al balcón. Loló interpreta al piano una pieza de Mozart. No me he lavado las manos desde el mediodía y aún conservo el perfume de las suyas entre mis dedos. Verla acariciar el teclado me transporta a las nubes, como si en vez de apretar las teclas pulsara las cuerdas de mi corazón. Por si no bastara con su hermosura tiene buena crianza, cualquiera pensaría que se educó en París. La fineza de sus modales no es algo adquirido, parece un atributo natural que los dioses le otorgaron al nacer, para preservarla de cualquier roce con lo vulgar. A su lado nunca sufriría los bochornos que Inés me hace pasar en las recepciones de palacio, cuando le da por explicar a los miembros del cuerpo diplomático sus amaños para castrar a los puercos. Loló nunca pisará un establo, nació para triunfar en los salones de la aristocracia. Cuando termina el breve concierto su madre ya está roncando. Despierte, doña Manuela, la zarandeo con cierta brusquedad. Creo que le sentaría bien un descanso antes de la cena, para reponerse del viaje. Si usted quiere puedo pedirle a la criada que la lleve a sus aposentos. La vieja zorra comprende mi deseo de estar a solas con Doloritas y abandona el salón con presteza, como si le urgiera cerrar el negocio.

Salimos a la terraza que da al jardín lateral, donde una higuera enorme abriga bajo su fronda un prado salpicado de balsaminas. La puesta de sol baña el rostro de Loló con tonalidades rojizas. Nos recargamos en el barandal y ella suspira hondamente, quiero creer que por mí. Doloritas, perdona si sueno cursi, pero no puedo seguir reprimiendo el fuego que me consume. Estoy loco por ti desde la primera vez que te vi. Pongo a Dios por testigo de que nunca había querido tanto a ninguna mujer. Sé que podría ser tu padre, pero a tu lado me siento joven. Además la diferencia de edades no es un obstáculo para ninguna pareja, cuando hay de por medio un amor puro y sincero. Quiero que seas la reina de este paraíso. Como soy un hombre público no puedo ofrecerte matrimonio, pero te prometo que en mi corazón serás más que una esposa. No me castigues más con tu indiferencia, ¿quieres que me ponga de rodillas para implorarte piedad?

Loló se queda un momento pensativa, luego retira su mano y frunce los labios en un gesto de contrariedad. ¿Necesitas tiempo para pensarlo'? No, responde con la mandíbula tensa, nunca he necesitado más de un minuto para rechazar propuestas indecorosas. ¿Por quién me toma usted, general? ¿Acaso le he dado motivos para dudar de mi honestidad? Mi familia es pobre, pero yo no cambiaría mi honor por todas las riquezas del mundo. Haré de cuenta que nunca escuché sus palabras, y le ruego que no vuelva a insistir. Si algún día salgo de mi casa, será para caminar derecho al altar.

Dolores apuntaba más alto que su madre, pero no por ello fue un modelo de rectitud, como podría pensar algún lector incauto. Su negativa a amancebarse con don Antonio fue atinado cálculo financiero, pues cuando se dio el lujo de rechazarlo ya sabía que doña Inés estaba enferma de gravedad y no viviría mucho tiempo. Le dio esa información el doctor jalapeño Jesús Arizmendi, un viejo amigo de la familia Tosta, que atendía a doña Inés en Manga de Clavo y visitaba a doña Manuela en sus viajes a la capital. Ocupado en las tareas de gobierno, don Antonio fue uno de los últimos en advertir la precaria salud de su esposa, pues ella le ocultó la enfermedad mientras pudo disimularla. En la disyuntiva de ser una querida más o convertirse en la segunda esposa del general, Doloritas eligió la inversión a largo plazo. Desde entonces ha encubierto con el ropaje de la virtud su precoz olfato de cortesana.

Si en sus mocedades era calculadora, con la vejez ha desarrollado un apetito insaciable de riquezas. Volví a comprobarlo ayer mismo, cuando pasaba en limpio la transcripción en el despacho del general y escuché un ruido de martillazos que venía del sótano. Importunado por el escándalo bajé a ver qué pasaba, y como la puerta del sótano estaba entornada observé una escena bochornosa, más propia de una guarida de rufianes que de un hogar católico. Descompuesta la cara por el esfuerzo, doña Loló golpeaba con un mazo la tapa de una caja fuerte cubierta de polvo, que seguramente llevaba muchos años en ese lugar. Forrada con varias placas de hierro, la caja era muy resistente y los golpes no parecían hacerle ninguna mella: sólo habían abollado la cerradura de combinación, donde la señora descargaba la mayoría de sus golpes. El general nunca me habló de esa caja, tal vez porque ignoraba su existencia, pero supongo que debe contener algo muy valioso, pues de otro modo la señora Tosta no se afanaría tanto en abrirla. Es obvio que la caja no le pertenece, pues ignora la combinación. ¿Don Antonio la habrá dejado en el sótano cuando partió a su segundo exilio? ¿Por qué aparece justamente ahora, cuando el general está magnetizado y no puede impedir el latrocinio de su mujer? Todo esto me huele muy mal y refuerza mis sospechas de que Dolores lo adormeció para quitarle hasta el último céntimo.

Venga para acá el soltador del gallo tlacotalpeño, le voy a revisar la botana. Buena planta, pero no le veo tamaños para fajarse con mi Pedrito. ¿Cómo que no, general? Nomás mírele el pescuezo y las patas, este gallo es de muchos papeles. Pero tiene planta de chinampero, para mí que se queda en la prueba. No, señor, es de los que muerden fino y pegan arriba. Entonces vamos a jugar un careado, ¿cuánto quiere ponerle, amigo? Que sean quinientos pesos. Usted tiene crédito, excelencia, no hace falta que deposite su apuesta. Muchas gracias, señor juez, cuando quiera váyame a ver para que arreglemos el asunto de sus terrenos. Todos a sus asientos, que los soltadores pasen a colocarse en las cuerdas. Yo me la juego con usted, señor presidente, voy a apostarle tres onzas de oro a Pedrito. Usted sí sabe, amigo, le prometo que mi gallo hará morder el polvo a ese mochiller. Se va la pelea, corre el dinero parejo. Fuera de la valla, señores, el que estorbe la pelea paga. Primer careado a navaja libre, cuatro libras y nueve onzas, vengan los gallos.

Saludo como un torero al pueblo entusiasta que me vitorea desde el graderío alto, donde circulan en abundancia los cajetes de pulque. Aquí es donde la gente me quiere ver, no en las ceremonias de gala donde el protocolo me obliga a endurecer el gésto como un monigote de cartón piedra. Amo a mi pueblo y me dejo querer por él, aun si sus expansiones llegan a ser un tanto enojosas, pues no pocas veces debo soportar tuteos impertinentes, chanzas de oficiales subalternos, convites de borrachos que se ofenden si no me tomo un trago con ellos. Pero a todos pongo buena cara, porque de vez en cuando es bueno hacer a un lado las jerarquías. Los apostadores formamos una hermandad sin diferencias de partido ni de clase social, donde el lépero se codea con el aristócrata. Una sola tarde de gallos me depara más satisfacciones que un año de gobierno, con la ventaja de que en el palenque no hay enredos legales ni enemigos embozados a la espera de una oportunidad para saltarte a la yugular.

Pero la política me sigue al palenque, ni siquiera aquí puedo estar en paz. Todos los ministros y los generales de la plana mayor se han aficionado a los gallos para congraciarse conmigo. ¿Creerán que no me doy cuenta de su doblez? ¿Qué hace Valencia en aquella platea de primera fila, si me consta que no sabe distinguir un giro de un colorado? Viene a demostrarme su adhesión incondicional, como si no supiera que está conspirando en mi contra. Quiere aliarse con el viejo partido escocés y usar a Gómez Pedraza como trampolín para llegar a la presidencia. Pero con el escándalo del teatro Principal ya lo tengo cogido por los tompeates. Ahora sí la jodiste, Valencia. ¿Cómo se te ocurre mandar un grupo de militares a insultar a María Cañete, la actriz más querida de México, sólo porque no conseguiste palco para verle las tetas?

A una orden del juez los apostadores abandonan el palenque y sólo permanecen en el círculo los soltadores y topadores. Parece mentira, después de tantos años de gallero, en cada pelea me emociono como si fuera la primera vez. Mi soltador, el teniente retirado Nicasio Mora, golpea a mi gallo debajo de las alas y le arranca una pluma de la golilla. Lo topan con su rival, se encrespa y deja marcado en la tierra el surco de sus uñas. Igual de furioso me pongo yo cuando me abre careo un subalterno engreído como Valencia. Vamos, Pedrito, acaba de un venazo a ese retinto de mala tova. Desde el graderío de enfrente, el general Paredes me saluda con una inclinación de cabeza. Otro Iscariote que no sabe nada de gallos y sólo viene a robarse unas migajas de mi popularidad. No te quites el sombrero, hipócrita, sé que en tus borracheras hablas pestes de mí. Te has echado en la bolsa al arzobispo Posada y con dinero del clero estás comprando voluntades en los cuadros medios del ejército. Pero ni siquiera sabes preparar un pronunciamiento, te has ido de la lengua con todo el mundo, hasta con Valencia, que me puso al tanto de tus proyectos. Él sólo quiso amarrar navajas entre los dos, lo que no sabe es que también lo tengo en la mira.

Con un ligero impulso, los soltadores lanzan a los gallos. Pedrito acomete al de Tlacotalpan desde el inicio de la pelea, pero el retinto es de ley brava y no cede terreno. El corazón me da un vuelco al ver el remolino de plumajes entrelazados. Qué pelea tan pareja, ninguno pide ni da cuartel, es como una batalla entre dos generales viejos que ya se conocen todas las mañas. El retinto empieza a recular, hasta acá me llegan los chorros de sangre, ahora es cuando, Pedrito, remátalo a picotazos. La mejor manera de aniquilar a Valencia es quitarle el mando de tropas. Sin el apoyo de la guarnición de México no tendrá ningún poder para agitar las aguas. Ahora está bajo el mando del gobernador Vieyra, que le debe muchos favores y ha gobernado la ciudad como un criado suyo. Hasta despojó al ayuntamiento de sus funciones para absolver al grupo de vándalos que insultaron a la Cañete. Pero el pueblo pide su cabeza y nada me gusta más que obedecer la voluntad popular. Excelentísimo general Vieyra: por así convenir a los intereses de la nación queda removido de su cargo como gobernador del Valle de México. Te lo digo a ti, mi negra, para que entiendas tú, mi chata, más vale que vayas poniendo tus barbas a remojar. Pedrito y yo somos invencibles, no ha nacido el gallo que nos saque de las cuerdas.

El retinto de Tlacotalpan corre para atrás como si fuera a buscar pistolas. Ya ni siquiera levanta los espolones. Pero cuidado, no sería la primera vez que un gallo moribundo mata a su rival de un venazo. Por eso debo tratar con cautela al borracho Paredes. Mandarlo de regreso a Guadalajara no me conviene, puede alzarse con las tropas de la guarnición. Pero tiene un punto flaco: la vanidad. Sería capaz de vender a su madre —si la tuviera— por una condecoración o un ascenso. En reconocimiento a su patriotismo y a su probada capacidad como servidor público lo nombro gobernador del Valle de México. Gracias, señor presidente, no tengo palabras para agradecer el altísimo honor que me ha conferido. Espera un poco, bribón, no hay cucaracha que suba media pared y no caiga de un chancletazo. Contraorden al ministro de Guerra y Marina: que ningún cuerpo de la comandancia obedezca las órdenes de Paredes hasta no recibir su nombramiento oficial. ¿Pero cómo es posible?, vocifera Paredes, el propio señor presidente me dio el mando de las tropas. Pero ha recibido malos informes de usted y no quiere confiarle un puesto tan delicado. Ah sí, pues dígale de mi parte que se vaya derechito a tiznar a su madre. Guardias, detengan a este insolente. Queda confinado al cuartel de Toluca por insultos a la autoridad. Bravo, Pedrito, sigues invicto y apenas te rasguñaron. Una ronda de aguardiente para todo el palenque, por cortesía del Supremo Gobierno. Este gallo se merece un premio. A ver, Mora, cure a Pedrito de sus heridas y llévelo a revolcarse en la tierra que mandé traer del Encero.

Tengo suerte en el juego porque Loló me niega su amor. Estos tres meses sin verla me han parecido una eternidad. Ni siquiera lee mis cartas, me las ha devuelto todas sin romper el lacre. En mitad de una tediosa junta de gabinete abro discretamente el cajón de mi escritorio para ver el retrato que le mandé hacer en nuestro último encuentro. Ahora me parece una criatura celestial, rodeada por un halo de pureza donde se estrellan mis pensamientos malsanos. Adiós, Loló, no seré yo quien te acompañe al altar, estoy condenado a las galeras del matrimonio, a las mezquinas tramoyas de la política palaciega. Los miembros del gabinete se ponen de acuerdo para definir el nuevo orden constitucional. Su cháchara me fastidia, como todo lo que tiene que ver con las tareas de gobierno. ¿A mí qué me importa si la Junta Legislativa promulga o no las Bases Orgánicas? Pero el ministro Bocanegra está entusiasmado y quiere celebrar el magno acontecimiento por todo lo alto. Está bien, presidiré los festejos, pero evíteme los espectáculos bochornosos. Ordene a los empleados públicos que vistan uniformes de terciopelo bordados en oro, no quiero desharrapados formando la valla de honor. Pero excelencia, el erario está pobre y eso costaría mucho dinero. Pues que paguen los uniformes de su propio peculio, la ocasión amerita un pequeño sacrificio, ¿no le parece? Todos viven de prestado, señor, les debemos tres meses de sueldo. Entonces mándelos colocarse en las últimas filas, donde yo no los vea. El día del festejo me irrita el pobre decorado de los edificios, indigno de una gran capital. Desde el balcón central de palacio arrojo un saco de monedas de oro a la plebe reunida en la plaza, que se disputa el óbolo a mojicones. En el tumulto muere aplastado un niño de brazos y su madre quiere revivirlo pegando alaridos. Lo ha logrado, Bocanegra, ya se me revolvieron las tripas.

Inés me avisa por carta que no podrá venir a México a celebrar mi cumpleaños, porque está en cama enferma de gripe. Mejor que mejor, tengo tantas ganas de verla como de pescar un cólico. Siguen llegando regalos, excelencia, los miembros del Estado Mayor le obsequian este bastón con puño de oro y brillantes. Y dale con los bastones, ya tengo tres iguales, súbalo al desván junto con la cadena y el prendedor de amatistas que me regaló el banquero

Escandón. En el besamanos de Palacio Nacional, el provecto insurgente don Andrés Quintana Roo me obsequia la vieja lanza que Morelos empuñó en el sitio de Cuautla. Muchas gracias, don Andrés, me comprometo a cuidar esta venerable reliquia (¿cuánto me darán por ella los anticuarios del Parián?) y a honrar la memoria del siervo de la nación. Entre los invitados a la ceremonia distingo a doña Manuela. Parece muy compungida por los desaires que me inflige su Doloritas. Está imposible, general, se quedó encerrada en su cuarto y no hubo forma de hacerla venir. En su lugar traje a Licha, mi hija menor. Apenas va a cumplir dieciséis, pero está muy bien formadita. Poco le falta para alzarle el vestido y mostrarme su nalgatorio, como si quisiera venderme a una esclava. ¿Por quién me tomas, arpía? Soy un hombre enamorado, no un pervertidor de menores. Viene luego la rastrera legión de clérigos, militares y agiotistas que compiten entre sí por verter en mis oídos el cumplido más zalamero. Todos se precian de haber sido santanistas «de la primera hora». Lo mismo le decían a Bustamante hace apenas un año, pero finjo haber olvidado sus deslealtades. Qué le vamos a hacer, así funciona el establo de Augias de la política mexicana.

Por la noche continúan los agasajos con un banquete de gala en el palacio de Tacubaya. Para darle más dignidad y menos relumbrón a la investidura presidencial, mando retirar a los seis oficiales de alta graduación colocados a mis espaldas. Eso está bien cuando el presidente es un pelagatos que necesita darse importancia, yo más bien le doy lustre a la presidencia. Devuelvo sin probar la sopa de ostras y el robalo gratinado a la veracruzana. Estoy perdiéndole el gusto a la comida. Y lo peor es que también he perdido el apetito carnal, como si el rechazo de Loló me hubiese quitado los arrestos viriles. Por si alguna penitencia me faltara vienen los brindis, con su inevitable carretada de discursos. Toma la palabra don Ignacio Sierra y Rosso, general con licencia, que tuvo una destacada intervención en el entierro de mi pie y se ha proclamado el Homero del santanismo. Sus grandes ojos negros y la delgada patilla de poeta romántico le dan un aire de nobleza incompatible con su nariz aplastada, semejante a una papa. Sierra se aclara la voz y declama con voz meliflua:

> Vista muy dulce en calurosa tarde
> es del Océano la templada brisa,
> y dulce al joven amador cobarde

de su amada en los labios ver la risa;
pero más dulce el corazón y arde
dentro el pecho latiendo más aprisa,
cuando el aura feliz repite ufana:
¡Viva el excelso general Santa Anna!

No cabe duda de que el chato Sierra tiene talento. Sus versos han logrado conmoverme, más aún, creo percibir en ellos una admiración genuina. No es el clásico oportunista que hoy tañe la lira para elogiar a Fulano y mañana le quema incienso a Zutano: él sólo ha cantado mis glorias, como si estuviéramos unidos por contrato matrimonial. Venga para acá, don Ignacio, quiero felicitarlo por su sentida composición y ofrecerle un puesto en mi gobierno. ¿Le gustaría ser oficial mayor de Hacienda? La mayor ilusión de mi vida es trabajar con usted, excelencia. Mañana mismo recibirá el nombramiento, junto con un bono de quinientos pesos, para que se vaya comprando libros de economía. Pero Sierra no sabe una palabra de finanzas, necesitamos en ese puesto a un experto en derecho fiscal que conozca al dedillo la pauta de comisos. Así no se habla de un compañero, señor Bocanegra, si le molesta la designación, presénteme su renuncia y asunto arreglado. No quise ofenderlo, excelencia, haré todo lo posible por entenderme con el general Sierra. Muy retobones, pero siempre doblan las manos cuando está de por medio el puesto.

Mando imprimir carteles con el himno de Sierra y Rosso para colgarlos en las plazas públicas y ordeno que los niños lo reciten en las escuelas. Pero mi querido Tornel tiene razón, la posteridad no se gana con versos, los grandes hombres perduran en la memoria del pueblo por sus obras de ornato. Ya es tiempo de embellecer esta maltrecha ciudad, que sólo ha sufrido bombardeos y mutilaciones desde los tiempos de la Colonia. Si Napoleón cambió la faz de París en apenas diez años, yo no me puedo quedar a la zaga. Pongan atención, señores, he decidido emprender un proyecto monumental para enmendar el trazo de la capital. No más mercados pestilentes y estrechos, donde la plebe practica el juego depravado de las apreturas y los manoseos: he dispuesto que el Parián sea demolido y en su lugar se construya una plaza espaciosa para el solaz de las buenas familias. A un costado de la Plaza del Volador construiré un edificio funcional y moderno para dar cabida al nuevo mercado. El Supremo Congreso aprueba el proyecto por mayoría de votos y dispone que mi estatua en bronce sea colocada en la Plaza del Volador. De ningún modo, señores, un humilde soldado de la patria no puede aceptar honores de tal magnitud. Piense usted en las futuras generaciones, la nación necesita un símbolo de unidad. Pero sólo a los muertos les erigen estatuas. Por favor, excelencia, no desoiga el clamor popular. Queremos rendirle honores en vida, por si llegara a faltarnos mañana.

Sólo cuando me imploran siento amor por el prójimo. Ojalá fuera el Santo Padre o la virgen María, para estar escuchando ruegos a todas horas. Hay algo voluptuoso en hacerse del rogar, en aplazar un sí que tiembla en la punta de la lengua, como un amante avezado en las lides de Venus que retrasa la eyaculación para prolongar las delicias del acto carnal. Adoro las súplicas, no importa si son verdaderas o si yo mismo las he provocado. Los diputados acordaron erigirme la estatua por instrucciones de Tornel, a quien yo muevo como un peón de ajedrez. Pero si ellos no me suplicaran, si yo aceptara de buenas a primeras la iniciativa del Supremo Congreso, que en realidad es mía, el homenaje perdería la mitad de su encanto. Está bien, señores, ustedes ganan, no quiero oponerme a la voluntad popular, pero que sea una estatua modesta, como mi papel en la historia de México.

Buenos entendedores, los diputados ignoran mi voluntad y encargan al maestro Salustiano Vera una colosal escultura pedestre de ocho varas de altura, fundida en una sola pieza. La mano que apunta hacia el norte simboliza mi deseo de reconquistar Texas, pero el día de la solemne develación, un cagatintas anónimo comenta en la prensa que la mano apunta hacia el norte de la ciudad, donde está la casa de Moneda. Ya no me duele ser el blanco de la picardía popular. En todas partes del mundo los resentidos descargan su rencor en los poderosos, y un gobernante maduro no debe inmutarse por los chistes de la canalla. Ríanse de mí, no se imaginan cuánto me río de ustedes.

Se acerca el invierno y no quiero helarme en la capital. Desde que me amputaron el pie sufro de reumas en los meses fríos y el año pasado tenía el muñón de la pierna como un carámbano. Petición de licencia al Congreso, que ya conoce mi punto débil y me ruega seguir en el cargo. Pero esta vez no cedo a las súplicas, por halagüeñas que sean. Tengo derecho a un descanso, pues he trabajado varios meses a marchas forzadas. Y además, nada importante me retiene aquí: los palenques no volverán a abrir hasta el año próximo. Mexicanos, me voy satisfecho por haber cumplido con mi deber. Dejo en marcha las obras del fastuoso teatro Santa Anna, un prodigio arquitectónico digno de las principales capitales de Europa. Dejo calles empedradas y seguras. Dejo arreglada la paz con la belicosa provincia de Yucatán, que por fin ha depuesto las armas, a cambio de autonomía para nombrar a sus gobernantes. Dejo sin pagar veinte mil pesos por deudas contraídas con otros galleros. Dejo un país estable y próspero, con instituciones sólidas y un ejército comprometido con la causa de la nación.

Antes de partir a mis cálidas tierras nombro presidente interino al general Valentín Canalizo, uno de mis aduladores más pertinaces, que celebra mis peores chistes, aun cuando los oiga por quinta vez. Según los diarios opositores, Canalizo es un botarate incapaz de gobernar a su propia familia. Comparto su opinión: por eso le dejo encargado el changarro. Cuando se ponga a hacer tarugadas y la nave del Estado quede a la deriva, el país entenderá cuánto me necesita.

Tarde borrascosa en Manga de Clavo. Por un descuido imperdonable, cometo el dislate de llamar Doloritas a mi hija María del Carmen. Inés reprime su cólera delante de las visitas pero a solas en la recámara me vomita sus rencores. Ya no respetas ni a tu propia familia, ¿cómo se te ocurre nombrar a esa meretriz delante de los niños? ¿Es que no piensas en otra cosa? ¿O acaso la lujuria ya te secó el cerebro? Mírate al espejo, Antonio. Estás barrigón y calvo, tienes la frente surcada de arrugas: ninguna muchachita se puede enamorar de ti. Esa niña y la mujer que la regentea, indigna de llamarse madre, sólo quieren sacarte dinero, el dinero que le pertenece por derecho propio a tus hijos. Bonito papel has hecho correteando a la señorita Tosta en los prados del Encero. Por si no lo sabes, antes de enredarte en su telaraña, tu querida ya tenía una lista de amantes más larga que la nómina del ejército.

Rehúyo el altercado para no perder los estribos y salgo de la alcoba dando un portazo. Con tal de zaherirme, Inés sería capaz de calumniar a la Madre de Dios. ¿Cómo explicarle que entre Dolores y yo sólo existe una amistad platónica? Me ha conocido tantas queridas que ya no me cree capaz de albergar sentimientos puros. ¿O intuye que mi amor por Loló es diferente, y por eso la ve como una amenaza? Mando enjaular a mis mejores gallos, ordeno que los acomoden en una carreta y esa misma noche parto al Encero para no tener que soportar nuevas recriminaciones. Hasta cierto punto es natural que haya confundido a Maricarmen con Dolori-tas, pues las dos tienen la misma edad, aunque Loló está más de-sarrollada. ¿Será una aberración quererla como padre y desearla como amante?

Sueño a mi Dolores con su uniforme de colegiala, recostada lánguidamente al pie de la higuera. El viento alza un poco el vuelo de la túnica y deja al descubierto la rosada curvatura del muslo. Me demoro acariciando sus senos, como un alfarero que le da forma a una vasija de barro. Cubro su desnudez con pétalos de balsamina que luego retiro con los labios uno por uno, mientras ella suspira en sueños. Inspecciono con el dedo el adorable musgo de su pubis, separo sus muslos con suavidad y cuando voy a poseerla escucho una risilla burlona que parece venir de lo alto. El susto me baja la erección de golpe. Alzo la cabeza y descubro a Inés, encaramada en una rama de la frondosa higuera. No es la beata gruñona en que se ha convertido sino la niña encantadora que conocí en Alvarado. Mira nada más el hilito de carne que tienes entre las piernas, me apunta con el dedo. Yo en tu lugar usaría la lengua. ¿No has go-bernado siempre con ella? Pues ya estás en edad de emplearla en otros menesteres. Me das lástima, Antonio, con todo tu poder sólo puedes hacerle cosquillas a una mujer.

Despierto en una hamaca bamboleante, con el pulso acelerado y la camisa bañada en sudor. Pero la risa de Inés me sigue tor-turando en sueños posteriores. Unas veces la estrangulo, otras la degüello con un machete o le pongo veneno en el café con leche. Y en vez de despertar apesadumbrado, siento una rara tranquilidad de conciencia que se prolonga por largas horas, como si la hubiera matado en defensa propia.

Ni cuando tengo licencia dejo de gobernar. Esperaba de Ca-nalizo una discreta pasividad pero le ha dado por firmar decretos a tontas y a locas. Diariamente recibo a una veintena de quejosos que solicitan mi auxilio para revertir alguna tropelía del presidente interino. Y como los ministros no le tienen confianza, la solución de todos los problemas se aplaza hasta las calendas griegas. En otras circunstancias me valdría de Tornel para jalarle las orejas a Canalizo. Pero mi viejo aliado ya no me inspira confianza. Desde que firmó la paz con los yucatecos anda muy engreído, y ahora siente que le queda chico el Ministerio de Guerra. Le perdono sus tres haciendas en San Martín Texmelucan y no me importaría que haya desviado fondos públicos para comprarlas, como afirma la prensa conservadora. Lo que me exaspera es su falta de respeto a las jerarquías. Según mis informantes, en su reciente visita a Puebla se hizo acompañar de una guardia de honor, privilegio reservado al Primer Magistrado de la República, y al arengar a la multitud presentó como un triunfo personal la modernización del ejército, sin mencionar mi nombre una sola vez. Eso no se vale, Talleyrand, con un brazo derecho como tú, prefiero quedarme manco.

No tengo que aguantarme el coraje por mucho tiempo, pues Tornel viene al Encero para consultarme el nombramiento del nuevo comandante general de Yucatán. En mi despacho hay una comisión de alcaldes veracruzanos, pero ordeno a Giménez que lo deje pasar, para leerle la cartilla delante de testigos. Ya supe que te rindieron honores de emperador en Puebla. Explícame, por favor, ¿quién carajos eres tú para que una guardia de honor te acompañe desde tu domicilio hasta la plaza mayor? Discúlpame, Antonio, así lo dispuso el gobernador de Puebla y no me pude negar. Hubiera sido una descortesía. Descortesía mis huevos. Lo que pasa es que ya estás mareado con el poder. Alguno de esos poetastros lambiscones con los que te juntas te ha hecho creer que podrías ocupar mi lugar. Jamás he pensado tal cosa, Antonio, soy el más fiel de tus amigos y te lo he demostrado con hechos. Pues se acabó nuestra amistad: no quiero en mi gabinete reyezuelos de pacotilla. Evítame la pena de confiscar tus haciendas de San Martín Texmelucan. Preséntale tu renuncia a Canalizo y haz un largo viaje al extranjero. Atribulados, los alcaides de Veracruz no saben para dónde mirar. De aquí saldrán a propagar por todas partes la escena que presenciaron y habré conseguido sembrar en el cuerpo burocrático un saludable terror.

Creo haber hecho lo suficiente para que la patria me conceda un reposo. Pero en las primeras elecciones efectuadas según las Bases Orgánicas, las legislaturas departamentales me eligen presidente constitucional. El formulismo me desagrada porque todavía no acaban mis vacaciones, y a pesar de los ruegos pospongo la toma de posesión, aduciendo que el país necesita mi nombre en el poder, pero no a la persona de carne y hueso. Arréglense como puedan, yo estoy muy ocupado acondicionando mi nueva gallera, un palacete con canceles de caoba para proteger de los enfriamientos a mis príncipes emplumados. No repares en gastos, Mora, manda hacer una canaleta para filtrarles agua caliente; cada gallo tendrá un tapete de lana y calzas acuñadas con barbas de macho cabrío, para que no se raspen los espolones. ¿Te gusta tu nueva casa, Pedrito? ¿Verdad que está de cajeta? Hasta me dan ganas de vivir contigo. Dedicado a correr y volar mis gallos en los paseadores de la hacienda, olvido por unas semanas los enojosos pugilatos de la política. Pero mi felicidad no dura mucho: a finales de abril el señor Gilbert Thompson, enviado del gobierno yanqui, me anuncia con tranquila desfachatez que el presidente de Estados Unidos sometió al Senado un proyecto de ley para la anexión de Texas. Mi país nunca aceptará ese despojo, le advierto, acabamos de firmar un armisticio con Texas, pero eso no significa que hayamos reconocido su independencia. Tozudo como buen yanqui, Thompson da por hecha la anexión y quiere fijar de una vez la nueva frontera entre México y Texas. Su actitud prepotente me recuerda la altanería del capitán Green en la prisión texana de Orazimba, cuando me arrojaba la comida en el suelo como si fuera una bestia. Sin delatar mi enojo desvío la charla a temas inocuos y lo llevo a dar un paseo por la hacienda. Mientras le enseño mis gallos de pelea, me aparto un momento con el pretexto de buscar granos y lo dejo encerrado en la gallera, fingiendo que el viento ha azotado la puerta. Mis gallos no soportan a los extraños, menos aún si tienen pelos de zacate. Desde afuera gozo un par de minutos viendo cómo lo picotean de pies a cabeza, mientras hago como que lucho por destrabar la puerta. Reaparezco muy compungido y le ofrezco una toalla para que se limpie la sangre del rostro. Perdone amigo, ¿se encuentra bien? Mandaré traer una botella de alcohol, no sabe cuánto lamento lo sucedido. Por poco te sacan los ojos. A ver si con esto aprendes a fijar las fronteras entre un presidente y un pelagatos.

Por conducto de mi criado Canalizo solicito al Congreso un préstamo de cuatro millones y facultades extraordinarias para levantar un ejército de treinta mil hombres. Pero los diputados han escapado al control de mi suplente y rechazan la solicitud, arguyendo que la patria no puede hacer más sacrificios por un territorio perdido. Molesto porque no he querido untarle la mano, el cronista Bustamante aplaude la decisión del Congreso: «Poner en manos de Santa Anna una cantidad tan fuerte sería un colosal desatino. Baste recordar los bureos y los juegos de albures en que ha perdido millares de onzas, sus convenios lucrosos con agiotistas del país y del extranjero. A él pertenecen todos los carretones cargados con tercios de algodón que circulan por la capital, pues nadie más tiene permiso de introducir dicho género en la ciudad. La

Cámara sabe que desde Veracruz a Jalapa, todo el suelo cultivable es propiedad de Santa Anna, que cuanta carne y leche se vende en la plaza proviene de sus esquilmos». Pues sí, cretino, soy un hacendado próspero, pero en vez de quedarme a disfrutar mis riquezas, abandono todo lo que poseo para defender a la patria.

Anuncio a Canalizo mi próxima llegada a México y pido al Ministerio de Guerra que me prepare los tiros de mulas para el camino. Vamos a ver si conmigo en la presidencia el Congreso no dobla las manos. En el trayecto de Atoyac a la capital me vitorea una inmensa leperada, entre la que figuran jinetes disfrazados de apaches. Gracias, amado pueblo, su espontáneo recibimiento me colma de regocijo. Por un bolillo y un jarro de pulque esta gentuza es capaz de alzar en hombros al mismo diablo. En el Peñón, los miembros de las corporaciones civiles y eclesiásticas se comportan con solemnidad, pero sin entusiasmo, como viejos actores de una comedia representada cientos de veces. No puedo reprimir algunos bostezos en el *Te Deum* de la catedral. Escoltado por un batallón de húsares llego a la Plaza del Volador, donde se devela mi estatua en bronce. Fanfarrias, discursos, salvas de artillería. El escultor tuvo el acierto de disimular mi mutilación y esconderme las arrugas de la frente bajo el ala del bicornio, para que me viera más joven y apuesto. Sabré recompensarlo con un generoso regalo.

Los festejos continúan al día siguiente con la inauguración del teatro que lleva mi nombre, no por vanidad mía, sino por decisión de su constructor, el señor Arbeu. El gobierno pone a mi disposición una carroza roja y dorada tirada por cuatro caballos blancos, y al apearme recibo una lluvia de papel picado. Procuro contener la respiración para no reventar mi ajustado pantalón blanco, mientras el arquitecto De la Hidalga me describe la sobria fachada de orden corintio. No debí desayunar frijol con puerco, siento el estómago como un caldero hirviente. El efecto grandioso que producen los pórticos se debe a las sombras proyectadas detrás de las columnas —explica el arquitecto—, y a los cinco intercolumnios de imponente belleza que forman la entrada al gran peristilo. A medio recorrido expulso una ruidosa ventosidad que mi guía tolera sin pestañear. Pasamos al interior del teatro, en forma de herradura, que no le pide nada a los mejores de Europa. ¿Le gusta, excelencia? Ya lo creo, ha hecho usted una sinfonía en mármol. Todo es suntuoso y magnífico. Al contemplar los jarrones de bronce, las estatuas de las nueve musas, los cortinajes de terciopelo y la gran araña pendiente del techo, me parece que veo representado el espíritu de mi gobierno. Si no fuera por el olor a pedo, me sentiría en París.

Paredes no escarmienta, he recibido cartas y documentos que lo involucran en una conspiración contra mi gobierno. Para ser una cucaracha tiene una enorme capacidad de resentimiento. ¿O será esa capacidad lo que define a la gente menor? Lo mando traer sin violencia al palacio de Tacubaya, y para cogerlo desprevenido empiezo la charla en un tono amable, preguntándole por la salud de su señora esposa y por sus actividades de ganadero. Cuando ya está confiado saco las cartas de mi escritorio y las extiendo en abanico frente a sus ojos desorbitados. Dígame una cosa, Paredes. Si fuera usted presidente de la República y le mostraran esos papeles, ¿qué haría conmigo? Lo mandaría fusilar, responde con altivez. Ya tengo firmada su sentencia de muerte, pero su valor me desarma. Desde mi cautiverio en Texas la virtud que más admiro en un hombre es el desprecio a la vida. Es verdad, su ingratitud merece el paredón, pero yo no asesino a los valientes. Eche usted esas cartas a la chimenea. Paredes me obedece, confundido. Váyase de la ciudad, Paredes, pero no se le ocurra poner los pies en Guadalajara. Cualquier paso en falso le puede costar un Consejo de Guerra. Agradecido, Paredes se pone a chillar y besa mi mano. Cuando abandona el despacho, me limpio sus babas con la manga de la chaqueta.

A pesar de mis presiones y amenazas, el Congreso me niega el préstamo para emprender la expedición a Texas. Yo estoy tullido de un pie, pero la gente egoísta que antepone su interés al bien de la patria está tullida del corazón. Desde el *Diario del Gobierno* lanzo una campaña de invectivas contra las cámaras, que surte efecto a medias, pues el Congreso aprueba por fin el préstamo, si bien reducido sustancialmente. Miserables, cada peso escatimado puede ser un soldado muerto en el frente. A pesar de las limitaciones ordeno una leva y comienzo a pasar por cajas a los primeros reclutas. Pero el Altísimo lleva la cuenta de mis negros pecados y me tiene deparado un castigo condigno a su gravedad. En mitad de una cena con el embajador español recibo por correo extraordinario una carta de Inés.

Querido Antonio: Vine a Puebla para mis ejercicios espirituales y a causa de mi débil constitución he caído enferma de pulmonía. Escribo con gran esfuerzo, porque apenas puedo coger la pluma. El doctor dice que pronto estaré mejor, pero como todos a mi alrededor me sonríen con lástima, presiento que mi fin está cerca. No supe hacerte feliz, perdóname. Mi rebelde carácter lo arruinó todo. Tal vez debí tolerar en silencio tus calaveradas, como todas las señoras de mi clase. Tal vez debí ser un adorno en tu vida en lugar de ser una esposa. Pero a pesar de todo Dios santificó nuestra unión y quisiera morir en tus brazos. Ven pronto: las dos niñas y el pequeño Manuel están al pie de mi cama y veo sus caritas muy tristes.

La culpa me ahoga como si tuviera un cepo en el cogote. Si acaso mi alma tiene algún valor, te la regalo, Señor, a cambio de que la salves. El camino real está enlodado por las lluvias de julio y nos atascamos varias veces en la cuesta de Río Frío, contratiempo que me exaspera, pues necesito encontrarla viva. Llego a Puebla de noche, cuando el obispo Vázquez acaba de salir con el Viático, seguido por una larga hilera de frailes, religiosas y burócratas que cantan letanías y portan cirios. Digna procesión para una santa. Mi escolta me abre paso hasta la casa donde se hospeda la moribunda, y por las caras largas de los presentes temo haber llegado demasiado tarde. Pero no: Inesita vive todavía. Cuando la tomo de la mano abre sus párpados violetas y a manera de saludo esboza una macilenta sonrisa. Deberías estar contento, susurra, por fin voy a dejarte solo, para que puedas hacer tu gusto. Tranquila, ya verás cómo te pones bien, sólo necesitas unos días de reposo y eliminar los malos humores. No quieras engañarme, Antonio, mi cuerpo sabe la verdad. Mis lágrimas parecen reconfortarla, pues vuelve a sonreír con un destello de luz en los ojos. Lo siento por ti, ya no vas a tener quien te haga el dobladillo de los pantalones. No digas eso, tonta, eres muy joven y todavía vas a dar mucha guerra. Se me acaban las fuerzas, Antonio, sólo quiero que me concedas una última voluntad. Goza la vida como siempre lo has hecho, pero prométeme que vas a olvidarte de esa niña. Su ruego me sorprende, porque en las últimas semanas ni siquiera he pensado en Loló. Pero al evocarla siento una combustión interior, como si el deseo renaciera de sus cenizas. Sí, claro, te lo prometo, alcanzo a balbucir, antes de hacerme a un lado para que el obispo Vázquez pueda sacramentarla. Más tarde, cuando Inés exhala el último aliento, y su mano exánime queda suspendida al borde del lecho, miro fijamente el Cristo de su cabecera: Líbrame, Señor, de todo mal y no me dejes caer en la tentación.

DIARIO DEL GOBIERNO
(10 DE SEPTIEMBRE DE 1844)

El jueves tres del presente, a las siete de la noche, se celebrará en el salón principal de Palacio Nacional, el matrimonio del Excmo. Señor Presidente Constitucional de la República, General de División, Benemérito de la Patria, don Antonio López de Santa Anna, con la preciosa jovencita Dolores Tosta. Por ausencia del general presidente, que se repone de una gripe en la hacienda del Encero, tomará su lugar en la ceremonia el licenciado Juan de Dios Cañedo, padrino de pila de la cónyuge. Para unirse a la celebración, el ayuntamiento ha ordenado iluminar los edificios públicos y la orquesta del teatro Principal dará un concierto en la plaza mayor. El presidente interino, General de División Valentín Canalizo, tendrá el honor de apadrinar a los contrayentes, que recibirán la bendición de manos del Ilustrísimo señor Arzobispo de esta metrópoli, monseñor Posada y Garduño. La nación mexicana está de plácemes y ha colmado de parabienes a la feliz pareja.

Apreciado don Manuel:

He descubierto por accidente el tinglado de la señora Tosta y estoy sobrecogido de horror, porque jamás había observado tan de cerca la maldad humana. Temo por mi salud, pues a mi edad las impresiones fuertes pueden ser fatales, y la que me llevé anoche fue tan letal como inopinada. Volvía a la casa de Vergara en busca de mi sombrero, que había olvidado en el despacho del general, cuando al cruzar el zaguán escuché las voces acaloradas del doctor Fichet y doña Dolores, que gritaban improperios a don Antonio. Retrocedí espantado y contemplé la escena por la ventana del patio, con la respiración contenida para no llamar su atención. Fichet había puesto a hervir agua sulfurosa, en una hornilla delante del general, y avivaba el fuego con un aventador. A su lado, despeinada y jadeante, con un brillo luciferino en los ojos, Dolores daba recias bofetadas a su marido:

—¿Vas a quedarte así toda la vida? Contesta, imbécil, no te quedes pasmado: ¡tú sabes cuál es la combinación de la caja fuerte! Abstraído en sus pensamientos, el general recibía impertérrito los bofetones de su mujer.

—Usted tiene la culpa —la señora Tosta se volvió hacia Fichet—. Se le pasó la mano con el fluido magnético.

—Se equivoca, mi tratamiento fue un éxito. Le hemos arrancado todos sus secretos.

—Sí, todos, menos el único que me interesa —la señora Tosta sonrió con amargura.

—Tal vez ignore la combinación —Fichet sacó un pañuelo y empezó a desempañar sus lentes—. Un sonámbulo no puede mentir.

—Mi marido mintió toda su vida y lo sigue haciendo, aunque esté dormido. Él mandó traer la caja de París, pero es tan egoísta que se quiere llevar el secreto a la tumba.

—No se haga mala sangre, doña Dolores. Yo en su lugar volaría la caja con explosivos.

—Los documentos que hay adentro se podrían quemar y son muy valiosos. No voy a correr el riesgo.

—Si no es indiscreción, señora, ¿qué clase de documentos son?

—Eso no es asunto de su incumbencia, doctor —respingó doña Dolores—. Limítese a cumplir con su trabajo y haga menos preguntas.

Por culpa de mi terca afición al tabaco, en plena labor de espionaje me asaltó una tos indomable. Al oírla, Fichet y doña Dolores interrumpieron su charla, y el doctor salió al patio en busca de un posible intruso. Lo vi pasar de largo, agachado tras una maceta, la mano en la boca para acallar la tos, y cuando terminó su rápida inspección me deslicé de puntillas hasta ganar el zaguán. Hoy volví a mi trabajo como todos los días y la señora Tosta me recibió con su indiferencia habitual, de donde infiero que no se malicia nada. Me abstuve de hacerle reclamaciones, pues tengo planes para librar de sus garras a don Antonio y me conviene tomarla desprevenida. No quiero adelantar vísperas, pero le prometo que el sufrimiento del general se acabará pronto, así me tenga que jugar el pellejo. Si Fichet y el monstruo se interponen en mi camino, podría terminar en el fondo de una acequia con una piedra atada al cuello. Pero yo les llevo un caballo de ventaja, y confío en el auxilio de la Providencia, que tantas veces me protegió en la línea de fuego. Con su ayuda no sólo rescataré al general, sino los papeles guardados en la caja fuerte. Mientras espero el momento propicio para burlar a doña Dolores debo fingir una completa dedicación al trabajo, de manera que en los próximos días le seguiré enviando las transcripciones, a pesar de mi desacuerdo con su método biográfico. Reitero a usted mi distinguida consideración y le ruego perdone el tono recriminatorio de mi anterior epístola,

Coronel Manuel María Giménez

P.D. Si estima en algo mi probada lealtad a la familia Santa Anna, le ruego sea tan amable de socorrerme con trescientos pesos, que necesito con urgencia para el salvamento del general.

Escudados en el anonimato, mis enemigos quieren desconceptuarme a los ojos del pueblo. El Sábado de Gloria quemaron Judas cojos en la Plaza de Santo Domingo. Detrás del atentado distingo la mano negra de monseñor Posada y Garduño. Dolido por mis confiscaciones, ha orquestado en mi contra una campaña de desprestigio. Por doquier circulan octavillas donde se me acusa de negocios inconfesables. Con los curas hay que andarse con tiento: nunca perdonan a quien les toca el bolsillo. ¡Cómo les duele que haya vendido los bienes de la Iglesia a la quinta parte de su valor! En venganza la han tomado con Doloritas. La pobre está desconsolada porque en las pintas callejeras la llaman Dolores Tosta de Satanás. La opinión general cree que yo estaba enredado con ella antes de enviudar, y por eso no le guardé suficiente luto a la pobre Inés. Tal vez fue una falta de tacto casarme con Loló a los cuarenta días de su muerte. Pero los hombres superiores no podemos regirnos por la estrecha moral de la mayoría, menos aun cuando el amor apremia. Seca tus lágrimas, ángel mío, yo haré que se inclinen a besar tu mano todos los aristócratas mojigatos que ahora murmuran de ti.

Por falta de fondos, los preparativos de la campaña de Texas van a paso de tortuga. El Congreso se sigue oponiendo a la guerra y nadie parece entender la gravedad de la situación. He rechazado cuatro invitaciones a cenar del embajador Shannon, pues cualquier debilidad con Estados Unidos en este momento despertaría suspicacias. El gobierno yanqui aún aspira a un arreglo pacífico y en esto comulga con los vendepatrias del partido moderado, que se darían por satisfechos con una buena indemnización. Pero mientras haya un patriota en el gobierno, la República no perderá una brizna de tierra. Soy el depositario del honor nacional y la afrenta que recibí en Texas debe ser lavada con sangre, lo quiera o no el partido de la transacción vergonzosa.

Roto el armisticio, las hostilidades podrían empezar en cualquier momento. Para demostrar al coloso del norte que no daremos un paso atrás, ordeno al jefe de nuestra línea militar en el Bravo combatir sin cuartel a todo extranjero alistado en las filas texanas. Incapaz de mantener su disimulo, el embajador Shannon se abre de capa y me advierte que no permitirá a México reconquistar el territorio de Texas, mientras esté pendiente su agregación a Estados Unidos. La bravata me viene como anillo al dedo para exigir al Congreso que asuma una posición más firme contra los yanquis. Señores diputados: ha caído por tierra el edificio laboriosamente levantado por el gobierno de Estados Unidos para dar una apariencia de legalidad a sus actos de piratería. Solicito la anuencia del Supremo Congreso para contratar con bancos nacionales o extranjeros un préstamo por diez millones de pesos, cantidad indispensable para poner en pie un ejército moderno y bien pertrechado que nos permita hacer frente al poderío norteamericano.

Toma la palabra el diputado Llaca, orador enérgico y arrebatado, a quien muchas veces intenté sobornar por medio de terceros. La mayoría de los diputados pronuncia mi nombre con mesura. Llaca, en cambio, omite mencionar mis títulos y se refiere a mi persona con un desparpajo insolente que regocija a los espectadores de la galería. El señor Santa Anna ha subido a esta tribuna para demandar un préstamo que excede en mucho las posibilidades del erario público, riposta con trémolos de indignación en la voz. ¿Cómo se atreve a exigir sacrificios imposibles a la nación el mismo hombre que le hizo perder el territorio de Texas, entregándose al sueño delante del enemigo? La concurrencia está de su parte y estalla en aplausos. Debí llenar las gradas con los dragones de mi escolta, para imponerle temor a la chusma soliviantada. Este infeliz debe tener un valedor importante en el ejército, de lo contrario mediría sus palabras. Pero aun si el país estuviera en condiciones de erogar esa enorme suma, continúa Llaca, sería un disparate ponerla en manos de un gobierno que dilapida la riqueza nacional y ejerce el pillaje con la mayor procacidad.

Esto me saco por jugar a la democracia. En medio de una tupida rechifla abandono el recinto legislativo con la cabeza en alto, como conviene a mi dignidad ultrajada. Sufro de cólicos incesantes que los doctores me detienen a fuerza de lavativas. Pobre Loló, menuda tarea para una recién casada. No es digno de una princesa tener que cargar tinajas llenas de mierda. Debí quedarme en el Encero y prolongar varios meses nuestra luna de miel. Pero ahora menos que nunca puedo solicitar licencia: yo sólo renuncio al poder cuando nadie me lo disputa. Sería una mengua para mi honor abandonar la nave sólo porque tengo un pequeño motín a bordo. Con sus faltas de respeto, la oposición busca restarme autoridad y dar la impresión de que mi gobierno se tambalea. De buen grado disolvería el Congreso a punta de bayoneta, como Napoleón Bonaparte descabezó el Directorio el 18 Brumario. Pero con ese golpe daría a mis enemigos el pretexto que buscan para levantarse en armas.

Los comandantes de las provincias están muy obsequiosos últimamente. Demasiado incienso, demasiados regalos de boda con dedicatorias empalagosas. Yo mismo he obrado igual con otros presidentes, mientras conspiraba en la sombra para derrocarlos. Como nadie a mi alrededor me inspira confianza, paso las noches en blanco sin tocar a Dolores, elucubrando por dónde vendrá el albazo. Malos augurios: Pedrito hundió el pico en el palenque de San Agustín en una pelea donde le aposté cinco mil pesos. No vuelvo a jugar tapados, si hubiera visto al pinto de Tezuitlán que lo derrotó, retiro a mi gallo de la pelea. Quizá vea moros con tranchetes, pero me pareció que el público del palenque se alegraba demasiado con mi derrota. ¿Hasta acá llega la influencia del arzobispo Posada? No cabe duda, los hados están en mi contra.

De vuelta en el palacio de Tacubaya, Canalizo me recibe con levita negra y cara de pésame. Lamento mucho lo sucedido, excelencia. Yo también, general, pero le aseguro que me voy a reponer de este golpe. Tengo muchos ejemplares bravos que pueden tomar el lugar de Pedrito. No me refiero a su gallo, señor presidente, sino al pronunciamiento de Guadalajara. ¿Cómo? ¿Alguien se pronunció? Perdón, señor, creí que ya estaba enterado: el general Paredes se alzó en armas con la brigada que debía marchar hacia California. ¿Paredes? ¡Pero si apenas ayer me protestaba su lealtad en una carta llena de almíbar! La culpa es mía por haberle perdonado la vida cuando tuve pruebas de su traición. Creí que estaba neutralizado por la deuda de gratitud contraída conmigo. Bien lo dice el refrán: a la víbora pisada no se le quita el pie.

MANIFIESTO A LA NACIÓN
DEL GENERAL MARIANO PAREDES Y ARRILLAGA

Compatriotas: Hace unos años apoyé al gobierno del general Santa Anna, con la esperanza de mantener un orden de cosas estable que libertara al país de las constantes revoluciones. Pero lejos de cumplir con las Bases de Tacubaya, el presidente ha traicionado la confianza del pueblo con su escandaloso enriquecimiento. ¿Dónde fueron a parar los caudales públicos? ¿En qué se invirtieron los sesenta millones de pesos que el general ha manejado desde el principio de su mandato? Todo ha ido a parar en manos de especuladores que a la sombra del poder discrecional de Santa Anna succionan como vampiros la sangre del pueblo. La administración de las aduanas marítimas, las contratas de todas clases han sido una mina abundante para esa nueva especie de ladrones que en bandadas se han esparcido por toda la República. El principal beneficiario de este saqueo declara a los cuatro vientos su amor a la patria. Pero se trata de un amor antinatural y perverso, como el de Saturno por sus desdichados hijos. El general Santa Anna ama a la patria con la misma solicitud y ternura con que un gastrónomo ceba un capón para saborearlo después. Sí, Santa Anna ama a la patria, pero a condición de que ésta no tenga más voluntad que la de obedecer los caprichos de su vergonzosa y supina ignorancia; Santa Anna ama a la patria y quisiera verla rica, grande y próspera, pero a condición de someterla bajo su yugo. ¡Oh, patria querida! ¡Que de ti disponga, como de bien propio, el más inmoral de los bandidos, el más inepto de los mandarines!

Estas consideraciones me han obligado a empuñar las armas para exigir que el general Santa Anna sea cesado en sus funciones y sometido a un juicio de residencia, como lo estipulan las Bases de Tacubaya. El fuego de la esperanza encendido en Guadalajara no tardará en extenderse por todo el país, gracias al sacrificio de los verdaderos patriotas que prefieren derramar su sangre a padecer la opresión de una tiranía sultánica. La victoria está cerca y con ella se iniciará una era de paz y armonía en que los mexicanos resolveremos nuestras diferencias como los pueblos civilizados. Restablecido el imperio de la ley, ni yo ni mis soldados ocuparemos cargo público alguno, sólo aspiramos a conquistar el cariño y la admiración del pueblo [...]

Que refuercen con piquetes de soldados las azoteas del palacio y las torres de la catedral, no quiero despertar con una espada en el pecho como Bustamante. Coloque guardias en todos los puntos concurridos de la ciudad, para intimidar a los posibles insurrectos. Yo saldré a Querétaro con un regimiento de caballería y allá se unirá conmigo el general Cortázar. Entre su tropa y la mía reuniremos unos dos mil efectivos, fuerza más que suficiente para ahogar en sangre la insurrección. Mientras tanto, usted se quedará en mi lugar como presidente interino. Pero general, no puede irse tan pronto, antes de marchar al combate debe pedir licencia al Congreso. Obviaremos el trámite: los cabecillas del partido moderado están coludidos con el manco Paredes y serían capaces de negarme el permiso. Primero muerto que darles el gusto de humillarme otra vez. Pero según las Bases Orgánicas, el presidente en funciones no puede tomar el mando de tropas, si el Congreso no lo autoriza. No sea tan escrupuloso, Canalizo, en este país ha mandado siempre la ley de la espada. Y si de legalidad se trata, ¿quién la rompió primero? Bueno, al menos habrá que notificar del pronunciamiento a los diputados, como se estila en estos casos. ¿Para qué, si ellos fueron sus principales instigadores? No haga ningún anuncio oficial, de ese modo restaremos importancia a la insurrección y daremos al Congreso una bofetada con guante blanco.

A las afueras de Querétaro, echado bajo la sombra de un trueno mientras el cochero cambia el tiro de mulas, medito acerca de la ingratitud humana, el verdadero enemigo con quien me estoy enfrentando. No me asusta la pérdida del poder, pues nunca lo he tenido en gran aprecio. Más bien siento despecho por haber concitado el odio de todos los partidos. El discurso de Llaca todavía resuena en mis oídos como lava ardiente. Un rencor de esa magnitud no puede nacer de la nada, se necesita un largo proceso de añejamiento para incubarlo en el alma de un hombre. Hasta hace poco fui un glorioso caudillo, a quien se le rogaba presidir el gobierno. Pero la gloria de los grandes hombres poco a poco va quemando las entrañas de los envidiosos, acaso porque les da la medida exacta de su grisura. Un palurdo como Paredes nunca debió pasar de sargento. Con su corpachón vacuno y su colorada nariz de beodo podría recaudar boletos a las puertas de un teatro. ¿Cómo llegó a concebir ambiciones tan desmedidas? ¿Quién le hizo creer que podía remontarse a las nubes? Yo mismo he prohijado a mis enemigos, yo engendré a Paredes con mi gallardía, con mi audacia, con la grandeza de espíritu que salta a la vista en todos mis actos. Yo hice nacer en su alma un afán de emulación que al principio quizá le sirvió de acicate, pero más tarde, frustrada su esperanza de alcanzar mi gloria, se trocó en bilis negra y helado rencor. Antes tenía enemigos verdaderos, ahora debo luchar con pequeños imitadores, como un gigante enfrentado con su reflejo deforme.

Escala en Lagos de Jalisco para esperar los refuerzos del general Cortázar y abastecer a la tropa de bastimento. Por correo extraordinario, Canalizo me informa que el Congreso pretende quitarme el mando de la tropa y formarme causa por mi desacato a la Constitución. De modo que los diputados se han quitado la careta y ya ni se molestan en ocultar su complicidad con los insurrectos. Veo sobre mi pecho el puñal de Bruto, empuñado por el iracundo tribuno Llaca. Pero yo no estoy inerme y desde aquí le puedo devolver el golpe, amparado en la séptima base de Tacubaya. Por decreto del Ejecutivo quedan suspendidas las sesiones del Congreso y se priva a las cámaras de ejercer sus atribuciones mientras dura la campaña de Texas. El gobierno confiere la suma del poder público al general Santa Anna, y en su defecto, al general Canalizo, para legislar en todas las materias y arreglar las relaciones exteriores sin trabas de ninguna especie. Un decreto despótico, dirán los exaltados, pero hay un despotismo que atropella la ley para tomar decisiones trascendentales. No se ablande, Canalizo, ahora más que nunca debe fajarse los pantalones. Mande patrullar las calles, ponga centinelas en todas las esquinas y si es necesario destierre a los opositores más señalados. En crisis como la presente, la firmeza y los trancazos lo componen todo.

México, 7 de diciembre de 1844

Excelentísimo don Antonio:

La reacción del enemigo por la disolución del Congreso rebasó todas nuestras expectativas, al punto de que me encuentro preso y una sentencia de muerte pende sobre mi cabeza. Se lo advertí, general, estábamos jugando con fuego, pero usted nunca escuchó mis recomendaciones. Apenas promulgado el decreto, la Suprema Corte de Justicia lo desautorizó en un oficio que produjo el efecto de envalentonar a los sediciosos. La ciudad entró en un estado de agitación y a pesar de la estrecha vigilancia en todas las plazas públicas, no pude impedir que el día 4 su estatua del mercado amaneciera con una soga al cuello y una caperuza de ajusticiado. El día siguiente fue de aparente calma, pero la mañana del 6, el batallón de reemplazos abandonó el cuartel de La Acordada y enfiló hacia el convento de San Francisco, donde el Congreso había instalado su sede provisional. Fue la señal que esperaban los demás jefes involucrados en el complot, pues en cuestión de horas todos los cuerpos de tropa secundaron el levantamiento, salvo la guarnición de La Ciudadela.

Cuando el ministro Reyes me avisó que los batallones de Palacio Nacional rehusaban disparar contra el enemigo, preferí una inmolación colectiva a una vergonzosa capitulación y ordené volar el palacio con dinamita. Por fortuna, el coronel Falcón me desobedeció, porque la voladura del palacio no habría contenido a los insurrectos y en cambio hubiese destrozado el corazón de la patria. Todavía no comprendo lo que pasó por mi cabeza cuando di esa orden suicida: quizá deseaba que el país y su memoria se murieran conmigo. Después de todo soy un general mexicano y no me pude sustraer al impulso autodestructivo de nuestra raza, que probablemente sea el motor de todas nuestras rencillas internas. Perdone usted, general, pero en la cárcel a uno le da por filosofar.

La ruptura del orden desencadenó el motín popular más pavoroso de cuantos tengo memoria. Rebasados por la muchedumbre, los jefes sublevados no pudieron o no quisieron impedir los actos de vandalismo. En cuestión de minutos, las obras de ornato en que usted empeñó buena parte de su gobierno fueron arrasadas por la plebe iracunda. Las hordas embravecidas crecían por momentos hasta hacer desaparecer el suelo. Semblantes desaforados, ojos de locura, aullidos de fiera, carcajadas demenciales, sombreros de petate volando en el aire, cabelleras desgreñadas, ruidos indefinibles, todo surgía en borbotones entre un bosque movedizo de fusiles, espadas, martillos y quién sabe cuántas cosas más. De haber estado en México no se salva usted de un linchamiento. Al grito de «muera el cojo ladrón» y «abajo el Quince Uñas», la multitud derribó su estatua en la Plaza del Volador y la arrastró por las calles, lo mismo que el busto de yeso erigido en la puerta del teatro que lleva su nombre, del cual tomó su parte cada lépero, teniendo a dicha poseer un fragmento.

Pero la turba no se contentó con descuartizarlo en efigie. Tras haber allanado el cementerio de Santa Paula, los más osados profanaron el monumento de mármol donde yacía su pie amputado, sacaron el zancarrón de la urna cineraria y lo pasearon en triunfo por las calles de la ciudad, al son de un vocerío salvaje. Toda la tarde y buena parte de la noche lo anduvieron pateando de acá para allá, y según algunos testigos confiables, finalmente fue a parar al tiradero de la Viña, donde se amontonan los desechos más asquerosos de la ciudad. Me duele decirlo, general, pero temo que no podrá recuperar los restos de su pie, aun cuando recibieran castigo los autores del sacrilegio.

A raíz del golpe se ha formado un gobierno provisional, con el general José Joaquín Herrera a la cabeza, cuya primera disposición fue declarar nulo el decreto que puso fuera de la ley a las cámaras.

Pero si usted evita la deserción de sus tropas y derrota al general Paredes, los amotinados sufrirán un duro revés. No todo está perdido, excelencia, todavía nos apoyan muchos jefes de tropa en el interior. Por lo que a mí se refiere, trataré de hacer las paces con Dios, por si el fallo del gran jurado me condena al cadalso.

Suyo en la ventura y en la adversidad,

Gral. Valentín Canalizo

Santo Dios, no quiero oír más, arroje al fuego esa carta. Me está doliendo el muñón de la pierna, sin duda como reflejo de la herida que me han abierto en el alma. Todo lo perdono menos la profanación de mi cuerpo. Hasta hoy soportaba con orgullo la invalidez pues creía que la patria me agradecía el sacrificio del 6 de diciembre. Pero el pueblo no tiene memoria, sólo impulsos ciegos y vísceras irritables. Paradojas del canibalismo azteca: el mismo día en que se conmemora la gesta inmortal de Veracruz, la plebe ignorante y beoda quiere borrar mi nombre de la historia. Ninguna gloria es duradera en este país desnaturalizado, que sólo eleva a sus ídolos para hacerlos estallar en el aire como fuegos artificiales. Una botella de aguardiente, sargento, sírvame una copa y beba usted también, que buena falta nos hace. Imagino mis huesos roídos por los perros, entre nubes de mosquitos y miasmas deletéreas. El populacho sólo diviniza a las víctimas, es preciso morir del todo para complacerlo. Como soy un héroe a medias y sólo tuve una muerte parcial, mi carroña no tiene derecho al reposo eterno. Pero al patear mis huesos por las calles de la ciudad, los mexicanos han pisoteado lo que más aman, el alma y la esencia de su propia nación. Ahora todos quedamos lisiados, ustedes y yo. Nieguen la historia, maldigan mi nombre, arrojen sal en mis heridas de guerra: ya verán lo que pasa cuando quieran caminar sin muletas.

La persecución de Paredes puede esperar, por ahora lo más importante es recuperar la capital, el centro neurálgico del país. La aproximación de mi ejército a las goteras de la ciudad bastaría para infundirle pavor al nuevo gobierno y entusiasmar a los santanistas que todavía me son fieles. Cuento con las fuerzas del general Cortázar, que se reunirá conmigo en Querétaro. Pero ha tardado mucho en Celaya y empiezo a desconfiar de su lealtad. ¿Tendrá dos velitas prendidas, para esperar hacia dónde se inclina la suerte? Depuesto de mi cargo por el gobierno provisional, recibo la orden de presentarme en México para ser sometido a proceso. Olvidan que soy la máxima autoridad del país y nadie tiene derecho a exigirme cuentas. Con el poco dinero que logro recaudar en León y Silao, me dirijo a Querétaro a marchas forzadas. A las afueras de la ciudad intercepto un correo extraordinario del general Cortázar dirigido al comandante de la plaza, el general Miñón, donde le pinta mi situación en los tonos más negros y lo incita a entregarme al gobierno. Ni siquiera me sorprende su doblez, tan habituado estoy a la perfidia humana. También Cortázar es un Santa Anna en pequeño: sin sentido de la oportunidad ni talento para la intriga. Yo en su lugar nunca hubiera dejado mi fortuna política en manos de un mensajero. Pero ya que le gusta traicionar por carta, vamos a voltearle el chirrión por el palito.

Afectísimo general Cortázar:

Estoy dispuesto a renunciar a los derechos que la ley me confiere como presidente de la República y expatriarme luego, a condición de que sea usted, un patriota de mi entera confianza, quien se haga cargo de ponerme sin vejaciones en el puerto donde me convenga embarcar. Haga favor de marchar a México para discutir con el gobierno provisional las condiciones de mi expatriación. Quedo en espera de usted y entre tanto le reitero las seguridades de mi consideración distinguida.

Cuando Cortázar se aproxima a la capital con una pequeña escolta, cincuenta hombres al mando del coronel graduado Castro, lo toman prisionero en la hacienda de San Antonio y me lo llevan a Querétaro atado de pies y manos. ¿Conque te estabas haciendo guaje para ganar época? Abre la boca, hijueputa, te vas a comer tus palabras con todo y papel. De una bofetada lo hago sangrar y le meto en la boca la carta dirigida a Miñón.

Mis partidarios de la capital no dan señales de vida, tal vez porque ya no los tengo, o porque se sienten acorralados entre dos fuegos. Cuando el pueblo y la aristocracia se unen para repudiar a un gobierno, quiere decir que el descontento ha llegado a su límite. Pero la revuelta no fue espontánea, hubo una conspiración orquestada desde el extranjero. Moderados y borbonistas necesitaban deshacerse de mí, porque les urge entregar Texas a Estados Unidos y repartirse el oro en Washington. Prevenid vuestra mortaja, cobardes. El cuerpo de la patria está unido al mío por un cordón umbilical y no consentiré otra mutilación mientras me queden hombres y municiones.

Como la guerra es el arte de la sorpresa y todos esperan que ataque la capital, desvío el rumbo hacia Puebla, donde me enfrento a los sublevados que comanda el general Inclán. Rompo el fuego en los suburbios de la ciudad y bajo una cortina de metralla logro penetrar hasta el parapeto de la Santísima. Con una columna de cinco mil hombres ataco los puntos más débiles de la ciudad. Inclán no tarda en rendirse, pero las numerosas pérdidas han minado la moral de mis tropas. Uno de mis subalternos, el general Vizcaíno, depone las armas por iniciativa propia. Mis hombres se niegan a disparar al pueblo, arguye, todos los días desertan veinte o treinta soldados con todo y pertrechos de guerra. Le reprocho duramente su cobardía, pero yo también he perdido muchos hombres y en estas condiciones no puedo imponerle mi voluntad.

Cuando preparo un nuevo ataque me entero de que Paredes viene hacia Puebla. Quiere llevarme preso a la capital, pero falto de valor para acometer la empresa por su cuenta y riesgo, se ha unido con el viejo insurgente Nicolás Bravo, a quien creía mi amigo, como dos hormigas que se juntan para llevar a remolque un gran trozo de pan. Obligado a levantar el sitio, pronuncio un emotivo discurso de despedida que arranca lágrimas a mis subalternos. Con una pequeña escolta me dirijo a Amozoc, donde se nos une como voluntario el coronel Torrejón, uno de mis oficiales más fieles, a quien empiezo a querer como un hijo.

Imposible transitar por el Camino Real, está lleno de patrullas enemigas y garitas con centinelas. Con un jorongo encima del uniforme y un paliacate en la cabeza, cabalgamos por senderos poco frecuentados, guiados por un indio viejo de nombre José Losada, que se ha ofrecido a llevarme a Tuxpan por cuarenta pesos. De Tepeyahualco a Perote, la inhóspita región del malpaís nos pone a cubierto de las partidas enemigas. Nadie me buscará entre estas masas de lava interrumpidas por cerros pelones, donde sólo hay palmas enanas para guarecerse del sol. Cuando nos adentramos en el monte la marcha se torna más lenta y accidentada, si bien aquí el clima es más benigno. ¿Está seguro de que vamos en dirección a Tuxpan? Enemistado con el lenguaje, como todos los de su raza, Losada asiente con la cabeza. No ha dicho una palabra desde el comienzo de la jornada, pero me parece un hombre confiable.

Ojalá conozca bien el terreno, dependo de él para salvar el pellejo y embarcarme a cualquier puerto del extranjero. ¿Quién me hubiera dicho, hace dos o tres meses, que acabaría escapando de mi país como un forajido? Quizá mi destino sea seguir los pasos de Iturbide y Guerrero, despedirme de la historia como un personaje trágico.

En el cerro de Tlapacoyan, los hombres de mi escolta cazan un venado con un tiro de escopeta. Primitiva cena a la luz de las antorchas, acompañada con tortillas secas y jarros de pulque. Como hasta saciarme, pero el banquete me sienta mal y a medianoche despierto con retortijones y náuseas. Imagino a Inés sonriendo en el cielo, complacida con todos mis infortunios: se está cobrando muy caro mi boda con Doloritas. Duermo el sueño entrecortado de los enfermos, y al amanecer, apenas abro los ojos, descubro frente a mi tienda un enorme jabalí de quijada blanca. El terror me paraliza, ni siquiera puedo gritar. Perdóname, Inés, no lo hice por ofenderte, sólo quería empezar una nueva vida. Con dos patas encima del catre, la bestia olisquea mi cabeza y troncha con sus terribles colmillos un costillar de venado que dejé tirado en el suelo. Gracias a Dios o gracias a Inés mi carne no le apetece, y una vez satisfecho se aleja hacia la espesura del bosque, Óigame, don José, no quiero estar a merced de las fieras: haga favor de llevarme por un camino menos peligroso. Como usted, diga, general, por fin Losada rompe el silencio, pero vamos a tener que dar un largo rodeo.

Dos días más de camino en medio de una vegetación tan tupida que sólo podemos abrirnos paso a punta de machete. En las ramas de las higueras se posan aves de excelso plumaje, como el papan real, que no veía desde mis paseos infantiles por las márgenes del río Bobos. Pero no puedo disfrutar el paraíso en condiciones tan apremiantes. Empezamos a sufrir insolaciones, los mosquitos me están devorando y la costa del golfo no se vislumbra en el horizonte. Como el calor abrasa desde las primeras horas de la mañana, cabalgamos de noche y dormimos de día, procurando eliminar las huellas de las fogatas, por si acaso nos siguen el rastro. Al pasar por un claro de la selva donde ya habíamos acampado, comprendo que hemos dado vueltas en círculos y despido al guía con insultos. Librado a mi sentido de la orientación, tomo un sendero que va rumbo al norte. Bordeamos un profundo acantilado, con riesgo de caer al precipicio, y a medianoche voy a parar a un pueblo de indios de nombre Xico, donde los naturales salen a recibirme con fusiles y lanzas, prevenidos quizá por el resentido Losada. No queremos hacerle daño a nadie, explico, somos contrabandistas y vamos al Encero a buscar ocho mulas cargadas de tabaco.

El anciano de barriga prominente que parece jefe de la tribu se toca la barbilla con desconfianza. A nuestro alrededor, los perros de la aldea, más numerosos que los hombres, esperan una orden del viejo para saltarnos a la yugular. Intimidado por la seriedad del patriarca, me dirijo a los indios jóvenes con una sonrisa conciliatoria. Necesito ayuda y estoy dispuesto a pagarla bien. Les ofrezco mil pesos si me acompañan a recoger la carga. Para demostrarles que hablo en serio saco una talega con monedas de a peso y reparto su contenido entre los primeros que se acercan a tender la mano. Pero el viejo rechaza el dinero con el ceño fruncido, sin quitarme de encima su penetrante mirada, y ordena a uno de los indios armados que me baje del caballo. Lo aparto de un manotazo y el coronel Torrejón corta cartucho. Pero los perros se nos echan encima, derriban a Torrejón y desgarran mi jorongo a mordiscos, dejando al descubierto mis insignias de general. Qué contrabandista ni qué la chingada, tú eres militar y andas prófugo, me descubre el viejo. Pónganle cepos y llévenlo a la comandancia con toda su gente.

La cárcel del pueblo es una jaula de bambú custodiada por media docena de indios armados con tercerolas. Enfrente hay una siniestra capilla de paredes desnudas, donde un esqueleto ocupa el lugar del crucifijo. Al pie del altar, el cacique gordo reza oraciones en su lengua nativa, mientras un acólito de cara pintarrajeada ilumina la calavera con cirios. Es el rito de la Santa Muerte, me explica Torrejón, que ha patrullado esta zona por mucho tiempo y conoce bien las costumbres de los indios. El viejo está ofreciéndole nuestras vidas a cambio de una buena cosecha. A lo lejos vemos a un grupo de mujeres poniendo a secar hojas de plátano. ¿Y eso?, pregunto a Torrejón. Nos van a envolver con ellas para hacer tamales con nuestra carne, señor. Poco después, como terrible confirmación de su sospecha, nos llega la humareda de una caldera, en donde las mujeres han puesto a hervir chiles y jitomates. Ya me doy por entamalado, cuando aparece por milagro el cura del pueblo, un mestizo de buena planta que se enfrenta con el jefe de la tribu y suspende la quemazón. Su autoridad me salva de la muerte pero no de la ignominia. Poco después llega a Xico un piquete de soldados al mando de un capitán de apellido Guzmán, que me reconoce de inmediato y se obstina en llevarme a Jalapa, sin prestar oídos a mis intentos de soborno.

Entro a la ciudad en medio de una multitud que celebra con chistes soeces mi condición de lisiado. No cabe duda, nadie es profeta en su tierra. Ni un facineroso texano hubiera sido tratado con tal animosidad. Alrededor de mi litera, más de cien hombres armados, la mitad a caballo, me cubren la vanguardia y la retaguardia, como si estuviera en condiciones de intentar una fuga. El aparato de mi arresto es una de las incontables humillaciones que me inflige el comandante de la plaza, el general José Rincón, con el propósito de hacerme sentir su poder y la índole vengativa del nuevo gobierno. Tengo restringidas las visitas, no puedo disponer de un criado y me paso las noches en vela por el ruido imprudente que hacen los centinelas al recargar sus culatas en la reja. ¡Silencio, carajo! ¡Vayan a azotar las culatas en el culo de su puta madre! Soldaditos igualados, cuando salga de aquí los mando fusilar, por faltarle al respeto a sus superiores. ¿No saben con quién están tratando? Yo no soy un preso cualquiera: ¡soy el General Presidente Benemérito de la Patria!

A pesar de mis protestas, o en represalia por ellas, el gobierno dispone mi traslado al fuerte de Perote, mientras el Congreso me instruye proceso en la capital. Suplico al ministro de Guerra que por piedad cristiana se me permita permanecer en Jalapa, pues el clima frío de Perote será dañoso para mi salud. Petición denegada, no hay piedad para el héroe de Tampico, para el vencedor de El Álamo, para el mártir que dejó en Veracruz una prueba irrefragable de su patriotismo. Una mazmorra gélida y salitrosa es la recompensa por todos mis servicios a la nación. Y como puntilla, el gobierno manda confiscar mis bienes, incluyendo la ropa de Loló. Seguramente Herrera y los maricones de su gabinete la quieren para disfrazarse en un baile de máscaras. Ya ni siquiera vienen a visitarme mis familiares, porque los guardias de la fortaleza les vedan la entrada. Sólo hago dos comidas al día, por lo general sopa aguada y frijoles negros con epazote. Al parecer la consigna es matarme de hambre poco a poco y eludir así la responsabilidad de una condena a muerte que sería un baldón eterno para el gobierno.

Más refinados en sus métodos de tortura, los centinelas de Perote no azotan las culatas, pero a medianoche, bajo los efectos del chiringuito, se reúnen a entonar tonadillas burlescas en el patio amurallado: «Cayó Morelos e Hidalgo, cayó Iturbide y Guerrero,

¿cómo no ha de caer Santa Anna teniendo una pata menos?».
Otro en mi lugar se afligiría escuchando sus risotadas; mi orgullo
en cambio se endurece cuando sangra. Arrieros somos y en el camino andamos. La política mexicana da muchas vueltas y quizá
mañana vea inclinarse a mis plantas a los miserables que hoy me
zahieren cobardemente.

Cuando el licenciado Haro y Tamariz, uno de mis pocos amigos fieles, me hace saber por carta que la mayoría del Congreso
pide mi destierro definitivo, para erradicar con un castigo ejemplar
la tentación del despotismo, deposito mi capital en un banco inglés,
pues no quiero dejar en la calle a Dolores y a mis queridos hijos.
Pero el gobierno intercepta el mensaje de mi puño y letra donde
ordeno la transferencia de fondos por un millón trescientos mil
pesos y lo publica en los principales diarios del país, como prueba
flagrante de mi venalidad. Los debates en la cámara se acaloran y
recibo denuestos a carretadas, como si fuera un delito haber sabido administrar mi modesta fortuna. Un político pobre es un pobre
político. Todos hemos lucrado al amparo de la administración, algunos con más éxito que otros, pero yo he sabido compartir mi
riqueza, díganlo si no los políticos de todos los colores que se han
beneficiado con mis préstamos y regalos. Muchos de los que ahora
me juzgan en algún momento vinieron a pedirme chichi. Cuidado
con tocarme un pelo porque me llevo a todos entre las patas.

Por medio de mis hijos Ángel y José hago llegar a los diputados
que me deben favores un amistoso recordatorio de nuestros víncu-
los financieros. A los más renuentes o desmemoriados les advierto que obran en mi poder documentos que los comprometen. En
cuestión de semanas, el tono de los discursos en la cámara pasa del
bermellón al gris pálido. «Compañeros, debemos recapacitar, lo
que el país necesita no es un nuevo motivo de discordia sino una
reconciliación que ponga punto final a nuestras luchas internas.
La generosidad con el vencido dignifica al vencedor y humaniza
las contiendas políticas. En consideración al glorioso palmarés del
general Santa Anna y a sus heridas de guerra, pido se le devuelvan
sus bienes y le sea otorgado un salvoconducto para salir del país».

Muy bien, así está mejor. Pero los diputados radicales porfían
en despojarme de mi fortuna y con ellos no hay extorsión que valga. Cuando ya estoy resignado a quedar en la miseria, un terre-
moto zarandea la capital, como si el mismo suelo que he regado
con sangre abogara por mi libertad. Las campanas de las iglesias

repican solas, se derrumba la capilla del señor del Cardonal en el templo de Santa Teresa, una grieta parte en dos el Paseo de Bucareli y las madres jerónimas se arrojan por las ventanas de su convento. Los santanistas que todavía se atreven a dar la cara en la prensa interpretan el sismo como un castigo divino por la injusta prisión al primer soldado de la patria. Su reclamo impresiona a la muchedumbre supersticiosa que antes me maldijo y ahora pide mi libertad postrada de hinojos.

En nombre de la voluntad popular, los diputados a quienes les tengo pisada la cola vuelven a pedir clemencia para su viejo socio. Como ahora el Congreso teme un renacimiento de mi prestigio, se apresura a sobreseer mi causa y deja en suspenso la confiscación de mis propiedades. Al salir del calabozo paso revista a los guardias con una mirada arrogante. ¿Ya vieron, pinacates? El que ríe al último ríe mejor. En Manga de Clavo empaco de prisa mis pertenencias, pues temo una contraorden del presidente Herrera. Me traslado a La Antigua en compañía de mi familia y mis gallos, con una escolta de ochocientos soldados, tanto es el miedo que me tiene mi custodio, el quisquilloso general Inclán. La indiada sale de sus chozas a verme por última vez, con una mezcla de admiración y curiosidad malsana. Adiós, queridos hijos, que Dios perdone a los culpables de este atropello. Un llanto abundoso baña mis mejillas cuando se aleja del muelle la falúa que me conduce al vapor inglés *Medway*, atracado en el puerto de Veracruz. De codos en la popa, contemplo entre sollozos la franja verde del litoral, cada vez más borrosa y lejana, mientras Doloritas enjuga mis lágrimas con un pañuelo.

Nunca vuelve a echar raíces el árbol arrancado de cuajo por un vendaval. Deambularé por las calles de La Habana como un fantasma contrito que hace tintinear sus condecoraciones para espantar a los niños. Mi gloria se irá percudiendo en el desván del olvido, entre espadas mohosas y uniformes apolillados. Para un hombre como yo, tan arraigado en su suelo, el exilio equivale a la muerte. Pero aún compadezco más a mis compatriotas, que al verse huérfanos de autoridad, gemirán de terror como niños encerrados en un cuarto oscuro. Si yo no puedo vivir sin México, tampoco ustedes pueden vivir sin mí.

México, 22 de diciembre de 1875

Querido amigo:

Gracias a su generosa ayuda he llevado mis planes a feliz término. El general se encuentra sano y salvo en mi nuevo cuarto de vecindad de la calle de La Moneda, un alojamiento indigno de su categoría, donde no puedo ofrecerle comodidades, pero al menos tengo la certeza de que nadie vendrá a torturarlo. Su rescate no me representó mayores dificultades, pues teniéndome por un viejo inofensivo, ni el monstruo ni su cómplice austriaco sospechaban de mí. El martes pasado, cuando la señora Tosta salió por la tarde a su partida de conquián, me apresuré a empacar en un baúl los efectos personales de don Antonio, le dije que saldríamos a dar un paseo y en un coche de alquiler lo traje a esta humilde casa. En ningún momento opuso resistencia, ni aun se percató de nuestra salida, obnubilado todavía por los efectos del vapor magnético.

Por mi seguridad y la del general he tomado providencias para confundir a doña Dolores. Con quince días de anticipación saqué mis pertenencias de la vivienda que ocupaba en el barrio de San Cosme y me trasladé a mi nuevo domicilio, a espaldas de la catedral, sin avisarle a ninguno de mis vecinos. Con el dinero que hizo favor de enviarme cubrí los gastos de la mudanza y pagué un mes de renta por adelantado. Desde luego, en el contrato de arrendamiento di un nombre falso, de modo que ahora la pérfida Loló ignora mi paradero y ni con auxilio de su médium logrará encontrarme. Hasta el momento no ha dado parte a la policía, ni creo que lo haga, por temor al escándalo. Si se atreve a tildar de secuestro mi acción humanitaria, yo la acusaría de haber mesmerizado a su esposo para arrancarle la combinación de la caja fuerte.

Lejos de Fichet y de sus artes diabólicas, el general se ha repuesto con extraordinaria rapidez, como si despertara de un largo sueño. Cuando me preguntó dónde estaba me vi precisado a referirle con pelos y señales el suplicio mental al que fue sometido. Al principio se mostró incrédulo y hasta me acusó de inventar patrañas por la mala voluntad que le tengo a su esposa. Llévame a casa, gritaba furioso, ya es hora de la merienda y quiero mis conchas con nata. Pero al poco rato, cuando le recordé las inhalaciones de ácido sulfúrico, el estado de sonambulismo en que había caído desde el inicio del tratamiento, la nitidez asombrosa de sus recuerdos, y sobre todo, los bofetones del monstruo al exigirle que recordara la combinación de la caja, empezó a sudar frío y a respirar con dificultad, como si volviera a padecer una por una todas las etapas de su tormento. Pobre don Antonio, hubiera querido ahorrarle ese frentazo con la realidad. Pero cuanto más doloroso es un desengaño, más pronto cicatrizan las heridas del corazón.

Desde entonces ha pasado casi una semana, y aunque el general sigue triste, no ha vuelto a dar señales de extravío. Al contrario: está más despabilado que nunca y hasta ha recuperado su carácter mandón, lo que en él es un síntoma de salud. Obedezco de mil amores todas sus órdenes, aun las más arbitrarias, porque de ese modo lo ayudo a recuperarse, y hasta siento un cosquilleo de ternura cuando me habla golpeado. En particular celebro su firme determinación de no volver al lado de la señora Tosta. Por fin ha descubierto la clase de alimaña con que se casó, y si bien rehúsa denunciarla a la comisaría, como yo le aconsejo, está dispuesto a mover cielo y tierra con tal de impedirle robar los papeles de la caja fuerte. Por desgracia, tampoco en estado consciente don Antonio recuerda la combinación. Sólo de una cosa está seguro: no es una cifra, sino una palabra de cuatro letras, pues los cuatro botones de maniobra ajustados a las arandelas tienen grabadas las letras del alfabeto francés.

—Tal vez elegí el nombre de un gallo —me dijo ayer, apesadumbrado—, pero en ese tiempo tenía más de cien. Daría la pata que me queda por recordarlo.

—¿Tiene alguna idea de lo que pudo guardar ahí?

—No estoy seguro, quizá las escrituras de un terreno. Debí meterlas en la caja cuando salí desterrado en el año 55. Ignoraba entonces que mi exilio sería definitivo y esperaba volver pronto para poner mis negocios en orden.

Por el bien de los dos, espero que don Antonio recuerde pronto la combinación y tenga suficientes pantalones para enfrentarse a su esposa, pues con mi pensión de coronel retirado apenas nos alcanza para malcomer. Gracias a Dios, la ceguera le ha impedido percatarse de nuestra pobreza, pues temo que si viera las manchas de humedad en las paredes, el espejo rajado del armario, la asquerosa jofaina donde nos lavamos la cara, o la mesa renga de pino corriente en que tomo sus dictados, volvería a padecer una crisis nerviosa. Un prócer acostumbrado a la opulencia no merece morir en este cuchitril. Pero a pesar de nuestras carencias, don Antonio se siente bien y ha reiniciado el dictado de sus memorias, lo que espero dará por terminadas las discusiones entre usted y yo. Como suponía, la idea de confesarse en público no le agrada en absoluto. Recuperado el instinto político, se ha puesto en guardia contra sí mismo, y hasta me reprochó que transcribiera sus monólogos de sonámbulo. Pero no me extiendo sobre el particular, pues él mismo le comunica su opinión al respecto en la carta que adjunto con la presente.

Amado Manuel:

He regresado de entre los muertos, y me asomo a la vida con miedo, pues advierto que no sólo debo recelar de mis enemigos, sino precaverme de mis amigos y familiares. Todos decimos barbaridades cuando hablamos dormidos y yo no soy la excepción. Si usaras mis soliloquios como materia prima de la biografía me harías un daño mayor del que Dolores y el doctor Fichet me causaron con el tratamiento. Gracias a Dios, Giménez guardó copia de las transcripciones y he podido revisarlas en frío, para enmendar o suprimir los pasajes donde incurro en desahogos viscerales, indiscreciones o lamentos destemplados. Apenas una quinta parte de los manuscritos pasó la censura, pues eliminé cualquier inconveniencia que pudiera perjudicarme. Giménez hará favor de enviarte la versión corregida, para que te atengas a ella con el mayor escrúpulo. Nada de frases cínicas ni de confesiones autodenigrantes: debí estar drogado cuando las proferí, o bien Giménez tergiversó mis palabras, pues nunca he juzgado mis actos en términos tan severos, ni he cometido faltas tan graves que exijan un acto de contrición.

En fin, ahora que ha pasado la tormenta tengo la mente serena para mirar atrás y puedo ajustar cuentas con el pasado. No quiero morirme sin disipar las sombras que oscurecen mi desempeño en la trágica guerra con Estados Unidos, el fracaso más inmerecido y doloroso de mi carrera. ¡Cuánta tinta ha corrido y cuántos libelos se han publicado con el objeto de achacarme el desastre! En plena campaña, cuando era preciso infundir valor a la tropa y reforzar la unidad de los mexicanos, los historiadores, o mejor dicho, los fantasiosos novelistas que en México deshonran el arte de Clío, propalaron los infundios más descabellados a propósito de mi supuesta complicidad con el gobierno de Estados Unidos. Sin duda el más vitriólico fue mi antiguo secretario Carlos María de Bustamante, que sin haberse aproximado siquiera a la línea de combate, pergeñó con chismes recogidos aquí y allá un libraco deleznable donde me acusa de haber perdido la guerra a propósito. ¡Y pensar que ese pobre diablo iba a palacio a recordarme mis hazañas gloriosas en la toma de Tampico, para que le regalara cien o doscientos pesos!

Con el tiempo, las falacias de Bustamante han caído por su propio peso, pues nadie puede dar crédito a un viejo resentido que lanza maldiciones en tono de profeta bíblico. Cuando se trata de calumniar a un adversario, la insidia con visos de objetividad es más convincente que la diatriba exaltada. Eso lo saben de sobra los políticos avezados como Gómez Pedraza, que en el año 48 encargó a sus secuaces del partido moderado unos *Apuntes para la historia de la guerra entre México y Estados Unidos*, en los que no se me tacha de traidor, pero sí de engreído y mal estratega. Según los *Apuntes*, la guerra se perdió por mis errores en la planeación de la campaña, por no tolerar que ningún subalterno me hiciera sombra y por elegir mal el terreno de las batallas.

Como la consigna era desprestigiarme, los redactores se dedicaron a recoger testimonios entre los militares resentidos que yo había castigado por su indisciplina, sin tomar en cuenta los partes oficiales de guerra. Y si bien mis adeptos refutaron una por una sus falsedades, el tono mesurado de la obra lesionó mi reputación mucho más que los denuestos de Bustamante. Con justa cólera, cuando volví a la presidencia en el año 53 mandé retirar los *Apuntes* de las librerías y arrojar todos los ejemplares al fuego. Acepto la crítica de buena fe, pero me rehúso a comparecer ante al tribunal de la historia cuando lo conforman señoritos ignorantes de la ciencia militar, que nunca se han ensuciado las manos con un fusil.

Cuántos disgustos me habría evitado si hubiese permanecido en mi dorado exilio cuando los cañones norteamericanos apuntaban hacia el río Bravo. En La Habana, el gobierno de la isla me trataba a cuerpo de rey y por algún tiempo fui el favorito de la nobleza española, que no había olvidado mis servicios a la corona en los primeros años de la guerra de Independencia. Aclimatada al trópico, la belleza de Dolores germinó en todo su esplendor y en los saraos arrebataba la atención de la mejor sociedad, que le prodigaba atenciones y mimos. Éramos la pareja de moda en todos los festejos de importancia, y aunque yo me presentaba como político retirado, las autoridades cubanas daban por descontado que no tardaría en volver a mi patria. A instancias de la reina Isabel II, que deseaba congraciarse conmigo, el gobernador de la isla me impuso la Gran Cruz de Carlos III, una de las condecoraciones que más me enorgullecen, no en balde corre por mis venas sangre española.

Por si no bastara con los agasajos de la sociedad isleña, en La Habana tuve mucha suerte con los gallos, en buena medida gracias al candor de mis contrincantes, cuya ignorancia de la ciencia galilea me permitió ganar arriba de treinta mil pesos. Los pobres ni siquiera sabían que hay que escupir los espolones de los gallos antes de cada pelea, pero apostaban alegremente a sus ejemplares mal entrenados, como si tuvieran a orgullo perder fuertes cantidades. Era el hijo predilecto de La Habana, y sin embargo dormía intranquilo por las noticias de los diarios mexicanos, que me acusaban de estar organizando una expedición con soldados españoles para desembarcar en algún puerto del golfo. Mi permanencia en Cuba daba pábulo a esos rumores disparatados, pues el Ministerio del Exterior me había dado un pasaporte para Venezuela, mandato que yo desobedecí para estar más cerca de nuestras costas.

Como el destierro no me impedía participar en política, en cartas y manifiestos reprobaba con disgusto la política blandengue del general Herrera, que se había resignado a reconocer la independencia de Texas, como último recurso para evitar su agregación a Estados Unidos. Fue muy ingenuo al suponer que el coloso del norte respetaría la independencia de la nueva República, cuando los propios texanos pedían la anexión. A pesar de todo no le guardo rencor, pues era un militar de valía que nunca ambicionó cargos públicos y llegó a la presidencia por causas ajenas a su voluntad. Años después hablamos del aciago preludio a la invasión y admitió que se había equivocado en su estrategia diplomática para contener a los yanquis.

Con Herrera al frente del gobierno la nación iba al garete, pero al menos el Ejecutivo manejaba con aseo los fondos públicos. Si se hubiera sostenido más tiempo en el poder quizá me habría quedado a la expectativa, pues aún le concedía el beneficio de la duda. Lo que me decidió a intervenir en defensa de la patria fue la cobarde sublevación de Paredes Arrillaga, a quien el gobierno envió a reforzar el ejército del norte cuando Estados Unidos ya nos había declarado la guerra. En vez de combatir al invasor, Paredes volvió los fusiles contra sus propios hermanos y se dirigió a la capital para derrocar al general Herrera. En sobornos a los oficiales adictos al gobierno gastó el millón de pesos que el gobierno había reunido con gran esfuerzo para los gastos de guerra, y así cumplió su anhelo de sentarse en la silla presidencial.

Como todos los criminales que llegan al poder, Paredes tenía miedo hasta de su sombra. Preocupado por mi permanencia en La Habana, fraguó un plan para asesinarme, usando como carnada al diputado yucateco Cresencio Boves, que llegó a La Habana como enviado del partido de los puros y me pidió una entrevista. Sin barruntar sus intenciones le di hospedaje en mi casa. Boves me ofreció fletar un paquebote inglés para que volviera a México, donde su partido fraguaba una insurrección contra Paredes. Había decidido tomar el barco y encabezar la revuelta, pero la víspera de mi partida recibí un propio de mi viejo amigo el general Almonte, que a la sazón se encontraba en La Habana, tras haber renunciado a la embajada de Francia. «No te embarques –me previno–: en Veracruz está Nicolás Bravo con órdenes de fusilarte cuando toques tierra». Comprendí entonces que Boves desempeñaba un papel semejante al de Picaluga en el asesinato de Guerrero y al día siguiente lo obligué a quitarse la careta. Si no es por la intervención de Dolores, creo que lo hubiera matado a golpes.

Almonte no era el único funcionario que le había vuelto la espalda a Paredes. También el acomodaticio Tornel jugaba con dos barajas, pues aunque Paredes lo nombró ministro de Guerra, se había reconciliado conmigo y me proporcionaba información de primera mano sobre las maniobras secretas de su jefe para ofrecer la corona de México a un príncipe español: «Quiere convertir a México en un protectorado, pues cree que sólo así nos respetarán los Estados Unidos. Su plan es una locura, pero yo lo aplaudo con entusiasmo y hasta le aconsejo que haga público su proyecto, pues cuando lo haga no tardará en estallar una insurrección». El afán de Tornel por recobrar mi confianza era un signo de que Paredes se tambaleaba. Sólo hacía falta que alguien le diera el último empujoncito. Mi desembarco en México hubiese bastado para levantar una oleada de fervor popular que lo derrocara en cuestión de semanas. Pero la guerra con Estados Unidos había complicado mi regreso, pues ahora la flota norteamericana bloqueaba nuestros principales puertos. En la disyuntiva de abandonar el país a su suerte o entrar en tratos con el enemigo, elegí la opción menos costosa para la patria, sin reparar en el daño que pudiera causar a mi fama pública.

Por medio de mis contactos en Washington invité a La Habana al almirante Slidell Mackenzie, un pelirrojo de corta estatura y ojillos perspicaces, con el que sostuve una serie de charlas en la veranda de mi residencia, entre fumadas de puro y sorbos de limonada. Gracias a su buen español no fue necesario un intérprete, circunstancia que agradecí, pues el asunto a tratar era harto delicado para ventilarse delante de terceros. Como esperaba, Slidell se presentó como víctima, pues a juicio de su gobierno, el ejército mexicano había sido el primero en agredir a las tropas de Zacarías Taylor cuando se iniciaron las hostilidades en el Frontón de Santa Isabel.

—Olvida usted que el regimiento del general Taylor ya había cruzado el río Bravo cuando nuestro ejército lo atacó —le recordé con amabilidad—. ¿No harían ustedes lo mismo si un ejército extranjero cruza sus fronteras?

—Dejemos ese asunto para otra ocasión y hablemos de nuestros intereses comunes —Mackenzie descruzó la pierna con impaciencia—. Mi gobierno desea reemplazar el régimen despótico del general Paredes, que ha fomentado sentimientos hostiles hacia Estados Unidos, por otro gobierno más en armonía con los anhelos democráticos del pueblo mexicano.

—En eso estamos totalmente de acuerdo —asentí—. Mientras Paredes ocupe la presidencia será imposible llegar a un arreglo pacífico.

—Por eso debemos aliarnos, general. Usted puede proporcionarnos consejos de gran valor para que las tropas de mi país contribuyan a derrocarlo. Si usted fuera el general Taylor, ¿hacia dónde movilizaría al ejército?

—Me pone usted en un predicamento. No es fácil para mí colocarme en el papel de un enemigo que ha hollado el territorio de mi país.

—Haga un esfuerzo, mi gobierno sabe agradecer los favores.

—No busco una recompensa material, señor Mackenzie —me apresuré a aclarar, sonrojado—. Tomaría cualquier intento de soborno como un insulto.

—Nada más lejano a mis intenciones, general. Lo que mi gobierno le ofrece a cambio de su cooperación es una oportunidad de volver a México. Si usted nos brinda su ayuda, el presidente Polk dará órdenes al capitán de nuestra escuadra en Veracruz para que se le permita desembarcar en el puerto.

—En ese caso cuente usted con mi colaboración —sonreí satisfecho—. ¿Cuál es la posición exacta del general Taylor?

En nada me avergüenza mi entrevista con Mackenzie, más aún, la considero un triunfo político, pues me limité a darle vagos consejos y líneas generales de estrategia que no comprometían en absoluto la integridad nacional, a cambio de un pasaporte indispensable para salvar a la República de un gobierno tiránico. Ciertamente le recomendé que Taylor avanzara a Saltillo y de ahí a San Luis Potosí en caso de no encontrar resistencia, pues ante la cercanía del enemigo la guarnición de la capital se levantaría en armas contra Paredes. Pero en ningún momento traicioné a la patria ni revelé secretos de Estado, como los demagogos propalaron a los cuatro vientos cuando la prensa norteamericana dio a conocer mi encuentro con Mackenzie. Nadie puede poner en duda mi rectitud, pues cuando encabecé la resistencia contra el invasor, el mismo presidente Polk declaró que yo había defraudado sus esperanzas. Fui el más feroz y enérgico enemigo que los Estados Unidos tuvieron en México, y sin embargo sigo cargando un estigma por las oscuras circunstancias de mi desembarco. Moraleja: el fin justifica los medios sólo cuando el resultado del juego sucio es una victoria. A quien sale derrotado se le endilga el refrán de «no hagas cosas buenas que parezcan malas».

Rodeado de falsos amigos, Paredes cayó más pronto de lo que esperaba, gracias a la presión del general Taylor, que se había quedado expectante a las afueras de Matamoros. Su gobierno fue un continuo sobresalto, pues no bien sofocaba una sublevación en el sur del país cuando ya había estallado otra en Sinaloa o en el Bajío. Como suele ocurrir en estos casos, un hombre de su entera confianza, el general Mariano Salas, a quien había encargado la guarnición de la capital, se sublevó en La Ciudadela cuando Paredes salió a combatir la revuelta del general Yáñez en la provincia de Nayarit. Nombrado presidente interino, el general Bravo fortificó el Palacio Nacional y opuso alguna resistencia, pero al cabo de una semana sacó las banderas blancas. Justicia divina: Paredes fue a parar a la misma celda de Perote donde yo estuve preso cuando él me derrocó. Salas también era mi amigo –si puede haber amistades en el medio político–, y me hizo saber por carta que sólo estaba en la presidencia para calentarme el asiento. Entonces los santanistas de todo el país, que habían hibernado largo tiempo a la manera de los osos polares, salieron de sus escondrijos para exigir mi regreso y rogarme que acaudillara la defensa del territorio.

La política es como un péndulo al que es forzoso seguir en su movimiento, so pena de quedar al margen de la historia. Vencida la facción monárquica, cobraba fuerza el reclamo de restablecer la Constitución de 1824, y el partido federalista se perfilaba como la fuerza con más empuje para obtener la mayoría en el Congreso. Aborreciendo como nadie la federación, en aras de la unidad nacional tuve que llegar a un trato de conveniencia mutua con el testarudo Gómez Farías: «Yo te daré el apoyo del ejército en el que tengo tantos amigos –le dije–, y tú me darás los votos del pueblo bajo, en el que ejerces tan grande influencia».

Como Napoleón a su regreso de Elba, cuando entró a París en ropas de paisano, llevando a su lado al diputado liberal Lázaro Carnot, quise que mi entrada a México tuviera el sello de la austeridad republicana. En vez de usar la lujosa estufa presidencial desfilé con Gómez Farías en una sencilla carretela que llevaba como adorno un cuadro con la Constitución Federal de 1824. Vestido con cachucha y frac de mezclilla, sin cruces ni relumbrones, adopté un semblante grave pese a las grandes efusiones de júbilo popular, como convenía al presidente de una nación en guerra. Para congraciarse conmigo, Salas había repuesto mi estatua en la Plaza del Volador, pero yo mandé quitarla antes de entrar a la ciudad, en un gesto de modestia que fue bien recibido por la opinión pública. Vengo como soldado del pueblo y no como gobernante, declaré en mi discurso de toma de posesión, para deslindarme desde el principio de Gómez Farías, que había intentado atarme a su partido con juramentos y compromisos. Calculaba que don Valentín duraría poco en la vicepresidencia, pues seguía empecinado en trasplantar a la realidad sus ideas jacobinas. Hasta cierto punto fue una víctima de sus lecturas, que nunca entendió ni pudo digerir. Tinterillo romántico, reverenciaba la ley como si fuera un dios, y quiso utilizarme como instrumento para erradicar el militarismo. No tardó en descubrir quién había utilizado a quién.

Para organizar la expedición que debía marchar hacia el norte sólo contaba con las fuerzas insuficientes y mal armadas que el general Salas había concentrado en La Ciudadela. Con la hacienda pública recién saqueada por el manco Paredes, el presupuesto para gastos de guerra ascendía a la cantidad irrisoria de ochocientos treinta y nueve pesos, que no permitía siquiera uniformar a un batallón. Para colmo, las derrotas de Resaca y Palo Alto, imputables a la ineptitud del general Arista, y la toma de Monterrey, cuya guarnición se defendió con bravura, pero sucumbió al superior armamento del enemigo, habían minado la moral no sólo de la tropa sino del conjunto de la sociedad. En extremo irritado por la escasez de fondos y por el egoísmo de las clases pudientes —que reprochaban al ejército su ineficacia, pero no desembolsaban un real para equiparlo—, aceleré los preparativos de la marcha y a principios de septiembre partí a San Luis Potosí, con sueldos y provisiones para una sola semana.

De los departamentos ocurrían las cuerdas de hombres para la expedición, muchos de ellos sacados de las cárceles, desnudos y en un estado de suciedad lamentable. A punta de látigo logré instruirlos y levantar en menos de tres meses un ejército de veinte mil hombres equipados con lo indispensable para entrar en batalla. Incluso mis enemigos han elogiado mi capacidad organizativa en momentos de crisis. En efecto, nadie me iguala en el arte de improvisar ejércitos de la nada, pero en este caso el milagro fue muy costoso, pues a falta de fondos tuve que tomar a préstamo cien barras de plata de la Casa de Moneda de San Luis y dejar en garantía una hipoteca por el valor de todas mis propiedades. La cantidad obtenida no bastó para cubrir los haberes de la tropa, de modo que giré una libranza por cuarenta y cinco mil pesos en favor del ejército sobre mis fondos depositados en Veracruz. En otros países el general en jefe puede dedicarse desde que toma el mando a profundas meditaciones estratégicas, a dirigir movimientos de tropa que deben ejecutarse con precisión y oportunidad. Aquí el desgraciado a quien se llama general en jefe tiene que buscar por sí mismo el socorro del soldado, su vestuario, los pertrechos y todo el material de guerra, con el riesgo de quedar en la ruina si los negocios públicos tienen mal resultado.

Mientras ponía mi vida y mi fortuna al servicio del país, los roedores del mérito ajeno atribuían la preterición de la marcha hacia el norte a mi supuesto contubernio con Estados Unidos. Por carta reclamé a Gómez Farías el desenfreno de la prensa capitalina y le hice notar mi extrañeza por la indiferencia del gobierno, que ni siquiera se molestaba en desmentir los ataques. Invocando el respeto a la sagrada libertad de prensa –siempre nociva en tiempos de guerra–, el vicepresidente no quiso callarles la boca, tal vez porque a trasmano manejaba los periódicos de oposición y quería indisponer al pueblo en mi contra. Ni reprimía a los calumniadores de oficio ni enviaba dinero para aliviar las carencias del ejército, a pesar de mis airadas reconvenciones. Llegué al extremo de amenazarlo con publicar un manifiesto a la nación, si no me remitía aunque fuera una pequeña suma para liquidar mis deudas con los hacendados potosinos.

En su descargo debo reconocer que luchó a brazo partido por obtener fondos, pero se topó con la mezquindad apátrida de las familias acaudaladas, que fingieron sordera o abandonaron el país con tal de no hacer donativos al tesoro público. En cuanto a los prestamistas, se negaron a financiar a un gobierno que juzgaban indeseable y sin liquidez. Reducido a la miseria, el gobierno pidió mi anuencia para decretar la hipoteca de los bienes eclesiásticos hasta obtener quince millones de pesos. La otorgué a condición de que no se afectara a la Colegiata de Guadalupe, por el cariño que le profeso a la virgen del Tepeyac. El clero entonces fulminó excomuniones a quienes acataran el decreto o compraran los bienes de su propiedad vendidos en almoneda. Temerosos de condenarse, los inquilinos rehusaron pagar a los recaudadores civiles los arrendamientos que antes entregaban a los mayordomos y frailes. Por consiguiente, la recaudación resultó muy inferior a lo contemplado. ¡Cuán distinto fue el comportamiento de la Iglesia española durante la ocupación francesa, cuando los curas entregaron hasta los vasos sagrados a los milicianos que luchaban contra el ejército de Napoleón! Pero en este país la Iglesia no tiene patria. En el fondo de su alma, los jerarcas del alto clero nunca dejaron de rendir vasallaje a la corona española. Perder la nacionalidad les importaba un ardite, siempre y cuando conservaran sus privilegios.

Por aquellos días la comandancia de Tamaulipas interceptó una correspondencia oficial del gabinete de Washington, donde se prevenía al general Taylor que tomara a toda costa el puerto de Tampico, con el auxilio de la escuadra fondeada en el golfo. Por la negligencia del anterior gobierno, en la guarnición de Tampico sólo quedaban setecientos hombres andrajosos, enfermos y mal comidos, que ni siquiera tenían municiones para resistir un ataque. Muy a mi pesar ordené la evacuación del puerto, para no conceder al enemigo la ostentación de otra fácil victoria que aumentaría su fuerza moral. Cualquier tribunal militar hubiese aplaudido mi orden, pero la prensa opositora vio confirmada en ella mi connivencia con el invasor y me cubrió de fango hasta agotar los diccionarios de la diatriba.

Por si fuera poco, tenía que soportar el engreimiento de algunos militares malacostumbrados a obrar según su capricho. El más reacio a obedecer mis órdenes era el arrogante Gabriel Valencia, que se creía con tamaños para ocupar el puesto de general en jefe. Después de ocupar Tampico y dejar una pequeña fuerza en Ciudad Victoria, Taylor había regresado a Monterrey con el grueso de su división. Valencia tenía órdenes de esperar al enemigo en el pueblo de Tula, a treinta leguas de la costa, pero temiendo que los yanquis no se aventurasen a llegar hasta allá —en cuyo caso perdería la oportunidad de obtener un triunfo importante—, me propuso un plan para atacarlos en Ciudad Victoria. Le ordené atenerse a lo mandado, pero él insistió en su desatino con tal obstinación que me obligó a quitarle el mando y a nombrar en su lugar al general Ciriaco Vázquez.

Mi plan era pasar el invierno en San Luis y comenzar la marcha hacia el norte a principios de marzo, una vez mitigados los rigores del invierno. Me proponía invertir ese tiempo en mejorar la instrucción de mis soldados, pero la escasez de recursos me obligó a suspender las pagas durante un mes, con la subsecuente deserción de muchos efectivos. De nada sirvió redoblar la vigilancia y ordenar a los cabos que caminaran por detrás de los pelotones con una vara de membrillo, para moler a golpes a los reclutas que intentaran huir: reunidos en grupos de seis o siete, por las noches los desertores atacaban a los centinelas como perros rabiosos y se echaban a correr al abrigo de la oscuridad. Para entonces el astuto general Scott ya se había movilizado a Saltillo, siguiendo la estrategia que yo mismo le había sugerido a Mackenzie. En la disyuntiva de llevar al combate un ejército mal organizado o verle desaparecer por efecto de la pobreza, elegí adelantar la expedición a pesar del clima riguroso. La víspera de la partida traté de infundir coraje a mis hombres sin ocultarles la realidad:

—¡Hijos del Anáhuac! El dios de las batallas no consiente que los valientes sucumban a la miseria: quiere reservarles la gloria de morir por su patria. Ya es tiempo de hacer pagar su osadía al ejército de piratas que nos ha declarado una guerra injusta. Vamos a dirigimos a la línea principal del enemigo. Nos esperan duras jornadas, pues tendremos que recorrer más de cincuenta leguas por comarcas desiertas sin víveres ni provisiones. Pero la falta de bastimento no debe arredrarnos, pues el enemigo lo tiene y se lo quitaremos a punta de bayoneta. El depravado yanqui lucha por dinero, nosotros por amor a la patria. ¡Defendamos con la vida la tierra bendita donde están enterrados nuestros abuelos! Antes de que la bandera norteamericana llegue a flamear en la capital, veremos ondear el pabellón mexicano en el palacio de Jorge Washington.

ARCHIVO DE LA DEFENSA. PROCESO INSTRUIDO AL SOLDADO JUAN TEZOZÓMOC, DEL CUARTO BATALLÓN DE INFANTERIA, POR DESERCIÓN EN LA MARCHA HACIA EL NORTE

Sorprendido por el cabo Javier Labrada a las afueras de La Encarnación, cuando dormía bajo un ahuehuete, el recluto Juan Tezozómoc, de veintiséis años, natural de la villa de Santiago, pasado por cajas el 21 de octubre de 1846, fue conducido en una cuerda de presos al cuartel de Aguanueva, donde rindió su declaración ante el magistrado de justicia militar. Impuesto de los cargos en su contra, manifestó que no había querido darse a la fuga, sino pasar al pueblo de Santiago para ver a su esposa, a la que dejó enferma de fiebres cuartanas cuando lo cogió la leva, teniendo la intención de volver a las filas cuando arreglase sus asuntos familiares. En el último correo salido del campamento se interceptó una carta de su puño y letra dirigida a su compadre Camerino Sánchez, con residencia en Xichú, departamento de San Luis Potosí, que se adjunta en el expediente para ser sometida a la consideración del tribunal de guerra.

Querido compadre:

Qué bien hiciste en jalar pal monte cuando empezaron a llegar las tropas del centro. Mejor abandonar la cosecha que servirle de carne de cañón al Supremo Gobierno. Yo por tarugo me quedé a trabajar en la milpa, y aquí me tienes con la coyunda en el lomo. Ni un capote me dieron para abrigarme en las noches, y de tanto dormir al sereno, ya traigo el uniforme todo deshilachado. Hace dos meses hicieron caldo de vaca: fue la última vez que me llené la panza. El sargento Contreras bien que se desayuna su gallina con mole, en cambio a nosotros pura pinche galleta. Y encima quieren que hagamos maniobras y ejercicios, como si tuviéramos fuerzas de sobra. Soy gente de paz, tú me conoces, nunca me gustó echar bala ni robar caballos. Conmigo han batallado mucho los instructores, porque no sé disparar el fusil de la infantería, ya no digamos dar en el blanco. El pulso me tiembla, no atino a meter el dedo por debajo del guardainfante, y cuando el cabo grita ¡rompan el fuego!, mi disparo sale tan desviado que una vez maté un pichón en pleno vuelo. Pero ni por ésas me quisieron licenciar. El sargento creyó que me estaba pasando de vivo para no ir al frente y le ordenó al instructor: «Páselo por el banco de palos, a ver si le mejora la puntería». Los varazos me dejaron la espalda en carne viva y la cabeza ardiendo de calentura, no sé si por el coraje o por la paliza. Así de jodido tuve que marchar al norte.

Entonces fue cuando empezó la chinga de a de veras. El mocho Santa Anna tuvo la ocurrencia de hacernos cruzar el desierto sin agua ni provisiones. Como él iba muy cómodo en su coche forrado de terciopelo, varias leguas adelante de la infantería, ni se enteró de que el ejército iba dejando un reguero de muertos. Cuando la sed empezó a apretar, mi columna se desbalagó por el llano, sin que nadie se preocupara por auxiliar a los rezagados. Para encontrar un aguaje era necesario caminar muchas leguas, y cuando por fin lo hallábamos, los más sedientos se peleaban a golpes por beber primero. En el pecado llevaban la penitencia, porque las más de las veces el agua estaba salada. Fuera de algunas palmas solitarias, que ni sombra daban, la única vegetación era la yerba que llaman gobernadora. No está mal para engañar el hambre, pero si te retacas con ella te da vagidos y cólicos. Para aguantar la insolación yo me ponía a pensar en el mar con los ojos cerrados, y a veces hasta oía el ruido de las olas.

Como a la semana de haber iniciado la marcha, Dios Nuestro Señor nos hizo favor de mandar la lluvia. Fue como un día de San Juan en medio del desierto: los oficiales chapoteaban en calzones, las soldaderas lloraban de rodillas con los ojos vueltos al cielo, yo usé mi gorra como cuenco y tomé agua hasta reventar. Pero cuando Dios da, da a manos llenas, y lo que parecía un bendito aguacero se volvió una tormenta canija. Inundado a trechos, el camino se llenó de charcos y zanjas lodosas, donde los carros con la artillería se atoraban a cada rato. ¿Alguna vez has tenido que caminar con el lodo hasta las rodillas, cargando además el fusil y la impedimenta? Muchos soldados quedaban sepultados en medio del fango, sin fuerzas para dar un paso más. Nadie se acomedía a levantarlos y ahí se quedaron echados bocarriba hasta que los zopilotes bajaron a picotearlos. Como las desgracias nunca vienen solas, al cesar la lluvia comenzó a soplar un recio norte que cubrió de escarcha nuestra ropa mojada. Se me entumieron las piernas y a mi alrededor algunos soldados comenzaron a toser sangre.

Espantado por la gran mortandad, el general Lombardini dispuso que la división pasara la noche en la hacienda de Laguna Seca, donde no hubo suficientes habitaciones para albergar a toda la tropa. Dormí apretujado con cincuenta soldados en un pequeño jacal hecho con tablas disparejas y mal unidas. Un vientecillo frío se colaba por las rendijas del techo y a falta de lumbre para calentarnos, me abracé con un muchachito que no cesaba de tiritar. Como a pesar del abrazo seguíamos enteleridos, tuvimos que frotarnos uno contra el otro y comunicarnos el vaho de boca a boca. A ver si ahora no me caen veinte años de mala suerte.

El anuncio de que el enemigo se encuentra a tiro de escopeta en el paso de La Angostura entusiasmó a muchos valentones, pero la mera verdad, a mí me puso la carne chinita. Ayer el general Santa Anna pasó revista a la tropa en su caballo blanco. Me dio coraje verlo tan descansado, tan reluciente, tan planchadito, y pensé: yo no me voy a dejar matar por este cabrón. Hoy por la noche van a repartir aguardiente a la tropa y a lo mejor puedo juirme cuando los centinelas duerman la mona. Si salgo de ésta te voy a buscar en Xichú, para trabajar contigo de jornalero. Pero si tardo mucho en llegar a la sierra, quiere decir que me agarraron prófugo. En ese caso nomás te pido que mandes rezar un novenario por tu compadre.

RESOLUCIÓN DEL TRIBUNAL: En atención a la necesidad de efectivos y a que el soldado Tezozómoc no había desertado con anterioridad, se le conmuta la pena de muerte por la de cuarenta azotes. Una vez repuesto de sus heridas, deberá dirigirse al Paso de La Angostura, para quedar adscrito al tercer batallón de infantería.

Nunca me cansaré de elogiar el valor y la resistencia del soldado mexicano. ¿En qué guerreros sino en los nuestros se ve que después de haber andado doce o quince leguas sin más provisiones que tres tortillas de maíz y un calabazo de agua, al entrar en batalla se batan con tal fiereza como si apenas hubieran andado una milla? ¿Dónde se encuentra más subordinación, frugalidad y sufrimiento que en esa clase de hombres al parecer abyectos y despreciables? Faltan a la verdad quienes atribuyen la derrota con Estados Unidos a la inferioridad física de los mexicanos. Los rubios del norte eran más altos y fuertes, cierto, pero nuestros hombres compensaban su baja estatura con reciedumbre y coraje. En mi memoria guardo una rama de olivo para los valientes que humillaron la soberbia yanqui en la batalla de La Angostura. Pero con tal de restarle méritos al glorioso ejército mexicano, ahora los demagogos ponen en duda la victoria de nuestras armas. ¿Es una bagatela haber quitado al enemigo tres piezas de artillería, una fragua de campaña, tres banderas y haberle causado más de dos mil bajas, entre muertos y prisioneros? ¿Acaso no tiene mérito haber desalojado al invasor de sus posiciones?

Desde luego, hubiera sido preferible conseguir la rendición total de los yanquis, pero en la guerra intervienen muchos imponderables. El general Taylor disponía de nueve mil hombres distribuidos entre los campos de Saltillo, La Vaquería y Aguanueva, posiciones donde hubiera sido presa fácil de nuestro ejército. Cualquiera distinguiría la mano de la fatalidad en el hecho de que un desertor de nuestras filas, el coracero Francisco Valdés, le haya revelado mis planes cuando me disponía a atacarlo por sorpresa. Alarmado por la cercanía de nuestro ejército, al que juzgaba incapaz de movilizarse tan rápido, Taylor concentró sus fuerzas en el Paso de La Angostura, un valle rodeado de barrancas intransitables, donde los pliegues del terreno inutilizaban casi por completo nuestra artillería. De haber contado con fondos para una larga campaña hubiese tendido un cerco para cortarle las provisiones y obligarlo a combatir en campo abierto. Pero nuestras carencias me obligaban a emprender una guerra relámpago, en que debía fiarlo todo a la bravura de mis tropas, forzadas a sortear un angosto desfiladero bajo el fuego graneado de la artillería enemiga.

El combate comenzó con el despliegue de nuestras fuerzas ligeras hacia la falda de las montañas, con el objeto de tomar la loma izquierda, donde Taylor había colocado una batería de cuatro piezas. Me proponía tomar esa eminencia para abrirnos paso hacia Saltillo, mientras el general Ampudia, al frente de los cuerpos ligeros, ocupaba un cerro situado a la derecha, que Taylor había olvidado guarnecer y era clave para el éxito de la batalla. Cuando advirtió nuestro movimiento, el enemigo acudió a fortificar la montaña y las dos divisiones trabaron un encarnizado combate que se prolongó hasta el anochecer. Aquella eminencia presentaba por sí misma obstáculos de consideración, pues el ascenso era casi perpendicular, de suerte que aun para subir el parque había penosas dificultades. Cuando oscureció, se veía flotar en los cielos una nube de fuego que se alzaba o se abatía, según los enemigos ganaban o perdían terreno.

A costa de enormes sufrimientos, finalmente los nuestros coronaron el cerro y clavaron en su cima el pendón nacional. ¡Loor al general Ampudia y a los patriotas que perdieron la vida en esa gesta sublime! Al amanecer envié a Taylor una intimación a rendirse, donde le advertía que estaba rodeado de veinte mil hombres y no tenía probabilidades de evitar la derrota. No esperaba una respuesta afirmativa, sólo imponerle temor y debilitarlo moralmente. Pero me temo que mi confianza en el triunfo más bien le sirvió de acicate, pues ese día sus tropas lucharon con denuedo y lograron poner en desbandada a la división del general Pacheco, casi toda compuesta de gente bisoña. Yo mismo estuve en peligro de muerte cuando un metrallazo mató a mi caballo y quedé abandonado entre los dos fuegos. De no haber sido por la audacia del general Pérez, que hizo un diestro movimiento hacia la derecha y contuvo al invasor cuando avanzaba intrépidamente, habríamos sufrido una sangrienta derrota. Los norteamericanos, que soñaron un momento con la victoria, se retiraron destrozados. El triunfo hubiera sido completo desde aquel instante, si la caballería hubiera estado a la mano. Por desgracia, se encontraba algo distante, y cuando llegó, los invasores ya estaban rehaciéndose. Las ventajas que el terreno les otorgaba exigían esfuerzos continuados, y no una victoria sino muchas. Desalojados de una loma, se reorganizaban en la siguiente, y era preciso irlas tomando una por una, a costa del sacrificio de la parte más escogida del ejército.

Viendo declinar el día e indecisa todavía la victoria, quise hacer un supremo esfuerzo por alcanzarla y resolví reunir a todas mis tropas para atacar a Taylor por el centro de sus posiciones. Apoyado por una batería de piezas de a veinticuatro, encabecé una de las columnas montado en un rosillo de poca alzada, en compañía de un corneta de órdenes. De nuevo se empeñó la refriega con gran mortandad para los dos bandos. Ordené cargar a la caballería y lo efectuó con tal bravura que llegó hasta las últimas posiciones del enemigo. Un poco más y Taylor nos habría cedido enteramente la palma de la victoria. Entonces, cuando sólo nos quedaba por tomar la última loma en poder del enemigo, se desata un terrible aguacero que anega las faldas del cerro y nos obliga a retroceder. Una vez más, como en la batalla de Tampico, los hados me enviaban un diluvio en el instante mismo de acariciar la gloria.

Para entonces mis hombres llevaban cuarenta y ocho horas sin probar alimento. En los depósitos de menestra no quedaba ni una galleta ni un grano de arroz. Con gran pesadumbre debí retirarme a la hacienda de La Encarnación, tres leguas distante de La Angostura, donde esperaba encontrar los víveres que había ordenado traer de San Luis. La situación se presentaba bastante lisonjera y nadie dudaba que la victoria quedaría completa cuando el ejército repusiera fuerzas. ¡Mas, oh precariedad de las cosas humanas! Repentinamente mi contento se convirtió en pena y desesperación al recibir un correo extraordinario con la noticia de qué había estallado una revolución en la capital. Nuevo golpe de suerte para Taylor. Conmocionado por la infausta nueva partí de inmediato a San Luis con todo mi ejército y envié por delante cuatro mil efectivos para sostener los supremos poderes de la República.

En *El Republicano* y otros periodicuchos de la época se dijo que me retiré de La Angostura por estar coludido con el invasor. El infundio no se compadece con el sentido común y sin embargo le han dado crédito los historiadores que me consideran un pariente cercano del Anticristo. De mi conducta en la batalla puede dar fiel testimonio la levita con agujeros de bala que llevaba puesta ese día y aún conservo como una reliquia sagrada. Si Taylor y yo nos pusimos de acuerdo para montar una sangrienta farsa, ¿qué sentido tenía exponer mi vida en ella? No, señores, no fui yo quien desamparó a la República y la entregó indefensa a la expoliación extranjera. De esos cargos debe responder la facción impía que hizo estallar una guerra civil para proteger los intereses del clero, en vez de combatir al formidable enemigo común.

DE MOSES Y. BEACH A BUCHANAN. CONFIDENCIAL (ENVÍESE CON LA VALIJA DIPLOMÁTICA AL SR. SECRETARIO DE ESTADO)

México, 7 de marzo de 1847

Estimado señor Buchanan:

He seguido al pie de la letra sus instrucciones y tengo el gusto de informarle que mi misión secreta va por buen camino. Introducido a la sociedad mexicana como representante de una empresa comercial, he disfrutado una libertad de acción que no tendría si fuera un embajador oficial de nuestro gobierno. En unos cuantos meses he dado un vuelco de ciento ochenta grados a las relaciones diplomáticas entre México y Estados Unidos, pues en vez de buscar un acuerdo de paz con los liberales, nuestros aliados de toda la vida, he celebrado un pacto de amistad con los altos dignatarios de la Iglesia. Disgustados con la hipoteca de los bienes eclesiásticos decretada por Gómez Farías, los obispos de Puebla, Michoacán y México recibieron con beneplácito la promesa de nuestro gobierno de respetar sus propiedades y la dignidad del culto católico. No encontré ninguna dificultad en persuadirlos de que rehusaran toda ayuda al gobierno para gastos de guerra, pues nuestro ejército les inspira mucho menos temor que las masas de léperos adictas al vicepresidente.

Ese temor acreció cuando el Ministerio de Guerra quiso excluir a las clases acomodadas de la nueva Guardia Nacional. Urgida de contar con una fuerza propia para impedir la confiscación de sus bienes, la Iglesia auspició la formación de los cuerpos Victoria, Hidalgo, Independencia y Bravos, compuesto el primero por los jóvenes más acomodados de la ciudad y los demás por empleados, artesanos y comerciantes. En son de burla, el populacho los bautizó con el nombre de «polkos», pues antes de ceñir la espada, se dedicaban a bailar el género musical de moda, la polka, en los salones elegantes de la ciudad. Pero a juzgar por los hechos de las últimas semanas, uno pensaría que llevan ese nombre por el gran servicio que han prestado al señor presidente Polk. Justo cuando las tropas del general Scott desembarcaban en Veracruz, ejecutaron la más importante maniobra en favor de Estados Unidos, al sublevarse contra el gobierno en la capital. Fortificados en los conventos, donde sus tiernas madres acuden a llevarles bocadillos y mantas, los polkos han resistido casi diez días los embates del ejército regular, gracias al apoyo que les brindan los mayordomos de las órdenes religiosas. Enterado de que la Iglesia necesitaba cincuenta mil dólares para sostener la revolución otra semana, recurrí a los fondos que la Secretaría de Estado puso a mi disposición, y facilité un préstamo blando al obispo Fernández Madrid, con quien estoy a partir de un piñón. Consideré justificado el gasto, pues el general Scott apenas había desembarcado la artillería en Veracruz y necesitaba un poco de tiempo para vencer a los defensores del puerto.

La sublevación ha tenido otro efecto positivo para nuestra causa: la retirada del ejército del norte, que bajo el mando de Santa Anna libró un reñido combate con la división del general Taylor a las afueras de Saltillo, y ahora viene en camino a la capital. Se espera que la llegada de Santa Anna apacigüe los ánimos y ponga fin a la guerra de clases. Pero el encono entre las facciones es tan fuerte, que preveo nuevas revoluciones en un plazo breve. En mi opinión, podríamos ganar la guerra con un mínimo esfuerzo, si en vez de enviar a Veracruz nutridos contingentes de tropa, nos sentamos a esperar que los mexicanos terminen de matarse entre sí.

En los próximos días buscaré entrar en contacto con el general Scott, para conocer sus planes y obrar en consecuencia.

Suyo sinceramente,
Moses Y. Beach

DE GÓMEZ FARÍAS A SANTA ANNA

México, 7 de marzo de 1847

Excelentísimo General Presidente:

Recibí la carta fechada en el poblado de Aguanieve, donde me informa de su partida a la capital. Celebro que haya tomado esa decisión, pues los pronunciados han ofrecido tenaz resistencia y no tengo suficientes efectivos para desalojarlos de las posiciones que ocupan. La Iglesia, tan celosa de sus riquezas cuando se trata de aportar fondos en defensa de la nación, no escatima el dinero para financiar una lucha entre hermanos. Con el dinero que la Mitra ha gastado en la revuelta, hubiéramos podido impedir el desembarco de los yanquis en Veracruz. Pero hay motivos para sospechar que el enemigo de adentro está confabulado con el enemigo de afuera, pues hasta ahora todas las acciones de los polkos han favorecido a los Estados Unidos. Al parecer, los príncipes de la Iglesia están dispuestos a tolerar la herejía protestante con tal de proteger sus propiedades. En cuanto a las clases privilegiadas, no me cabe duda que ven con beneplácito la invasión de los yanquis. Por eso me resistía a darles cabida en la Guardia Nacional y acepté a regañadientes la formación de los cuerpos de voluntarios. Pero ya es tarde para lamentaciones: ahora sólo nos queda aplastar a los traidores, aunque usted y yo acabemos excomulgados.

A diez días de comenzado el alzamiento, la situación se mantiene como al principio. Los rebeldes conservan en su poder la línea que va desde San Cosme hasta La Profesa y el convento de Santa Clara. Los cuerpos leales al gobierno se han fortificado en todos los edificios altos que hay entre la Diputación y el Salto del Agua. El fuego de la artillería va y viene desde las torres de los campanarios, con pocas bajas en los dos bandos. Más bien han ocurrido desgracias entre la población civil que transita por las calles en medio del cañoneo. Para evitarlas hemos pactado con los insurrectos una tregua de dos horas diarias, lapso en el que la gente sale a proveerse de víveres y los camilleros recogen a los heridos. Lo más grotesco de esta guerra es ver a los dandis de rancho convertidos en soldados de la fe. Mientras ellos combaten pecho a tierra en las azoteas, cargados de reliquias y escapularios, las monjitas de los conventos rezan oraciones por el triunfo de su santa cruzada. Nunca la profanación de una creencia fue más vituperable que la improvisada en estos días por el maridaje del clero y la oligarquía. Y nunca fue más necesario un escarmiento ejemplar, que destierre para siempre los privilegios de la casta sacerdotal.

Cuando usted se aproxime a la ciudad, seguramente saldrá a recibirlo una comisión del partido moderado, para exponerle sus quejas contra mi gobierno y culparme por el estallido de la guerra civil. No preste oídos a sus falsas imputaciones, dictadas por la ambición y el rencor. A pesar de su ambigua posición en el Congreso, los jefes del partido están confabulados con los insurrectos. Tengo pruebas de que Gómez Pedraza incluso redactó el plan del pronunciamiento, por eso lo mandé encerrar en la cárcel de La Ciudadela. Le pedirán sin duda mi destitución y la derogación de la Ley de Manos Muertas, pues en los hechos defienden los mismos intereses del clero. Pero yo confío en su patriotismo, señor presidente, y sé que no se dejará engañar por los hombres que desenterraron su pie y derribaron su estatua el 6 de diciembre. Lo mejor para la patria es que usted y yo nos mantengamos unidos en este momento de crisis. Los enemigos del federalismo son los enemigos de México. Hagamos un frente común para enfrentar con la casa en orden el temible reto de la invasión norteamericana.

Le reitero las seguridades de mi lealtad institucional.

Al recibir los primeros informes de Gómez Farías, me propuse cortar cabezas y ahogar en sangre la rebelión de la capital. Exacerbaron mi odio a los insurrectos los horrores que presencié en la retirada de La Angostura, donde la disentería causó estragos en nuestras filas, porque muchos soldados desfallecientes de sed bebieron agua en estanques de aguas negras. En algún momento los muertos casi llegaron a bloquear el camino y las bestias de carga tuvieron que pasarles encima, pues faltaban brazos para quitarlos de en medio. Por un lado las mujeres sollozaban sobre los cuerpos inertes de sus deudos, por el otro asistían a los enfermos que pelaban los dientes con la piel pegada a los huesos. En mis pesadillas, la sonrisa macabra de los moribundos me hacía despertar bañado en sudor con un fuerte sentimiento de culpa. Las enfermedades redujeron a la mitad la tropa que había llevado al combate y cuando entré a San Luis, mi ejército inspiraba lástima. Una completa derrota en el campo de La Angostura hubiese tenido resultados menos funestos.

Entre las quejas de los enfermos y el llanto de las viudas, pensaba con ánimo vengativo que si no hubiera sido por la estúpida rebelión de los polkos, habría vuelto de Saltillo a la cabeza de un ejército victorioso, bien alimentado y con la moral en alto para repeler cualquier ataque del invasor. Sólo me confortaba la esperanza de ver en el paredón a los responsables del alzamiento.

Pero en política el hígado nunca es un buen consejero. Llegado a Querétaro salió a mi encuentro una comisión de los insurrectos encabezada por el general Salas y la conferencia que sostuve con ellos aplacó mi furor. Salas me aseguró que el pronunciamiento no era en mi contra, pues los cuerpos de voluntarios me reconocían como primer magistrado, y de hecho esperaban mi fallo para dirimir sus diferencias con el gobierno:

—Los decretos de Gómez Furias han colmado de indignación al pueblo católico —me dijo—. Estamos dispuestos a deponer las armas si usted lo destituye y nos promete derogar todas las leyes promulgadas en su gobierno.

Sentaría un mal precedente dejar sin castigo a los sublevados, pero Salas me hizo ver claro que la única manera de recomponer la unidad nacional era sacrificar a Gómez Farías. De otro modo tendría que luchar contra el ejército invasor en medio de una guerra doméstica, sin el respaldo de la Iglesia y los grandes capitalistas. Por lo demás, el vicepresidente y su dichosa federación me tenían hasta los cojones. En buena medida Gómez Farías era responsable del alzamiento, por hablar al pueblo de sus derechos contra los ricos y los frailes cuando más importaba mantener la concordia civil. En cuanto al sistema federativo, era el menos adecuado para enfrentar con éxito la invasión, pues dejaba al libre arbitrio de los estados el envío de recursos para la defensa, con el resultado de que muchas provincias negaban su ayuda al gobierno central. El país no ganaba nada y en cambio podía perder mucho si me obstinaba en sostener a Gómez Farías. Apremiado por las circunstancias, el mismo día de mi entrada a la capital decreté la supresión de la vicepresidencia, y para limar asperezas con los moderados, mandé sacar de prisión a Gómez Pedraza. Con ello me gané el odio de los puros, pero impedí el desmoronamiento de la nación.

Predispuesta contra el ejército, la capital recibió con tibieza y desgano a los héroes de La Angostura. Ni una corona ni una flor para los bravos que venían de batirse por la más santa de las causas con un enemigo extranjero. En cambio las familias acomodadas vitorearon a los polkos desde los balcones y las damitas más bellas de la ciudad arrojaron claveles a su paso. A veces me hubiera gustado ser un tirano para pasar a cuchillo ciudades enteras. Pero no quise atizar el fuego de la contienda civil y me conformé con otorgar a mis oficiales la Cruz de La Angostura, en desagravio por el brutal ninguneo de sus compatriotas.

Con Veracruz en manos del general Scott, el principal frente de combate se había movido hacia el oriente, pues ahora los yanquis buscaban llegar a la capital por una ruta más corta. En realidad, la incursión de Taylor por el norte del país sólo fue una maniobra para divertir nuestras fuerzas y obligarnos a desguarnecer el puerto. A toro pasado, los historiadores me reprochan que no haya previsto el engaño. Se equivocan: adiviné desde el principio la estrategia del invasor, pero no podía posponer la marcha hacia el norte, pues hubiera dado pábulo a nuevos cargos de traición. Al tener noticia de que el general Scott se había instalado en Manga de Clavo y estaba durmiendo en mi propia cama, columbré la ignominia que debió padecer Moctezuma cuando albergó a Cortés en su palacio imperial. El nuevo conquistador no tardaría en refocilarse con las indias tiernas que tenía reservadas para mi solaz y me dejaría una camada de peones güeros. Sin darle reposo a mis tropas, a los cuatro días de haber llegado a la capital entregué la presidencia al general Anaya y marché a repeler la invasión al frente de nueve mil efectivos, la mayor parte fatigados y hambrientos, con algunos refuerzos de la capital que iban a recibir el bautismo de sangre.

No soy supersticioso, pero creo en la fatalidad y advertí su tenebrosa urdimbre en los contratiempos que se fueron presentando por el camino. Esperaba subsanar nuestra carencia de municiones en la fortaleza de Perote, pero como al llegar ahí no encontré pólvora ni botes de metralla, me fue preciso costear de mi propio peculio el lienzo necesario para la cartuchería de cañón y alimentar a la tropa con ganado traído de mis haciendas. Para rematar la cadena de infortunios, los guardias nacionales destacados en Puente del Rey abandonaron sus puestos y Jalapa cayó en poder del enemigo. Si la resistencia hubiera comenzado ahí, otro gallo nos habría cantado.

Mientras esperaba refuerzos para avanzar a Puebla, Scott permaneció en Jalapa varias semanas y me concedió la oportunidad de colocar a mi ejército en una posición ventajosa. Los oficiales ingenieros se inclinaban por la eminencia de Corral Falso. Los miembros de mi Estado Mayor fueron de la misma opinión, por tratarse del punto que el virrey Revillagigedo había recomendado defender al marqués de Branciforte en un caso similar, según los documentos que obraban en los archivos del ejército.

—Yo no he visto esos legajos, ni falta que me hace —dije—, porque soy de Veracruz y tengo muy revista la zona. Corral Falso no me parece una posición segura. Es mucho mejor Cerro Gordo.

—Pero general —arguyó el jefe de ingenieros—, en Corral Falso estaremos a cubierto de la infantería enemiga.

—Prefiero Cerro Gordo. Por ese lomerío no suben ni las ratas.

—Pero tiene muchos breñales. Será muy difícil fortificarlo antes del ataque.

—Dije Cerro Gordo y no acostumbro discutir mis órdenes, ingeniero. Mañana a primera hora empiece a desmontar esas lomas. ¿Entendido?

En los testimonios de la batalla recogidos después, algunos generales atribuyen a mi soberbia la mala elección del terreno. De todo se me puede culpar menos de haber desconocido el teatro de la batalla, pues como consta en actas notariales, Cerro Gordo está situado en tierras de mi propiedad, que años antes de la guerra me vendió el general José María Cervantes. Tenía, pues, un exacto conocimiento de la región, y me animaba un sentimiento patriótico superior al de cualquier otro mexicano, pues luchaba por *mi* país en el sentido más concreto de la palabra. Si algún error cometí, fue no desembarazarme de los generales que murmuraban a mis espaldas, pues como han señalado los expertos en el arte militar, la principal falla de nuestro ejército fue la mala coordinación de los movimientos, ocasionada por el exceso de mandos superiores e intermedios, que dificultó la comunicación de las órdenes a la tropa regular. Dicho con otras palabras: en Cerro Gordo tuve demasiados mariscales y me faltaron soldados con los pantalones bien puestos. Agobiada la nación con el peso enorme de una lista militar donde el número de jefes y oficiales excedía el del ejército napoleónico en la campaña rusa, debí quedarme con lo más selecto de la oficialidad y arrancar sus galones a los militares de relumbrón.

Los trabajos de fortificación y desmonte dieron lugar a nuevas diferencias con mi Estado Mayor. Erguido como un coloso en la cordillera que bordea la ciudad de Jalapa, el Cerro del Telégrafo domina todas las alturas vecinas y me pareció que bastaba con fortificar esa posición para repeler el ataque. A nombre de los ingenieros, que me habían cogido miedo, el coronel Palacios me expuso la necesidad de fortificar también el Cerro de la Atalaya, una eminencia de menor altura, situada enfrente del Telégrafo. Desoí su consejo, pues el de la Atalaya era un cerro muy enriscado que sólo se podía escalar con bastones y cuerdas. Pero el coronel adujo las más peregrinas razones en apoyo de la petición y su porfía terminó por agotar mi paciencia.

—Los cobardes en ninguna parte se consideran seguros —le dije—. Si tanto le teme a los gringos, pida licencia y lo mando a su casa.

No debí humillarlo delante de terceros, porque Palacios era muy puntilloso en cuestiones de honor y creyéndose obligado a vindicar su hombría, peleó con tal bravura que perdió la vida en el combate. Dios sabe cuánto me avergüenza no haber corrido la misma suerte.

DE JUAN TEZOZÓMOC A CAMERINO SÁNCHEZ

Cerro Gordo, 17 de marzo de 1847

Estimado compadre:

Gracias a Dios y a los novenarios que usted y mi comadre Salustia rezaron por mí salí vivo de La Angostura. ¿Te acuerdas de que no sabía disparar? Pues cuando tuve a los gringos delante de mí se me quitó la temblorina y los mantuve a raya en la ladera del cerro. De lo que uno es capaz con tal de salvar el pellejo. Por mi valor en el combate me cambiaron de batallón y ahora hasta uniforme tengo. Pero no creas que te estoy presumiendo: mejor me hubiera quedado tendido con las tripas de fuera, en vez de pasar tantas fatigas y aflicciones. Gracias a que mi señora madre me crió con leche de burra no pesqué una enfermedad en la retirada, ya ve que hasta los alacranes se mueren cuando me pican. Pero quién sabe hasta cuándo pueda aguantar este trote. Los oficiales han de creer que uno está hecho de palo. No bien habíamos entrado a la capital y ya nos estaban movilizando a la sierra de Veracruz. Eso sí, para darnos coba el general Santa Anna no se cansa de pronunciar discursos y a veces hasta chilla de la emoción. Dice que la patria está en peligro y necesita el sacrificio de sus mejores hijos. Cuáles hijos ni qué la chingada, si acaso seremos los entenados.

En el campamento sólo hay provisiones para hacer una comida diaria. Toda la soldada me la gasto con las vivanderas que venden sopes y quesadillas. Pero en sus figones hay tantísima gente que a veces no alcanzo ni una tortilla con sal y me tengo que ir a dormir con el estómago pegado a la espalda. Siquiera las reses llegan bien cebadas al matadero, en cambio a nosotros nos mandan como mulas huesudas. Estoy tan hambreado que el otro día bajé por la cañada del río del Plan y con una red cacé una guacamaya. Tenía la carne tan dura que por poco me parto los dientes a la hora de masticarla. Con las plumas me hice un penacho para bailar en las fiestas del pueblo, si es que me va bien y no regreso con muletas. El agua también escasea, sólo nos dan un tambo para cada batallón porque la cuadrilla de abastecimiento se dilata mucho en ir a sacarla hasta el fondo de la barranca. Trato de aplacar la sed chupando pencas de maguey, pero su jugo es tan amargo que de noche el estómago me escuece como si hubiera comido lumbre.

Desde temprano el general Santa Anna viene a supervisar el desmonte en su caballo blanco, acompañado por el cuartel maestre y dos de sus ayudantes. El otro día los oí platicar sobre los planes del enemigo, mientras cortaba arbustos con un machete. Según Santa Anna, los gringos no han atacado porque nos tienen miedo. Nuestra magnífica posición los ha intimidado, le dijo muy ufano a su secretario, y como la peste negra está diezmando sus filas, no le extrañaría que se retiraran a Veracruz en espera de refuerzos. Eso dice el tullido, pero según los arrieros que vienen de Jalapa, los gringos nos doblan en número y tienen mejores cañones. No entiendo entonces cómo podemos meterles miedo. Para mí que Santa Anna se hace pendejo o su gente de confianza lo tiene mareado con tantos halagos y adulaciones. No le veo trazas de general, más bien parece un catrín que vino de vacaciones al campo. Todas las tardes se encierra en su tienda a beber vino y a echarse una maroma con las muchachas que le traen del Encero, mientras afuera un conjunto jarocho le toca jarabes y fandangos. No le van a durar mucho las vacaciones, porque desde ayer el enemigo empezó a acampar en un escalón de la cordillera, a la derecha del Cerro del Telégrafo, y el coronel Shiaffino ya nos mandó reforzar esa posición por si se presenta un ataque sorpresa.

Otra vez tengo cólicos y sudores fríos, pero ya me anda por entrar en batalla, porque el miedo se agrava con la espera. Desde la retirada de La Angostura esperaba esta oportunidad y ahora no puedo arrugarme. No pienso morir por la patria, que se traguen ese embeleco los imbéciles cadetes del Colegio Militar. Al menor descuido del sargento salgo corriendo montaña abajo y me quedo escondido en la barranca hasta que termine la matazón. Ya después veré pa dónde jalo. Si los gringos nos ponen en fuga, mejor para mí, así no habrá ninguna patrulla en busca de desertores. Quiero libertad, Camerino, lo demás me vale un carajo. ¿No harías lo mismo en mi lugar? Si Dios me presta vida, en llegando a Xichú te preparo una barbacoa.

Una de mis virtudes como militar fue aprender de mis enemigos, y en la batalla de Cerro Gordo quise poner en práctica las enseñanzas que me dejó el combate de La Angostura. Si Taylor había escogido un terreno escabroso circundado por desfiladeros, yo elegí una posición similar para dar al invasor una sopa de su propio chocolate. La diferencia es que mi enemigo tenía víveres en abundancia, un esmerado servicio de ambulancias y trenes, plena confianza de los jefes en sus oficiales subalternos, caballos bien alimentados y una superioridad de armamento que se puso en evidencia desde el inicio del cañoneo. Al advertir que los trabajos de fortificación le harían muy costoso el paso por Cerro Gordo, el general Scott apresuró sus movimientos y destinó una de sus divisiones a tomar el Cerro del Telégrafo. Dirigí la resistencia sobre la misma cumbre de la montaña, donde el teniente Holzinger, un joven mexicano hijo de alemanes, operaba diestramente la batería y hacía mucho estrago en el enemigo. Scott cargaba al mismo tiempo con tres columnas que buscaban subir por la izquierda, la derecha y el centro, sin alcanzar ventaja alguna. Como a las cinco de la tarde, rechazado por todos los flancos, el enemigo se retiró en desorden, dejando el terreno cubierto de cadáveres. Para infundir confianza a la tropa y hacer mofa del poderío norteamericano, esa noche mandé festejar con dianas y cohetones lo que parecía una victoria segura.

Mientras nosotros celebrábamos, el enemigo talaba en completo sigilo un bosque de araucarias que cubría uno de nuestros flancos y al amparo de la oscuridad colocaba una batería en el inaccesible Cerro de la Atalaya. Todavía no comprendo cómo pudieron realizar ese trabajo de titanes sin ser escuchados por los centinelas. Al día siguiente a las seis de la mañana, cuando muchos soldados todavía brindaban con pulque, nos acometió de improviso una columna yanqui apoyada en el fuego de la batería. Según los historiadores del partido exaltado, mi terca oposición a fortificar el Cerro de la Atalaya facilitó el sorpresivo ataque y decidió la batalla en favor de los invasores. ¿Ignoran acaso la infinidad de recursos que el destino pone en juego para lograr sus fines? En Cerro Gordo los hados estaban a favor de los gringos. Si hubiera seguido el consejo de mi Estado Mayor, la tierra se habría desgajado o nos hubiese llovido fuego, pero el resultado habría sido el mismo.

Pese a la lluvia de proyectiles que caía sobre nuestro campo, todavía defendimos nuestra posición por más de seis horas. Era una lucha muy desigual, pues los yanquis tenían cañones Howitzer de veinticuatro libras y sus fusiles disparaban a la vez una bala y tres postas, mientras nosotros usábamos las viejas escopetas de chispa. Una espesa humareda envolvía a los hombres encarnizados en la lucha y en los dos bandos había numerosas bajas. Pero mientras los caídos de nuestras filas dejaban un hueco en la línea de fuego, los yanquis tenían soldados de reserva que entraban al combate descansados y frescos. La franja azul formada por las tropas del enemigo fue subiendo poco a poco hasta la cima del cerro, donde la víspera habíamos clavado nuestra bandera. En vano traté de contener a los soldados que huían por la ladera opuesta, mezclados con los heridos: el vínculo del mando estaba roto y nadie obedecía mis órdenes. Cuando vi a los gringos desprender con violencia nuestra bandera y poner en su lugar el pabellón de las barras y las estrellas, un puñal invisible rasgó mis entrañas, como si me hubieran desollado vivo.

Apoderado de nuestros cañones, el invasor barrió a metrallazos las faldas del cerro y aumentó la confusión a tal punto que la tropa sólo atinó a tomar las de Villadiego por dos veredas que iban del cantil de la barranca hacia el río. En la disyuntiva de seguir las huellas de los prófugos o quedar prisionero, me decidí por el primer extremo, no porque temiera los rigores de la prisión, sino para evitar que el enemigo me usara como rehén. Por una estrecha vereda bajé hacia el río, traspuse la orilla y subí por otra pendiente hasta llegar a una planicie desierta, donde me esperaban con mi coche los generales Ampudia y Rangel, los únicos miembros del Estado Mayor que no me abandonaron. Apenas habíamos tomado el camino a Jalapa cuando el carro fue alcanzado por una granada. El cochero murió y tres de las cuatro mulas cayeron al acantilado. Serviciales hasta el sacrificio, mis compañeros de armas me cedieron la única mula sobreviviente. Montado en sus lomos ascendí por una escarpada cuesta, con el capote rojo del cochero terciado sobre los hombros, para despistar a los yanquis. Me proponía llegar al Encero por una vereda poco frecuentada que los invasores seguramente desconocían. Pero al llegar al punto más alto de la montaña me detuve a contemplar el paisaje de la batalla y la visión de los cadáveres desparramados en el lomerío anegó mis ojos en llanto. ¿Para qué seguir adelante si todo había terminado? Era una vergüenza ponerme a salvo cuando la voz de la sangre y el silencio de los caídos me invitaban a seguir un camino más honorable.

Hay en el fracaso una cierta voluptuosidad, mezcla de indolencia y autocompasión, que nos sumerge dulcemente en las aguas lechosas del fatalismo. Hundido en ese légamo acogedor, cavilé sobre mi futuro y el de la patria. Me tocó ver el nacimiento de una nación y acabo de asistir a su muerte, pensé. Como todos los países con vocación de colonia, serviremos de rodillas a nuestros nuevos señores, inclinada la cerviz y corrompida el alma, sin conservar siquiera la dignidad de los pueblos indios. Hasta nuestra lengua será una marca de vilipendio, que las generaciones futuras ocultarán con vergüenza. Del país por el que luché sólo quedará una nota al pie de página en los libros de historia: México, antigua República de la América Septentrional que por la incuria de sus gobiernos pasó del dominio español al de Estados Unidos. Ni la plebe ni los grandes propietarios tendrán empacho en cambiar de bandera. Yo veía la patria como una emanación de mi espíritu y para mí la derrota significaba una muerte moral. Érase una vez un hombrecito que había proyectado en el suelo la sombra de un gigante, y cuando las nubes taparon el sol quedó reducido a su verdadero tamaño. Después de haber sido un símbolo nacional, la encarnación de un anhelo colectivo, no podía resignarme al pequeño egoísmo de los hombres comunes. Con un sudor frío en la nunca miré hacia el fondo de la barranca, donde el río murmuraba su monótona melodía. Sólo tenía que picar espuelas para lavar mi derrota con una inmolación honrosa, como los samuráis del lejano oriente. Vamos, mula, da un paso en el abismo y llévame contigo a la eternidad.

DE JUAN TEZOZÓMOC A CAMERINO SÁNCHEZ
(FRAGMENTO)

Cuando los gringos tomaron el Cerro del Telégrafo nuestro ejército se desbalagó por las faldas de la montaña y cada quien agarró por donde pudo. No tuve problemas para escapar, porque los primeros en echar a correr fueron los oficiales encargados de imponer el orden. Por una vereda cubierta de maleza bajé al río del Plan. Escondido tras unas peñas, cambié mi uniforme por un taparrabos y me puse el penacho de plumas de guacamaya, para hacerme pasar por aborigen si acaso me detenía una patrulla de vigilancia. Había recorrido esos parajes en los días anteriores a la batalla y conocía el terreno palmo a palmo. En vez de seguir el curso del río, como la mayoría de la tropa, escalé la loma de enfrente hasta llegar a un descampado. Para tomar aire me detuve a descansar en un peñasco. Abajo se divisaba el reguero de muertos. Pendejos, pensé, quién les mandaba ser tan borregos. Le di un trago a la damajuana que había llenado en el río y seguí mi camino con el sudor chorreándome por la nuca.

Arriba, en la cumbre del cerro, un viejo oficial montado en una mula parda se había detenido al borde del precipicio. Llevaba un capote rojo sobre los hombros y lloraba con mucho recato, sin sollozos ni lamentaciones. Seguramente se le murió un familiar, pensé. Di un largo rodeo por detrás de unos matorrales para colocarme a su retaguardia. Desde hoy no tengo superiores, pensé, en la desgracia todos somos iguales. Hazte a un lado, cabrón, ya estoy cansado de andar a pie.

Cuando estaba a punto de picar espuelas, un indio cuatrero me atacó por la espalda y se llevó la mula con la que iba a saltar al vacío, sin darme tiempo de sacar la pistola. Milagrosamente caí sobre el cantil de la barranca en vez de irme al desfiladero. Los sinsabores de la vejez me han hecho lamentar ese milagro, pues de haber saltado un minuto antes, no hubiese probado las amarguras del exilio y la muerte civil. Pero en ese momento, trastornado por la impresión, creí que mi agresor era un ángel enviado por Dios para reprocharme mi cobardía y conminarme a seguir en la lucha. Si el Altísimo está de mi lado, pensé, quiere decir que el país todavía tiene salvación. Adolorido por la caída, improvisé un báculo con una vara larga y marché a campo traviesa casi una legua, hasta encontrarme con los restos de la caballería que había logrado reunir el general Canalizo.

Para no dar ventajas a nuestros posibles perseguidores, cabalgamos de noche por caminos abruptos y a las diez de la mañana llegamos a Huatusco. Esperaba un mal recibimiento, porque la derrota suele soliviantar a la chusma. Había olvidado la nobleza del pueblo mexicano, su hermosa costumbre de sobreponerse a la adversidad con una sonrisa. En la calle principal estaba formada una valla con los dispersos del ejército y el ayuntamiento en pleno salió a darme la bienvenida, entre repiques de campanas y vivas a la República. Un magnífico almuerzo servido en modestos platos de barro me acabó de reconciliar con mis compatriotas.

Pero muy pronto descubrí que Huatusco era la excepción de la regla. En las grandes ciudades, el descalabro de Cerro Gordo había sumido al pueblo en la postración y el desánimo. Tuve ocasión de comprobarlo muy pronto, cuando marché de Orizaba a Puebla con el propósito de obtener dinero, municiones y hombres para cortar el paso a los invasores. Por el arrojo que sus habitantes mostraban en las contiendas civiles, Puebla se había ganado la reputación de ser la ciudad más belicosa del país, y creí que su comandante militar, el general Bravo, habría hecho preparativos para la defensa. Comprendí mi error cuando salió a recibirme una comisión del ayuntamiento en un lujoso carruaje, y al reconocerme, sus miembros confesaron sorprendidos que habían confundido mis fuerzas con las de Worth, el brazo derecho del general Scott. Mi llegada los importunó sobremanera, pues ya estaban resignados a la ocupación de la ciudad y veían a mis tropas como un pararrayos que podía atraer la tempestad.

Encolerizado por su falta de patriotismo, ordené la inmediata suspensión del prefecto y dispuse que fuera sometido a juicio. El clero se comportó con igual o peor indignidad. En lugar de incitar al pueblo al combate, los frailes lo estimulaban a hacer penitencia, y en solemne procesión conducían por las calles a cuatro o cinco mil hombres cargados de cruces, medallas y escapularios, cuando el deber de todo mexicano era cargar fusiles. Impuse a la diócesis un préstamo forzoso de treinta mil pesos para gastos de guerra, y el obispo Vázquez sólo accedió a entregarme diez mil, arguyendo que no era obligación de la Iglesia enajenar ni la más pequeña parte de sus bienes. Pero eso sí, cuando Worth entró a la capital salió a recibirlo bajo palio y le ofreció un *Te Deum* en la catedral, porque sabía que los gringos no iban a pedirle dinero. Desde entonces tengo presente el sabio refrán que aconseja: a perro, perico y poblano nunca le extiendas la mano.

En virtud del ánimo derrotista que hallé en la ciudad, adelanté mi infantería y los cinco cañones que había traído desde Orizaba, y al frente de la caballería traté de sorprender al enemigo en el trayecto de Amozoc a Acajete. Pero nuestro guía equivocó el rumbo y como los yanquis habían avanzado mucho más aprisa de lo que yo suponía, en vez de tomar desprevenido al general Worth, nos encontramos de repente con su gruesa división, que apuntaba hacia nosotros una batería de cañones. El vivísimo fuego nos obligó a regresar por las faldas de la Malinche y después de andar nueve leguas internados en un tupido bosque, sin agua ni provisiones, llegamos a Puebla como a las cinco de la tarde, fatigados, entristecidos y con algunos hombres de menos. Esta vez el pueblo recibió a mi división con gran entusiasmo, como si la cercanía del enemigo lo hubiese despertado de su letargo. Conmovido por la respuesta popular, deploré la negligencia del gobierno local, que no pudo o no quiso aprovechar ese fervor nacionalista, habiendo tenido tiempo de sobra para reunir algunos cuerpos de guardia. Como no podía dar armas al pueblo y el enemigo duplicaba mis fuerzas, con gran pesar tuve que abandonar la ciudad para dirigirme a San Martín Texmelucan. Decepcionado, el populacho pasó del amor al odio, y gritando mueras a mi persona, comenzó a derribar las balaustradas y a descuajar los árboles de la Alameda. No me sorprendió su mudanza: el impulso heroico de la masa degenera con facilidad en el vandalismo cuando los encargados de conducirla obstruyen su empuje, por el mismo principio de combustión que determina el nacimiento de los volcanes.

Puebla de los Ángeles, 15 de mayo de 1847

Distinguido General Scott:

Como usted lo ordenó, mandé pegar en todas las esquinas de la ciudad el manifiesto en que promete respetar las propiedades y la religión de los mexicanos. Me complace informarle que su promesa ha tenido muy buena acogida en el episcopado y en los altos círculos de la sociedad poblana. Este mediodía, el obispo Vázquez vino al ayuntamiento a expresarme su beneplácito personalmente y a obsequiarme una magnífica vajilla con las iniciales de usted grabadas en todas las piezas, que tendré el gusto de entregarle cuando nos reunamos. Para honrar el espíritu del manifiesto, he ordenado a la tropa mostrarse tolerante y cordial con el pueblo, de manera que nos pierda el miedo y compare favorablemente nuestra conducta con la del ejército mexicano. La oficialidad sólo ha ocupado casas de particulares vacías, sin exigir alojamiento en las ocupadas; y en las cantinas nuestros soldados departen alegremente con los léperos, que les gastan bromas inofensivas.

Hasta donde he podido observar, los mexicanos no ven esta guerra como un asunto de vida o muerte, o bien están cansados de los gobiernos que invocan el sentimiento patriótico para expoliar la riqueza de la nación. En pocos días he logrado echarme a la bolsa a los ganaderos, agricultores y artesanos, pues mientras el ejército de Santa Anna les paga las provisiones con vales de incierto cobro, nosotros las pagamos en dólares de plata. Beneficiados por la rebaja de impuestos decretada en los puertos bajo nuestro dominio, los comerciantes están felices con la invasión, pues ahora pueden vender sus mercancías a mejores precios. Su agradecimiento llega a tal extremo que un importador de licores vino a ofrecerme en matrimonio a una de sus hijas, y se retiró muy apenado cuando le enseñé mi sortija de bodas. En cuanto a la gran masa ignorante y desmoralizada por cuarenta años de guerra civil, que jamás ha disfrutado las ventajas de la democracia y ve a la gente blanca o mestiza como usurpadora del territorio, no puede sino agradecemos que la vengamos a liberar de su yugo.

Las muestras de simpatía hacia los Estados Unidos ya empiezan a concretarse en hechos palpables. El mismo día de mi entrada en la ciudad, el guerrillero Pedro Arias se presentó con una gavilla de pistoleros a ofrecerme sus servicios de contraespionaje.

A cambio de una suma irrisoria –quinientos dólares a la semana–, se compromete a infiltrar a sus hombres en el ejército mexicano, para proporcionarme reportes exactos sobre los movimientos y los planes del enemigo. Según las autoridades de Puebla, Arias es un vulgar bandido, pero creo que deberíamos contratarlo y hacernos de la vista gorda si comete algunos pillajes, porque sus informes pueden sernos de gran ayuda en caso de que usted decida avanzar a la Ciudad de México. Lo someto a su consideración y espero se sirva darme instrucciones para cerrar el trato.

Un saludo afectuoso de su amigo,
William Jenkins Worth

NÓMINA SEMANAL DE LA SPY COMPANY

Name	Wages (U.S. dollars)
Lieutenant Pedro Arias	250.00
Sergeant Jacinto Munguía Luna	25.00
Lance Corporal Pedro Ramos Contreras	10.00
Corporal Mario Castillón Bracho	5.00
Private Juan Tezozómoc	2.50
Private Heriberto Larios Menéndez	2.50
Private Cirilo Cuevas Macías	2.50

Mientras Puebla caía en poder de los invasores, en la capital se había desatado el aspirantismo y los periódicos de oposición me colmaban de injurias por la derrota de Cerro Gordo, en una maniobra del partido moderado para despojarme de la presidencia. El lazo de puerco arrastrado por las más inmundas pocilgas, el rejón teñido, no sólo con sangre, sino con el veneno más activo, no pueden compararse al asqueroso linchamiento del que fui objeto por haberme partido el alma en defensa de mi país. Miserables: mi obligación era pelear, y lo hice. ¿Era dueño de la victoria para tenerla como esclava? En el pueblo de Ayotla, donde me detuve a acampar a mi salida de Puebla, una comisión de diputados enviada por el presidente Anaya me previno sobre el descontento en la capital, donde se estaba gestando un pronunciamiento. Si en estas circunstancias asumiera la presidencia, podría estallar una guerra civil, me advirtieron. Conserve usted el mando de las tropas, pero deje el gobierno en manos del general Anaya. Esa misma noche recibí la visita de mi viejo amigo Tornel, que me pintó el panorama con muy distintos colores. Según Tornel, el caudillo de la revolución era el general Valencia, recién nombrado jefe de la Guardia Nacional, y como Anaya no tenía autoridad para llamarlo al orden, me aconsejaba salir de inmediato a la capital y tomar posesión de la presidencia. Puesto que la situación exigía actuar con rapidez, al día siguiente salí para México y tomé el poder por asalto, sin haber noticiado nada al general Anaya. Hipócrita redomado, Valencia fue uno de los primeros en felicitarme por mi regreso.

El consejo de Tornel evitó una catástrofe, porque el ayuntamiento de la capital estaba dispuesto a seguir los pasos del poblano y no había tomado providencia alguna para defender el camino a la capital, salvo el derribo de una arboleda en el Pinar del río Frío. Los habitantes de México son testigos de que a mi llegada ninguna fortificación se había levantado, ni existía una sola brigada en pie de lucha. Abandonada cualquier tentativa de resistencia, la opinión pública me aconsejaba firmar un arreglo de paz con los yanquis y hacerles algunas concesiones territoriales, opinión compartida por varios miembros de mi gabinete. Sin dejarme arrastrar por su desaliento, reuní una junta de generales donde se acordó por decisión unánime defender la capital hasta la muerte. Desde los primeros días de trabajo, las enormes dificultades que entrañaba la resistencia pusieron a prueba mi voluntad. ¿Cómo guarnecer una ciudad abierta por todas partes, sin contar con un ejército numeroso y una cantidad respetable de piezas de artillería? Para reunir hombres y armamento necesitaba retener a los invasores en Puebla. Con ese fin ordené a Tornel que iniciara en mi nombre negociaciones secretas con el general Scott. Le haría creer que yo era partidario de la paz y que estaba dispuesto a firmarla a cambio de un cohecho millonario, siempre y cuando recibiera un adelanto de diez mil pesos para vencer resistencias en el Congreso, donde la mayoría de los diputados apoyaba la continuación de la guerra.

Impuesto de las leyendas sobre mi venalidad, Scott cayó en el garlito, pero no pudo apresurar el trato como hubiera deseado, pues debía rendir cuenta de todos sus gastos al gobierno de Estados Unidos. Mientras esperaba autorización para entregarnos la primera parte del soborno, pudimos avanzar mucho en la fortificación en la capital. A principios de agosto, el jefe invasor sospechó que lo estaba engañado para ganar tiempo y las negociaciones se suspendieron. Jamás busqué obtener provecho personal con ellas, como sugieren ahora los redactores del *Monitor Republicano*, ni es verdad que me haya embolsado los diez mil pesos del anticipo. ¿Cómo se atreven a proferir acusaciones de tal calibre sin aportar una sola prueba? ¡Silencio, urracas! Si tuviera juventud y vigor, pagarían su blasfemia con sangre.

Cuando más necesitábamos el auxilio de los estados, su recién estrenada autonomía debilitó severamente la unidad nacional. Muchos gobernadores veían a la capital como una ciudad Estado que tiranizaba a las provincias y absorbía toda su riqueza, sin ofrecerles a cambio ningún provecho. Los viejos rencores que habían acumulado contra la capital afloraron cuando la federación les pidió recursos para defenderla. Estados como Guanajuato, México y Zacatecas negaron su ayuda aduciendo escasez de fondos, que sin embargo no les faltaron para realizar obras de ornato. En los casos de Tabasco y Veracruz, territorios ocupados por el enemigo, las autoridades habían desconocido al gobierno de la República, en venganza por no haber obtenido ayuda del ejército federal. Me enfrentaba, pues, con la difícil obligación de salvar a un país descoyuntado que sólo existía como tal en mi pensamiento.

Si en los gobiernos del interior el patriotismo flaqueaba, cuantimás entre la masa de léperos reclutados a la fuerza, que arrojaban sus armas al primer encuentro con el invasor. Su cobardía y el mezquino interés de los comerciantes dieron lugar a un redituable negocio, pues los parias que recogían los fusiles y tercerolas abandonados en el campo de batalla, los llevaban a cambiar por un cuartillo de maíz a las tiendas del centro, donde el gobierno tenía que pagarlos como nuevos. La necesidad nos obligaba a comprar tres o cuatro veces el mismo fusil y a gastar otro tanto en reparaciones, porque muchas veces el arma estaba inservible. También la fundición de cañones dejó pingües ganancias a los descastados que lucraban con el dolor de la patria. Cuando organizaba la defensa, rogué a los conventos y a las iglesias que nos dieran algunas campanas para convertirlas en obuses. Reuní más de cincuenta, pero en la maestranza donde se fundieron, los obreros malversaron el metal para venderlo a particulares, y los cañones resultaron defectuosos por la mala calidad de la aleación.

A pesar de los contratiempos creía en la victoria, fundado en la hipótesis de que la población civil, sin distinción de clases, se pondría en pie de lucha cuando los yanquis amenazaran el Valle de México. Robustecían mi fe las guardias nacionales, compuestas por los mismos jóvenes de buenas familias que habían participado en la rebelión de los polkos y ahora, arrepentidos de su torpe frivolidad, se disponían a ofrendar la vida por una causa mucho más digna. Era insólito ver a esos charros de altivo porte, que hasta entonces se habían valido de influencias o sobornos para eludir el reclutamiento, cavando trincheras en fraternal comunión con los hijos del pueblo. La presencia de sus madres, novias y queridas en el campo militar engalanaba el peligro, como debió suceder en los torneos medievales, cuando los aguerridos caballeros peleaban en presencia de hermosas princesas. Los preparativos para la guerra tomaron el cariz de una romería popular, sobre todo en el Peñón de los Baños, donde se congregaba la crema del ejército. En ese lugar hice a mis tropas una dramática arenga, cuando tuve noticias de que Scott había salido de Puebla:

—¡Mexicanos! Desde la vuelta de mi destierro no he pensado más que en la salvación de la República. ¿No he volado a crear y organizar un poderoso ejército? ¿No he peleado con él sin economizar riesgos? ¿No he atravesado toda la República para cerrar el paso al enemigo? ¿Pero de qué han valido mis sacrificios, si el país no encuentra el camino de la concordia? Mientras el ejército se bate en condiciones precarias, la desunión progresa, la sedición cunde, las pasiones políticas se agitan en el peor sentido, y por si no bastara con el daño que nos causa la invasión, procuramos con funesta ceguedad desvirtuar a las autoridades. Si no enmendamos esta actitud suicida, ningún sector de la sociedad quedará a salvo de la ignominia. ¿O acaso creéis en las vanas promesas del general Scott? Desengañaos, los Estados Unidos vienen a sepultar nuestra religión y a cebarse en nuestras riquezas. El clero no puede permitir en conciencia la dominación de un gobierno que impondrá la tolerancia de cultos. ¿Se resuelve ya a sufrir que frente al mismo templo donde se adora la hostia santa, se levanten las iglesias de los protestantes? Tampoco los propietarios podrán sustraerse a la rapiña yanqui. ¿Ignoran cuán duros y exigentes son los tributos que impone un conquistador? Si las altas conveniencias sociales, si los bienes de la Independencia se estiman en poco, si nada vale para México el rango de nación independiente y soberana, ¿para qué luchamos once años continuos derramando torrentes de sangre? Ha llegado, pues, el momento de exponerlo todo, para salvarlo todo. ¡Ay del que no comprenda la gravedad de la situación!

INFORME DE JUAN TEZOZÓMOC A PEDRO ARIAS, COMANDANTE DE LA SPY COMPANY

He seguido sus instrucciones y ya estoy de vuelta en mi división. Sólo me pusieron una multa de quince reales por haberme dilatado en regresar a filas, pero no me juzgaron como desertor. Se ve que andan urgidos de gente y no quieren ahuyentar con fuertes castigos a los soldados que ya tienen experiencia en combate. Los miembros del Ejército del Norte quedamos a las órdenes del general Valencia, un cabroncito de cuidado, que no tolera la menor falta de disciplina. Cuando pasó revista a las tropas, me dio tremendo coscorrón por traer la bayoneta manchada de lodo. Dicen que Santa Anna y él están peleados, pero no lo creo, porque se tratan con mucha consideración. Ayer en la Villa de Guadalupe comieron juntos en un banquete, y a la hora del brindis, el general Santa Anna lo elogió delante de todos los comensales.

Los dólares que usted me dio abren todas las puertas. No cualquiera en el ejército se deja embarrar la mano, pero hay muchos que nomás andan viendo por dónde sacan para los frijoles. Ya tengo el Plan de Defensa que Santa Anna repartió a sus generales.

Me lo consiguió por diez dólares el mozo que le limpia las botas al general Valencia. No tengo recibo ni voy a poder justificar el gasto, pero le ruego me tenga confianza, porque se va usted a parar el cuello con el general Scott. El cojo ha ordenado esperar al enemigo en las trincheras, hasta que los nuestros ataquen alguno de los puntos fortificados. Entonces el general Valencia se va a dejar venir por un flanco y la caballería de Juan Álvarez por el otro, para cogerlos entre dos fuegos. Según el plan, con una sola victoria mexicana basta y sobra para destruir a las tropas del invasor. Para mí que Santa Anna le está poniendo mucha crema a sus tacos. Lo mismo decía antes de Cerro Gordo y ya vio cómo le fue.

Entre los papeles que conseguí viene también la lista de fortificaciones. El punto mejor defendido es el Peñón de los Baños, donde están los catrines de las guardias nacionales. Santa Anna cree que el primer ataque vendrá por ahí, por ser la entrada natural de la ciudad para el que viene de Puebla. Por el sur hay baluartes improvisados en la hacienda de San Antonio y en el convento de Churubusco, sobre el camino de Tlalpan, donde está acuartelada la división del general Bravo. En el pueblo de Chimalistac vela sus armas una brigada a las órdenes del general Pérez. Y por si el enemigo utiliza los caminos de Tacubaya o San Cosme, en el castillo de Chapultepec hay otro cuerpo de tropas con doce piezas de artillería. En total habrá unos veinte mil soldados, la mayoría reclutas mal entrenados, que a la hora de los pelotazos van a zurrarse en la calzonera. Aquí en mi división he estado haciendo labor de zapa y ya convencí a más de treinta de largarse conmigo cuando se abra el fuego.

Como usted comprenderá, mi trabajo es muy arriesgado y estoy con el alma en un hilo, pues temo que en cualquier momento alguien me delate. No sé qué será de mis hijos si termino en el paredón. Me uní a su compañía para no regresar a mi pueblo con las manos vacías, pero la mera verdad, con lo de mi soldada no compenso los riesgos. Le prometí hacer méritos en pocos meses y he cumplido como los buenos. Ya le demostré que soy gente de fiar. Demuéstreme usted ahora que sabe agradecer los favores.

Apoyado en las lecciones de la experiencia, me había decidido por una guerra meramente defensiva, contra la opinión de Valencia y otros generales, que hubieran preferido salir al paso del enemigo en el trayecto de Puebla a México y dar una batalla campal. Esperaba el ataque de un momento a otro y había dado órdenes a todos los jefes de mandarme avisar ipso facto en cuanto avistaran al ejército yanqui, pues quería estar en el punto donde los americanos atacaran nuestras posiciones, para animar a las tropas con mi presencia. Las cosas empezaron a salir mal desde que el enemigo rehuyó el combate en el Peñón de los Baños y dio un largo rodeo por el sudoeste de la ciudad. Sería una ridícula superstición, pero ese movimiento produjo un efecto desfavorable en mis hombres, como si la inexpugnable roca tuviera los poderes de un amuleto.

No sé si Scott haya demorado el ataque adrede para sembrar la inquietud en nuestras filas, pero estoy cierto de que algún espía lo previno sobre mi plan defensivo, pues en vez de atacar nuestras posiciones fuertes, emplazó sus tropas en el pueblo de San Jerónimo con el fin de obligarnos a defender la extensa línea que va de San Antonio al convento de Churubusco. Su posición le permitía simular varios ataques al mismo tiempo, y nos vedaba la posibilidad de ocurrir con fuerzas copiosas a la defensa del punto atacado, por el temor de desamparar los demás. A pesar de todo me alegré cuando sus tropas por fin se hicieron visibles, pues he preferido siempre la acción a la incertidumbre. San Antonio era un punto bien fortificado, y si caía en poder de Scott, el general Valencia lo sorprendería por la retaguardia con la división que acampaba en San Ángel. Pero si el atacado era él, entonces yo mismo batiría a los yanquis por el camino de Tlalpan. Era un plan perfecto y fácil de ejecutar. Mi único error fue haber confiado en la lealtad de los escorpiones.

Fracasada su intentona golpista, hasta entonces el general Valencia sólo había tenido atenciones conmigo. Por consejo de Tornel y para evitar que nuestras viejas diferencias pusieran en peligro el futuro de la nación, le había devuelto el mando de la División del Norte y había tolerado sus necias críticas a mi plan de defensa, deferencia que no tuve con ningún otro general. Pero Valencia ambicionaba con furor el mando supremo de la nación, que siempre se le había escapado por su impericia política, y quiso utilizar la guerra como un escaparate para llegar al poder en medio de aclamaciones. La víspera del combate malicié por algunos reconocimientos de la caballería que el enemigo intentaba dirigirse a Tacubaya, y di orden al general Valencia de replegarse a Coyoacán, para que artillara con sus piezas el convento de Churubusco.

Recibió mi orden como a las cinco de la tarde y a las once me respondió con cínica desfachatez que había resuelto movilizarse de San Ángel a Padierna, porque después de haber estudiado el terreno, creía necesario defender ese punto para evitar un ataque simultáneo a nuestras dos fortificaciones. ¡Patrañas! La verdad es que deseaba quedar en el centro de la batalla para obtener el crédito de la victoria. Perro judío, grité, nos veremos las caras en un Consejo de Guerra, y resolví destituirlo del mando para que su segundo acatara mi orden. Tornel y el general Alcorta, a la sazón ministro del Interior, serenaron mi ánimo con reflexiones juiciosas. Un escándalo como ése en vísperas del combate, me advirtieron, podría debilitar la moral de la tropa. Aconsejado por ellos, concedí a Valencia libertad de acción, pero reprobé su conducta arbitraria y lo hice responsable por cualquier descalabro.

Anhelando evitar la previsible derrota, al día siguiente salí rumbo a San Ángel con una fuerza de cuatro mil soldados escogidos. La lluvia me detuvo en el Olivar de los Carmelitas, una loma muy pronunciada que con el fango se volvió intransitable. Impedido de entrar en acción, presencié la batalla con mi largavista a media legua de distancia. Pese a contar con los mejores soldados del ejército, el general Valencia no pudo estar a la altura de su arrogancia. Manejó a la tropa con una torpeza infinita, sin exponerse nunca al fuego de los obuses, pues además de inepto era cobarde. Gracias a la cercanía de mi ejército, que infundió pavor al enemigo, el primer día logró resistir los embates de Scott sin grandes pérdidas humanas. Entusiasmado hasta la locura con la aparente victoria, se soñaba ya dictador de México, y según el general Salas, que lo acompañaba en su tienda, empezó a barajar nombres para el próximo gabinete. Mientras él deliraba yo mantenía los pies en la tierra. En vista de que los soldados estaban exhaustos y su armamento inutilizado por la tormenta, esa noche le ordené que tomara como guía a mi ayudante de campo José María Ramiro para retirarse a San Ángel por una vereda oculta, pero él volvió a insubordinarse y permaneció en aquel funesto lugar, pues creía tener la gloria en el puño. Pagó su soberbia con sangre, pues al día siguiente Scott desbarató sus fatigadas líneas y nada pude hacer por evitar la carnicería. De los seis mil hombres que formaban la División del Norte sólo quedó con vida una décima parte. Valencia dirigió la acción escondido tras un molino y ni siquiera se manchó el uniforme de polvo.

PARTE DEL GENERAL VALENCIA
(21 DE AGOSTO DE 1847)

Dirijo este informe al Ministerio de Guerra, y no al general presidente, porque su conducta en la batalla de Padierna lo descalifica para encabezar la resistencia contra el invasor. Entre doce y una del día de ayer, el coronel Barreiro me puso al tanto de que los americanos, divididos en dos columnas, habían subido al cerro de Zacaltépetl, y avanzaban de frente hacia nuestra posición. De inmediato envié al batallón de Aguascalientes con la pieza de artillería y al escuadrón de caballería al mando del general Torrejón para cortarles el paso. Aunque el enemigo dio una fuerte carga en ese instante, mis hombres la resistieron y con auxilio de los batallones activo y auxiliar de Celaya, lograron arrojar a los invasores del otro lado del arroyo.

Emboscados en la arboleda que rodea a San Jerónimo, los yanquis intentaron una salida por el punto que yo defendía. Volvió a trabarse un cruento combate, donde los nuestros aguantaron a pie firme las embestidas de la infantería norteamericana. De pronto apareció sobre la loma del Olivar el ejército del general Santa Anna y el enemigo se vio acorralado. Hubo un desconcierto universal y la tropa empavorecida comenzó a dispersarse por las faldas del cerro. Para el completo triunfo de las armas mexicanas y el exterminio del invasor, sólo restaba la carga del general Santa Anna, mas por un hecho inconcebible y doloroso que el alma se azora al contemplar, lejos de hacer lo que el caso exigía, la táctica dispone y el honor mandaba, el general ordenó dar media vuelta a sus hombres para subir a lo más alto de la loma y desde ahí se limitó a observar las acciones. Resentido por mi supuesta insubordinación, prefirió favorecer al enemigo con tal de no ayudarme a obtener una victoria que podía opacar sus hazañas. ¿Puede concebirse una vanidad más monstruosa?

Cuando su ejército se retiró del Olivar sin haber disparado un tiro, el enemigo recuperó el dominio de la batalla y quedé circunvalado por todas partes. A las nueve de la noche un ayudante de Santa Anna vino a traerme una orden suya en la que me mandaba abandonar la artillería y retirarme por donde pudiera, pues al otro día estaría rodeado de tropas enemigas. En mi respuesta verbal no pude menos de reprocharle su cruel conducta de por la tarde y proferí algunas palabras gruesas que no viene al caso repetir. Ni era digno retirarse sin completar la victoria, ni mi patriotismo consentía una derrota sin honor. Resuelto a sostenerme en mi posición, una vez más pasé por alto las instrucciones del general en jefe, si se le puede llamar así al ínfimo canalla que había contemplado impasible el sacrificio de sus hermanos. Al día siguiente, el general Scott reanudó sus ataques con redoblado empuje y tuve que replegar a mis tropas para economizar vidas y municiones. Estuve tan cerca de la línea de fuego que un metrallazo me quemó el abdomen. Pero hacía falta algo más que valor para vencer a un enemigo superior en número que se había envalentonado al vernos indefensos.

A pesar de mi comprometida situación, logré salvar a una parte de mis efectivos y dirigir en orden la retirada. De camino para San Ángel tuve el placer de ser vitoreado por dos batallones de Santa Anna, que hubieran querido socorrerme y estaban avergonzados por lo ocurrido. No quise tener un enfrentamiento con el cojo, pues temía responder con golpes a sus posibles insultos, y consideré lo más prudente dirigirme a Cuajimalpa, donde ahora me repongo de mis heridas. Mientras redactaba estas líneas supe que Santa Anna ha ordenado fusilarme. Quiere sin duda ocultar su felonía, como si el sol se pudiera tapar con un dedo. Pero ni el asesinato puede lavar la mancha indeleble de la traición. Vivo o muerto, en la tierra o en el purgatorio, haré escuchar mi voz para que la infamia lo persiga hasta el fin de sus días.

¡Ah! Sin la defección de Valencia, los yanquis quedan sepultados en el Valle de México. El propio general Scott reconoció que en Padierna sus tropas debieron a la protección de Dios haber salido con bien de la empresa. Más bien debería darle gracias al demonio que trastornó la mente de su ambicioso rival. Retirado a Cuajimalpa por temor a darme la cara, Valencia anduvo a salto de mata mientras duró la guerra contra el invasor. Pero la Providencia nunca permite que mis enemigos queden impunes. Cuando no puedo vengarme de ellos, el destino se venga por mí. Como antes había sucedido con el lenguaraz diputado Llaca, muerto a las pocas semanas de injuriarme en el Congreso, Valencia encontró la muerte al año siguiente de haberse insubordinado. Según los doctores falleció por una peritonitis: yo creo que lo mató el entripado de no poder emular mis glorias.

El desastre de Padierna desarticuló mi plan de defensa, y en vez de reforzar la calzada de San Antonio, ordené al general Bravo que no presentara una resistencia muy obstinada y sólo combatiera lo necesario para retirarse en orden a la garita de la Candelaria. Con un regimiento de húsares, el ligero de Veracruz y los restos de la caballería de Valencia, me dirigí hacia el convento de Churubusco, seguido de cerca por una columna yanqui, mientras el coronel Zerecero protegía mi retaguardia en el pueblo de Xotepingo. Defendían el convento los cuerpos de la Guardia Nacional Independencia y Bravos, bajo el mando de los generales Anaya y Rincón. Por fin los jóvenes polkos tendrían la oportunidad de fajarse los pantalones en un verdadero combate.

Eran apenas seiscientos cincuenta paisanos mal armados, sin la instrucción necesaria para batirse con un ejército profesional, y sin embargo arrostraron el empuje de las fuerzas enemigas con un pundonor admirable. No hace falta narrar aquí la gesta de Churubusco, pues ha inspirado a muchos poetas y ya forma parte de la memoria colectiva. En las escuelas los niños recuerdan con emoción a los caídos en el convento y recitan odas al general Anaya, que a pesar de haber perdido la vista cuando un lanzafuego incendió el parque de los defensores, continuó al frente de sus tropas y prefirió la muerte a una rendición deshonrosa. Nadie parece recordar en cambio que Anaya seguía mis órdenes y, por lo tanto, una parte de su gloria me corresponde. Ni el presidente Lerdo ni el ministro de Guerra tuvieron la gentileza de invitarme a los ejercicios militares celebrados en agosto pasado para conmemorar el aniversario de la batalla. ¿Creerán que un ejército se dirige solo?

Si bien es cierto que yo no estuve físicamente en el convento de Churubusco, acompañé a mis hombres en espíritu y les imbuí el valor necesario para acometer la hazaña. No fue por negligencia o capricho que los dejé abandonados a sus propios esfuerzos: tuve que distraer una parte de mis efectivos para batirme muy cerca de ahí, en la hacienda de los Portales, donde nuestro ejército libró una batalla no menos cruenta. De mi valor en esa acción puede dar fe el general Alcorta, que me vio dar latigazos a los oficiales de caballería cuando huían de los dragones americanos. Pero con tal de negar mis empeños patrióticos, ahora se me imputan hasta crímenes imaginarios, como el de haber enviado a los defensores de Churubusco una remesa de balas que no correspondían al calibre de sus fusiles, con la intención deliberada de hacer ineficaz la defensa. Es triste haber llegado a la vejez y tener que ocuparme en desmentir sandeces. ¿Debe un general en jefe desempeñar los deberes de un guardaparque? ¿Querían que revisara uno por uno todos los cartuchos enviados a la guardia nacional? Si el gobierno me escatima los homenajes públicos, responderé a su ingratitud con un digno silencio. Resignado a la oscuridad, sólo espero que al final de mi duro camino, los verdaderos patriotas derramen una lágrima piadosa sobre mi tumba.

Nota de Giménez:

Don Antonio ya está cansado de luchar contra los ingratos, pero los santanistas de pura cepa creemos que su nombre debe quedar limpio de todo baldón. En este caso, la calumnia me duele en carne propia, pues en mi calidad de ayudante de campo del general, yo era el encargado de comprar el parque y distribuirlo entre las divisiones del ejército, misión harto dificultosa, porque ni el Ministerio de Hacienda ni la Tesorería General tenían fondos para la defensa y se pasaban la bolita unos a otros cuando recibían las facturas del armamento. Una vez tuve que pagar de mi bolsillo cien mil piedras de chispa para fusil que don Antonio me había encargado, y hasta la fecha sigo esperando que el gobierno me reembolse la suma. En las fábricas de municiones se trabajaba a marchas forzadas en medio de un completo desorden y no me sorprende que los garroteros del almacén se hayan equivocado al enviar el cargamento de balas para el general Anaya. No existe, pues fundamento alguno para culpar al general por ese lamentable accidente. Celoso como he sido siempre de su buena reputación, cuando el gobierno lo excluyó de los festejos oficiales por el aniversario de Churubusco, me tomé la libertad de redactar una defensa de sus acciones y publicarla con la firma del general en *El pájaro verde*. La eficacia política de la carta puede medirse por el encono de las respuestas que provocó en los diarios ministeriales. Cuando los cerdos chillan y se retuercen quiere decir que el verduguillo les ha calado hasta el corazón.

México, 12 de febrero de 1876

Queridísimo hijo:

No te sorprendas por el cambio de caligrafía: he tenido que recurrir a un evangelista de la plaza de Santo Domingo, porque Giménez ya me llenó el buche de piedritas. Primero cometió el desatino de publicar con mi firma un panfleto donde exigía que se me rindieran honores por haber participado indirectamente en la defensa de Churubusco. Le hice notar que con ello me perjudicaba más aún, pues como dice el refrán, elogio en boca propia es vituperio. Me prometió no volver a tomar iniciativas, pero al parecer, ya se siente con derecho a gobernar mi vida y ahora tuvo el descaro de pedir al Ministerio de Guerra una pensión por mis servicios a la patria. Como comprenderás, me niego a recibir las limosnas de Lerdo, pues considero indigno aceptar ayuda del mismo gobierno que ignora mis méritos y ha confiscado mis propiedades. Giménez lo sabía y sin embargo se le hizo fácil solicitar la pensión, creyendo que no iba a enterarme, pues ahora dependo de sus ojos para leer los periódicos. Pero las noticias también entran por el oído y la otra tarde pasó frente a mi ventana un vendedor de diarios que gritaba: «¡El cojo pide chichi y no le dan! ¡Denegada la pensión al general Santa Anna!».

Tengo el orgullo maltrecho pero sensible y nada me duele tanto como quedar expuesto a la vergüenza pública. Incluso pensé en volver al exilio, pero con el dinero que tengo sólo me hubiera alcanzado para llegar en burro a la garita de San Lázaro. Cuando Giménez llegó a la vecindad lo cubrí de injurias hasta perder la voz. Su maldita costumbre de hablar en mi nombre y abrogarse funciones de albacea ya me ha metido en muchos problemas. Obra de buena fe, pero en su afán por protegerme ha pasado de la admiración a la suplantación. Conoce mejor que yo los pormenores de mis batallas, le duelen más que a mí los ataques de mis enemigos, se pone mis condecoraciones a escondidas y he notado que a veces empieza a escribir antes de escuchar mi dictado.

Te aconsejo revisar con lupa las últimas transcripciones, pues tal vez haya colado muchas opiniones suyas. Después del corajote, un decaimiento del ánimo me obligó a guardar cama. Con el descanso y la reflexión se ha ido mitigando mi enojo contra Giménez. La verdad es que el pobre ha sido muy generoso conmigo. No puedo culparlo por buscar ingresos cuando me consta que hace grandes sacrificios para mantenerme. Si no fuera por él, seguramente Loló ya hubiera atentado contra mi vida. Detesto vivir como arrimado y me atormenta pensar que en la caja fuerte de mi casa podría estar la varita mágica para salir de todas nuestras miserias. Pero por más que me concentro no logro recordar la combinación de letras de la cerradura. A este paso voy a olvidar hasta cómo me llamo.

Felizmente, lo peor de mi quebranto emocional ha pasado ya y me siento con fuerzas para reanudar el trabajo. Mañana mismo levantaré la ley del hielo a Giménez, y en fecha próxima recibirás la información que te falta para redondear la crónica de mi desempeño en la guerra del 47. Mortífera como un áspid y caprichosa como una mujer, la memoria no me obedece cuando quiero sacarle provecho, pero atesora con diáfana precisión mis recuerdos amargos.

Azcapotzalco, 28 de agosto de 1847

Excelentísimo General Presidente:

Desde la firma del armisticio, he procurado cumplir con patriotismo la misión de representar a México en las pláticas de paz con el enemigo, pero me temo que no será fácil conservar en la mesa de negociaciones lo que no se ha podido defender con las armas. El comisionado Trist es un diplomático muy avezado, que sabe revestir con palabras de seda las pretensiones imperiales de su gobierno. A mi exigencia de que declare si Estados Unidos funda sus reclamos en el derecho de la fuerza, o tiene alguna coartada legal para emprender la guerra, respondió con evasivas y circunloquios. En cambio fue muy claro —casi grosero, diría yo— al presentar el proyecto de tratado para fijar los nuevos límites entre los dos países, documento que le adjunto con la presente. Como usted podrá constatar, si aceptamos las inicuas condiciones del enemigo, además de Texas quedarán en manos del invasor todo Nuevo México, las dos Californias, la mitad de Sonora, una parte de Tamaulipas y porciones importantes de Coahuila y Chihuahua. Por si no bastara con las cesiones territoriales, los americanos quieren el dominio del mar de Cortés y el derecho de transportar mercancías por el Istmo de Tehuantepec. O sea, que además de perder un territorio inmenso, donde cabrían con holgura las principales naciones de Europa, tendríamos en casa un ejército de ocupación permanente.

Fiel a sus instrucciones de negociar como si hubiéramos triunfado, respondí a Trist que sus condiciones eran inadmisibles, pues mi gobierno sólo accedería a vender el estado de Texas si la frontera se fija en el río Nueces y no en el río Bravo, como pretenden los Estados Unidos. De las demás cláusulas no vale la pena ni hablar, le dije, porque México no entregará como botín de guerra la mitad de su territorio, ni su gobierno ha podido aducir ningún argumento legal para reclamar esas provincias. Trist pidió un receso de tres horas para conferenciar con el general Scott, que por supuesto no se conformó con asegurar la compra de Texas, pues ahora quiere todo el pastel. Dejamos para más adelante esa discusión y pasamos a otros asuntos colaterales. A nombre de la delegación mexicana, el general Herrera introdujo un nuevo motivo de discordia al proponer que Estados Unidos se comprometa a abolir la esclavitud en los territorios mexicanos bajo su dominio. Sonrojadas las mejillas, Trist perdió la ecuanimidad.

—La simple mención de ese punto en un tratado donde figuren los Estados Unidos es imposible —dijo—. Aunque me ofrezcan cubiertas de oro puro diez veces más tierras de las que pido, no puedo tomar en consideración la propuesta, ni aun transmitirla a mis superiores.

Habíamos previsto su enojo, pero creo que valió la pena poner sobre el tapete la cuestión de la esclavitud, pues nos dio una victoria moral sobre el enemigo. En sus tratos con México, los Estados Unidos han adoptado siempre la actitud de una potencia arrogante que condesciende a dialogar con un país de salvajes. La respuesta de Trist puso en evidencia que si México es una nación atrasada, en materia de justicia y derechos humanos ellos están en la edad de piedra. Por desgracia, las victorias morales no sirven de mucho para doblegar a un gobierno rapaz que esgrime la diplomacia del gran garrote. Si me permite un consejo, creo que deberíamos poner los pies en la tierra y hacer otras concesiones al enemigo sin poner en peligro la nacionalidad, pues la táctica de negociar como vencedores no dará ningún fruto. En mi opinión, lo más aconsejable en esta hora trágica sería adoptar una posición flexible, que nos permita salvar al menos las provincias ubicadas al sur del río Bravo. Para ello necesitamos atribuciones más amplias, pues las actuales nos reducen a la categoría de mensajeros. Si el Congreso no accede a otorgarnos mayores facultades ejecutivas, quedaremos atados de manos para impedir la continuación de la guerra.

Reitero a V.E. las seguridades de mi distinguida consideración, Lic. José Bernardo Couto

Solicité el armisticio al general Scott porque necesitaba reorganizar el ejército, pero nunca esperé nada bueno de las pláticas de paz con el enemigo. Aunque nuestros representantes en la mesa de negociaciones eran proclives a normar su conducta por la máxima: «de lo perdido, lo que aparezca», yo los traía con la rienda corta y nunca estuve dispuesto a ceder en nada, menos aún al conocer las desorbitadas pretensiones del invasor. Sin embargo, el general Scott dio una señal de flaqueza cuando propuso alargar el armisticio por cuarenta y cinco días. Este cabrón espera refuerzos, pensé, ahora es cuando lo podemos agarrar con la guardia baja, y en una junta con mis generales resolví atacarlo en las afueras de la ciudad. Pero aun si Scott no hubiera dejado entrever sus intenciones, de cualquier modo lo habría combatido hasta el fin, pues en esos días apareció en Toluca el infame libelo en que el diputado Ramón Gamboa me acusó de haber entregado el país a los invasores. Omito sus descabellados cargos, pues nunca me ha gustado chapotear en estiércol. Sólo quiero dejar constancia de que Gamboa denunciaba con pelos y señales mis supuestas pifias deliberadas en La Angostura, Cerro Gordo y Churubusco, sin haber concurrido a ninguna de esas batallas. En el colmo de la sevicia me imputó el abandono de Puebla, como si yo hubiera ordenado la rendición de la plaza, cuando fui el primero en condenar la indolencia de su comandante.

Los infundios de Gamboa cayeron en terreno fértil, pues coincidían al pie de la letra con las sospechas del vulgo, que no perdona las derrotas de sus ídolos y ahora me tildaba de traidor en las bardas de la ciudad. Así son las masas, ante un fracaso colectivo siempre culpan al de arriba para eludir su propia responsabilidad. Mientras el diente de la calumnia mellaba gravemente mi prestigio, los mandos superiores del ejército se disputaban el honor de avisarme primero que nadie por dónde atacaría el enemigo. Por culpa de su necia rivalidad no pude dirigir en persona la batalla de Molino del Rey. La víspera del combate, como a las cinco de la mañana, el general Vizcaíno apareció muy agitado en el cuartel de Chapultepec y me dijo entre jadeos: «El ejército invasor ya está enfrente de la Candelaria, yo lo he visto». Para dar más validez a sus palabras hizo dos horquillas con los dedos y las apoyó en ambos ojos. Convencido de su seriedad, marché al instante en dirección de la Candelaria, dictando por el camino las órdenes pertinentes. Pero hete aquí que al llegar a la Candelaria encuentro al general Martínez muy circunspecto: «Debe haber un error, general —me dice—, en esta línea no hay novedad». Me retiraba enfurruñado cuando oí retumbar un fusil por la garita de Belén. Acudí a galope hacia el sitio de los disparos, pero tampoco hallé ni rastro de los invasores. Minutos después, cuando ya comenzaba a clarear, un mensajero de Tornel me avisó que el ejército yanqui estaba en los llanos de San Lázaro. Al llegar a esa guarnición sólo encontré a unos centinelas jugando a los naipes. El enemigo se me escurría de las manos, como si luchara con un ejército de fantasmas.

Harto de las falsas alarmas, cuando un mensajero vino a decirme que el general Scott había atacado las lomas de Tacubaya, mandé por delante a mi ayudante de campo para cerciorarme de que las ovejas hubieran visto al lobo feroz. No fue necesario esperar su regreso, pues a las ocho de la mañana los cañonazos del enemigo me confirmaron la noticia. Para entonces ya había perdido más de dos horas, y aunque partí a galope atravesando potreros cortados de zanjas, no pude hacer nada por evitar el desastre. En la calzada de Anzures encontré al aguerrido coronel Echegaray con el brazo chamuscado y la pechera del uniforme teñida en sangre. Su barba rubia y su galano porte le habían valido el mote de Cid Campeador, y él hacía honor a ese apodo pues compendiaba todas las virtudes de la milicia criolla: lealtad, coraje, nobleza, desdén por la muerte y un voraz apetito de gloria.

Entre jadeos y tragos de brandy para aplacar el dolor, me puso al tanto de lo sucedido: al rayar el alba, el invasor había atacado el edificio de Molino del Rey, destinado a la fundición de cañones, con una columna de asalto de alrededor de ochocientos hombres. Llegados hasta el magueyal donde estaban situadas nuestras baterías, se apoderaron sin dificultad de tres piezas, y satisfechos de su fácil victoria, volvían a sus posiciones con la intención de tomar un respiro para embestir de nuevo. Él tenía a su mando el tercer batallón de infantería, con apenas quinientos soldados, pero la situación exigía tomar riesgos. Sin amilanarse por el tupido fuego de metralla, embistió repentinamente a la columna enemiga y gracias a Dios, logró quitarles el botín de las manos. La división de caballería del general Juan Álvarez, apostada en la hacienda de los Morales, debió romper entonces el flanco izquierdo del enemigo. En un santiamén, sus tres mil jinetes hubieran aplastado a los invasores, pero en vez de auxiliar a la infantería se quedaron expectantes en lo alto de la colina. Al ver que la caballería no cargaba, el enemigo volvió al ataque. Una columna yanqui desalojó a los tiradores del acueducto, la otra se coló por atrás de los edificios al abrigo de las milpas y acribilló a los soldados que defendían las puertas. A duras penas había podido juntar a sus hombres y salir huyendo.

—Álvarez nos dejó morir solos —concluyó Echegaray, bañado el rostro en lágrimas varoniles—. Se quedó muy campante viendo cómo nos partían la madre.

—Límpiese la cara, coronel —le ofrecí mi pañuelo—. Voy a ajustar cuentas con ese cabrón.

Me dirigí enseguida a la hacienda de los Morales, donde los hombres de Álvarez habían desensillado sus monturas y tomaban el fresco muy quitados de la pena. Se les conocía como «los pintos» porque la mayoría estaban enfermos del mal del pinto, una afección de la piel muy común en la sierra del sur. Manchados aquí y allá como toros berrendos, despedían un fétido olor que hubiera bastado para poner en fuga al ejército yanqui. Álvarez estaba sentado en un equipal fumándose un puro de hoja. Prieto, de ojos vivaces y encanecido cabello crespo, pertenecía a la casta más ínfima del pueblo, la de los indios contaminados con sangre africana. En sus mocedades fue mozo de caballos de Guerrero y después de una larga carrera como salteador, se había convertido en un temible cacique. En la región de Tierra Caliente no se movía una hoja sin su permiso y sus hombres le dispensaban un trato reverencial. A pesar de mi enojo, lo reconvine en términos muy comedidos, porque necesitaba a su división para futuros combates.

—He recibido quejas muy graves contra su división, general. Me dicen que la batalla se hubiera podido ganar, pero que usted no ordenó la carga de caballería

—¿Cómo que no? —Álvarez escupió el tabaco del puro, ofendido—. Clarito le di la orden al general Andrade, pero el infeliz no la ejecutó. ¡Venga para acá, Andrade, explíquele al general Santa Anna por qué le temblaron las corvas!

Un mestizo de hombros caídos y mirada torva se cuadró delante de mí.

—Yo no tuve la culpa, señor presidente. Obedecí la orden y mandé tocar la generala, pero el teniente Salas no se movió de la loma.

Por supuesto, Salas culpó a un capitán, y el capitán a un sargento. Del interrogatorio sólo pude sacar en claro que la caballería no se atrevió a cargar porque el terreno era muy accidentado y los jinetes temieron desbarrancarse. Indios tenían que ser, pensé, después de tantos siglos no han aprendido a montar. Cuándo carajos van a entender que el caballo se hizo para los blancos. De vuelta a mi cuartel general referí a Tornel la proeza de Echegaray y me quejé amargamente por la cobardía de los pintos. Con su perspicacia habitual, Talleyrand me abrió los ojos:

—Los pintos montan como cosacos. Allá en la sierra tienen que saltar barrancas y bajar a galope cuestas muy empinadas. Lo que pasa es que Álvarez no los quiso arriesgar. Debe pensar que la guerra ya está perdida y reserva a su gente para cuando empiece la rebatiña por el poder.

La jugarreta del viejo cacique me ocasionó una apoplejía de indignación. Su conducta ameritaba la pena de muerte, pero no quise hacer corajes en público, para no ahondar el desaliento universal que sobreviene después de una grave derrota. En vez de formarle causa, mandé por extraordinario violento a todas las provincias una proclama donde se asentaba que habíamos obtenido una rotunda victoria, y en la capital hice repicar las campanas de todas las iglesias, mientras las bandas de guerra tocaban dianas en los cuarteles. Como el Congreso había suprimido ya la libertad de prensa y sólo se publicaba el *Diario del gobierno*, por unos días logré contener el pánico, si bien muchas familias acaudaladas emigraron a las afueras de la ciudad.

De nueva cuenta se me presentaba la dificultad de guarnecer las entradas de la capital sin sospechar cuál sería el siguiente movimiento del enemigo. En apariencia, la Ciudad de México es muy segura, pues cuenta con numerosas fortificaciones que la protegen por todos los flancos. Pero cuando escasean los efectivos militares, la enorme extensión del Anáhuac supone un grave problema táctico, porque permite al enemigo amagar una posición para distraer a los cuerpos de tropa, cuando en realidad se propone atacar otra. ¿Qué me convenía más: fortificar las garitas de la ciudad o el bosque de Chapultepec, donde se habían refugiado las tropas vencidas en Molino del Rey? Por sentido común, decidí enviar el grueso de la artillería a las garitas de San Antonio y la Viga, pues me parecía imposible que Scott embistiera el punto más inaccesible del valle, coronado además por un formidable castillo.

DE NICOLÁS BRAVO AL GENERAL PRESIDENTE
(CHAPULTEPEC, 12 DE SEPTIEMBRE DE 1847)

Desde las cinco de la mañana, el enemigo no ha cesado de bombardear nuestra posición con las baterías que tiene situadas en Tacubaya y en la hacienda de la Condesa. Como le advertí en mi parte de ayer, las fortificaciones exteriores del castillo son insuficientes para resistir un ataque de esta naturaleza, y el fuego del enemigo ha causado terribles estragos en nuestras filas. Las piezas del mirador se han convertido en un depósito de cadáveres, y aunque los jóvenes cadetes del colegio militar han luchado con valor, algunos soldados de línea empiezan a desertar. Al parecer, el enemigo busca obtener una fácil victoria sin arriesgar muchas vidas y se propone destruir nuestras fortificaciones antes de poner en movimiento sus fuerzas de asalto. Necesito con urgencia más baterías y dos batallones para defender las faldas del cerro, pues el ataque puede venir en cualquier momento. Nuestra situación es crítica y se puede volver catastrófica si mis hombres creen que su general en jefe los ha abandonado.

RESPUESTA DE SANTA ANNA: Tranquilícese, por favor, lo noto un poco asustado. Recuerde que la primera obligación de un comandante es mantener la ecuanimidad. Nunca abandono a mis hombres en un momento difícil, ni creo que haya lugar para sus quejumbres. Desde el inicio del bombardeo situé a todas las fuerzas disponibles en las inmediaciones de Chapultepec, donde todavía permanecen, a pesar el fuego incesante que llueve sobre ellas. Si allá arriba usted ha tenido graves pérdidas, imagínese cómo estaremos acá abajo, sin un miserable techo para cubrirnos del fuego enemigo. Hace unas horas traté de situar la brigada del general Ramírez en las faldas del cerro y delante de mí, una bomba puso en tierra a treinta hombres, entre muertos y heridos. En la presente circunstancia es muy difícil hacerle llegar refuerzos, pero he ordenado al coronel Santiago Xicoténcatl que acuda en su auxilio con el batallón activo de San Blas. Por el momento no considero prudente aglomerar más tropas en el bosque, porque serían blanco fácil de la artillería enemiga.

BRAVO (SEIS HORAS DESPUÉS): El coronel Xicoténcatl se retiró de improviso con todo su batallón, y hemos vuelto a quedar en total desamparo. Me sorprende que le haya ordenado la retirada sin comunicármelo previamente, pues creo merecer más respeto. Recuerde que usted era un oficialillo de la corona cuando yo luchaba por la Independencia y mis servicios a la patria son iguales o mayores que los de usted.

SANTA ANNA: Ya que tanto se precia de haber servido a la patria, cumpla con su deber sin perder el tiempo en lamentaciones. El bravo coronel Xicoténcatl no se retiró; su cuerpo sin vida yace en la espesura del bosque, donde resistió el empuje del enemigo hasta el límite de sus fuerzas. Tengo el uniforme manchado de sangre, pues uno de sus hombres murió delante de mí, cuando lo reprendía por abandonar el campo. He ordenado al cuerpo de granaderos y a la cuarta compañía cubrir el lugar que ocupaba el batallón de San Blas. Pero no espere más refuerzos, porque ya he perdido demasiados hombres en las trincheras. He observado con mi largavista que el batallón destacado en el último baluarte del castillo no hace fuego contra el enemigo y muchos tiradores abandonan cobardemente sus parapetos. Haga fusilar en el acto a esos menguados, o el mal de espanto nos causará más estragos que los obuses del enemigo.

BRAVO (13 DE SEPTIEMBRE, 5:00 A.M.): Ningún escarmiento puede contener las deserciones cuando la tropa sabe que le espera una muerte segura. Anoche el batallón de Toluca defeccionó en masa. Si no fuera por los jóvenes alumnos del Colegio Militar, que se han agigantado ante el infortunio, ya hubiéramos sacado la bandera blanca. Cuando veo a esos niños imberbes morir desangrados en las almenas del castillo, me siento culpable y avergonzado por haberlos puesto en la línea de fuego. Hablemos a calzón quitado, general. Si está resentido conmigo porque apoyé la revolución decembrista, eligió el peor momento para cobrarse el agravio. No permita que sus rencores predominen sobre el interés nacional: el enemigo escala ya las faldas del cerro y necesito relevar a los cadetes con tropas frescas. Concédame los refuerzos y le prometo que al final de la guerra nos batiremos a duelo.

SANTA ANNA: Aceptado el duelo, denegadas las tropas.

BRAVO: Chinga tu madre.

Cuando el invasor se apoderó del castillo, el general Bravo no tuvo arrestos para morir con dignidad y cayó prisionero de la manera más innoble: los yanquis lo encontraron hundido hasta el pescuezo en un foso de aguas negras. Con las alturas de Chapultepec en poder del enemigo, las fuerzas de abajo quedaban expuestas a un cañoneo letal. Para evitarlo no tuve más arbitrio que emprender la retirada hacia las garitas de Belén y Santo Tomás, en medio de la mayor desesperación. Abandonar Chapultepec significaba dejar en manos del invasor una de las fuentes que abastecían de agua a la ciudad. A Scott le bastaría con bloquear el acueducto para matarnos de sed. Pero mi corazón de patriota no se resignaba a lo inevitable: galopaba de una garita a otra con el paletó cubierto de polvo, recogía heridos y los llevaba a los hospitales de sangre, ayudaba a cavar zanjas y daba instrucciones para colocar los cañones, como si quisiera impedir la tragedia con un despilfarro de actividad. Tal vez quería morirme de agotamiento para no presenciar la segunda caída de la gran Tenochtitlan.

El enemigo incursionaba ya por el centro de la ciudad. Alertado por los propietarios de una casa que había sido tomada en la calle de Pinillos, mandé situar granaderos en la azotea. Mientras vigilaba esta operación oí un toque de retirada procedente de la garita de San Cosme. Salí precipitado con mi Estado Mayor para enterarme de lo sucedido, y por poco me arrollan los grupos de soldados que venían huyendo en completo desorden. Todavía hice un esfuerzo para obligarlos a replegarse en La Ciudadela, con la idea un tanto descabellada de prolongar la resistencia al día siguiente. Llevaba dieciséis horas de cabalgata continua y se me había formado una dolorosa callosidad en las nalgas. Pero mi jornada no había concluido aún. Por la noche me reuní con mis generales en la sala de armas de La Ciudadela, para discutir la crítica situación y revisar el estado general de la tropa. Casi no intervine en la junta, que más bien pareció un velorio, como si en medio de nosotros el cadáver de la patria yaciera envuelto en una mortaja. Las juiciosas reflexiones del general Lombardini me persuadieron de que no valía la pena exponer a la destrucción los principales edificios de la capital, y resolví evacuar la ciudad en la madrugada. Todos mis generales estaban compungidos, pero veían la derrota como algo exterior a ellos. Sólo para mí era una desgracia íntima. Terminada la reunión les pedí que me dejaran solo y salí a tomar el fresco en los jardines que rodean la fortaleza. Necesitaba escudriñar mi corazón para saber en qué me había equivocado.

Soplaba un viento frío y entre las nubes ensangrentadas la luna enseñaba a medias su cara hipócrita, como un verdugo fingiendo piedad. Los astros me daban la espalda, era inútil esperar compasión del cosmos. Emprendí una caminata sin rumbo fijo por las calles mojadas y oscuras que al día siguiente hollarían los invasores, cuando el ayuntamiento firmara la infamante capitulación. Tenía que andar por en medio del empedrado para no tropezar con los escombros de las trincheras, o con los vagabundos que dormían tumbados en las banquetas. Los faroles de gas estaban apagados y nadie osaba asomarse a los balcones por temor a recibir una bala perdida. Extinguido el espíritu público, el pueblo de la capital había llevado sus precauciones a extremos de mezquindad. Mis pobres soldados llevaban dos días sin comer porque nadie se dignaba alimentarlos, como si la invasión fuera un acto de hostilidad contra mi gobierno y no un atentado contra la nación entera. En cualquier otro país los civiles de todas las edades ya hubieran empuñado las armas. ¿Qué esperaban para salir de sus ratoneras y combatir a los yanquis? ¿Ver cómo violaban a sus esposas?

Extraviado en mis pensamientos fui a parar al Templo de Loreto. En busca de un refugio espiritual abrí con dificultades el pesado portón. Adentro se respiraba una atmósfera de humedad y encierro, como en las bodegas mal ventiladas. A tientas en la oscuridad encontré un cirio montado en un candelero y al encenderlo pude apreciar el terrible abandono de la iglesia. Carcomidos de salitre, los muros se caían a pedazos, las bancas y los reclinatorios lloraban a la deriva en un charco enorme que me llegaba hasta las rodillas, y el croar de las ranas hacía un lúgubre contrapunto con el chillido de los murciélagos. Saltando de un zoclo a otro conseguí llegar a un islote de baldosas que había quedado a salvo de la inundación. De rodillas en el suelo, rogué a Dios que iluminara mi alma y me señalara el camino más digno para sobrellevar el desastre. ¿Debía renunciar a mi cargo y salir del país o era más digno proseguir la resistencia en otros frentes de guerra? En buena lid hubiéramos vencido a los yanquis, pensé. No son más listos ni más valientes que nosotros: sólo han capitalizado nuestras feroces rivalidades. ¿Quién indujo a Valencia a desafiar mi autoridad cuando más se necesitaba la unidad de los mandos? ¿Qué hice de malo para ganarme la envidia de Bravo y Álvarez? ¿Por qué la gente pequeña no se conformaba con serlo?

Me sacó de mi meditación un intenso olor a huevo podrido. Alcé los ojos y vi sobre el altar mayor una sierpe alada de tamaño colosal que arrojaba un vapor pestilente por los orificios de la nariz. Tenía los ojos encendidos como carbunclos y su lengua bífida se alargaba peligrosamente hacia mi cuello. Santo Dios, pensé, aquí fue donde la puerca torció el rabo. Cuando me disponía a desenvainar el sable, el enorme reptil alzó el vuelo hasta la más alta bóveda y desapareció por un tragaluz emitiendo terribles aullidos. Se haya tratado de una alucinación inducida por la atmósfera lúgubre del recinto, o de una verdadera aparición, me dejó en claro que la derrota de nuestras armas era un designio de Satanás.

DEL DIARIO DE JUAN TEZOZÓMOC
(15 DE SEPTIEMBRE DE 1847)

¡Ganamos la guerra! Hoy por la mañana nuestra compañía entró a Tacubaya con la división del general Worth. Con mi traje de charro me sentía muy catrín y aventaba tiros al aire para asustar a la gente que asomaba la cara por los postigos. Deben creer que somos de lo peor, unos desnaturalizados sin patria, pero están muertos de miedo y nadie se atreve a echarnos brava. Así me gusta, cabrones. Cuidado con faltarme al respeto porque les lleno las tripas de plomo. Ninguno de ustedes sabe lo que es una leva, ni ha chupado pencas de maguey para engañar el hambre. Ya quisiera verlos caminar treinta leguas en el desierto con el sol clavado en la nuca, a ver si después de eso no traicionaban a su mugrosa bandera.

En la plaza del pueblo hicimos caracolear a nuestros caballos y saltamos por encima de los arriates. Yo aplasté adrede los tiestos de flores para desafiar a los hombres del pueblo, pero ninguno salió a reclamarme: deben estar escondidos en los refajos de sus mujeres. En un balcón vi a una prietita de pechos enhiestos que se blanqueaba la cara con polvos de arroz. Se notaba a leguas que era del ganado bravo porque llevaba zapatos verdes de raso, banda de burato y camisa descotada con randas y chaquira. Mamacita chula, le dije, mi caballo tiene pretales de plata, te los regalo si me haces un lugarcito en tu catre. La muy canija hizo como si la virgen le hablara, pero en la tarde la vi en el comedor de los oficiales, muy abrazada con el teniente Walker, que le daba en la boca una botella de chiringuito. Hijas de su pelona: en una sentada se levantan más dólares que yo en un año.

De tanto andar con los güeros se me están pegando sus malas mañas. Ahora masco tabaco de Virginia, bebo aguardiente en lugar de pulque y cuando estornudo me embarro los mocos en la manga de la camisa. Hasta estoy aprendiendo inglés, sobre todo las groserías: *motherfucker, asshole, sonofabitch*, porque así me grita el coronel Pitmann cuando quiere que vaya a lustrarle las botas. Por cada boleada gano medio dólar y a veces una propina extra. Es lo bueno de estar con los ganadores, aquí el dinero sobra y hasta al más jodido le toca una salpicada. Pero la jauja no va a durar mucho: la guerra ya se acabó, el mocho no tarda en doblar las manos y cuando se retiren nuestros valedores, los mexicanos van a querer lincharnos.

De pendejo me quedo aquí cuando venga la evacuación. Ya se lo dije al coronel Pitmann: hágame un lugar en el barco, no quiero causar molestias, que me den un petate y yo me acomodo en cualquier rincón. Pitmann se comprometió a exponerle mi caso al general Worth, pero me advirtió que allá en los *iunaites* no quieren a los mexicanos. No importa, le dije, aquí tampoco me quiere naiden. Desde entonces lo sigo a todas partes, para que no se olvide de mí. La otra noche estuvo tomando en una taberna hasta caerse de borracho y lo tuve que llevar a rastras al cuartel. A cada momento se detenía para echar tiros al aire o gritar amenazas, mitad en español, mitad en inglés, sin despegarse en ningún momento de la botella. Cuando entramos a su dormitorio derramó en mi cabeza un chorro de aguardiente.

—Déjame bautizarte, *my son* —me dijo entre carcajadas—. Si quieres ser *american citizen you are gonna need a new name*: desde ahora te llamas John Tezozómoc.

Perdida toda esperanza de expulsar a los invasores, mi sentido del deber y la conveniencia política me exigían continuar en la lucha, de lo contrario le hubiera dado la razón a los enemigos de adentro que me atribuían un contubernio secreto con el gobierno yanqui. El estado de mis tropas era lastimoso porque el alimento escaseaba y algunos soldados habían vendido sus uniformes para comprar comida. En Guadalupe Hidalgo traté de remover sus rescoldos de patriotismo, pero ni las arengas más arrebatadas pueden inflamar a una legión de cadáveres. Para agilizar las operaciones, dividí a los efectivos en dos columnas: el general Herrera marchó a Querétaro con la infantería y la artillería, mientras yo me dirigí a Puebla con los pintos de Álvarez y cuatro piezas ligeras. Llegado al pueblo de San Cristóbal, unos vecinos de México vinieron a avisarme que la población de la capital se había levantado en masa contra el enemigo y tenía sitiados a los invasores en la plaza mayor.

—Cuando los yanquis iban a izar su bandera en Palacio Nacional, los defensores de la ciudad mataron al oficial que bajó la bandera de México y ahí empezó la trifulca. Desde las azoteas la gente empezó a echarles piedras, macetas y todo lo que encontraba a la mano. Ellos pusieron obuses en las bocacalles y están disparando a los edificios. Por todas partes hay heridos y muertos. Venga, pronto, general, necesitamos su ayuda.

Contramarché de inmediato hacia la ciudad, con la esperanza de tomar desprevenido a Scott mientras pugnaba por contener la insurrección popular. Apenas podía creerlo: la indolente y convenenciera población de la capital por fin había despertado de su modorra. Pero al llegar a la ciudad no encontré la sublevación general que me habían descrito mis informantes: sólo vi tiroteos aislados en algunas esquinas y pequeñas escaramuzas que no representaban ninguna amenaza para el invasor. Tan grande fue el entusiasmo que me había causado la noticia del motín, como mi desengaño al comprobar sus pobres alcances. A pesar de mi disgusto permanecí dos días en las afueras de la capital, y ordené a los cuerpos de caballería que protegiesen al pueblo si observaban signos de un levantamiento. Pero todo quedó en llamarada de petate, y al comprobar que la resistencia languidecía, volví sobre mis pasos para retomar el camino a Puebla.

Contra mi costumbre de castigar severamente el pillaje, en el trayecto consentí que la tropa tomara su alimento donde lo hallare, porque no tenía recursos para comprar bastimento. Los soldados se metían en las milpas a coger elotes, saqueaban las trojes, arrasaban con los comestibles de tiendas y figones y maltrataban a los comerciantes que les oponían resistencia. Todo ello aumentaba el descrédito del ejército, pues la gente que sufría nuestras exacciones se acercaba a los invasores en busca de protección. Pero la otra alternativa era llegar al combate con un ejército de alfeñiques que no tendrían arrestos ni para cargar sus mochilas. En Puebla, el enemigo ocupaba el cuartel de San José y los cerros de Loreto y Guadalupe, con una fuerza de dos mil hombres al mando del coronel Childs. Sumando mis tropas con las de Juan Álvarez y Joaquín Rea, el comandante de la plaza casi triplicaba el número del adversario. Confiado en esa ventaja, intimé rendición al coronel Childs, pero él rehusó deponer las armas y tuve que atacar sus trincheras con un tupido fuego de cañón y fusil. De haber contado con todos mis hombres para mantener el sitio, lo hubiese doblegado en un par de semanas. Pero la diosa fortuna o la serpiente de ojos flamígeros no quiso darme siquiera la modesta gloria de una victoria parcial, que hubiese restañado las heridas de la nación.

Cuando el enemigo empezaba a flaquear, recibí noticia oficial de que un convoy norteamericano con más de cinco mil hombres venía en camino a Puebla procedente de Veracruz. Obligado a cerrarle el paso, dejé a Rea con algunas fuerzas para que estrechara el sitio, y salí con la Guardia Nacional del estado hacia el Pinar de Puebla, por donde supuse que pasaría el convoy. Pero la tropa estaba atemorizada, y en el trayecto al Pinar una escandalosa deserción redujo mis efectivos a menos de la mitad. Como la desbandada se incrementaba día con día, incluso entre oficiales de alta graduación, juzgué prudente enviar de regreso a Puebla los restos de la maltrecha Guardia Nacional, y quedarme con mil soldados de caballería en el pueblo de Nopalucan, para hostilizar al convoy enemigo. Con un ejército profesional y bien alimentado quizá hubiera vencido al invasor en ambos frentes. Pero con mis pobres soldaditos de plomo me quedé como el perro de las dos tortas: ni la guarnición de Puebla pudo desalojar de sus posiciones al coronel Childs, ni yo logré detener a los refuerzos que venían de Veracruz.

Esperaba que me atacaran en Nopalucan y luego en San Pablo, donde me embosqué dos noches sin encender fogatas, pero ellos se desviaron a Huamantla, y cuando advertí su movimiento ya era tarde para impedirles tomar la ciudad. Sólo tuve un encuentro con su retaguardia en el que perdí algunos hombres y me retiré a pernoctar en la hacienda de San Isidro, para no arriesgar mis escasas fuerzas en un encuentro desigual que sabía perdido de antemano.

Desde el campamento contemplé con mi largavista el saqueo de Huamantla, donde los invasores se comportaron como comanches blancos. Hombres descamisados de facha patibularia sacaban del pelo a los regidores y los pateaban en las banquetas, cargaban en vilo a las doncellas para saciar sus apetitos bestiales, prendían fuego a las iglesias y humillaban a los prisioneros obligándolos a beber sus orines. Los desmanes de la soldadesca desenfrenada continuaron toda la noche, a juzgar por los gritos y el ruido de los cohetones que se escuchaban en San Isidro. Hubiera deseado no haber nacido antes que ver a mi patria sobajada por sus nuevos señores, cuya barbarie superaba con mucho la de los aztecas. Todavía no me reponía del consternante espectáculo cuando un correo extraordinario procedente de México me clavó la puntilla: por órdenes del licenciado Manuel de la Peña y Peña, un don nadie al que había encomendado la presidencia al salir de la capital, quedaba cesado como general en jefe del ejército mexicano y debía entregar mis tropas al general Rincón para ser sometido a juicio ante un tribunal de guerra. Con el fin de salvar vidas y evitar más sufrimientos a la nación, el presidente interino había dispuesto cesar las hostilidades para iniciar acuerdos de paz con el invasor.

Aunque mi destitución era a todas luces ilegal, no quise favorecer al enemigo de afuera con un pronunciamiento que hubiera debilitado nuestras defensas y entregué mis tropas en Huamantla al general Isidro Reyes. Con una pequeña escolta me trasladé a Tehuacán, donde tuve la dicha de reencontrarme con mi Doloritas, a la que no veía desde mi regreso de La Angostura. Hospedado en casa de mi amigo don Miguel Mosso pasé unos días de solaz, dedicado a planear mis futuras acciones. Con el doble fin de continuar la lucha lejos del centro, y quedar a salvo de una corte marcial dominada por mis enemigos, envié un mensaje a Benito Juárez, entonces gobernador de Oaxaca, pidiéndole el mando de las tropas de su estado. Lo creía mi amigo, porque apenas unos meses atrás me había defendido en el Congreso, cuando los diputados de la oposición objetaron mi candidatura a la presidencia. Pero al verme en desgracia no quiso meterse en líos y me prohibió cruzar los límites de su estado, bajo la amenaza de reducirme a prisión si desafiaba su veto. Sépanlo quienes adoran su efigie en las oficinas públicas: Juárez fue un político astuto y convenenciero que aunaba la doblez de Judas con el cinismo de Maquiavelo. Cuando me volvió la espalda, comprendí que la patria no tenía salvación y pedí al presidente interino un salvoconducto para salir del país. Preferible volver al exilio, pensaba, que presenciar cruzado de brazos la obscena postración del nuevo gobierno ante el poderío yanqui.

Al día siguiente de haber despachado el correo con mi solicitud, un mozo de mulas enviado por Miguel Mosso me avisó que una columna enemiga venía en camino hacia el pueblo, con la expresa intención de tomarme preso. A las carreras me puse la calzonera, subí a un coche de cuatro caballos y sin haber empacado mis pertenencias, escapé con mi familia minutos antes de que los yanquis entraran a Tehuacán. Un segundo más y no lo hubiera contado, pues como supe después, mis perseguidores eran *rangers* de Texas que abrigaban un odio feroz contra mí, por haber ordenado ejecutar a los cautivos del Encinal. Con saña increíble forzaron las puertas de mi alcoba, destrozaron las cerraduras de los baúles y se llevaron la plata labrada, un bastón de oro macizo con incrustaciones de piedras preciosas, todos los vestidos de Loló y algunas cosas de escaso valor monetario, pero altísimo valor sentimental, como la medalla que Guerrero me otorgó al nombrarme Benemérito de la Patria.

Tan salvaje atentado tuvo al menos una utilidad, porque al saber que mi vida corría peligro, el gobierno agilizó los trámites para concederme el salvoconducto. En su empeño por tender puente de plata al enemigo que huía, no les importó dejar pendiente el juicio que me habían abierto. De común acuerdo con los invasores, a quienes también convenía la partida de su principal adversario, me allanaron todos los obstáculos para salir del país. Escoltado por una patrulla norteamericana me dirigí a la barra de La Antigua, donde tomé un bergantín español con dirección a Jamaica. En el muelle ondeaba el odiado pabellón de las barras y las estrellas, y al embarcarme temí que siguiera ondeando por mucho tiempo. Eliminado el principal oponente a las negociaciones de paz, el partido claudicante quedaba con las manos libres para enajenar nuestros territorios y no era difícil que prestara oídos a los embozados promotores de la anexión. Si finalmente los Estados Unidos nos tuvieron clemencia, fue porque el presidente Polk no quiso quedarse con todo el país, sólo con la parte que tenía menos indios.

De cualquier modo, los tratados de Guadalupe Hidalgo fueron y serán un sello de ignominia eterna para el vencido y el vencedor. Cuando se firmaron, el gobierno moderado los presentó como una victoria diplomática y se adjudicó el mérito de haber salvado la nacionalidad mexicana. ¡Pero a qué precio! Como entonces no existía un mapa confiable de la República, y el grueso de la población desconocía nuestra superficie territorial, muchos creyeron que a fin de cuentas no se había perdido gran cosa. Yo mismo tenía una idea equivocada sobre el asunto, y me inclinaba a desestimar la pérdida, tal vez por miedo a enfrentarme con la verdad. No advertí la magnitud de la tragedia hasta muchos años después, cuando el cartógrafo Antonio García Cubas me presentó el primer mapa de nuestro país dibujado con rigurosos criterios de medición geográfica. Al observar la enormidad del territorio mutilado, los ojos se me nublaron y tuve una sensación de vértigo, como si la tierra se abriese bajo mis pies. Por sugestión o casualidad, en ese momento me empezó a sangrar el muñón de la pierna.

México, 7 de marzo de 1876

Estimado don Manuel:

Dos noticias importantes, una buena y otra mala. Empiezo por la buena: por fin su padre recordó la palabra clave para abrir la caja fuerte, donde esperamos encontrar los títulos de propiedad que doña Dolores trató de agenciarse por los medios abominables que usted conoce. El detonante de su memoria fue una salva de veintiún cañonazos. En los últimos días, el gobierno ha efectuado simulacros de guerra en el llano de San Lázaro, so pretexto de honrar al presidente Lerdo, pero con el verdadero fin de intimidar a sus enemigos, en especial a Porfirio Díaz, que según los diarios prepara una revuelta en Oaxaca. El general estaba dormido y al escuchar las descargas de artillería se despertó sobresaltado. Tráeme la espada y ensíllame al Rayo, me ordenó, creyendo que estaba combatiendo a los yanquis. Al comprobar que se hallaba en una mullida cama y no en un catre de campaña, se recargó en el buró con aire meditabundo, como si tratara de hilvanar el sueño con la realidad. Al cabo de un rato exclamó jubiloso:

—¡Ya lo tengo! El Rayo era un alazán precioso que monté en la guerra del 47. Me dolió mucho tener que matarlo cuando le hirieron una pata en Huamantla. Por eso le puse su nombre a la combinación de la caja fuerte.

Celebramos la *trouvaille* con un vino de Burdeos que había estado guardando para una ocasión especial. Por la noche nos dedicamos a elucubrar en qué gastaremos nuestra renta mensual cuando seamos ricos. El general quiere dar grandes fiestas para agasajar a la vieja aristocracia. Yo me conformo con ir a los toros en un carruaje de seis caballos y cenar dos veces por semana en el Café del Cazador. Pero antes debo introducirme en la casa de Vergara para sustraer los documentos de la caja fuerte. Y aquí es donde viene la mala noticia, porque no he tenido la ocasión de hacerlo, ni veo cómo podré burlar la vigilancia del monstruo. Algo se ha de oler doña Loló, pues casi no sale de su casa y cuando va de compras o visita a sus amigas deja cerrado el zaguán con siete candados. Saltar las tapias o entrar de noche por una ventana son proezas vedadas a un viejo como yo, y si el general se presenta en su casa para ajustar cuentas con su mujer, corremos el riesgo de que no vuelva a salir de ahí. Sólo yo puedo recuperar esos papeles, y por desgracia tengo paralizada la voluntad. Usted sabe cómo quiero a su padre y podrá imaginarse cuánto me duele fallarle cuando más me necesita.

Pero no crea que me doy por vencido: algún modo habrá de entrar en esa casa sin tener que hacer piruetas de circo y daré con ella tarde o temprano, pues a falta de agilidad y destreza, tengo un cacumen que ya quisieran muchos mozalbetes. Mientras Dios me ilumina seguiré al pie del cañón con mis labores de secretario. En los últimos días, don Antonio me ha dictado largo y tendido, como si el recuerdo del Rayo le hubiera desazolvado el cerebro. Con la presente le adjunto el relato de nuestro último periodo presidencial, la época de los fastos crepusculares que precedieron a la negra noche.

Reciba mis parabienes y un afectuoso saludo para su señora.

El destierro es el castigo más cruel inventado por las leyes humanas. Pero cuando existe la esperanza de un pronto regreso, el mal de ausencia se puede sobrellevar sin mayores quebrantos. Mi primer exilio, el de La Habana, fue un alegre viaje de vacaciones, porque tenía la certeza de volver a México en pocos meses. La segunda vez que salí del país ya no estaba tan seguro de regresar pronto. Es más: ni siquiera estaba seguro de tener un país al cual regresar, porque la República se había convertido de facto en una colonia norteamericana. Procuré, sin embargo, quedarme cerca de México, para acudir de inmediato al llamado de mis compatriotas si el ejército necesitaba un mariscal para reanudar la guerra. Hubiera querido vivir en Cuba, donde tenía buenos amigos, pero el nuevo gobierno presionó a las autoridades de La Habana para que me negaran asilo en la isla, y con mucho pesar me trasladé a la posesión británica de Jamaica. En Kingston viví dos años en el más discreto anonimato, sin rozarme demasiado con la buena sociedad por la diferencia de lenguas. Joven y con la mente fresca, Dolores aprendió rápidamente el inglés y daba órdenes en su lengua a nuestros criados negros. Yo sólo aprendí a decir *good morning* cuando me cruzaba en el muelle con algún miembro de la minoría blanca, y eso a regañadientes, pues me parecía vergonzoso chapurrear un idioma que odiaba desde mi aciaga prisión en Texas.

Ayuno de noticias sobre México, dependía de mis corresponsales para estar informado de la situación política, pero muchos de ellos, para dorarme la píldora, querían hacerme creer que mi regreso estaba a la vuelta de la esquina. Sólo confiaba en los informes de Tornel, que no buscaba congraciarse conmigo y tenía una visión más realista de la lucha por el poder. Por él supe cómo se dividieron el pastel de la indemnización los agiotistas arrimados al gobierno del general Herrera. De los quince millones desembolsados por Estados Unidos, la parte del león se la llevaron Limantour, Hecker, Mackintosh y otros prestamistas avorazados que habían convertido su deuda a bonos ingleses, para contar con un respaldo extranjero si el gobierno les negaba el pago. Con el dinero sobrante, el gobierno había pagado sueldos atrasados a los burócratas y había vestido a las guardias nacionales con uniformes de segunda mano desechados por el ejército yanqui. A pesar de tener en su contra a los puros y estar mal visto por los monarquistas, Herrera tenía el respaldo del ejército y Tornel calculaba que se mantendría en el poder dos o tres años, mientras repartiera migajas y ascensos a los comandantes de las provincias.

Al comprender que mi exilio iba para largo, decidí buscar un lugar más acogedor para establecerme. Loló ya se había aclimatado a Kingston y no deseaba cambiar de aires, pero con una gargantilla de rubíes logré persuadirla de mudar nuestra residencia a Cartagena de Indias, donde según mis informantes había una gran afición por las peleas de gallos. Por el recibimiento no me puedo quejar: mi fama de caudillo justiciero se había extendido hasta la Nueva Granada y la gente principal de Cartagena me entregó el corazón desde que pisamos tierra. Pero el horrible clima de la ciudad, una caldera amurallada donde el vapor se condensa por la falta de viento, me obligó a buscar un lugar más templado en los pueblos aledaños de la costa. Tras una breve exploración fui a dar a Turbaco, una comarca de clima templado y prolija vegetación donde estaba en venta una finca arruinada de nombre La Rosita, que compré a bajo precio y mandé reedificar al gusto de mi mujer. Yo sólo intervine en la construcción del palenque y en el acondicionamiento de las galleras, superiores en amplitud a las del Encero.

Para entonces Loló ya se había convertido en una dictadora doméstica y llevaba las riendas del hogar con una mezcla de rigor y dulzura. Ella escogía mi ropa, revisaba mi correspondencia, decidía cuáles invitaciones debíamos aceptar y cuáles no, compraba antigüedades sin pedirme autorización y hasta se permitía colocar mi dinero en inversiones de renta fija. La pobre Inés nunca me puso los tacones encima, ni yo se lo habría permitido. Pero Dolores me agarró más viejo y la edad ablanda el carácter. Inseguro de merecerla, sentía que su amor por mí era un acto de caridad que debía agradecerle tolerando sus costosos caprichos. ¿No era justo darle una vida de reina si por mi culpa se había separado de su familia?

Como sabes, el carácter dominante de Loló produjo un enfrentamiento con tus hermanas, sobre todo con Guadalupe, que no aceptaba dejarse mandar por una muchacha de su misma edad. Cuando alguna de las dos se llevaba el coche de la otra o monopolizaba el piano que ambas tocaban, la perjudicada venía llorando a quejarse conmigo. Intentaba dirimir salomónicamente los pleitos, sin dejar contenta a ninguna de las dos. Traté de avenirlas por todos los medios, pero me vi obligado a tomar partido cuando Guadalupe acusó a Loló de haberse casado conmigo por interés.

Nunca me perdonaste que haya despachado a Guadalupe rumbo a Veracruz en un barco mercante, y a estas alturas no pretendo hacerte cambiar de opinión. Sólo quiero que te pongas en mi lugar y entiendas mi predicamento. Cuando un hombre empieza a envejecer tiene mayor necesidad de afecto. En Turbaco me sentía como un niño desamparado y necesitaba el calor de una amante joven para sobreponerme a la adversidad. Loló era la única flor en mi corona de espinas. Plateadas las sienes, perdida la fe en el género humano, temía pasar el resto de mis días en el ostracismo y no podía renunciar a la tiranía de sus besos.

Al comenzar la reconstrucción de La Rosita, descubrí que Simón Bolívar había vivido una temporada en esa finca y lloré de emoción al ver las argollas de bronce clavadas en la pared de la sala, donde el célebre caudillo colgaba su hamaca. Mandé poner la mía en el mismo lugar, para tender un lazo de unión entre el libertador de la América Austral y el libertador de México. ¿Acaso no éramos dos héroes de la misma talla, hermanados por un destino común? Para estrechar mi cercanía espiritual con Bolívar, pedí a mi secretario que me leyera todas las tardes un pasaje de su vida, mandé colgar en la sala un óleo con su efigie y compré a los bibliófilos de Cartagena una colección de sus últimas cartas. Llamó mi atención una de ellas, fechada en 1829, donde comentaba con brevedad la situación política de México. Mal informado sobre nuestras luchas internas, el libertador condenaba el Motín de la Acordada y me acusaba de ser «el más protervo de los mortales» por haber iniciado la rebelión contra el gobierno de Guadalupe Victoria. Nada cala más hondo que el insulto de un muerto ilustre. Dolido hasta la médula, mandé arrancar las argollas de bronce y ordené a la servidumbre que pusiera la hamaca en otro lugar.

Recibía los periódicos mexicanos con dos meses de retraso y después de leerlos en la cama me invadía una desazón tan profunda que a veces no podía levantarme. En la sección internacional se hablaba siempre de nuevos inventos, de avances en la medicina, de buques colosales que surcaban los mares con pasmosa velocidad. Pasaba a la página de información nacional, ¿y qué me encontraba? Rumores de levantamientos, noticias de crímenes sanguinarios, quejas de empleados a quienes no se pagaba, pequeñeces, miserias y retroceso en todo. Hasta la Nueva Granada estaba prosperando, gracias a la construcción del ferrocarril de Panamá, que había traído bonanza a toda la región. ¿Pesaba una maldición sobre la raza de Moctezuma? Mi decepción tocó fondo cuando supe que Mariano Arista había ganado las elecciones para suceder a Herrera. ¿Tan bajo habíamos caído que ahora cualquier piojo resucitado podía ocupar la Primera Magistratura? Recordé la infame conducta de Arista en la defensa de Veracruz, cuando el gobierno lo envió con refuerzos para combatir a los franceses y en vez de auxiliarme dejó sus tropas extramuros de la ciudad, para no contribuir a un triunfo que hubiese acrecido mi gloria. ¿Cómo era posible que un ser tan abyecto llevara las riendas de la nación? Ni modo, pensé: cuando el gato no está en casa, los ratones se pasean.

Con Arista en la presidencia, mi regreso a México era casi un imperativo moral, porque si nadie le paraba el alto, la nación quedaría reducida a cenizas. Lo mismo pensaban los auténticos patriotas, ya fueran liberales o ultramontanos, que me comunicaban por carta sus inquietudes y daban por descontado que obtendría el respaldo popular apenas desembarcara en México. Por precaución, dejé madurar el descontento sin comprometerme con ningún partido. En la prensa, los dos bandos opositores al gobierno se acusaban mutuamente de querer utilizarme como escalón para obtener posiciones. A pesar de mi lejanía ya era otra vez el árbitro de la política nacional, sin haber movido un dedo para ganar adeptos. La certeza de que mi regreso no podía demorarse mucho mejoró mi estado de ánimo: apadrinaba a los hijos de mis peones, asistía con Loló a los teatros de Cartagena, palmoteaba el trasero a mis criadas y me chanceaba con los galleros de los contornos, que venían a perder su dinero en el palenque de La Rosita, donde yo quitaba y ponía a los jueces para ganar todas las peleas.

Para congraciarse conmigo, los federalistas moderados enviaron a Turbaco una comitiva encabezada por el licenciado Ignacio Basadre, discreto adulador y hombre de finos modales que tuvo el tino de obsequiarme un quintal de café con mi mezcla preferida de granos: caracolillo de Huatusco y planchuela de Coatepec. Mientras degustábamos el café, Basadre me previno contra las argucias del partido centralista.

–Tenga cuidado, general. Le harán creer que la nación está dispuesta a soportar su yugo, y tratarán de obligarlo a presidir un gobierno despótico. Recuerde el fin del desgraciado Iturbide. Nosotros sabemos cuánto le repugna la tiranía y no venimos a engañarlo con vanas promesas. Sólo queremos que asuma la jefatura temporal de un gobierno republicano, mientras la patria vuelve al cauce del progreso.

Su exposición fue muy convincente, salvo por un pequeño detalle: se le olvidó decirme cómo pensaban derrocar a Arista. Pero aunque los liberales hubieran tenido un plan mejor urdido para tomar el poder, de todos modos hubiese declinado la invitación, pues no quería volver a gobernar con un Congreso de sansculotes, que sin duda trataría de atarme las manos cuando asumiera la presidencia. Por supuesto, me guardé mucho de revelar a Basadre mis pensamientos y con respuestas ambiguas le hice creer que había conquistado mi voluntad. Al mismo tiempo, el alto clero y los principales agiotistas me suplicaban por carta que volviera a México y encabezara una revuelta contra el gobierno. Su propuesta era más tentadora, pues no sólo me ofrecían apoyo moral, sino dinero contante y sonante para organizar una revolución. Sin embargo, me tomé las cosas con calma y les di largas por varios meses, confiado en que Arista no podría sostenerse demasiado tiempo en la presidencia. El tesoro estaba en bancarrota, los militares conspiraban para derrocarlo y los miembros del gabinete le renunciaban a las dos semanas de nombrados. Su caída era cuestión de tiempo y no valía la pena espinarse la mano para cortar una tuna que se estaba cayendo sola.

Todavía no me inclinaba por ninguno de los bandos en pugna cuando estalló el motín del coronel Blancarte en Guadalajara. Un gobierno fuerte lo hubiera sofocado con facilidad, pero Arista ni siquiera logró hacerse obedecer por los generales enviados a someter a los sediciosos. Para eso hubiera necesitado un tipo de autoridad que no dan las urnas electorales. Cuando el incendio se propagó a las provincias de Michoacán y Tamaulipas, un coro de generales pidió mi regreso al país. Aún existen miembros sanos en el cuerpo gangrenado de la nación, pensé con emoción al leer su proclama. Por falta de fondos para someter a los insurrectos, Arista renunció a la presidencia y se largó a su rancho con la cola entre las patas. Quedó como interino un tal licenciado Ceballos, al que más tarde sustituyó el general Lombardini, viejo conocido mío. La nación entera me abría las piernas, pero no quise volver hasta recibir una invitación oficial del gobierno, pues había aprendido a desconfiar del entusiasmo pasajero de las masas. Impaciente por mi demora, el general Lombardini envió a Turbaco una comisión encabezada por los coroneles don Manuel Escobar, Salvador Batres y Adolfo Hegewish, con las actas en que las legislaturas de todos los estados me llamaban a la presidencia y me ofrecían amplios poderes para restaurar el sistema central. Abrumado por la responsabilidad que veía venir, al principio rehusé la proposición, pero un obsequio de inestimable valor doblegó todas mis resistencias: en una urna de cristal, Escobar me presentó los huesos de mi pie que la chusma insolente pateó por los arrabales de la ciudad el 6 de diciembre de 1844.

—Un cabo de guardia encontró los huesos en un barranco al día siguiente del atentado —me informó Escobar—. Acaba de morir y su viuda los entregó al gobierno.

Extraje de la urna el zancarrón amarillo y lo estreché tiernamente contra mi pecho, como si hubiese recobrado el cadáver de un hijo. Escobar aprovechó ese momento de flaqueza para volverme a exponer con tono suplicante el objeto de su misión:

—Por favor, general, haga a un lado sus reservas y acepte la voluntad popular. El pueblo quiere que usted regrese cuanto antes.

—Está bien —lo interrumpí conmovido—. Mi corazón es mexicano y no puedo despreciar el alto honor de servir a mi patria. Dígale de mi parte al general Lombardini que me resigno a ocupar la presidencia, para no faltar a mi deber como ciudadano.

El pueblo de Turbaco me veía como un benefactor y cuando abandoné mi finca salió a las calles a tributarme una melancólica despedida. El tañido de las campanas que tocaban a rogativa y el triste adiós de la gente congregada alrededor de mi coche me hicieron pensar en un funeral anticipado. Entre los rumores de la gente humilde creí escuchar una voz que me susurraba: «¿A dónde vas, insensato?». ¡Ah, el presentimiento del corazón nunca engaña! ¿Por qué no lo pensé dos veces antes de tomar el fatídico paquete inglés que me llevó a Veracruz? Recién llegado a Turbaco había mandado construir mi sepultura en el cementerio del pueblo, resignado a no volver jamás del exilio. ¡Cuánto mejor hubiera sido permanecer allá hasta el fin de mis días, en vez de añadir un nuevo clavo a mi cruz!

La tumultuosa bienvenida del pueblo jarocho me pareció demasiado bella para ser real, como si el estrépito de los cohetes quisiera acallar los murmullos soterrados de la gente que se oponía a mi regreso. Muy pronto vi la realidad oculta detrás de los gallardetes, pues en el mismo salón del ayuntamiento donde el gobernador me dio la bienvenida oficial, un incidente desagradable puso en entredicho el «unánime respaldo popular» que me habían prometido los conservadores. Saludaba por turno a los comisionados de los estados, cuando un indio pequeñajo, flaco y de pronunciado color trigueño, con aspecto de tinterillo de pueblo, se acercó al solio donde recibía felicitaciones y me gritó a quemarropa:

—Señor, la pompa que le rodea es un insulto al pueblo. La nación no quiere ni puede tener esperanza en usted, que se ha enriquecido escandalosamente a sus costillas.

Reprimí el impulso de abofetearlo, pues enfrente de la multitud no podía dar señales de intolerancia, y con ademán sereno aparté a los guardias que lo habían sujetado. Engallado y satisfecho por haber captado la atención general, el negroide me apostrofó con odio visceral. Yo era un maniquí al servicio de las clases privilegiadas, dijo, que había aceptado aliarme con los enemigos de la Independencia con tal de satisfacer mi ambición de mando. Repudiado por los verdaderos patriotas, me había convertido en ídolo del clérigo relajado y del soldado prostituido. Pero los amantes de la libertad no aceptarían un gobierno despótico que conculcara las garantías constitucionales y estaban en pie de guerra para defender las leyes. Cuando hubo terminado su perorata lo despedí con una gentil caravana y pedí música a la orquesta que amenizaba el acto.

—¿Quién es este indio indecente? —pregunté al gobernador en voz baja, disimulando mi contrariedad con una sonrisa.

—Se llama Joaquín Ruiz y es diputado por el estado de Puebla.

Otro en mi lugar lo hubiera ejecutado: yo me conformé con mandarlo al exilio. Pero ni así pude apartarlo de mi recuerdo, pues quedó tintineando en mi oído su acusación más hiriente, la de ser un títere en manos de la facción monárquica. Si había aceptado la alianza con los conservadores era justamente para evitar que el Congreso me impidiera gobernar a mi antojo. No me disgustaba aparecer como un tirano ante la opinión pública, incluso lo prefería, para infundir miedo a los revoltosos. Lo intolerable era que el pueblo me creyera débil. ¿De dónde carajos había sacado ese enano que yo era un simple subordinado? Para borrar el incidente de mi memoria me concedí unos días de descanso en Manga de Clavo. Pero ahí comprobé que las invectivas de Ruiz tenían algún fundamento, pues la misma «gente de bien» que se había postrado a mis pies para hacerme venir de Turbaco, ahora quería leerme la cartilla y restringir mi autoridad con groseras admoniciones. La más afrentosa fue sin duda la que me hizo por escrito don Lucas Alamán, la eminencia gris del partido conservador, con quien había tenido fuertes discrepancias en el pasado.

México, 23 de marzo de 1853

Excelentísimo General Santa Anna:

Celebro su llegada a nuestro país y le pido que haga extensiva mi bienvenida a su distinguida esposa. Si bien los conservadores no estamos organizados en una masonería, compartimos las mismas creencias de un extremo a otro de la República y puedo asegurarle que mis palabras expresan la voluntad de la clase propietaria, del clero y de toda las personas decentes que buscan el bien de su patria. A diferencia de tantos oportunistas que lo abruman con peticiones y ruegos, nosotros no queremos pedirle nada: sólo me limitaré a manifestarle nuestros principios, para tener la certeza de que usted los comparte y gobernará de acuerdo con ellos.

Impuestos de su inclinación por el sistema de gobierno centralista, sabemos de antemano que aprobará nuestra idea de sustituir el Congreso por una comisión de notables que lo asista en sus funciones de gobierno. Presumimos también que no tendrá usted empacho en distribuir los haberes de los municipios, ni se opondrá a proteger la industria nacional, restituyendo los aranceles internos, como en los gloriosos tiempos de los virreyes. Pero a decir verdad, tememos que nuestras ideas no coincidan con las suyas en cuestiones de igual o mayor importancia, como la organización del ejército y la contratación de deuda pública. En sus anteriores gobiernos usted incrementó el número de efectivos militares a tal extremo que el ejército llegó a ser una carga insoportable para el erario. Fue necesario entonces recurrir a gravosos empréstitos con bancos del exterior, que comprometieron por varias generaciones la riqueza nacional. Nosotros pensamos que debe haber una fuerza armada en número suficiente para satisfacer las necesidades del país, como la persecución de indios bárbaros, pero esa fuerza debe ser proporcionada a los medios del tesoro.

Por otro lado, nos preocupa que al tomar posesión del gobierno se deje usted rodear por aduladores y les conceda puestos de importancia, en menoscabo de su propia administración. En el pasado, los negocios de sus ministros y consejeros tuvieron ya un costo muy oneroso para la República y no quisiéramos que esta situación se repita. En el partido conservador hay hombres de acrisolada virtud que pueden asistirlo en las tareas de gobierno, sin ensuciarse las manos con negocios ilícitos. ¿Por qué no los ha llamado a colaborar con usted? Pero sobre todo, nos inspira temor que al tomar posesión de la presidencia, vaya usted a encerrarse a Tacubaya, con grave perjuicio para todos los que tengan que visitarlo, y haga usted sus periódicas retiradas a Manga de Clavo, dejando el gobierno en manos inexpertas que pondrán a la autoridad en ridículo, y a la postre, acabarán por desacreditar a su gobierno, como ha sucedido ya en otras ocasiones.

Perdone si mis advertencias tienen el agrio sabor del reproche, pero más vale pecar de claridoso que dar pie a lamentables malentendidos. Ya conoce lo que deseamos y lo que tememos de usted. Si está de acuerdo con nuestras ideas y tiene voluntad para enmendar sus viejos errores, nuestra alianza será muy benéfica para el país. Pero ya no es usted un muchacho y a su edad quizá le sea muy difícil cambiar de talante. En ese caso le suplico que eche al fuego esta carta y no vuelva a acordarse de ella.

Reciba usted un abrazo de su afectísimo servidor,
Lucas Alamán

Me irritaba sobre todo el aire de superioridad de Alamán y su actitud de cura sermoneador. ¿Acaso creía que sus títulos académicos le daban autoridad moral sobre mí? ¡Cuánto me hubiera gustado mandarlo al carajo! Pero de momento lo necesitaba para tener el respaldo de la Iglesia y tuve que aguantar sus impertinencias como un dócil burócrata. Emprendí la marcha a la capital con un humor de perros, como siempre que la política me obligaba a hacer concesiones lesivas para mi orgullo. Las incomodidades del viaje me avinagraron a tal extremo que Loló prefirió viajar en otro carruaje para no tener que oír mis insultos al cochero cada vez que pasábamos por un bache o una zanja. En las Cumbres de Maltrata empezó a llover y el camino encharcado se volvió intransitable. A cada paso dificultoso el coche paraba y teníamos que echar pie a tierra para caminar con el lodo hasta los tobillos, o dormir dentro del carruaje en medio de un llano, hasta que la lluvia cesara. Cuando no sufríamos contratiempos naturales, debíamos sortear obstáculos humanos. En la entrada de Puebla tuvimos que hacer alto porque un grupo de torerillos había improvisado un coso taurino en mitad de la calle. Daban capotazos a los perros y se tiraban a matar con palos puntiagudos, sin inquietarse por las amenazas de mi escolta, tal vez porque ninguno pasaba de los trece años, y a esa edad el hombre no conoce el peligro. Al verlos por la ventanilla de mi litera, su actitud retadora me exasperó.

—¡Arreste a esos infelices! —ordené a mi jefe de lanceros—. Tome nota de sus nombres y mándelos a trabajar como esclavos en las plantaciones de Yucatán.

Tal vez fui demasiado duro con ellos, pero, ¿acaso hay otra forma de imponerle disciplina a un pueblo sin ley, naturalmente inclinado al ocio y a la vagancia? En Guadalupe Hidalgo tuve mi primera charla con don Lucas Alamán, que por fin se dignaba venir a mi encuentro. A pesar de su pelo cano y de su respiración fatigada, no parecía tener más de cincuenta años. Mediano, cargado de hombros, caminaba con la cabeza erguida y las puntas de los pies hacia afuera, como un pato arrogante y almidonado. Tenía un porte más bien ridículo, pero su mirada indagadora dejaba traslucir que podía penetrarlo todo al primer golpe de vista. Hombre de letras educado en las principales universidades de Europa, se expresaba con tal corrección y fluidez que sus escuchas tenían la impresión de conversar con un libro viviente. Era uno de los pocos mexicanos que no habían perdido el ceceo, quizá porque en espíritu seguía viviendo en tiempos de la Colonia. Al oírlo recordé a mis superiores del ejército realista, cuyo ceceo llegué a detestar, y me pareció advertir un tono imperativo aún en sus frases más comedidas. Inclinado a mandar, Alamán trataba de imponer su mérito intelectual por encima de los rangos militares: tal vez por eso fracasó siempre en sus intentos por llegar a la presidencia. En el primer gobierno de Bustamante había sido el poder detrás del trono y sin duda quería desempeñar el mismo papel en el mío, pues de entrada me quiso poner condiciones para aceptar la cartera de Relaciones.

—Me encantaría colaborar con usted, general, pero tengo noticias de que ha ofrecido el Ministerio de Guerra al señor Tornel, un viejo enemigo mío, y en esas condiciones no puedo aceptar ningún cargo.

Las ces resonaban en mis oídos como el chasquido de un látigo y me pareció que su negativa encerraba un reproche.

—José María es un hombre de mi entera confianza y no puedo prescindir de sus servicios. Vamos, don Lucas —lo tomé del hombro—, haga un pequeño sacrificio y trate de entenderse con Tornel. Necesito el talento de los dos para reconstruir la nación.

En la disyuntiva de cohabitar con su odiado rival o perder su cuota de poder, Alamán tuvo que alinearse por la derecha, si bien mantuvo su hostilidad hacia Tornel y nunca le dirigió la palabra en las juntas del gabinete. Conmigo era muy respetuoso, pero quiso imponerme su programa de gobierno y controlar desde su ministerio todas las áreas de la administración. La primera vez que se reunió el Consejo de Ministros, Alamán tomó la palabra y propuso reducir a la mitad la nómina de generales, impertinencia que irritó a los miembros del Estado Mayor y puso en entredicho mi autoridad, pues yo les había prometido respetar todos sus cargos. Señor Alamán, le dije, olvidé mi sombrero en mi despacho, haga favor de traérmelo. Colorada la nariz, Alamán me miró con odio, titubeó un instante y luego se levantó a cumplir con mi encargo, entre las risillas burlonas de los concurrentes. Cuando volvió con el sombrero, ya habíamos cambiado de tema. La humillación surtió efecto, pues ni él ni su gente volvieron a meterse con los militares. Había comprendido que en México los libros no mandan.

Si bien acepté los consejos financieros de Alamán, en mi trato con el ejército hice todo lo contrario de lo que deseaba el partido conservador. Durante los gobiernos de Herrera y Arista, la clase militar había caído en tal estado de abatimiento que los militares de alto rango no se atrevían a salir a la calle con sus uniformes, para no ser insultados por los rudos hombres del pueblo, que los veían como saqueadores y verdugos de la nación. Cuando había un consejo de guerra en palacio, mandaban por delante a los criados con sus distintivos y se despojaban de ellos terminado el acto, no les fuera a tocar a la salida una lluvia de piedras y jitomates. Resuelto a devolver al ejército su maltrecha dignidad, me consagré a enderezar el árbol torcido con la energía propia de mi carácter. Para quedar a cubierto de eventuales revoluciones, ordené levantar una gran leva en todo el país, con fuertes castigos para los indios que no se presentaran al sorteo o desertaran una vez pasados por cajas. Al parecer los jefes de instrucción cometieron algunas atrocidades con los reclutas remisos, como arrancarles las orejas o molerlos a palos, pero resultaron un mal menor comparadas con los beneficios que trajo al país la renovación de las fuerzas armadas.

Una vez alcanzado el número de treinta mil efectivos, modifiqué la ordenanza militar con el fin de que la oficialidad llevara una indumentaria lujosa. Los generales de División, los de brigada, los cuerpos especiales del Estado Mayor, la artillería permanente, el cuerpo de ingenieros y los cadetes del colegio militar tenían un uniforme para pie a tierra, otro para montar y un medio uniforme con chaleco bordado en oro cuando vestían «de paisano». Como en tiempos del ejército realista, les prohibí el uso de sillas vaqueras, reatas, jorongos y otros aperos de montar propios de arrieros y caporales, que ponen en ridículo a la milicia y la demeritan a los ojos del pueblo. Hubiera querido igualar en distinción a los ejércitos de las grandes potencias, pero como siempre pasa en México, mi empeño civilizador se topó con obstáculos infranqueables. Habiendo resuelto poner en pie un regimiento de coraceros, encargué a Francia doscientas armaduras con peto rojo y casco amarillo, como las que usaba la guardia imperial del Pequeño Cabo. Pero, ¡oh decepción! Para llenar con prestancia cada armadura se necesitaba por lo menos un mexicano y medio. Nada más opuesto a la pompa militar que la baja estatura y la magra constitución del soldado azteca.

Disfrazar de titanes a mis ratones no serviría de mucho para imponerle respeto a la chusma soliviantada: más bien podía insolentarla más. Por lo menos en mi escolta necesitaba rodearme de guerreros hercúleos que a los ojos del pueblo aparecieran como emblema de un poder imbatible. Recurrí entonces a la importación de mercenarios suizos para mi escolta de húsares, decisión muy criticada por la prensa jacobina, que puso en duda mi nacionalismo y me acusó de abrigar ambiciones imperiales. Pamplinas: yo sólo quería tener un cuerpo de guardia condigno de mi alta investidura, para evitar los errores que había cometido en anteriores gobiernos, cuando me paseaba por las calles en una pequeña berlina, escoltado por tres o cuatro dragones, o departía en los palenques con bodegueros, albañiles o matarifes del rastro.

En el pasado había creído ingenuamente que la sencillez de un gobernante y su trato campechano con la gente humilde le conquistan el favor de las multitudes. Pero Tornel me hizo notar que el motín popular del 44 y mi expulsión del país en la guerra del 47, se debieron en parte a mi actitud condescendiente con las masas. Nunca te bajes de tu pedestal, me advirtió, es mejor que la gente del pueblo te vea como un ser inalcanzable, casi divino, a quien sólo se puede admirar desde lejos. ¡Cuánta razón tenía! A lo largo de mi vida política ocupé infinidad de veces la presidencia, pero sólo duré en el cargo un tiempo razonable cuando me mantuve a prudente distancia del vulgo, rodeado por el boato de un monarca europeo. Las pocas veces que me dejaba ver por la calle salía en un coche tirado por cuatro frisones blancos, presidido por cincuenta húsares rubios vestidos con piqueta azul y manoplas de piel de búfalo. Hasta para dar una vuelta por la Alameda llevaba mi cruz de diamantes relumbrando en el pecho, bastón de oro con puño de zafiros y capa de terciopelo púrpura. Nunca bajaba del carruaje para saludar a la multitud que me vitoreaba a mi paso: cuando mucho la saludaba desde mi asiento con una inclinación de cabeza. Por extraño que parezca, mi popularidad crecía cuanto más me distanciaba del pueblo.

Pero si la gente humilde me veneraba, los opositores quisieron comerme vivo desde mi llegada a la presidencia y se apresuraron a imputarme las tropelías cometidas por la administración de Arista. Con las aduanas marítimas infestadas de contrabando, el bandolerismo enseñoreado de los caminos y una deuda externa impagable que estrangulaba al erario, el país se encontraba a un paso de la desintegración. En las provincias del norte, los indios bárbaros entraban a saco en las poblaciones y los comandantes militares no podían hacerles frente por falta de pertrechos y armas. La inepcia del gobierno central había provocado conflictos entre los poderes de los estados, que se disputaban el control de las alcabalas, y las legislaturas locales mostraban una abierta hostilidad hacia la federación. Precisado a restablecer el orden por encima de las formas legales, mi primer acto de gobierno fue declarar la desaparición de poderes en todos los estados de la República, que pasaron a llamarse departamentos. No me tembló la mano para nombrar veintitrés gobernadores en lugar de los elegidos por sufragio universal, que a ojos vistas habían traicionado el mandato del pueblo. Con el apoyo del partido conservador disolví también las legislaturas locales, fuente de tantos males para la nación. Le había dado la puntilla al sistema federalista, y los demagogos que lucraban con la anarquía se lanzaron en mi contra como una jauría de mastines. Se ha roto la legalidad, ladraban, Santa Anna quiere implantar una dictadura. En efecto, de eso se trataba, pero no porque yo ambicionara el poder absoluto —Dios sabe cuánto me disgustaba tenerlo—, sino porque estaba en juego la supervivencia de la nación.

Se me acusa de haber tratado con extrema severidad a los periodistas del ala radical, sólo porque mandé cerrar *El Monitor Republicano* y otros diarios de la misma ralea, que se habían convertido en lupanares de la inteligencia. ¿Querían acaso que me dejara insultar por cualquier papelista lameplatos? No, señor, si bien consentía los ataques a mi persona, no podía tolerar que los letrados perversos mancillaran mi investidura. En el patriotismo hay más vanidad y amor propio de lo que la gente cree, pero se trata de una vanidad sublime, pues de ella depende el ser de una masa huérfana y desvalida. El país atravesaba momentos críticos y todos los ataques contra Santa Anna favorecían a la facción apátrida que deseaba convertir a México en un conglomerado de pequeños estados. De manera que mi soberbia era en cierto modo una salvaguarda de la unidad nacional, el único factor de cohesión en un remolino de fuerzas centrífugas. Por esas razones, y no por un arranque de soberbia, envié al exilio a mis detractores más insolentes, los señores Ponciano Arriaga y Guillermo Prieto, que me habían denostado en artículos escritos con ponzoña de alacranes. Quedaban por ahí algunos opositores taimados, de esos que tiran la piedra y esconden la mano, pero los reduje al silencio imponiendo multas a los editores de los diarios por cada ataque directo o velado en mi contra. Logré así tener una opinión dócil, subvencionada en su mayor parte por el erario, que me juzgaba siempre en términos favorables, dictados muchas veces por mis propios consejeros políticos.

Lo malo de acallar al enemigo es que el silencio lo ayuda a perderse de vista. Si antes me atacaban a viva voz, ahora los desafectos al régimen velaban sus armas en la penumbra. Para conocer sus intenciones, ordené al jefe de la policía, el joven coronel Bolaños, que formara una red de espionaje con elementos calificados y bien pagados. Bolaños le había vuelto la espalda al general Arista poco antes de su caída y tenía información de primera mano sobre los adeptos del ex presidente que conspiraban contra mi gobierno. Infiltrados en los grupos opositores, en el gremio de los artesanos y hasta en el hampa, sus agentes me presentaban un reporte diario sobre los trabajos clandestinos de la oposición. Con tantos delatores a mi servicio, nadie podía insultarme en una taberna sin que yo lo supiera al día siguiente.

A juzgar por los informes de mis espías, Arista contaba aún con simpatizantes en un pequeño sector de la sociedad. Los muy incautos pensaban que en la presidencia se había conducido con honradez y era un celoso guardián de la ley. Mientras conservara un poco de prestigio no faltarían revoltosos dispuestos a pronunciarse en su nombre. La razón de Estado exigía quitarlo de en medio y envié a su rancho un escuadrón de lanceros que lo persuadió de tomar un vapor a Londres, donde murió en plena travesía. Dicen que ni en su agonía dejó de maldecirme; yo en cambio lo he perdonado, pues no quiero abrigar rencores en el umbral del eterno viaje. Por esas fechas falleció también el Come Huevos, con lo que mi camino se despejó para gobernar sin rival a la vista.

Los buenos conspiradores no se abren de capa ni con sus mejores amigos, pero los jóvenes primerizos confían a ciegas en cualquier agitador de plazuela. Conocedor de la arena política, Bolaños explotaba el talento histriónico de sus mejores agentes, que se hacían pasar por liberales exaltados y de tanto blasfemar contra mi gobierno embaucaban a los muchachitos que ansiaban tomar las armas en una revolución. Una vez reunidos suficientes prosélitos, el agente desaparecía y echaba de cabeza a sus seguidores, que iban a dar a las inhóspitas mazmorras de Perote, Acapulco o San Juan de Ulúa, mientras el infidente obtenía un grado militar o un puesto en las aduanas. En mi persecución de los sediciosos casi nunca ordené un fusilamiento, pues el destierro me parecía un arma represiva más eficaz y piadosa. ¿Para qué mancharme las manos de sangre si el ostracismo nulificaba su capacidad subversiva? Eso sí, necesitaba mantener bajo control a los exiliados y evitar que se reunieran en las grandes ciudades. Para tal efecto dicté una Ley de Conspiradores, en la que prohibí a los expulsos residir en las capitales de los estados y les impuse la reclusión en pequeños poblados. Logré con ello dispersarlos por la extensa geografía nacional, donde sólo podían agitar a los burros y a los mapaches.

Con los dirigentes del partido liberal tuve que ser un poco más duro, para infundir pánico a los militantes de base. El primero en la lista negra era Melchor Ocampo, un jacobino furioso que se había enfrentado a la Iglesia desde el gobierno de Michoacán. Ocampo no era mi enemigo personal, pero Lucas Alamán me pidió que le cargara la mano: «Es un luterano encubierto –me advirtió–. El clero y los propietarios de Michoacán quisieran verlo colgado de un árbol. Él atizó el fuego de la rebelión contra Arista con sus principios impíos en materia de fe y con las reformas que intentó en los aranceles parroquiales». Para complacer a mis aliados del partido conservador, desterré a Melchor Ocampo a Cuba, bajo la amenaza de ser ejecutado si pisaba costas mexicanas. La misma suerte corrió el traidor zapoteco Benito Juárez. Para humillarlo y hacerle sentir mi desprecio encargué su arresto a mi hijo José, que lo llevó con cepos a San Juan de Ulúa. Me di el gusto de hospedarlo varias semanas en un calabozo, a régimen de pan y agua, antes de mandarlo a La Habana, enjutas las carnes por la prolongada desnutrición. Más tarde Juárez y Ocampo se encontraron en Nueva Orleans, donde fundaron una logia de intrigantes con amplias ramificaciones en México. Fue un grave error haberles permitido reunirse en el extranjero. Quizá debí enviarlos a las antípodas del globo terráqueo, ¿pero quién podía suponer que esos despreciables ratones llegarían a ser mis verdugos políticos?

Nueva Orleans, 6 de noviembre de 1853

Adorada Margarita:

La jornada de trabajo en la fábrica de puros me deja tan extenuado que sólo puedo escribirte los domingos, cuando tengo algún tiempo para ordenar las ideas. Poco a poco voy aprendiendo a soportar las penas del exilio, empezando por la mayor de todas, la de no estar a tu lado. La soledad enluta mi corazón, pero me ha permitido meditar sobre mi futuro político y vislumbrar cuál será mi papel en las luchas que se avecinan. Con su arbitraria detención, Santa Anna me hizo ver claro que no habrá futuro para México mientras el partido del retroceso tenga el país en el puño. Al mocho le irrita que un hombre de mi raza haya llegado a ocupar puestos públicos importantes. Prueba de ello son los malos tratos que su hijo José me infligió en el trayecto a San Juan de Ulúa.

No te lo había contado, para no hacerte sufrir, pero en esos días me sentí degradado y envilecido, como debieron sentirse mis padres y mis abuelos en las haciendas donde servían a los españoles. Con la prepotencia de un encomendero, mi captor me obligó a caminar descalzo en una cuerda de presos comunes, bajo el pretexto de que un indio como yo no merecía llevar zapatos, y cuando entré al calabozo, en lugar de mi levita negra me dio unos calzones de manta. Sin duda, su padre le ordenó tratarme así para cobrarse viejos agravios, pero en vez de ablandarme fortaleció mi coraje. Toda la vida quise huir de mi raza, hacer méritos para ingresar al mundo de los blancos: ahora pienso de otro modo y el color de mi piel ya no me parece un estigma, sino un venero de fuerza interior.

Por las tardes, a la salida de la fábrica, paso a la casa de Melchor Ocampo a tomar un café y a conversar largo rato del único tema que nos absorbe: la política mexicana. Gracias a su sabia orientación he comprendido mejor nuestra historia reciente y la importancia de empujar al país hacia un cambio radical. El error de nuestro partido ha sido andarse con medias tintas en su lucha contra las fuerzas oscurantistas y expoliadoras. En México no habrá libertad ni justicia mientras persistan las reliquias del gobierno colonial que han impedido por décadas la consolidación de la Independencia. A España le debemos la miseria y la ignorancia de nuestros indios, el odio entre clases y lo peor de todo: nuestra inclinación al autodesprecio. Nada bueno puede venir de un déspota enfermo de vanidad que pretende restablecer las instituciones del virreinato. Nuestro desafío es acabar con los privilegios de casta y proteger bajo el manto de la ley a todos los mexicanos, sin distinción de razas ni credos.

Profeso la fe católica y sabes que en Oaxaca me esmeré por tener buenas relaciones con la Iglesia. De niño veía con admiración a los frailes que a lomo de burro llevaban la palabra de Dios a los pueblos más apartados de la sierra. Si no fuera por los padres misioneros, ¿cuántos indios habrían muerto de hambre, de frío, de enfermedades contagiosas? Pero la Iglesia ya no desempeña su función evangélica. Interesada sólo en proteger y multiplicar su capital ocioso, no ha tenido empacho en solapar a un régimen pretoriano, corrupto hasta la médula, que le garantiza la buena marcha de sus negocios. Los clérigos practican la simonía con tal despreocupación que ya ni siquiera les parece un pecado. En los pequeños pueblos lucran descaradamente con los servicios espirituales, que los pobres campesinos muchas veces no pueden pagar. El abusivo arancel exigido para celebrar matrimonios ha ocasionado que proliferen los hijos naturales y las parejas amancebadas. ¿Cómo se puede mantener la moral pública, si los encargados de preservarla faltan a sus deberes más elementales? Para impedir el comercio con los sacramentos es preciso trazar una línea divisoria entre la Iglesia y el Estado, como sucede en todas las naciones civilizadas, donde la oficina del Registro Civil expide gratuitamente los contratos de matrimonio y las actas de defunción.

Pero los curas de México se han acostumbrado a la buena vida y no van a soltar tan fácilmente la gallina de los huevos de oro. Ya ves el escándalo que hicieron en Michoacán cuando Melchor se atrevió a defender públicamente la libertad de cultos. Por poco lo excomulgan y hasta querían confiscarle sus propiedades. Nos espera una lucha dura, pues la resistencia al cambio es muy poderosa. Me temo que la causa del progreso no se abrirá camino sin un profundo desgarramiento social. Pese a todo soy optimista y creo que al fin la victoria será nuestra. Un dictador como Santa Anna no podrá sostenerse mucho tiempo en la presidencia. El prestigio de un gobernante emana de la ley y de un recto proceder, no de trajes aparatosos ni de fastos militares, que sólo dan autoridad a los reyes de utilería. El pueblo puede equivocarse, pero a fin de cuentas sabe distinguir a sus verdaderos representantes de los tiranos que se proclaman sus amigos y libertadores. Si algún día la voluntad popular me conduce a la suprema magistratura, saldré a la calle sin guardias armadas y vestiré como el más común de los ciudadanos. Después de tantas décadas de pompa militar, lo que el pueblo necesita es un sencillo ejemplo de rectitud.

Perdona si te abrumo con mi eterna cantinela política. Quisiera escribirte tiernas cartas de amor, pero tu recuerdo me impone un devoto silencio. Sólo te puedo hablar con el pensamiento cuando te invoco en la oscuridad de mi cuarto. ¿Cómo están los niños? Supongo que Felícitas habrá empezado ya con el silabario. Cuánto me hubiera gustado verla pronunciar sus primeras letras. ¿Y Benito? ¿Aprendió por fin a montar a caballo? Le tengo una sorpresa: un trompo de madera que tallé a mano en el torno de la fábrica. Mañana parte a Veracruz un amigo oaxaqueño que me hará favor de llevárselo, junto con una muñeca para Felícitas y un costurero para Manuela. Ojalá reciban los regalos antes de Navidad.

Un beso grande para todos y que Dios los proteja.

Tuyo siempre,

Benito

Desde mi toma de posesión prometí una era de prosperidad, pero al emprender la reconstrucción económica del país, advertí que me faltaba material humano para fortalecer la industria y aumentar la producción agrícola. Cualquier tentativa de llevar el progreso al campo se estrellaba con las numerosas castas de indios, que oponían al interés patrio su ancestral indolencia. Embrutecidos por el pulque, aferrados a sus viejas idolatrías, los indios vivían aislados en sus miserables aldeas, o se derramaban entre las haciendas de labor como enjambres de hormigas errantes, trabajando sólo dos o tres días por semana, entre una resaca y otra. Don Lucas Alamán atribuía al rencor su tozuda resistencia de raza y deploraba que no se hubieran fusionado del todo con la gente de razón.

—En Roma y en las provincias de Europa sujetas a su dominio, vencedores y vencidos se confundieron para formar pueblos nuevos —sentaba cátedra—. Todo murió en ellas: el idioma, la religión, las costumbres. ¿Por qué no ha sucedido lo mismo con la raza mongola de América? ¿Por qué aún se oye con toda su fuerza el bárbaro acento del otomí y esos otros mil dialectos nasales y salvajes de las demás tribus? Según Alamán, la completa asimilación de la raza aborigen al resto de la sociedad sólo se daría cuando lográramos alterar la proporción numérica entre indios y blancos: «Mientras el mongol sea mayoría, el país no podrá levantar cabeza: necesitamos atraer inmigrantes de Europa, que reanimen a las castas inferiores con su ejemplo de tesón y laboriosidad». Comulgaba del todo con las ideas de Alamán, que podía ser un pelma, pero tenía dotes de visionario, y puse en marcha una ambiciosa política migratoria para europeizar a la población mexicana. Primero quise atraer los ejércitos de Inglaterra, Francia y España, pidiéndoles ayuda para contener las miras expansionistas de los Estados Unidos. Si cada país nos enviaba un contingente de cuatro mil soldados, calculaba yo, cuando menos una décima parte se casaría con nuestras doncellas. Con ello mataría dos pájaros de un tiro: por un lado el país quedaba protegido contra cualquier tentativa intervencionista, y al mismo tiempo recibía un torrente de sangre europea. Por desgracia, las gestiones de mis plenipotenciarios en las cortes de Europa fueron un completo fracaso, porque ninguno de los países invitados accedió a enviarnos tropas, para no buscarse problemas con el gigante del norte.

A pesar de los tropiezos diplomáticos, seguí adelante con mi plan de fomento a la inmigración, ofreciendo estímulos económicos a las familias europeas que quisieran venir a nuestro país. La invitación iba dirigida a los campesinos pobres, pues sólo ellos podían estar interesados en «hacer la América». El Estado les cedería en propiedad terrenos de hasta dos mil varas por lado, y si no tenían dinero para los pasajes, nuestras embajadas cubrirían sus gastos de viaje. A cambio de prebendas tan generosas sólo exigíamos que fuesen católicos, de buenas costumbres y tuvieran alguna profesión ligada a la agricultura, la industria, las artes o el comercio. Esperaba una gran afluencia de colonos, porque la oferta era muy tentadora. Sin embargo, la campaña no funcionó como yo esperaba, porque no pude contrarrestar la leyenda negra sobre el México bárbaro propagada en el Viejo Mundo. Por más pobres que fueran, los europeos temían emigrar a un país azotado por continuas revoluciones, donde cualquier agricultor quedaba expuesto al bandidaje, al vómito negro o a las incursiones de los comanches. Pero aunque las oleadas de inmigrantes rubios nunca llegaron, mi esfuerzo diplomático no fracasó del todo, pues vinieron a residir en México extranjeros de valía, que dejaron grandes beneficios al país.

Uno de los más brillantes fue el belga Didier Michon, un joven de buena presencia y singular talento que había sido mayordomo en la corte del rey Luis Felipe. Impresionado con sus cartas credenciales, lo nombré director de protocolo, con un salario mayor al de mis ministros. Debo a su refinamiento y a su saber mundano el modesto esplendor que alcanzó el palacio de Tacubaya en mi postrer administración. Michon desterró del ambiente palaciego las costumbres provincianas que demeritaban a nuestro país a los ojos de los visitantes distinguidos: por consejo suyo desalojé a las ruidosas chimoleras aposentadas en la parte exterior del palacio y mandé sembrar macizos de flores en el patio central, cuyo acceso quedó vedado a la tropa. Enemigo de lo pintoresco, Didier retiró los equipales que tenía en mi despacho y colocó en su lugar taburetes de brocatel. Perdone usted, Excelencia, me decía, estos muebles están bien para una casa de rancho, no para un palacio de gobierno. Por las mismas razones, en los banquetes de gala sustituyó el agua de chía por los vinos de Borgoña y el mole de guajolote por el *confit de canard*. Era el factótum solícito y diligente que diseñaba las libreas de los criados, importaba vajillas de Sèvres con mi monograma impreso en los platos y resolvía todos mis problemas de etiqueta, cuando no sabía qué ropa llevar a una ceremonia oficial.

Como todos los mortales, Didier tenía sus defectos: el más notorio era su carácter afeminado, que lo hacía objeto de burlas crueles en los corrillos de sociedad. Pálido y blanduzco, invertebrado casi, con sus rubias guedejas crecidas hasta los hombros y su lánguido cuello de cisne, donde se le marcaban las venas azules, por momentos parecía una mujer encerrada en el cuerpo de un hombre. Reconozco que sus zalemas me ponían un poco nervioso, y a veces lo sorprendía mirando con ojos húmedos a los dragones de mi escolta. ¿Pero qué me importaban sus vicios si era un dechado de perfecciones? Ni con todo el oro del mundo lograría pagarle lo que hizo por mi mujer. Doloritas llegó a México con un humor de los mil demonios, pues temía ser mal recibida por las familias de abolengo, que censuraban *sotto voce* nuestro matrimonio, y se resistía a acompañarme en los actos públicos. Vete solo, me decía, yo no me hallo con esas viejas empingorotadas.

Cuando Loló hizo migas con Michon, milagrosamente dejó de refunfuñar. Se hicieron tan inseparables que Loló no cambiaba de peinado ni se compraba un vestido sin pedirle su parecer. Iban juntos al Coliseo, al Café de Veroli, a las tiendas de antigüedades, y en los altos círculos se rumoraba que Didier era la mejor amiga de mi mujer. Tanto mejor, pensaba yo: así no se aburre en mis largas ausencias ni me reclama que la descuide por atender asuntos de Estado. Curada de sus recelos y dispuesta a brillar en sociedad, Loló quiso decorar a todo trapo el palacio del Arzobispado. Aprobé su idea sin reparar en los gastos, pues nada me complacía tanto como hacerla feliz. Desde luego, Didier se encargó de remodelar las habitaciones. Cuidadoso del menor detalle, logró imprimirle un carácter particular a cada rincón del palacio. Causó gran admiración el gabinete gótico, una obra maestra de armonía y buen gusto, donde todos los elementos decorativos tenían el mismo estilo, desde las cenefas de las telas hasta los dibujos de la alfombra. Las puertas estaban ocultas bajo un cortinaje de pedrería, pero lo más deslumbrador era el exquisito artesonado del techo, tallado en finas caobas. De ahí se pasaba a un pequeño salón Luis XIV perfumado con jardineras rebosantes de flores, que desembocaba en la primorosa recámara de Loló, donde había una regia cama con dosel y un magnífico tocador de palisandro. Yo sólo intervine en la selección de las pinturas —escenas de la vida de Napoleón encargadas a un copista de San Carlos—, pues me parecía que un decorado tan femenino necesitaba un toque varonil. Ninguna mansión de la ciudad podía competir en elegancia con nuestro palacio. Pero en vez de felicitarme por haber embellecido mi residencia, el cascarrabias de Alamán me reprochó el despilfarro de fondos públicos.

—Prometimos gobernar con austeridad y usted se comporta como un faraón.

—Mire, don Lucas, no me venga con poquiteces. Yo no vine de Turbaco para vivir en un muladar.

—Pero el país necesita escuelas, caminos, y usted lo derrocha todo en gastos superfluos.

—Si no le gusta mi forma de gobernar, ¿por qué aceptó su ministerio?

—Acepté el cargo para hacer valer mi autoridad moral.

—Ah, ¿sí? Pues mire usted por dónde me paso su autoridad —y me agarré los huevos por encima del pantalón.

Don Lucas iba a responder algo, pero el coraje le quitó el habla y las mejillas se le tiñeron de púrpura, como si tuviera una espina encajada en el cuello. Entre mi ujier y mi secretario particular tuvieron que ayudarlo a levantarse de su butaca y lo sacaron a tomar el fresco en el balcón. Fue la última vez que nos vimos, pues a los pocos días me avisaron que había muerto de pulmonía. Si bien autoricé los homenajes de rigor, me negué a presidir las exequias, para darle a entender al partido conservador que a partir de entonces no toleraría a ningún ministro con ínfulas de fiscal. En el fondo Alamán siempre me despreció. ¿Por qué habría de arrodillarme al pie de su tumba?

En cambio sentí mucho la muerte de Tornel, acaecida unos meses después. José María fue mi amigo y confidente por más de tres décadas. No sólo me unía con él una sincera amistad, sino una entrañable complicidad. El hecho de que hubiera fallecido un once de septiembre, justamente en el aniversario de la victoria de Tampico, parecía encerrar un ominoso presagio. ¿Sería yo el siguiente en la lista? Con la doble intención de honrar su memoria y concederle una victoria póstuma sobre Alamán, mandé colgar crespones negros en los monumentos públicos y declaré tres días de luto nacional. Acompañaron el féretro los niños de las escuelas lancasterianas y en el sepelio pronuncié una oración fúnebre interrumpida por varios accesos de llanto. No lloraba por él sino por mí. ¿Cómo voy a gobernar sin mi fiel Talleyrand? –pensaba–. ¿En quién voy a confiar ahora, si he perdido el único amigo con quien podía hablar a calzón quitado?

Por falta de un verdadero incondicional, corría el riesgo de convertirme en rehén de mi gabinete, pues ahora los ministros podían confabularse para ocultarme la realidad. A partir de entonces ya no pude dormir tranquilo. A pesar de mi largo colmillo me sentía como un niño indefenso entre una jauría de chacales, más amenazadores cuanto más genuflexos. No podía concentrarme en las tareas de gobierno, pues mi única obsesión era adivinar quién me tiraría la primera mordida. Sobre todo me angustiaba la idea de pertenecer a otra época. Alamán, Tornel, Bustamante, Arista: todos se estaban yendo. Yo seguía firme en mi puesto como una roca enmohecida. Desconfiado por instinto, traía con la rienda corta a los jóvenes ambiciosos que me rodeaban, pero en momentos de frustración y quebranto me preguntaba si esa misma dureza no era ya una señal de decrepitud.

México, 16 de abril de 1876

Querido amigo:

La Divina Providencia ha dispuesto que muera como he vivido: en la más degradante miseria. El supuesto tesoro guardado en la caja fuerte de la casa de Vergara, en el que cifraba mis esperanzas de vivir con holgura el resto de mis días, ha resultado un fiasco, o mejor dicho, una crudelísima bofetada del azar. Pobre de mí: buscando recursos para atender al general como se merece, me fui a encontrar con un testimonio palmario de la vileza humana, que le causaría un sufrimiento atroz si acaso llegara a leerlo.

Pero vamos por partes. Se preguntará usted cómo logré entrar a la casa de doña Loló, si ya no tengo agilidad para escalar paredes. Gracias a Dios no tuve necesidad de hacerlo: encargué el trabajo a un golfillo de la vecindad, apodado el Chimino, que tiene fama de ratero y se pasa todo el santo día en el zaguán, cortejando a las muchachas que salen a hacer mandados. La calle de Vergara no está muy bien alumbrada y yo sabía que los jueves por la noche, doña Dolores sale a merendar a casa de unas amigas. «Fíjate bien, —le dije al Chimino— vamos a esperar afuera de la casa hasta que la señora se vaya. Entonces tú te subes por el enrejado del ventanal y cuando llegues hasta arriba saltas al patio. Son dos pisos, no te va a pasar nada. Ya adentro sólo tienes que seguir este plano», y le entregué un croquis de la casa, que tenía marcado con una cruz el rincón del sótano donde estaba guardada la caja fuerte, a mano izquierda bajando la escalera lateral del fondo.

El Chimino tiene diecisiete años y escaló la fachada sin dificultad alguna. Tal vez no era la primera vez que abría una caja fuerte, pues ni siquiera me prestó oídos cuando le expliqué cómo funcionaba la cerradura de combinación. Mientras lo esperaba en la acera temí que don Antonio se hubiera equivocado y la palabra clave para abrir la caja no fuera «rayo». Pero qué va: su prodigiosa memoria funciona como un reloj suizo. Pasada media hora, cuando ya empezaba a temer que doña Dolores apareciera en la bocacalle, el Chimino se descolgó por la azotea con una destreza de lagartija. Apretaba contra su pecho un fajo de documentos y llevaba colgado al hombro un saco de manta con adornos de cristal y porcelana, la recompensa que le había ofrecido por sus servicios. Muy bien, le dije: ya tienes tu botín, ahora lárgate a venderlo y haz de cuenta que nunca nos conocimos. No quise leer los papeles antes de llegar a casa, donde el general me esperaba con el Jesús en la boca, pues lo había puesto al corriente de mi plan. Al oírme llegar, don Antonio se levantó de su mecedora

—¿Y bien? —me preguntó con la voz cascada por la ansiedad—. ¿Logró abrir la caja ese tunante?

—Sí señor, aquí traigo los papeles.

—¿Qué son? ¿Acciones, libranzas, títulos de propiedad?

—No lo sé, general, todavía no los veo.

—¿Y qué espera, Giménez? Léamelos en voz alta.

Me dio mala espina ver los papeles atados con un listón rosa y confirmé mis temores cuando empecé a desdoblarlos. No eran documentos bancarios sino cartas de amor, perfumadas con esencia de almizcle. Al primer golpe de vista distinguí la ondulante caligrafía de doña Dolores:

—Vamos, empiece —me apresuró el general.

—Espere un momento, la letra es muy pequeña.

Fechadas en el año 54, las cartas estaban dirigidas a Didier Michon, el jefe de protocolo de su Excelencia, al que todos creíamos marica. Por lo visto no lo era de tiempo completo, o se valió de ese disfraz para engañar al general. También había cartas suyas a la señora Tosta, escritas con una tinta desvaída, probable indicio de una entrega amorosa menos intensa. Me bastó con leer unas líneas para sentir náuseas, pues no soy afecto a las novelas licenciosas.

—¿Qué espera, imbécil? —me apresuró el general.

—Lo siento, señor, estos papeles no valen nada. Son recetas de cocina carcomidas por la polilla.

Como el general se olió el embuste, me pidió que las leyera y tuve que inventar sobre la marcha una receta para hacer bizcochos de pulque. Don Antonio dejó escapar un suspiro de pesadumbre.

—Algo me huele mal —dijo—. Loló no tiene un pelo de tonta. ¿Para qué guardó esas recetas en la caja fuerte? ¿Y por qué se empeñó tanto en sacarme la combinación?

Mi tonta mentira no resistía el menor embate del sentido común, pero tuve que sostenerla con alfileres, pues temía destrozarlo si le decía la verdad. Un anciano con el ánimo decaído no puede resignarse fácilmente a llevar una cornamenta, menos aún si todavía alardea de su virilidad, como en el caso de don Antonio. Desde luego, tengo una explicación sobre el misterio de las cartas, pero sólo la compartiré con usted. Según mis deducciones, el monstruo las guardó en la caja fuerte poco antes de salir huyendo hacia Veracruz, cuando el general se tambaleaba en la presidencia. El hecho de que el fajo contenga también sus cartas a Michon sugiere que para entonces ya habían terminado y el andrógino belga le había devuelto la correspondencia. Al regresar del exilio, torturada quizá por el remordimiento, quiso destruir el testimonio de sus amores adulterinos, pero como había olvidado la combinación de la caja, se le hizo fácil mesmerizar al general, para arrancársela en estado de sonambulismo.

Por fortuna, el general nunca sabrá que su Doloritas lo deshonró cuando más necesitaba el cariño y la comprensión de una mujer abnegada. Pero usted sí debe hacerlo constar en la biografía, para darle un justo escarmiento a la falsaria que arrastró por el fango la honra de su marido y su dignidad de primera dama.

El Encero, 12 de abril de 1854

Mon petit chat:

Hace calor y pienso en ti mientras una gota de sudor baja por mis pechos. Oh, ángel de fuego, visitador nocturno de mis fantasías: cuánto desearía que estuvieras aquí para secarla con tus labios. Estoy recostada a la sombra de la higuera donde nos amamos por primera vez. ¿La recuerdas? Antes de conocerte pensaba que nadie se podía enamorar como en las novelas de Chateaubriand. Tú me has enseñado que el verdadero amor trastorna los sentidos como un hechizo de magia negra. Pero, ¡ay de mí! Ahora no soporto las separaciones, por breves que sean, y me consumo en llamas contando las horas que faltan para nuestro próximo encuentro. Maldita ocurrencia la que tuvo Antonio al dejarte en México, en vez de traerte con nosotros al Encero. Se lo dije: necesito a Didier porque estoy redecorando el salón de música, pero él quería que te quedaras allá para agasajar a los nuevos miembros del cuerpo diplomático, y preferí no insistir, por temor a despertar sus sospechas. Creo que hasta ahora no se huele nada: es demasiado egoísta para tener celos de su mujer. Pero no debemos confiarnos, pues tengo demasiados enemigos entre su séquito de lacayos y cualquiera de ellos podría delatarnos si cometemos el menor desliz.

Lo peor es que esta horrible temporada de vacaciones va para largo. Antonio se pasa el día encerrado en la gallera y ni siquiera concede audiencias a los visitantes que vienen a pedirle su intervención para resolver enredos fiscales o conflictos de tierras. Cada vez lo entiendo menos: cuando está en el exilio suspira por gobernar y ahora que tiene el poder se tumba en su hamaca. Al parecer sólo le interesa la dictadura doméstica, pues últimamente le ha dado por regañar a la servidumbre. Además de pesado se ha vuelto sentimental. Quiere que lo esté chiqueando a todas horas, que le lleve el desayuno a la cama, que le escoja la ropa, y si por algún motivo no puedo atenderlo, me hace berrinches de niño malcriado.

Tal vez no lo sepas, pero en Veracruz le amputaron mal la pierna y hasta la fecha, la herida no le ha podido cicatrizar, por culpa de las apretadas botas napoleónicas que se pone. Antes venía un enfermero a limpiarle la pus dos veces por semana, pero ahora me ha endilgado el trabajito «porque tú me tratas con más cariño». No te imaginas cuánto me asquea el hedor que sale de la herida cuando le quito las vendas. Mientras lo curo con yodo maldigo con el pensamiento a mi madre, que me llevó a ofrecer como una mercancía a la casa presidencial cuando yo todavía era una niña de tobilleras. Pero ella y mi padrastro don Luis me la están pagando: el otro día vinieron de visita y les di el peor cuarto de la casa, donde las ratas de campo han hecho una madriguera. Luego los mandé a comer con la servidumbre, mientras yo recibía con Antonio al obispo de Puebla. Querían verme de primera dama, ¿no? Pues ahora que se atengan a las consecuencias.

Como Antonio deja haciendo antesalas eternas a la mayoría de sus visitantes, muchas veces yo los atiendo por cortesía. Y quién lo dijera: de tanto hablar con ellos estoy empezando a entender los terribles males de mi país. ¿No crees que debería aprovechar mi posición para aliviar los sufrimientos del pueblo? En particular me preocupan los perseguidos políticos. Desde que Antonio tomó el poder, ha enviado al exilio a muchos liberales, que dejan a sus familias en total desamparo. Alguien debe hacer algo por esa gente y convencer a Antonio de que cesen las persecuciones.

Yo no soy liberal ni entiendo los principios republicanos, pero tengo mis propias razones para detestar a los aristócratas. Ellos fueron los que me apodaron Dolores Tosta de Satanás, cuando me casé con Antonio. Entonces algunas damas de ceja alzada juraron que nunca me recibirían en sus casas. Por supuesto, con la subida de Antonio al poder han tenido que tragar camote y ahora no se cansan de hacerme reverencias. Pero yo no quiero su hipócrita aceptación, porque debajo de los oropeles y las etiquetas adivino una gusanera de intereses. Tratan de ganarse mi voluntad para que Antonio les conceda favores, tendría que estar ciega para no darme cuenta de ello. Toda esta farsa cortesana no puede terminar bien, lo presiento y sufro por estar inmiscuida en ella. Por lo menos en México tengo el consuelo de refugiarme en tus brazos. Pero aquí estoy sola contra el mundo y cuando salgo de paseo para escapar de los aduladores que infestan la hacienda, la imponente belleza de estos parajes agrava mi mal de ausencia. Sin ti no vale nada toda la belleza del mundo.

Gracias a Dios se me ha ocurrido un plan para acortar nuestra separación. Fingiré un agudo dolor de ovarios, acompañado por una falsa hemorragia, y cuando Antonio quiera traer a los galenos de Jalapa, le diré que no les tengo confianza y que prefiero partir a México para atenderme con el doctor Larios, mi médico de cabecera. Ojalá no se ofrezca a venir conmigo. Pero aunque lo haga, en México nos las ingeniaremos para vernos a solas y reponer el tiempo perdido. Si todo funciona como espero, en unos días seré tuya en cuerpo y alma. Para tu tranquilidad, una revelación íntima: Antonio me ha ayudado mucho a serte fiel, porque no me toca desde hace meses.

Te ama con pasión arrebatadora,
Loló

¿Entiende ahora mi decisión de ocultar las cartas? A últimas fechas, el general ha tenido resfríos, su salud es frágil y temo que no resista un golpe tan artero. Pongámonos en lugar de la víctima: ¿quién de nosotros soportaría verse vilipendiado por la mujer a quien colmó de atenciones y dio una vida de emperatriz? De mi cuenta corre preservar la bendita ignorancia de don Antonio, como un médico que seda a su paciente para evitarle el dolor. Pero si bien he logrado ahorrarle pesares, no he podido mitigar la decepción que le produjo el fracaso de mi plan. Tal parece que soy el causante de todas sus desventuras. Me acusa de haber actuado con precipitación y asegura que por mi torpeza, el Chimino pudo quedarse con los documentos bancarios guardados en la caja fuerte. Yo mejor ni le respondo, para no contrariarlo. Ya se le irá pasando el coraje. Por fortuna, y a pesar de su enfado, el general no deja de hilvanar recuerdos, pero le aconsejo tomarlos con las debidas reservas, pues el tinte de amargura que predomina en ellos, producto de su desgracia presente, tal vez distorsione su evocación del pasado.

En materia de progreso y bienestar social siempre fui partidario de las medidas audaces. Como el país necesitaba enormes sumas de dinero para salir del atraso, acudí a los únicos que lo tenían: los agiotistas mexicanos y extranjeros. Todas las acusaciones de mi supuesta complicidad con ellos para defraudar al pueblo son fruto del despecho y el rencor. Por supuesto que en mi administración algunos banqueros obtuvieron ganancias fabulosas, pues nadie presta dinero a cambio de nada. Pero sin esos empréstitos se hubiera detenido nuestra actividad productiva. México no tiene memoria y muchos han olvidado que yo introduje el telégrafo y otorgué la concesión para construir el primer camino de fierro. De todo el dinero que ingresó a la hacienda pública por concepto de préstamos en los tres años de mi gobierno, sólo tomé los doscientos treinta mil pesos que había puesto de mi bolsillo para sufragar los gastos del ejército durante la guerra con Estados Unidos, devolución tan legal, incuestionable y justa, que en la administración de los generales Herrera y Arista, enemigos míos, no pudo menos de reconocerse como buena.

Lo que dio pie a las leyendas sobre la escandalosa corrupción de mi gobierno fue la ostentación de algunos subordinados irresponsables, como mi cuñado Bonifacio, que antes de ser inspector de carnes no había visto nunca mil pesos juntos. Enriquecido con la ordeña de su puesto, Bonifacio llevaba encima prendedores de gruesos diamantes, relojes gruesos de Roskell y botones de rubíes en las mangas de la camisa, que daba como propinas en las tabernas. A pesar de mis regaños no moderó su tren de gastos y mi gobierno empezó a caer en el desprestigio. El mexicano es muy desconfiado y la gente pensó que si mi cuñado ganaba dinero a espuertas, forzosamente yo debía llevarme la mayor tajada del pastel. En los círculos opositores se hablaba con mucha alharaca de mis grandes negocios con don Manuel Escandón. Mentira, nunca los hubo. De vez en cuando aceptaba algún regalo suyo −caballos de pura sangre, ranchitos, relojes de oro macizo−, porque éramos grandes amigos y no quería ofenderlo rechazando sus atenciones. Pero ni fuimos socios, ni llevé comisión alguna en las concesiones que le otorgué.

Me duele mucho que ahora se le difame tanto, pues en muchos sentidos, don Manuel era un hombre ejemplar. A diferencia de Bonifacio y otros pollos amigos del relumbrón, Escandón vestía con una modestia rayana en el ascetismo. Con su levitilla de género negro, su pantalón de dril muy holgado, su cabellera entrecana y su viejo sombrero de fieltro, nadie hubiera creído que poseía la mayor fortuna del país. Acudí muchas veces a su sabio consejo para ordenar las finanzas públicas. Recién comenzado mi gobierno, me propuso fundar un banco que daría créditos anuales al gobierno por nueve millones de pesos, a cambio de administrar las aduanas y cobrar derechos sobre el estanco del tabaco. Era un proyecto bien meditado que hubiese dejado grandes beneficios al país, pero resultó demasiado audaz para los timoratos vejetes del partido conservador. Uno de sus jerarcas, don Antonio Haro y Tamariz, que a la sazón ocupaba la cartera de Hacienda, objetó con firmeza el proyecto, y me advirtió que al concederle todas las rentas del gobierno a un particular, se crearía un estado dentro del Estado. Sus temores eran infundados y necios, porque el país debía tanto dinero a Escandón que tarde o temprano le acabaría entregando las rentas públicas. ¿Por qué no actuar con pragmatismo y adelantarse a los hechos, si de ese modo garantizábamos los créditos necesarios para salir del hoyo?

El asunto del banco dio lugar a un acalorado debate en los periódicos, me di cuenta de que no era popular y finalmente desistí de ponerlo en marcha. Haro se salió con la suya, pero no por mucho tiempo. Meses después, cuando se agotaron los fondos del erario, cometió el error de proponer un préstamo forzoso garantizado con propiedades de la Iglesia. Para variar, la mitra clamó justicia desde los púlpitos y exigió la renuncia del osado ministro que atentaba contra sus bienes. Él solito puso la cabeza en la guillotina, yo nomás dejé caer la cuchilla. Para apaciguar a los curas le pedí la renuncia, que Haro ya tenía preparada, y nombré en su lugar a Ignacio Sierra y Rosso, mi vate de cabecera. A diferencia de Haro, Sierra y Rosso no aspiraba a conducir las finanzas del país. Su credo económico era complacerme, aun cuando las arcas públicas no tuvieran suficiente dinero para mis proyectos. Eliminadas las trabas que me habían impedido mostrar mis dotes de administrador, emprendí un audaz programa de fomento a la minería, a la agricultura y a la industria textil. Los profesionales del infundio han querido sepultar ese gran esfuerzo bajo una capa de estiércol. Pero los mexicanos con nobleza de miras saben que mi único anhelo fue trabajar por el bienestar de nuestras familias.

INFORME SECRETO DE JAMES GADSDEN, EMBAJADOR
DE ESTADOS UNIDOS EN MÉXICO, AL SECRETARIO
DE ESTADO NORTEAMERICANO
(16 DE AGOSTO DE 1853)

Una residencia más prolongada en este país y mayores oportunidades de ampliar mis observaciones me han permitido comprender mejor el funcionamiento de la política mexicana. El gobierno de México tiene un sólo propósito, que se transfiere sucesivamente de una administración a otra: mantener la fuerza de cohesión que permite el saqueo organizado del erario. Nadie en Estados Unidos puede imaginarse el grado de corrupción al que han llegado los gobernantes de México. Aquí nadie acepta un cargo público si no es con la meta de enriquecerse a corto plazo. La voracidad de la camarilla en el poder ha llegado al colmo en la administración del general Santa Anna, que encabeza un gobierno usurpador, y ha suprimido el Poder Legislativo, para que nadie pueda frenarlo en sus latrocinios. En los hechos, la Constitución es letra muerta, pues Santa Anna ejerce un poder discrecional que le permite modificar a su antojo todas las leyes.

Pero si bien es aberrante la conducta de los políticos y los militares, aún más asombrosa es la indiferencia de la sociedad, que permite sus tropelías cruzada de brazos. Los mexicanos pudientes, o lo que aquí se llama «los hombres de bien», aceptan a Santa Anna con una mezcla de resignación y cinismo. No obstante admitir que el general es el principal saqueador del país, todos concuerdan en que fuera de ese pequeño defecto, el «héroe de Tampico» tiene más capacidad que nadie para dirigir el Estado. «Podrá robar —conceden—, pero en su administración los caminos han quedado libres de salteadores y ha cesado la ola de asaltos a los comercios. Es lo bueno de tener a un ladrón en la presidencia: no permite que nadie lo aventaje en materia de atracos».

Para sostenerse en el poder, Santa Anna necesita mantener en pie un ejército fuerte que inspire temor a sus enemigos. Aunque el Ministerio de Guerra ha recurrido a la conscripción, el trabajo de enrolamiento no ha llenado las expectativas del presidente, y como el gobierno está ayuno de fondos, la organización del ejército se ha interrumpido. Desesperado por continuarla, Santa Anna busca dinero hasta debajo de las piedras y creo que podríamos aprovechar sus apuros para obtener concesiones territoriales. Según mis últimos sondeos, la antigua repugnancia del gobierno a vender porciones del suelo patrio ha disminuido mucho en los últimos años. Como las monjas de clausura que una vez desfloradas se entregan alegremente al comercio carnal, los políticos de México parecen haber perdido sus inhibiciones tras la firma de los acuerdos de Guadalupe Hidalgo. Pero valdría la pena intimidarlos un poco, incrementando nuestras guarniciones en toda la línea del Bravo, para que puedan justificar ante sus compatriotas una nueva operación de bienes raíces. Deberíamos destacar también vapores o bergantines armados que se asomaran a los puertos mexicanos del golfo y del Pacífico. La idea es mostrar la espada a nuestros vecinos, pero cubierta de un ramo de olivo: «conquistar la paz», como diría el presidente Polk.

He pedido una audiencia al general Santa Anna para exponerle nuestros planes de expansión. En la próxima valija diplomática le enviaré una relación detallada de la entrevista.

La cuestión de los límites con Estados Unidos se presentaba grave y acaparaba mi atención. Cuchilla en mano, el gobierno de Washington pretendía cortar otro pedazo al cuerpo que acababa de mutilar y apuntaba con sus cañones a la frontera norte. En la situación deplorable del país, un rompimiento con el coloso me pareció un desatino. Obligado a elegir el menor de los males, seguí la única vía que el patriotismo y la prudencia aconsejaban: un avenimiento pacífico. En la primera conferencia, el señor James Gadsden, enviado extraordinario del gobierno yanqui, elogió mi honradez intachable y mostró un conocimiento puntual de mis glorias militares. Si me elogia tanto, es porque viene a pedir las perlas de la virgen, pensé, y me puse en guardia para no caer en su juego. Pasados los cumplidos hiperbólicos, Gadsden me presentó un plano de nuestros dos países en el que aparecía una nueva línea fronteriza a la altura de la Sierra Gorda. Del lado de Estados Unidos quedaban Baja California, Sonora, Sinaloa, Chihuahua y parte de Durango. Amistosamente nos habían dejado la otra mitad de la República, porque según Gadsden, era necesario definir la frontera entre ambas potencias con una línea natural de montañas. Molesto por su desmedida pretensión, separé la vista del plano:

—Este no es el asunto que debe ocuparnos —dije.

Gadsden se guardó su mapa y cortésmente ofreció no volver a presentarlo. Siguió un estira y afloja prolongado por varios meses, en el que la línea fronteriza iba cambiando de lugar, mientras las cantidades ofrecidas como indemnización se reducían en la misma proporción del terreno disputado. Sería prolijo referir todas las argucias y triquiñuelas ensayadas por el gobierno de Estados Unidos en su afán por justificar lo injustificable. Hasta llegaron a remover los paralelos y meridianos para alegar que una parte del territorio en litigio ya les pertenecía. En realidad no aspiraban a quedarse con una extensión tan vasta, pero siguieron la táctica de pedir mucho para que su renuncia al todo pareciera una magnánima concesión. Al calibrar nuestra resistencia se limitaron a pedir una franja territorial de noventa kilómetros cuadrados en una planicie conocida como La Mesilla, que les hacía falta para construir el ferrocarril transoceánico de Nueva York a California. Cuando Gadsden, abierto de capa, me ofreció una espléndida indemnización por ese pedazo de terreno inculto, creí llegado el momento de negociar:

—El asunto es delicado y exige meditación —le dije—. Permítame usted someterlo a mi Consejo de Ministros.

—Con todo respeto, señor presidente, debo advertirle que para mi gobierno no cabe desistimiento alguno en esta materia. Si el gobierno de México rechaza la indemnización, nos veremos obligados a tomar el Valle de La Mesilla, porque no hay otra ruta posible para tender el ferrocarril.

Dicho en otras palabras: o vendíamos por la buena o nos despojaban por la mala, sin darnos un solo centavo. Al hacerse del conocimiento público los términos del ultimátum estadunidense, los patriotas de café y redacción, firmemente resueltos a no dar un paso para sumarse al ejército ni a ponerse delante de los fusiles norteamericanos, sostenían que lo único decoroso era la guerra. Yo tenía muy frescos los recuerdos de la conflagración del 47 y preferí entrar en un penoso regateo antes que exponer a mi patria a una nueva derrota. De algo me sirvió mi experiencia en la compraventa de ranchos y haciendas, pues logré obtener diez millones de dólares por un territorio desértico que valía menos de la mitad. Modestia aparte, considero que la negociación fue una victoria diplomática, pues dejó a salvo la soberanía nacional y nos permitió disponer de fondos para organizar el ejército. Pero claro, la gentuza de los clubes liberales no tardó en esparcir el rumor de que yo me había quedado con la dolariza. Su furor no respetó siquiera mi invalidez. Al día siguiente de firmar los acuerdos con Gadsden apareció una pinta callejera con la leyenda: «Execración eterna al mutilado mutilador». Injuria tan soez no sólo hirió mi orgullo de militar y patriota, sino la conciencia de la nación, que alzó la voz para exigir una reparación pública de la afrenta. Se formó una comisión encargada de rendirme honores como mutilado de guerra y el cabildo de la ciudad me pidió la urna con los huesos de mi pie, para trasladarlos a un nicho en la iglesia de San Francisco. Acompañado por un selecto grupo de notables, familiares y amigos escuché los responsos del obispo Madrid. Conmovido por los solemnes acordes del órgano, pensé que muy pronto, quizá en ese mismo lugar, sería celebrado mi funeral, y no pude contener un hilo de llanto. Me enjugaba las lágrimas con un pañuelo cuando me tomó del codo el doctor Cisneros, el médico graduado en La Sorbona que me administraba sedantes cuando padecía dolores reumáticos:

—Disculpe, general. Tengo que decirle algo muy importante.

—Hable, Cisneros.

—Acabo de examinar los huesos que están en la urna y he descubierto que no son suyos.

—No puede ser. ¿De dónde saca semejante cosa?

—Perdone, excelencia, pero es mi deber abrirle los ojos. Esas falanges y ese calcañar pertenecen al esqueleto de una mujer.

La ira me hizo olvidar que estaba en un lugar sagrado. Nublada la conciencia por un impulso homicida, aparté con violencia al obispo Madrid y destrocé la urna de un puñetazo. Sangraba de los nudillos, pero estaba demasiado furioso para andarme con precauciones. Cogí por las solapas a Manuel Escobar, el jefe de la comisión que me llevó el pie a Turbaco, y con uno de los huesos guardados en la urna le sorrajé un tremendo golpe en la coronilla.

—¡Cabrón, hijueputa! Por menos que esto he mandado a muchos al paredón.

Entre mi mujer y Didier Michon lograron contenerme. Pedí una disculpa al señor obispo y regresé cabizbajo al palacio de Tacubaya. ¿En quién se podía confiar si los hombres más intachables del partido conservador se habían valido de un engaño para traerme a México? Era indignante haber caído en su treta, pero sobre todo, me pesaba el hecho de que mi pie siguiera abandonado en algún basural. Pasado el berrinche, resolví tomar providencias para recuperar esa querida parte de mi persona y ofrecí una recompensa de cincuenta mil pesos a quien encontrara los restos auténticos de mi pie. No era un gasto superfluo, pues los huesos extraviados se habían convertido ya en un símbolo nacional, como la virgen de Guadalupe o el águila y la serpiente. Si sólo se hubiera tratado de un agravio personal, lo habría soportado con entereza, pero el honor de la patria no podía reposar entre inmundicias y deyecciones.

El mismo día que mandé colocar los bandos en las calles, el pueblo de la capital abandonó sus faenas y se lanzó a los tiraderos de basura en pos de mis huesos. Conmovido por la tumultuosa respuesta popular, calculé que el hallazgo del pie sería cuestión de semanas. No contaba con la codicia y la desvergüenza de los léperos, esa plaga social capaz de enturbiar la más santa de las causas. Apenas anunciada la recompensa, legiones de malvivientes y mujerzuelas llegaron al palacio de Tacubaya con zancarrones que seguramente habían mochado a los esqueletos de sus parientes. Todos juraban haber seguido a la turbamulta que pateó mi pie por las calles y se ufanaban de conservar la reliquia desde varios años atrás. Mi primer impulso fue retirar el ofrecimiento de la recompensa y echarles encima a mi escolta de dragones. Pero, ¿y si alguno de ellos decía la verdad?

Cuando los huesos ya formaban una montaña en el patio central de palacio, pedí al rector de la universidad que me asignara una comisión de médicos para someter todos los pies recibidos a un peritaje científico. El doctor Cisneros se encargó de presidirla. Por sugerencia suya, mandé acondicionar una oficina de registro para anotar el nombre y la dirección de las personas que venían a entregar «la canilla del señor presidente». Cada zancarrón tenía que ser limpiado por un equipo de enfermeras, pues muchos traían gusanos o terrones adosados al hueso. De ahí pasaban a la mesa de los peritos, que examinaban con lupa cada pieza, escribían un informe detallado sobre sus características y lo turnaban a una oficina concentradora de datos. Más de cincuenta personas llegaron a trabajar en la identificación de los huesos y tuve que asignarles una partida presupuestal mayor que la de algunos ministerios. Una parte de la indemnización por la venta de La Mesilla se destinó a sufragar los gastos del comité verificador. Después de varios meses de trabajo infructuoso empecé a perder la esperanza de hallar mi pie. Era como buscar una aguja en un pajar. Sin embargo, mantuve el gancho de la recompensa, porque la búsqueda de mis huesos se había vuelto una distracción popular que narcotizaba a la masa y la mantenía a prudente distancia de los agitadores profesionales.

La jugarreta de Escobar me había puesto en guardia contra mis aliados políticos, y por añadidura, contra todos los empleados de mi administración. Cuando un gobernante percibe síntomas de insumisión, debe recordarle a la gente menor que la política es una cuestión de rangos y jerarquías. Me volví en extremo sensible a las faltas de respeto y empecé a castigar descortesías que antes pasaba por alto. En una ocasión advertí que al llegar a una función de teatro, los jefes militares y los burócratas sentados en las butacas vecinas al palco presidencial se quedaron sentados con el sombrero puesto, cuando la etiqueta exigía ovacionarme de pie. No les impuse ningún castigo, pero les advertí que la próxima vez los reprimiría con severidad. Paradójicamente, en un país donde las formas cuentan mucho, no existía ningún reglamento para normar el comportamiento y la vestimenta de los servidores públicos en las ceremonias oficiales. Los militares farolones aprovechaban ese vacío legal para colgarse encima todas las medallas balines que les habían concedido en pueblos y rancherías. Su ridícula ostentación sembraba confusiones, pues a los ojos de un extranjero poco familiarizado con nuestras costumbres, cualquier pobre diablo parecía más condecorado que yo.

Para impedir este abuso y poner a cada quien en su sitio, promulgué un decreto que prohibía a los funcionarios y a los oficiales del ejército el uso de condecoraciones otorgadas por gobiernos anteriores o legislaturas provinciales. De ahora en adelante sólo podrían usar medallas concedidas por otras naciones, o las obtenidas por sus acciones heroicas en alguna guerra extranjera. La reducción de los pechos condecorados realzó la importancia de mis medallas, las únicas que en realidad valía la pena mostrar. Quedaba por resolver la grave cuestión de los uniformes y los aditamentos de gala, que tampoco reflejaban la verdadera entidad de sus portadores. Los cortesanos ambiciosos actúan por reflejo imitativo, y en cuanto me vieron usar un bastón con puño de diamantes, corrieron a comprarse modelos idénticos, si bien los adornaron con joyas de bisutería. Por razones de buen gusto y sentido común, limité el uso del bastón a los consejeros de Estado. Algo similar ocurría con los brichos de oro que los oficiales de baja graduación mandaban coser en la casaca y el pantalón de sus uniformes. Era intolerable que por un adorno mañosamente añadido al traje reglamentario, compitieran en prestancia con los altos mandos del ejército y hasta parecieran jefes de sus jefes. Obligado a definir con mayor precisión la indumentaria de cada estamento militar y civil, elaboré con mis asesores un decreto donde estipulaba qué oficiales tenían derecho a usar chacó en los actos públicos y a quiénes correspondía ponerse el sombrero montado, cuántas líneas de ancho tendrían los bordados de los cuellos y de qué tamaño debían ser las colas de las levitas, según el rango de cada oficial.

Fue una labor titánica poner la casa en orden, pues cuando ya creíamos haber tapado todos los resquicios por donde la veleidad o la arrogancia pudiesen desvirtuar el ceremonial republicano, afloraban nuevos brotes de indisciplina que era necesario cortar de raíz. De buenas a primeras, hasta los cabos quisieron dejarse la piocha, sin duda para darse aires de grandes señores. Harto de sus ínfulas capilares, restringí el uso de las barbas a los cuerpos de preferencia y ordené que la milicia regular llevase la cara desnuda. Los magistrados de la corte no se quedaban atrás en materia de relumbrones y se hacían acompañar a mi residencia por lacayos vestidos con lujosas libreas. Para acabar con la feria de vanidades, dispuse que solamente los miembros del gabinete pudieran entrar con lacayos al palacio de Tacubaya.

Pese a los efectos positivos de la medida, en los banquetes oficiales no era tan fácil controlar a los advenedizos y a menudo sucedía que un simple oficial mayor se las ingeniara para quedar al lado de un obispo. Con ayuda de mi servicial asistente Didier Michon, redacté un reglamento de setenta y cuatro artículos, en el que definí los criterios para asignar los asientos de la mesa presidencial, según la preeminencia de los invitados. Terminada mi formidable tarea de regulación, me dispuse a descansar como el creador en el Séptimo Día. Sólo entonces advertí la gigantesca falla de mi gobierno: había excluido a todos los miserables logreros que usurpaban los signos exteriores de poder o riqueza, sin conceder honores a los mexicanos de verdadera valía.

Napoleón fue un soldado austero y sin embargo daba gran importancia a las distinciones. Desde antes de ser emperador creó la Legión de Honor, una especie de jerarquía militar y civil semejante a la que existió en las viejas órdenes de caballería. En México habíamos tenido algo similar, la Orden de los Caballeros de Guadalupe, que nació desprestigiada de origen, pues Iturbide se la concedió a los veteranos gachupines del ejército realista, en detrimento de los principales caudillos criollos –Victoria, Mier y Terán, yo mismo–, a quienes veía con recelo. Pero con todo y sus injusticias, la Orden de Guadalupe dio un esplendor inusitado a la casa imperial.

Ahora yo dispensaba los honores y podía resucitar ese esplendor, con la ventaja de que la nueva Orden de Guadalupe no haría discriminaciones odiosas. Procuré superar la pompa de la orden original y actuar con imparcialidad, pues a diferencia de Iturbide, yo armé caballeros a los mejores hijos de la República, fueran o no santanistas. Un exquisito orfebre italiano se encargó de diseñar la Gran Cruz de Guadalupe, y por unos días México pareció una capital europea, pues todos los condecorados sacaron a relucir sus mejores galas. Mientras viva no podré olvidar mi entrada bajo palio a la basílica, del brazo de Dolores, que llevaba una diadema de brillantes y un albo vestido que acentuaba su talle juncal. Nunca se vio un cuadro de igual hermosura bajo las bóvedas de ese templo. Exaltado por las ovaciones y los acordes del órgano, perdí la noción del tiempo y por un momento divagué en las regiones del éter. ¿Fue un arrebato místico? Lo ignoro, pero ese día me pareció que la patria era una religión.

No faltaron, desde luego, los resentidos de alma roñosa que tildaron el sublime ritual de faramalla grotesca. La gente pide pan, decían, mientras el gobierno gasta el dinero en futilidades. Desafío a que me muestren una República, antigua o moderna, donde no haya habido reconocimientos. ¿A eso le llaman futilidades? Pues bien, es con futilidades como se conduce a los hombres.

DE DOLORES TOSTA A DIDIER MICHON (FRAGMENTO)

¡Qué difícil es la vida cuando el pensamiento está en una parte y el cuerpo en otra! A veces quisiera mandarlo todo al demonio y gritarle al mundo que tengo un amante. Me expulsarían de México sin duda, pero quién sabe si eso sería un castigo o un premio. Son la cinco de la tarde y tengo las manos hinchadas por todos los besos y apretones que me dieron los flamantes caballeros de Guadalupe. Me pregunto cuántos de esos carcamales compraron su condecoración con regalos a mi marido. Por más que te buscaba con el rabillo del ojo entre las primeras filas de bancas no te vi por ninguna parte. ¿Dónde estabas? Me hubiera bastado una mirada tuya para soportar con resignación el interminable sainete. Ahora necesito que me limpies las manos, que les vayas quitando una por una las insípidas huellas de otros labios. Con los cumplidos que recibí el día de hoy se podría llenar un almanaque de quinientas páginas. Pero no cambio esa verborrea por uno solo de tus silencios. Contigo he aprendido que en el amor las palabras salen sobrando. Pero yo soy débil y necesito invocarte con ellas, para olvidar la dicha que pierdo en cada día de tu ausencia.

Cuando sueño despierta pienso que tal vez podríamos fugarnos a Europa para querernos sin sobresaltos. Sólo me detiene mi amor al prójimo, pues soy la única persona capaz de impedir las barbaridades de Antonio. Una de las pocas satisfacciones que tengo como primera dama es la de ayudar a los afligidos y reparar los atropellos que mi marido comete muchas veces sin darse cuenta. Los familiares de los perseguidos políticos y las víctimas de sus decretos expropiatorios se han percatado de mi modesto poder y acuden por docenas a pedirme una intercesión o un auxilio. Esta misma tarde, al volver de la ceremonia, un soldado del cuerpo de lanceros se tendió al paso de mi carruaje y me imploró de rodillas que lo ayudara a desempeñar su uniforme de gala:

—Écheme la mano, jefecita. Desde hace seis meses no me han pagado mi sueldo. Tengo un hijo enfermo de viruelas y para comprarle las medicinas tuve que empeñar mi traje. Mañana es la procesión de los Caballeros de Guadalupe, y si el coronel me ve sin el uniforme, me va a arrestar dos meses en el calabozo.

Le di veinte pesos para que desempeñara el traje y se fue muy agradecido. Cuando vea a Antonio le pasaré al costo que alguien le está reteniendo la soldada al cuerpo de lanceros. Quizá tenga la culpa el nuevo ministro de Guerra o la sabandija de Sierra y Rosso, que asigna las partidas presupuestales desde el Ministerio de Hacienda y con el fruto de sus raterías se está construyendo una mansión con estatuas de mármol. Perdóname por hablar de cosas tan repugnantes en una carta de amor, pero con alguien tengo que desahogarme. Cuando hablo con Antonio de asuntos políticos solamente frunce las cejas y me da por mi lado. «Sí, mi vida, te prometo tomar cartas en el asunto». Luego se hace el olvidadizo, ya sea por desinterés, o porque en el fondo consiente las trácalas de sus ministros.

Hace una semana que no hacemos el amor y he llegado al límite de mi paciencia. Necesito verte esta noche, llueva, truene o relampaguee. A las doce, cuando se haya retirado la guardia de palacio, saldré por la puerta de servicio con la ropa de mi doncella Romualda, la misma que hará el favor de llevarte esta carta, y te esperaré oculta con mi rebozo en el callejón de las Ánimas. No vayas a faltar, o me echaré al río desde el puente de la Morena. Sé que nos exponemos mucho con estos encuentros, pero ¿acaso el amor no es un salto en el abismo? Por Antonio no te preocupes: dormimos en cuartos separados y si tuviera un súbito antojo, cosa rara en él, la sufrida Romualda se encargará de ocupar mi lugar en el lecho. Dicen que a oscuras todos los gatos son pardos, y en la intimidad yo nunca le permito encender el quinqué. Así me evito la pena de verme aplastada por un paquidermo.

Por favor, acude puntual a la cita y lleva una botella de champaña. Quiero estrenar contigo la lencería de encaje que mandé traer de Bruselas. Cuando veas cómo me queda, me la vas a querer quitar a mordidas.

Al cumplirse un año de mi ascenso al poder, la guarnición de Guadalajara se alzó en armas exigiendo la prolongación de mis facultades extraordinarias. Apoyado por la nación entera, acogidos con respeto los actos de mi administración, sostenido por un ejército brioso, disciplinado y adicto a mi persona, el despotismo me brindaba la copa de sus halagos. ¿Qué mejor ocasión para revivir en mi provecho el Plan de Iguala? Mas digan lo que quieran mis adversarios, yo no conocía las ambiciones de las almas vulgares: sentimientos más altos abrigaba mi alma, aspiraciones más levantadas. Para ceñirme la corona imperial me hubiera bastado alargar la mano. Pero jamás la púrpura de los reyes deslumbró mis ojos, y si alguna vez hubiera soñado con ella, la imagen ensangrentada de Iturbide me hubiera despertado a tiempo, para huir de la pérfida tentación.

Fiel a mis principios, hube de emplear hasta la amenaza para destruir el propósito de los que creían honrarme con una diadema. Pero a pesar de mi natural aversión al absolutismo, no quise contrariar del todo la voluntad popular y acepté el tratamiento de Alteza Serenísima, cargo vitalicio que el Consejo de Gobierno se sirvió otorgarme por votación unánime. Junto con el nombramiento, se me confirió el poder de nombrar a mi sucesor, facultad que no pedí pero acepté de buen grado, pues me permitía garantizar la continuidad de mis esfuerzos civilizadores. Para toda la gente de bien fue un descanso saber que los futuros gobiernos marcharían por la senda que yo les marcara.

Había contraído una deuda de gratitud con el pueblo y quise retribuirlo con un regalo que proclamara nuestra grandeza a los cuatro vientos. México es quizá el país más musical de la tierra. Nuestros aires populares embelesan los oídos más refinados y en todas las regiones del país hay bandas, jaranas, tamboras y grupos de vihuelistas que interpretan melodías de altísima inspiración. Sin embargo, por las turbulencias políticas de los últimos cincuenta años, no habíamos logrado transformar en música el fervor patrio. Con el fin de subsanar esa dolorosa carencia, convoqué a los poetas y compositores a un certamen para crear el himno nacional. Cientos de partituras y letras entraron a concurso, lo que demostraba no el hambre de nuestros artistas, como afirmaron los aguafiestas, sino el entusiasmo patriótico despertado por mi gobierno.

La pieza triunfadora se estrenó un 16 de septiembre en el teatro que llevaba mi nombre, y en el escenario se mandó construir una escenografía monumental, con decorados alusivos a las riquezas naturales de la nación: sobre un telón de fondo con una pintura de nuestras cordilleras, se elevaba una mojonera que representaba las minas más celebres y ricas de la República; del lado izquierdo había una cruz de madera con la leyenda «Misiones», y por todo el escenario se derramaba una lujuriante vegetación. Se me enchinó el cuero cuando el coro del Conservatorio entonó los primeros compases del himno; era como escuchar el eco de mis batallas modulado por sesenta gargantas. Poco después apareció en escena La Patria, una bailarina de augusto porte vestida con una túnica de raso blanco y una corona de nopalillos en la cabeza. Con gráciles movimientos, bajó del proscenio y se acercó a mi palco de honor para entregarme un ramo de nardos. Fue un placer celestial recibir las flores de sus manos y escuchar al mismo tiempo las estrofas que el letrista González Bocanegra dedicó a mis hechos heroicos:

> La victoria sus alas despliega
> de Santa Anna cubriendo la frente,
> siempre triunfa, quien sabe, valiente,
> por la patria y la ley combatir...

Terminada la función averigüé el nombre de la bailarina y pedí al director de la compañía que la llevara esa misma noche a la casa de Vergara, mi residencia de descanso cuando no podía o no quería regresar al palacio de Tacubaya. La Patria se llamaba Remedios y era murciana, pero había vivido algunos años en Francia, donde estudió ballet. Me siento muy honrada por su invitación, Alteza, y espero haber estado a la altura de mi papel. Cuando solté el primer bostezo, comprendió que debía ponerse en acción y comenzó a desnudarse.

—Déjate la corona con los nopales —le supliqué.

En Francia, Remedios había aprendido todo lo que hay que saber sobre las caricias bucales. Mientras su lengua educada erguía mi virilidad, yo acariciaba los nopalillos de su corona. Una tibia lasitud se apoderó de mi cuerpo y en mis oídos seguían resonando los acordes del himno. Creo que la bella Remedios me quitó la pierna postiza, pero no recuerdo haber llegado al acto carnal. Tal vez me quedé dormido en mitad de la suerte.

Nota de Giménez:

Anoche salí como siempre a comprar el pan dulce para la merienda, y al volver me llevé la horrible sorpresa de que don Antonio había desaparecido. No se trata de un secuestro, porque según los vecinos, el general salió por su propio pie. Me bastó un rápido vistazo a la habitación para comprender el motivo de su fuga: el cajón de mi escritorio estaba abierto y faltaba el legajo con las cartas de la señora Tosta. Sin duda el general lo sustrajo porque no se creyó el embuste de las recetas. Mi actitud misteriosa quizá le haya hecho pensar que en realidad eran documentos bancarios y yo me los quería guardar para hacer negocio con ellos. ¿Cómo puede tener semejante concepto de mí después de haberle dado tantas muestras de abnegación?

Supongo que en los últimos días habrá estado pendiente de todos mis movimientos, y notó que de noche me levantaba a leer las cartas a la luz de un quinqué. Los ciegos se dan sus mañas para orientarse en la oscuridad y no debe haberle costado trabajo deducir dónde las guardaba. Salí a buscarlo por tabernas, figones y pulquerías hasta bien entrada la medianoche. A la mañana siguiente fui a preguntar por él en los portales de Santo Domingo, pues ya en una ocasión, molesto conmigo, había recurrido a un evangelista para dictarle una carta. Le describí su figura a todos los escribientes del portal y el más joven de ellos, que estaba limpiando sus plumas de ganso, asintió con una sonrisa.

—Sí, vino por acá y me pidió que le leyera unas cartas de amor. Pero apenas acabé de leer la primera, me arrebató el papel muy enojado. Para mí que ese viejo está medio loco.

Pobre don Antonio: Dios no ha querido ahorrarle ninguna de las desgracias que afligen a los mortales. Primero el deshonor público, ahora la traición conyugal. Por lo menos ya sabe que yo no quería robarle nada. Pero ni por ésas creo que regrese a mi lado. Debe estar muy dolido y seguramente prefiere rehuir una confrontación con el hombre que comparte su vergonzoso secreto. ¿Habrá ido a vengarse de Doloritas? Lo dudo: no está en edad de cometer un crimen pasional. Andará como un alma en pena pidiendo limosna por esas calles de Dios, y quién sabe si el día de mañana amanezca muerto en algún portal. Debería dar parte a la policía, pero el asunto del robo me tiene atado de manos. Doña Dolores debe de sospechar que yo allané su casa con ayuda de un cómplice y no puedo arriesgarme a dar la cara en este momento. Ilumíname, señor. Un pecador miserable contempla con humildad las llagas de tu costado. No permitas que acabe en chirona y don Antonio en la fosa común.

DECLARACIONES DEL GENERAL ANTONIO LÓPEZ DE SANTA ANNA ANTE EL NOTARIO PÚBLICO ADALBERTO SÁNCHEZ JIMÉNEZ, CON MOTIVO DE HABER SOLICITADO LA REVOCACIÓN DE SU TESTAMENTO (28 DE ABRIL DE 1876)

Ni un centavo para esa ramera, ésa es mi última voluntad. Que se venda en los bulines de la Candelaria, si acaso algún pelado quiere pagar por sus flácidas carnes. Tome nota, licenciado: Yo, Antonio López de Santa Anna, en pleno uso de mis facultades físicas y mentales, salvo el sentido de la vista, que suplo con los ojos del alma, repudio públicamente a mi segunda esposa, de nombre Dolores Tosta, y exijo le sean embargados todos sus bienes, incluyendo las alhajas por valor de un millón de pesos que le obsequié en nuestros veintiocho años de casados. Aquí tiene usted las pruebas que respaldan la acusación de adulterio, son cartas de amor perfumadas con almizcle, sin duda para ocultar la hedentina a sudor y semen. Ay, Inesita, ¿por qué te fuiste y me dejaste en las garras de esa lebrona? Pero la culpa es mía, yo solo me puse el antifaz en los ojos. En aquel tiempo recibí anónimos que denunciaban a Didier Michon y algunos buenos amigos me insinuaron que pasaba demasiado tiempo con mi señora. Son calumnias, pensé, quieren malquistarme con mi jefe de protocolo, porque le tienen envidia. Yo era un hombre chapado a la antigua, con una ignorancia candorosa en materia de perversiones. Todo hubiera sospechado, menos que Doloritas estuviera haciendo tortillas con un invertido.

Ya lo ve usted, señor notario, tuve más gloria de la que se necesita para ser feliz, y ahora soy un vagabundo a quien todos vuelven la espalda: los amigos, la patria, mi propia mujer. Mire nada más los harapos que llevo. Ayer dormí entre mendigos, y creo que me pegaron las garrapatas. Tengo la espalda en carne viva de tanto rascarme. Pero no crea que son tan malas personas. Los prefiero a los aduladores de profesión que en otros tiempos se disputaban con mis criados el honor de acercarme una chinela o de servirme el té. Me parece que los veo llegar a primera hora al palacio de Tacubaya, siempre con algún regalito para mí o para Dolores. Pasé por la pastelería francesa y le traje estos dedos de novia, Alteza. Pruébelos, por favor, ¿no son una delicia? Cuidado, general, se le están cayendo las migas. No se preocupe, yo las recojo del suelo.

La mitad del día se me iba en atender destineros, pretendientes lenguaraces, clérigos conspiradores y otras alimañas de la fauna política. Sin duda sobornaban a la servidumbre para llegar hasta mis aposentos, pues a veces me sorprendían en ropa interior. Con tal de no oírlos celebrar mis hazañas guerreras –todos juraban haberme acompañado en la toma de Tampico, o en la batalla de La Angostura– les concedía por anticipado el favor que venían a pedirme. Mortificado por sus alabanzas, empecé a detestar mi embellecido reflejo. Se lo ruego, licenciado, haga constar en actas que en el pináculo de la gloria fui una víctima de mi propia fama. Yo no amaba el poder por el poder mismo. Lo amaba como un violinista ama a su violín: para sacarle notas, acordes, armonía. Pero el gigantesco aparato erigido a mi alrededor no me permitía ejercer más arte que el decorativo: era un desdichado maniquí desprovisto de libertad, a quien se rendía culto, pero no obediencia. Obligado a presidir desfiles, banquetes, procesiones y corridas de toros, donde la gente me vitoreaba hasta el paroxismo, no podía consagrarle el tiempo necesario a mi labor civilizadora. Otros tocaban la sinfonía, mientras yo me limitaba a recibir las palmas y los gritos de *encore*.

Los hombres que ocupan cargos elevados dependen de la opinión ajena para sentirse dichosos, porque si sólo se atuvieran a la propia no podrían soportar la existencia. De joven imaginaba cuántos generales desearían estar en mi puesto y su envidia me daba una ilusión de felicidad. Pero en la vejez ya no es tan fácil engañarse con embelecos. Ni la admiración ni la envidia pintada en el rostro de los demás lograban disipar mi sensación de fracaso. En las fiestas de Corpus, cuando veía desde el balcón de palacio la traslación del Santísimo Sacramento al sagrario metropolitano, pensaba que yo también me había metamorfoseado en imagen. Pero en vez de halagarme, la deificación popular me parecía una forma de asesinato. Para esta gente soy una efigie, pensaba, me están matando suavemente con su estúpida idolatría. El hartazgo de la gloria no debilitó mi patriotismo, porque la patria es un ideal inmarcesible. Pero los rituales del poder me malquistaron con la gentecita de bronce. Desde luego, mi creciente fastidio no me impidió besar chamacos y abrazar viejitas de rebozo, porque adopté como divisa el consejo de Napoleón a los príncipes: «Mostrad por la nación que gobernáis una estima tanto más elocuente cuantos mayores motivos tengáis para despreciarla».

¡Nunca me arrepentiré lo suficiente de haber correspondido al aplauso popular con mezquindad y soberbia! De ahí provienen quizá todas las desgracias que he padecido en los últimos años. Me acuso, padre, de haber desdeñado el cariño del pueblo con la arrogancia de un Don Juan atosigado por sus amantes. Ni siquiera podía hincharme de vanidad, porque un sentimiento más poderoso, la acidia, estropeaba toda la satisfacción que pudiera obtener con mi predominio. ¿A quién podían halagar las ruidosas y pueblerinas celebraciones de mi victoria sobre Barradas? Pero ningún deber tan molesto como el de presidir los Consejos de Estado. Dividido el gabinete en bandos antagónicos —los viejos y los nuevos santanistas—, rara vez los ministros se ponían de acuerdo al discutir los negocios públicos. La envidia y la desconfianza recíprocas los llevaban a contradecirse con acrimonia y a denunciar en privado las corruptelas del compañero a quien elogiaban en público. Si en el trato con sus enemigos escupían fuego, conmigo eran aquiescentes hasta la ignominia y preferían pasar por imbéciles a llevarme la contraria en algo. Para calarlos decía algún disparate, como por ejemplo, que deberíamos construir un puente colgante de Campeche a La Habana, y en vez de soltar la carcajada, me felicitaban por mi grandeza de miras. El más obsequioso era el chatito Sierra, que me había demostrado una fidelidad perruna a lo largo de varias décadas. Escoriada la lengua de tanto recitar mis panegíricos, había llevado su fanatismo al extremo de construir en su casa un altar donde rendía adoración al paletó ensangrentado que llevé en la defensa de Veracruz. Harto de tener a mis plantas un frasco de melaza humana, me gustaba humillarlo enfrente de terceros.

—Bruto, poetastro —le decía—, ¿cuándo vas a largarte del ministerio?

Pero Sierra se tomaba a broma el insulto, y al salir de la junta comentaba con los miembros del gabinete:

—Qué chanzas tiene el señor presidente. Me quiere como a un hijo.

Puesto que ninguno de mis colaboradores me exponía los verdaderos problemas de la nación, por temor a despertar mi enojo, creía ser un gobernante popular y querido, cuando en realidad estaba sentado en un polvorín. No advertí la fragilidad de mi gobierno, hasta que me quitó la venda de los ojos el obispo de Michoacán, don Clemente de Jesús Munguía. Don Clemente era presidente del Consejo de Estado, un cargo honorífico sin atribuciones precisas, que mandé crear exprofeso para quedar bien con la Iglesia. Hasta entonces había tenido la delicadeza de hacerse invisible, pero un buen día apareció en mi despacho con un largo rosario de reclamaciones. En todo el país crecía el descontento por la vejatoria imposición de alcabalas, me advirtió. Eso de cobrar contribuciones por cada coche, por cada ventana y hasta por sacar el perro a la calle era una monstruosidad que me estaba granjeando el odio popular.

—Soy partidario de la dictadura ilustrada, general, pero usted se está acercando peligrosamente a la tiranía. Rectifique, por favor: el pueblo le está volviendo la espalda.

¿A qué pueblo se refiere? —respingué—. Apenas pongo un pie en la calle la gente me abruma con su cariño.

—Usted sólo ve lo que sus ministros le quieren mostrar. Han montado a su alrededor una costosa pieza de teatro, pero detrás de las bambalinas hay un pueblo oprimido que está acumulando rencor.

Munguía empleó palabras demasiado duras y no me dio el tratamiento de Alteza Serenísima, como lo exigía el protocolo. Para enseñarle a respetar las jerarquías lo removí del cargo y le impuse como cárcel el perímetro de su diócesis. Así aprendería a abstenerse de dar consejos que nadie le había pedido. Sin embargo, sus advertencias fueron un tósigo de efecto prolongado que me quitó el sueño por varias noches. Si en el año 44 hubiese detectado a tiempo la corriente de animosidad que se estaba gestando en mi contra —pensaba—, tal vez hubiera podido hacer algo por evitar la revolución de diciembre. Pero antes debía cerciorarme de que esa animosidad existía, porque tampoco me inspiraba confianza el insolente clérigo de Morelia. Para salir de dudas resolví salir por la noche de incógnito, sin revelarle mis intenciones a ningún colaborador. Vestido con ropas de paisano, deambulaba por los barrios más pobres de la ciudad, alertas los oídos para escuchar las conversaciones de la gente. Cenaba tacos de nenepil y un jarro de horchata en alguna taberna, cuanto más atestada mejor, y a medianoche mi cochero me llevaba de vuelta al palacio.

Los horrores de la miseria me impresionan más que los de la guerra, y aquellos paseos han cobrado en mi memoria la forma de una pesadilla fragmentada. Entre brumas me veo caminar por el callejón de Susanillo, en el leproso barrio de la Palma, nuestra Corte de los Milagros. Una faja de luz blanquecina ilumina los cuerpos superiores de los edificios y deja la calle sumergida en las tinieblas. Para evitar las testaradas y los hoyancos de la acera tengo que andar a tientas, pero a pesar de mis precauciones piso vomitonas y cagadas de perro. Un tuerto de rostro llagado me pide limosna con tono imperativo. Huele a cadáver y quizá ya lo sea. Las mujerzuelas recargadas en el portal se ofrecen a los transeúntes mientras sus niños juegan con cerdos y perros en un charco de lodo. Una de ellas, desdentada y obesa, me toma del brazo y se frota contra mi cuerpo. Anímate, papi, soy complaciente y te trato bien. Le doy dinero para que me deje en paz, y en señal de gratitud se levanta la falda, para dejarme ver su horrible araña peluda. Grave error, no debí darle un centavo, pues ahora se me acercan otras cinco desharrapadas a pedirme lo que sea su voluntad, patroncito. Aprieto el paso para escapar de sus manos exploradoras que buscan mi taleguilla o mi sexo. En medio de la plazuela de Manzanares hay un jacalón con techo de tejamanil, con una bandera blanca izada en un tosco palo. Albricias, es una pulquería. Aquí no se admiten mujeres, y al entrar dejo con un palmo de narices a mi jauría de perseguidoras.

Me intimida la alegría de los indios borrachos y sus ojos inyectados como carbunclos. Para evitarme líos rehúyo sus miradas, no vayan a pensar que los estoy viendo feo. La borrachera les saca los rencores a flor de piel y cada brote de euforia puede ser el preludio de una riña mortal. Debí ponerme un capote más corriente, para no llamar la atención. Por el simple hecho de llevar botas, junto a estos miserables parezco un marqués. En la cabecera triangular donde se yerguen las grandes tinajas del néctar pido un curado de apio, que me sirven en un cántaro sucio y rajado. Me aparto hacia el centro del jacalón, donde una pareja de gendarmes juega rayuela con tejos de bronce. Cabrones, las calles llenas de bandidos y ustedes aquí felices de la vida. Pero eso sí, luego vienen a quejarse de que no les pagan el sueldo. Al fondo de la galera, junto a la pared encalada, se arremolina un grupo de sombrerudos que alternan las blasfemias con las risotadas. Atraído por la curiosidad me acerco a ver en qué consiste su diversión. Formados detrás de una raya, los infelices arrojan dardos a la pintura de un monigote con charreteras de general que está montado en un caballo blanco. Subido en un banquillo, el árbitro de la justa recoge las apuestas y anima a la concurrencia. ¡Atínenle al Serenísmo!, grita, ¡cinco reales por darle en los ojos! ¡Dos y medio si le aciertan a la cabeza! El pulque se me atora en el pescuezo al comprender que le están tirando a mi efigie.

Otra ronda nocturna, esta vez por la calle de Roldán, donde llegan las canoas cargadas con frutas y verduras provenientes del canal de la Viga. Sería un bonito lugar si no fuera por el inmundo olor del agua estancada. Con mi bastón me quito de encima a los perros, que de noche se sienten dueños de la ciudad. Nadie podrá detenerlos cuando se decidan a tomar el poder. Si Arista y el Come Huevos fueron presidentes, ¿por qué no ellos? Al pasar frente a una barbería escucho hablar de política y le pido a un limpiabotas que me dé grasa, para escuchar la conversación desde la banqueta. El barbero y su cliente se quejan de los nuevos impuestos.

—Sólo falta que nos cobren por respirar. Si con ese dinero hicieran obras de sanidad, santo y bueno. Pero, carajo, ¿por qué hemos de costear las orgías del señor presidente?

—Si yo fuera más joven, ¿sabe lo que haría? —interviene el fígaro—. Me levantaría en armas contra ese tirano, lo mandaría colgar de los huevos en la Plaza del Volador y con su cráneo haría un tintero para escribir la palabra «libertad».

Al día siguiente a primera hora un piquete de soldados lo saca de su barbería y le coloca grilletes en los pies. Queda expuesto a la vergüenza pública en el mismo sitio donde me quería colgar, encadenado con un asesino harapiento. Pero los castigos no aplacan mi despecho ni suavizan mi desencanto. Por todas partes encuentro la misma ingratitud, la misma doblez, el mismo rencor parricida. Me pregunto si habrá un santanista sincero en toda la República. ¿O será simplemente que los mexicanos le tienen odio a la autoridad? No creo, más bien se odian a sí mismos. ¡Oh, maldita progenie de la Malinche! ¿Por qué me niegas tu veneración y me pagas con injurias todos mis desvelos? A mí, que regué con mi sangre las ardientes playas de Veracruz, a mí que llevé el pendón nacional hasta las inhóspitas llanuras de Texas, a mí, el autor de tus leyes, el genio tutelar que te inventó de la nada. Pero eso sí: apenas llega una celebridad extranjera, te inclinas a besarle el forro de los huevos. Me ofendiste mucho, ¿sabes?, me colmaste de oprobio con tu ruidosa bienvenida al poeta José Zorrilla. ¿Quién diablos autorizó la fiesta en el teatro Santa Anna, ¡mi teatro!, y el ridículo desfile con carros alegóricos? ¡Me cago en doña Inés y en don Juan Tenorio! Esos honores le están reservados a los hombres de Estado. No, señores, me niego a presidir la función literaria en que ese gachupín de mierda leerá sus poesías y prohíbo que asistan a ella los empleados públicos. El heroísmo es la forma más elevada de la poesía. ¿O han olvidado ya las páginas inmortales que escribí con mi sangre?

Merezco ser aplaudido con sincera emoción, como aplauden a ese poeta. Pero es inútil: yo sólo escucho aplausos fingidos, tengo el grave defecto de ser mexicano. Por eso mi gobierno está condenado al fracaso, y no sólo el mío, cualquier otro encabezado por un compatriota. Si el pueblo no reconoce mi derecho legítimo a regir sus destinos, mucho menos el de otros caudillos sin mi nombradía. Fuimos colonia demasiado tiempo y los hábitos de sumisión quedaron enraizados a tal punto en el alma del pueblo que sólo puede aceptar la tutela extranjera. Démosle pues lo que pide. Con tal de salvar la nacionalidad no me importa renunciar a mis supremos poderes.

INSTRUCCIONES AL EMBAJADOR PLENIPOTENCIARIO JOSÉ MARIA GUTIÉRREZ ESTRADA

Autorizado por la nación mexicana para constituirla bajo la forma que yo crea más conveniente a fin de asegurar su integridad territorial y su independencia, según las plenísimas facultades de que me hallo investido, y considerando que ningún gobierno puede ser más adecuado a la nación, que aquel al que ha estado habituada por siglos y ha formado sus peculiares costumbres, le confiero por la presente los poderes necesarios para que cerca de las cortes de Londres, París, Madrid y Viena, pueda entrar en arreglos y hacer los debidos ofrecimientos para alcanzar de todos estos gobiernos, o de cualquiera por separado, el establecimiento de una monarquía derivada de alguna de las casas dinásticas de esas potencias, bajo la calidad y condiciones que se establecen por instrucciones especiales. En fe de lo cual hago expedir las presentes credenciales, firmadas de mi mano, autorizadas con el sello de la nación, y refrendadas por el ministro de Relaciones, rogándole se mantenga este asunto bajo la conveniente reserva [...]

Dígame usted, señoría, si alguien puede reprocharme que deseara para mi patria la condición de protectorado, cuando era la única forma de conservar el orden interno y ponernos a resguardo del imperialismo yanqui, sin contravenir el espíritu del Plan de Iguala. Desde luego, la llegada de un príncipe extranjero no significaría mi retiro de la política, pues quien ocupara el trono de México sin duda necesitaría de mi orientación y consejo. De hecho era probable que siguiera al frente del gobierno, pero con el aval de una casa reinante, para inspirarle respeto a las potencias del exterior. No sólo yo deseaba los beneficios de la monarquía: toda la gente de razón compartía el mismo anhelo y ansiaba retornar a los apacibles tiempos del virreinato. Mientras mi embajador ofrecía la corona de México en las cortes de Europa, en los altos círculos de la sociedad se respiraba ya un ambiente áulico, por las noticias que se habían filtrado sobre las gestiones de Gutiérrez Estrada. Para estar a tono con los nuevos tiempos, los nobles de la vieja guardia que aspiraban a revalidar sus títulos daban cenas de gala y fiestas rumbosas.

Ninguna alcanzó el lustre del baile que me ofreció mi amigo el conde de la Cortina. Fue sin duda el acontecimiento social de la década, y quizá del siglo. Hasta entonces, lo confieso, abrigaba serias dudas sobre la capacidad de la aristocracia criolla para adaptarse a la pompa del sistema monárquico, pues me parecía que nos faltaba distinción y clase. Con sus prodigios de exquisitez y su escrupulosa observancia de la etiqueta, el conde de la Cortina me sacó de mi error. De entrada imponía la magnificencia del escenario, aquellos cortinajes de seda y aquellos *blackamoors* que enmarcaban la espléndida colección de pinturas y grabados antiguos. Alumbrados a toda cera, los salones repletos de gente principal parecían la antesala del paraíso. Inauguró el baile mi esposa Dolores, que concedió su primer vals al embajador de Ecuador. Los ojos de la furcia relampagueaban y la gente se quedó prendada de su hermosura. Fue la reina de la noche, sin duda porque los amores ilícitos habían realzado sus formas. Perra lasciva, debí darme cuenta de que ya no era yo quien te estaba haciendo feliz.

Siguieron después varias cuadrillas y rigodones que regocijaron tanto a la juventud danzante como a quienes contemplábamos sus brillantes evoluciones. Por encargo del conde, la orquesta estrenó dos valses compuestos en mi honor: «El vencedor de

Tampico» y «Los paseos matutinos de Santa Anna». Pasada la media noche, los comisionados empezaron a llevar a las señoras a la mesa del comedor, un mueble monumental con espacio para ciento veintiseis cubiertos. Hubo numerosos brindis con champaña, a los que yo respondí con una breve alocución desde la cabecera de honor. Quizá por efecto de la burbujeante bebida, empecé a vislumbrar un futuro feliz para los hijos de Moctezuma. Era hermoso constatar que la anarquía reinante en los últimos treinta años no había podido extirpar en nuestro corazón el germen de los nobles sentimientos y el entusiasmo por las escenas magníficas, llenas de esplendor y grandeza. No todo estaba perdido, la patria reducida a cenizas aún podía resurgir como el Ave Fénix y asombrar al mundo con su pujanza, siempre y cuando nuestro rey supiera ejercer una tutela paternal sobre el pueblo. De mis dulces ensoñaciones vino a distraerme el general Alcorta, que había sustituido a Tornel en el Ministerio de Guerra.

—Necesito hablar con usted en privado, Alteza.

—Hable aquí, estamos entre gente de confianza.

—Perdone, pero se trata de un asunto muy delicado.

—Que desembuche, le digo. No tengo secretos para mis amigos.

—Está bien —Alcorta tragó saliva—. El general Álvarez acaba de sublevarse en Ayutla con toda su división. Ha desconocido al gobierno y exige que usted renuncie a la presidencia.

MANIFIESTO A LA NACIÓN DEL GENERAL JUAN ÁLVAREZ (6 DE MARZO DE 1854)

Mexicanos:

Mi edad avanzada y mis notorias enfermedades me exigían el descanso de la vida privada, mas llamado por el pueblo he renunciado a mi bienestar personal y vengo a sacrificarlo todo por la causa sagrada que he defendido desde la memorable guerra de Independencia. Considerando que nuestro pueblo, tan celoso de su soberanía, ha quedado vilmente despojado de ella y esclavizado por el poder absoluto de un déspota que sólo se ha ocupado en corromper y vejar a sus conciudadanos; que la permanencia en el poder del general Santa Anna amenaza la integridad de la República, pues bajo su gobierno se ha vendido sin necesidad una parte del territorio nacional; que las instituciones liberales son las únicas que convienen al país con exclusión de cualesquiera otras y están en riesgo de perderse bajo la actual administración, por sus tendencias a establecer una monarquía ridícula, proclamamos defender hasta la muerte el derecho del pueblo a elegir su forma de gobierno, sin la intervención de ninguna potencia extranjera.

Compatriotas, ha llegado la hora de la venganza. El tirano que desde la cumbre del poder insulta a los humildes con el aparato de su falsa grandeza, debe caer bañado en sangre bajo el agudo puñal de la revolución. Sus infames cortesanos, sus rastreros ministros correrán la misma suerte. ¡Ni fuga ni piedad para los verdugos del pueblo!

DEL DIARIO DE CAMPAÑA DE SU ALTEZA SERENÍSIMA

Cuernavaca, 19 de marzo de 1854

Ni fuga ni piedad: tú fijaste los términos de la guerra, luego no me vengas con lloriqueos cuando tengas la soga en el cuello. Ay, Juanito, a tu edad y todavía se te cuecen las habas por la presidencia. Un mozo de caballos como tú no puede apuntar tan alto, cuantimás si pertenece a la raza africana. Porque tú ni a indio llegas: eres negro por parte de madre y en Estados Unidos llevarías una marca en el lomo. ¿No te basta con ser dueño de vidas y haciendas en todo el sur? Quitas y pones gobernadores, manejas a tu capricho los fondos públicos, confiscas ranchos para extender tus dominios hasta la costa ¿y encima le muerdes la mano al compañero de armas que te nombró general de División? Eso se llama no tener madre. Habíamos hecho un pacto: yo te dejaba hacer y deshacer en Guerrero a cambio de que tú pacificaras la región y me guardaras lealtad. Pero según veo, la palabra lealtad no existe en tu dialecto africano. Conservo tus cartas, Juanito, y no se compadecen con tus actuales ideas libertarias: «Ruego a vuestra excelencia se digne considerarme como uno de tantos conciudadanos que en usted depositan toda su confianza para la salvación y el progreso de la República». Eso me escribías hace apenas dos años, cuando regresé de Turbaco, y hasta me rogabas que tomara la ruta del Pacífico para desembarcar en Acapulco, porque tenías «vivos deseos de obsequiarme» en el trayecto a la capital. Mandaré imprimir estos papeles para que el público y la historia sepan quién eres.

Hasta ahora el enemigo no presenta batalla. Álvarez debe de tener a su gente emboscada en los montes y espera debilitarnos por el calor. Esta campaña puede prolongarse más de lo que había calculado, pero no me costará demasiadas bajas. Según mis últimos informes, Álvarez sólo cuenta con la compañía de San Marcos, la guarnición de Acapulco, y la batería permanente del mismo puerto. Cuando mucho tendrá mil quinientos soldados mal comidos y peor armados contra los cuarenta mil de mi ejército, que están fresquecitos y traen fusiles nuevos. Será tan sencillo como aplastar una cucaracha, sólo es cuestión de esperar que salga de su agujero.

Más que una guerra esto parece una gira triunfal, pues en todas las poblaciones por donde paso el ayuntamiento manda repicar las campanas y el pueblo nos aclama desde los balcones. No los culpo: soy el visitante más ilustre que han recibido desde los tiempos del virrey Calleja y es natural que se sientan emocionados. En el banquete de hoy mis oficiales comieron barbacoa y bebieron aguardiente hasta caerse. No es bueno celebrar una victoria antes de conseguirla. Pero debo concederles ciertas libertades, para que puedan soportar la tensión de la espera y los rigores de la expedición. Así trataba Bonaparte a sus tropas, con los magníficos resultados que el mundo conoce. A la hora del brindis, el presidente municipal del pueblo fustigó a Juan Álvarez y me dijo que en la región se le conoce como la Pantera del Sur. Es un mote afortunado que define muy bien su negrura de piel y de alma. En lo sucesivo lo nombraré así en todos mis despachos.

La mentada pantera ya soltó el primer rugido. Ayer, cuando íbamos a vadear el río Mezcala, nos cayó por sorpresa una partida de guerrilleros. El fuego venía de dos puntos diferentes y tardamos demasiado en identificar su origen. Una vez recompuestos logramos pasar el río, pero el enemigo nos causó cerca de ochenta bajas. Temo que se haya debilitado la moral de la tropa, pues anoche mis hombres entraron muy alicaídos a esta ciudad. Ni siquiera tuvieron una sonrisa de gratitud para el pueblo entusiasta que los recibió con matracas y fuegos artificiales. En un ejército el pesimismo se propaga como la gangrena. Necesitaba atajar la infección a tiempo, y esta mañana, al pasar revista a la tropa, me valí de un arbitrio ingenioso para devolverle la confianza a mis hombres.

Saludaba desde mi caballo a los batallones de infantería formados en la plaza de armas, cuando un águila vino volando desde la torre de la catedral, describió varios círculos por encima de los tejados, abatió de pronto su vuelo y ante el pasmo de todos los presentes vino a posarse en mi hombro. El milagro se interpretó como un buen augurio y la alegría volvió a los rostros de mis hombres, que lanzaron disparos al aire. Aquí entre nos, el águila estaba amaestrada y se posó en mi hombro porque había metido un trozo de carnaza debajo de mis galones. Pero eso nunca lo sabrán mis hombres, ni conviene que lo sepa la historia.

Acapulco, 19 de abril de 1854

Fuera de algunas escaramuzas, en las que por fortuna hemos llevado la mejor parte, el enemigo nos ha dejado entrar al puerto sin oponer resistencia. No es su fuerza militar lo que me preocupa, sino las deserciones y las epidemias. Yo creía conocer todas las enfermedades tropicales, pero las de esta costa son más variadas y mortíferas que las del golfo. Temo por mi salud, pues me han salido grandes ronchas en la espalda y el muñón de la pierna me sangra de continuo, aunque lo remoje en agua salada. Si esto sigue así no podré dirigir las acciones y tendré que delegar el mando, cosa que me repugna, pues significa también delegar la gloria.

En el fuerte de San Diego está parapetado el coronel Comonfort, otro pájaro de cuenta a quien he colmado de favores. Hace unos años vino muy humildito a pedirme audiencia. No paró de lambisconearme, hasta obtener —más por mi cansancio que por sus méritos— la administración de aduanas de Acapulco. Dime, Judas: ¿no has robado lo suficiente en tu cargo para vivir con holgura el resto de tus días? ¿Encima quieres hincarle el diente al tesoro público? Comonfort es el cerebro del pronunciamiento. Se nota su mano en la redacción de las proclamas y en los argumentos legaloides esgrimidos contra mi gobierno. La Pantera del Sur apenas si sabe escribir su nombre: fue Comonfort quien lo persuadió de tomar las armas para defender las sagradas leyes que ambos pisoteaban hasta hace poco. Es la típica alianza del cacique torvo con el letrado ambicioso, en que uno pone la fuerza militar y el otro el cacumen. Pero conmigo se la van a pelar, pues yo estoy sobrado de las dos cosas.

6 de la tarde (mismo día)

He comunicado a los oficiales la orden de atacar mañana, y percibo cierto nerviosismo en la tropa. El jefe del escuadrón de dragones, Javier Sicilia, vino a suplicarme a nombre de sus compañeros que les permita quitarse el chacó de cuero y el gorro de piel de búfalo, para soportar el sol inmisericorde.

—Nos estamos derritiendo, Alteza. Algunos compañeros incluso se han desmayado.

—Pues écheles agua o deles a oler alcanfor, pero no quiero que se quiten el uniforme —lo reprendí—. La patria gastó mucho dinero para que el ejército vista con prestancia y decoro.

Me mantuve inflexible por un principio de autoridad. Se empieza tolerando indisciplinas en la vestimenta de los soldados, luego en la formación de los batallones y al final nadie obedece ninguna orden, como sucedió en la batalla de Cerro Gordo. Después de almorzar observé con mi largavista los preparativos del enemigo desde el farallón que domina el puerto. Comonfort ha colocado sus baterías en dirección de mi campamento, pero la fortificación está mal construida y no resistirá el fuego de los buques de guerra atracados en la bahía. Hijos de la rechingada, se van a morir todos y no de cólico.

26 de abril de 1854

Desde hace una semana bombardeo sin tregua las posiciones del enemigo y estamos peor que al principio. Todo se jodió cuando fallamos en el primer asalto nocturno. Si la columna de novecientos hombres que tomó por sorpresa a los centinelas hubiera coronado los muros del fuerte, la victoria habría sido nuestra. Pero la deserción masiva de mis dragones echó por tierra el gran esfuerzo de la infantería. No daba crédito a lo que veía cuando Sicilia y su gente empezaron a quitarse la ropa y salieron corriendo en pelotas hacia la playa de Hornos. Tan ávidos estaban de refrescarse que algunos huyeron a nado: ojalá hayan ido a parar al vientre de un tiburón.

Al tercer día de atacar infructuosamente la fortaleza mandé a mi segundo, el general Céspedes, a parlamentar con el coronel Comonfort. Por instrucciones mías, Céspedes le ofreció un libramiento de cien mil pesos a cambio de que entregara la plaza. Comonfort se relamió los bigotes y entornó los ojos como un santo tentado por los demonios. Parecía dispuesto a ceder cuando recibió un correo extraordinario que lo hizo cambiar de opinión. «Mi honor no está en venta», respondió muy digno. «Dígale al general Santa Anna que prefiero la muerte a la rendición». Nomás eso me faltaba: hasta héroe me salió el sinvergüenza. Lo que pasa es que Álvarez debe de haberle avisado que viene en camino y prefirió resistir a transar, pues confía en derrotarme con la llegada de los refuerzos.

Me hallaba en una posición vulnerable, expuesto a que Álvarez nos cazara como conejos si llegaba de un momento a otro y emplazaba sus cañones en el anfiteatro de la bahía. Cansado de perder hombres sin obtener resultados en mis ataques al fuerte, ayer ordené que una sección de la infantería se retirara a la playa de Icacos y hoy me trasladé con todas mis fuerzas a las Lomas del Herrador. Ya estoy viejo para estos trotes. Si no tuviera tantos enfermos de disentería, si no me ardiera tanto la espalda por las malditas ronchas, prolongaría el sitio hasta que Comonfort se rindiera por hambre. Pero es preferible actuar con prudencia y retirarme ahora, cuando todavía no he sufrido ninguna derrota. Pronto volveré para arrasar la fortaleza con mejores piezas de artillería.

Eso sí, en México nadie debe saber que dejé la campaña a medias, porque los revoltosos de todo el país podrían interpretarlo como una señal de debilidad. Para acallar rumores y conjeturas malintencionadas, hoy por la tarde dicté a mi secretario un manifiesto a los mexicanos: «Compatriotas: los bandidos que tomaron las armas con el fin de cometer una usurpación han pagado el precio de su osadía. La paz reina en las montañas del sur y el laurel de la victoria ha vuelto a ceñir mis sienes...».

Decretar el fin de una guerra es como persignarse la bragueta. Lo reconozco, padre: fue una sandez haber dejado en Acapulco un foco de rebeldía en vez de aplastar a los insurrectos. Tal vez yo mismo cavé mi tumba porque anhelaba secretamente dejar el país en manos de la facción que le hiciera más daño. Pero se trataba de un deseo tan recóndito que jamás afloró a la superficie de mis pensamientos, si bien dictaba muchos de mis actos. Hacia el exterior seguía guardando las formas y haciendo lo que mis partidarios esperaban de mí. Pero ni el liberal más exaltado detestaba tanto como yo las mojigangas en que me veía obligado a participar.

Al volver de mi fallida expedición por Tierra Caliente, el ayuntamiento de la capital me recibió como si viniera de vencer a un ejército de titanes. Una numerosa comitiva de ministros y consejeros de Estado siguió a mi litera desde Tlalpan hasta el centro de la ciudad. En el zócalo se había erigido un arco del triunfo, decorado con pinturas alusivas a mis supuestas hazañas y coronado por una estatua de yeso. Si el recuerdo de mis victorias reales ya no me entusiasmaba en absoluto, mucho menos la celebración de una victoria ficticia. Por disciplina soporté con una sonrisa la elegía del chato Sierra, las salvas de artillería y el consabido *Te Deum* en la catedral. Pero allá en las alturas alguien me leyó el pensamiento, porque dos días después de la ceremonia, un fuerte huracán derribó el arco del triunfo y mi estatua quedó hecha pedazos. Junto a los fragmentos de yeso apareció un epigrama anónimo que festinaba el suceso:

> Aquí cayó con sonrojo
> esta contrahecha figura.
> Pero, ¿quién le manda a un cojo
> elevarse a tanta altura?

En mi alma coexistían sentimientos contradictorios: asqueado del poder y sus fastos, me sublevaba que alguien desafiara mi autoridad o hiciera mofa de mi cojera. Si yo renunciaba a la presidencia, debía ser por voluntad propia, no porque la masa me sacara del palacio a empujones. Dolido por los ultrajes del populacho, cuando supe que la revolución de Ayutla se había extendido a varios departamentos, dicté medidas *ad terrorem* para desmentir a quienes me acusaban de lenidad con los sublevados. Mis jefes militares tenían órdenes de incendiar todo pueblo que hubiera dado refugio a los insurrectos y de fusilar en el acto a cualquier guerrillero sorprendido con las armas en la mano. Por equívocas razones humanitarias, algunos oficiales prefirieron arrostrar mi enojo a cumplir con su deber. Para evitar las indisciplinas envié a Michoacán a mi hijo José, que impuso fuertes escarmientos a muchas poblaciones. Al enconarse los combates hubo miles de víctimas por ambos bandos y los ánimos se agriaron como sólo había ocurrido en la guerra de Independencia. Los levantamientos militares de los últimos treinta años habían sido guerras de juguete, libradas entre generales que se dispensaban cortesías y respetaban la vida del adversario. Con la Pantera del Sur no podía tener miramientos, porque su ejército de caníbales no conocía otro código de honor que la bestialidad.

Cuando la mano dura no acaba del todo con un brote de rebeldía, suele producir el efecto contrario. Como el organismo que se fortalece al recibir un piquete de víbora, los insurrectos respondieron a la represión con una resistencia más encarnizada. De Michoacán, donde Comonfort había establecido su base de operaciones, el levantamiento se propagó a Tamaulipas, Nuevo León y San Luis Potosí. Con tal de halagarme, los ministros de Guerra y Gobernación trataban de restarle gravedad a los hechos, pero yo alcanzaba a entrever la realidad entre sus nubes de incienso. En vez de confiar la defensa del gobierno a los comandantes de cada provincia, como ellos me aconsejaban, marché a Morelia al frente de un ejército numeroso y bien equipado, con el que esperaba destruir el núcleo de la sedición.

En el trayecto no encontramos partidas rebeldes, tal vez porque mi hijo José había dejado los campos pelones y los guerrilleros no tenían en dónde ocultarse. Pero encontramos algo más desgastante: las comitivas de notables, los arcos triunfales, los mitotes populares que se repetían de ciudad en ciudad, como si la región estuviera en completa calma. Hubiera sido una falta de tacto declinar los honores que me ofrecían, pues en México el rechazo de un agasajo equivale a una bofetada. Empachado de brindis y comilonas, la búsqueda de los rebeldes se volvió un placentero viacrucis, donde cada festejo minaba un poco mi voluntad. Comonfort eludía el combate para vencerme por agotamiento y yo no podía darle alcance porque el tamaño de mi ejército me impedía una movilización rápida.

Por fin, al mes de comenzada la campaña, avisté sus tropas en la comarca de Ario. Habiendo intimado la rendición, que por supuesto Comonfort rechazó, instalé mi campamento a las afueras del pueblo y dispuse las baterías en la ladera de un cerro. Mi ventaja numérica y el mejor entrenamiento de mis hombres presagiaban una victoria cierta. Mas ¡oh, desventura! Cuando me disponía a ordenar el ataque se desató una tempestad pavorosa acompañada con ráfagas de granizo, que se prolongó por más de diez horas. Yo había ido a luchar contra los rebeldes, no contra los elementos, y decidí posponer la campaña para el tiempo de secas.

De vuelta en México no quise banquetes ni pachanga en el zócalo. Estaba intranquilo, pues acababa de saber que el enemigo había ocupado la ciudad de Monterrey. El país entero se desmoronaba como un terrón húmedo. Pero mis aliados del partido conservador no querían admitirlo y me instaban a resistir con firmeza, porque yo era su última tabla de salvación. De acuerdo, les dije, yo aguanto vara, pero entonces habrá que plegarse a algunas exigencias de los insurrectos y promulgar una constitución de corte más liberal. ¡Eso nunca! –clamaron a coro– ¡ya no es tiempo de reformas! Sin embargo, querían celebrar elecciones con la revolución en pie, locura a la que yo me opuse enérgicamente. Agotadas mis últimas cartas, comprendí que se me quería empujar al suicidio, a que yo mismo agravara la situación para inculparme después, y empecé a tomar providencias para salir del país.

Mientras llegaban a la capital noticias sobre las victorias de los sublevados en Orizaba, Oaxaca y Autlán, los ministros de mi gabinete vigilaban todos mis movimientos para que no pudiera escapar. Incluso montaron una guardia disfrazada frente al palacio de Tacubaya. Pero yo no estaba dispuesto a hundirme junto con un barco por el que sentía un total desapego. Había llegado la hora de pintar el venado y mandé a Loló por delante rumbo al puerto de Veracruz, so pretexto de partir en un viaje de placer a Estados Unidos. Puta de mierda, debes haber sufrido mucho por tener que separarte de tu quelite. Días después, en una fría madrugada de agosto, ordené sacar mi lujosa estufa por la puerta principal de palacio para burlar a mis vigilantes, y yo salí por la trasera en una modesta carretela de mulas. Es una cruel paradoja y una vergüenza nacional que me haya visto obligado a abandonar la presidencia a hurtadillas, como un prófugo escapa de una prisión.

Pobre país, pensaba en el camino al puerto: veo venir la anarquía, la desolación, la pérdida total de la nacionalidad. Apenas el populacho tuvo noticias de mi partida, comenzó el linchamiento que todavía no ha terminado. Al grito de «muera el mocho», la turbamulta saqueó mi casa de la calle de Vergara y formó una gran hoguera con mis muebles. Pero yo no guardo rencores, señor licenciado, he perdonado al pueblo y sólo aspiro a exhalar el último aliento en compañía de mis seres queridos. Tome nota de eso también: quisiera reunirme con mis hijos, que andan desperdigados por todo el mundo, antes de entregar el alma al Señor... Pero, ¿quiénes son estos infelices? ¿Por qué me están amarrando? ¿Usted los llamó, licenciado? Más respeto, bellacos, que no estáis tratando con un cualquiera. Soy Antonio López de Santa Anna, Benemérito de la Patria, Alteza Serenísima, Gran Maestre de la nacional y distinguida Orden de Guadalupe, Caballero y Gran Cruz de la Orden de Carlos III. No he cometido delito alguno, sólo quería dictar mi última voluntad. Prometo devolver las barras de plata que llevaba en la carretela, sólo quise ponerlas a salvo de los demagogos. ¿Dolores los envió a detenerme? ¡Por piedad, no me lleven con ella!

La Habana, 9 de mayo de 1876

Querido Ángel:

Te extrañará recibir esta carta después de tanto tiempo sin tener noticias mías. Discúlpame, por favor, no he dejado de escribirte por falta de cariño, sino por exceso de trabajo. He sabido que estás prosperando con tu negocio de importaciones y no sabes cuánto me alegra. Por lo menos un miembro de la familia Santa Anna no se quedó en la chilla. En cambio yo, apenas y saco para ir tirando con mi empleo de tenedor de libros. Qué le vamos a hacer: no tengo tu espíritu emprendedor, y creo que la vida en el trópico ha exacerbado mi natural propensión a la molicie. Pero no quiero hablarte de mí, sino de papá, que parece condenado a pagar con amarguras y humillaciones sin cuento todos los errores de su accidentada vida. Sé que mi hermana María del Carmen, con quien Dolores ha mantenido correspondencia, te ha puesto al tanto de sus andanzas en México y no quiero fatigarte con la narración de los enredos folletinescos en que lo ha envuelto su secretario Giménez. Sólo te contaré el último capítulo de la historia, a partir de que el viejo descubrió las infidelidades de Doloritas.

Según mis informes, después de abandonar el cuchitril donde lo llevó a vivir su secretario, papá anduvo errando como un apestado por los barrios miserables de la ciudad, hasta que un alma caritativa lo condujo a la oficina de un notario, pues quería revocar su testamento para vengarse de Dolores. Desde ahí comienza el disparate: el viejo ya no tiene nada que heredar, salvo su pierna postiza. En realidad sólo buscaba un oído para desahogarse; la prueba es que olvidó muy pronto las disposiciones testamentarias y se puso a recordar sus épocas de Alteza Serenísima. El notario advirtió enseguida que el viejo había perdido la chaveta, pues por momentos parecía dirigirse al magistrado de un tribunal y después lo llamaba «padre», como si estuviera en el confesionario. Para darle por su lado accedió a transcribir la kilométrica declaración mientras un empleado iba en busca de la policía. Dolores lo había reportado como persona extraviada y al poco tiempo llegaron a arrestarlo dos aguilitas, que lo llevaron contra su voluntad a la casa de Vergara. Todo esto me lo contó la propia Dolores en una carta donde recrimina severamente a Giménez, a quien acusa de haber envenenado la mente de papá. Yo la mera verdad no sé a quién creerle. Giménez me da mala espina: la idolatría que siente por el viejo a veces linda con la demencia. Pero Loló tampoco me inspira confianza. Cree que papá le arruinó la vida y se desquita humillándolo con abnegada crueldad. Tal vez no sean del todo ciertas las atrocidades que le achaca Giménez, pero cuando el río suena, agua lleva. El viejo debe estar sufriendo a su lado y creo que no deberíamos dejarlo solo en este difícil trance.

De todos los miembros de la familia, sólo tú cuentas con medios bastantes para echarle una mano a papá. Por su afición al aguardiente de caña, José no ha podido levantar cabeza en Nueva York. Guadalupe teme por la vida del viejo y quisiera llevárselo a Puebla, pero su marido está muy arrancado y no quiere cargar con los gastos. ¿Sería mucho pedirte que le facilitaras la cantidad necesaria para el traslado y la manutención de nuestro padre? Sé que estás muy sentido con él desde aquel penoso asunto de las hipotecas, pero los corazones nobles como el tuyo no deben abrigar rencores. Depón tu orgullo y haz una obra de caridad cristiana. Recuerda que el amor al prójimo se demuestra poniendo la otra mejilla.

Un abrazo afectuoso de tu hermano,
Manuel

P.D. No sé si lo sepas, pero soy el biógrafo oficial de papá. Desde hace dos años me ha estado remitiendo por correo la crónica de sus andanzas, pero me temo que ahora, separado de Giménez, no podrá continuar sus dictados y el libro se quedará trunco por falta de información. Yo era demasiado joven cuando partimos al exilio y papá me mantuvo al margen de sus intrigas políticas. Pero sé que tú y José fueron sus enlaces con los pocos santanistas fieles que deseaban su retorno al país y conspiraban para llevarlo de nuevo a la presidencia. ¿Podrías narrarme tus impresiones de esa época cuando tengas un tiempecito? Tu punto de vista me será muy útil para comprender la cadena de bandazos y cálculos errados que lo llevó a emprender su catastrófica aventura senil.

Santo Domingo, 26 de mayo de 1876

Hermano querido:

Soy un buen cristiano y acostumbro perdonar a quienes me ofenden, siempre y cuando me pidan perdón. Pero hasta la fecha, papá no se ha dignado pedirme disculpas por las terribles injurias que hace diez años profirió contra mi señora madre, cuyo único pecado en la vida fue creer en sus falsas promesas de matrimonio. Siento defraudarte, Manuel, pero no daré un centavo para ayudar al energúmeno que hizo mofa de mi nacimiento ilegítimo. Lo que sí puedo darte con mucho gusto es mi testimonio sobre los primeros años del exilio, en los que fui un testigo impotente de su progresivo deterioro mental y anímico.

Al salir de México, el viejo calculaba volver al país en cuestión de meses. Comonfort le parecía muy poco gallo para sostenerse en la presidencia, y confiaba en que la fuerte oposición de los conservadores desataría una guerra civil. En eso no se equivocó: su error fue creer que seguía siendo el ídolo del bando conservador, donde su partida del país se había interpretado como una defección. José y yo nos embarcamos con él en La Antigua, con la idea de acompañarlo a Turbaco y establecernos allá con nuestras familias. Pero cuando el vapor hizo escala en La Habana, papá nos ordenó permanecer ahí para infiltrarnos clandestinamente en México a la menor oportunidad. Nuestra misión sería trabar contacto con sus adeptos más poderosos en la milicia, el clero y las altas finanzas, con el objeto de tener el horno en su punto cuando Comonfort empezara a perder el control de la situación.

—De ustedes depende mi futuro y el de la patria. Demuéstrenme que ya tienen espolones para pelear solos —y nos bendijo con su medalla de la virgen Morena.

Hasta entonces José y yo le debíamos todo a papá: desde nuestra silla de montar hasta nuestro grado de coroneles, y estábamos ansiosos por demostrarle nuestra valía. Pero nuestras discordias comenzaron desde que tocamos tierra en La Antigua, pues teníamos ideas encontradas sobre la estrategia a seguir para el cumplimiento de la misión. Prudente y calculador como he sido siempre, mi plan era hacer un discreto tejido de alianzas sin llamar la atención en los círculos políticos. José en cambio, quiso entrar al país como los valentones entran a las cantinas, confiado en que bastaba invocar el nombre del viejo para poner sobre las armas a la mitad del ejército. En el pecado llevó la penitencia: no bien había comenzado a tener juntas secretas con oficiales de la guardia costera, el comandante militar del puerto lo mandó encarcelar en San Juan de Ulúa. Aguerrido ante la adversidad, todavía José trató de amotinar a los prisioneros de la fortaleza. Pero si con ello quiso congraciarse con papá logró todo lo contrario, pues al tener noticias de su frustrada revuelta, el viejo me escribió desde Turbaco: «Dile al pendejo de tu hermano que se esté sosiego en su calabozo, mientras tú sigues adelante con la misión».

Llegué de incógnito a la capital, y apenas empecé a tener conversaciones con los viejos amigos de mi padre, comprendí que su estrella había declinado para siempre. La mayoría de los políticos y militares a quienes dejó henchidos de riquezas veían con indiferencia, si no con placer, las diatribas y las calumnias que se vertían en su contra en la prensa diaria. Los ataques rompieron todos los valladares de la demencia cuando se le acusó de haber vendido indios de Yucatán a los mercaderes yanquis de esclavos. Sólo una voz solitaria se enfrentó al coro de linchadores: la de Giménez, ese manco inmaculado y bendito a quien haces muy mal en despreciar, pues me consta que su valiente defensa de papá le costó perder el empleo.

Describí al viejo por carta el panorama político y me pidió que tuviera paciencia, pues el descontento contra Comonfort no había crecido lo suficiente: «Soy el salvador de la patria, pero sólo me llama cuando se está ahogando». Creí llegado ese momento en el año 57, cuando el Congreso, dominado por el ala radical de los puros, promulgó la nueva constitución, que privaba de sus fueros al ejército y desamortizaba los bienes de la Iglesia. La Constitución del 57 fue un triunfo personal del vicepresidente Benito Juárez, que el año anterior ya había lastimado al clero con sus Leyes de Reforma. Según los periódicos liberales, Comonfort estaba en desacuerdo con Juárez, pues no deseaba enconar los odios entre las facciones y temía que las nuevas leyes le impidieran gobernar. A papá le alegró saber que el obispo Pelagio Antonio de Labastida había amenazado con excomulgar a los empleados públicos que juraran la Constitución y me pidió que tuviera una entrevista privada con él, para ofrecerse como defensor de la fe católica. Cumplí sin éxito el encargo, porque Su Ilustrísima me trató con despectiva reserva, como si le molestara tratar asuntos importantes con un vil mensajero. Ésa fue mi gran falla: nunca pude convencer a nadie de que hablaba a nombre de mi padre, pues los hombres de alta jerarquía se negaban a admitir que Santa Anna hubiera usado como embajador a un mocetón inexperto y cohibido.

De cualquier modo seguí adelante con el plan, pues no soy de los que se dan por vencidos a la primera dificultad. Por conducto del agiotista Escandón tendí mis redes entre la clase propietaria, que veía con alarma los repartos de tierras decretados por el nuevo gobierno. Por conveniencia política, los grandes banqueros y terratenientes mantenían relaciones superficiales con el gobierno, pero bajo cuerda subvencionaban levantamientos en todo el país, como el de Tomás Mejía en la Sierra Gorda, y el de Puebla, encabezado por el coronel Joaquín Orihuela, que tomó la capital de su estado al grito de «Religión y Fueros». En mis cartas yo trataba de convencer al viejo de posponer mis gestiones hasta que se enfriaran los odios de partido. Pero él creía que esos odios le abrían la posibilidad de regresar al país como un pacificador imparcial.

Papá esperaba de un momento a otro la caída de Comonfort y se sintió defraudado cuando la guarnición de la capital, capitaneada por Félix Zuloaga, se pronunció en Tacubaya, y en vez de cerrar filas con el partido liberal, Comonfort aceptó derogar la Constitución con tal de mantenerse en la presidencia. «¿Y ese truhán quería darme lecciones de moral republicana? —tronaba desde Turbaco—. ¡Pero si es más oportunista que yo!». Con Benito Juárez en la cárcel, parecía que los puros habían vuelto de nuevo a las catacumbas de donde nunca debieron salir. Pero Comonfort no era un político, sino un mueble de traspaso, y al darse cuenta de que los conservadores querían atarlo de manos, se reconcilió con los demagogos con un lacónico «ustedes disculpen». Cuando Zuloaga supo que el presidente había puesto en libertad a Benito Juárez, volvió a pronunciarse con toda la milicia de la capital. No te fatigaré con una lección de historia, pues ya sabes lo que vino después: la huida cobarde de Comonfort a Estados Unidos, la toma de posesión de Zuloaga en México y el gobierno paralelo de Juárez en Guanajuato, tentativa de resistencia que entonces nos parecía descabellada y ridícula.

Como el viejo había previsto, cuando el país parecía irse a pique su nombre volvió a ser invocado en la prensa y en los corrillos políticos. Sorpresivamente, sus antiguos partidarios volvieron a dar la cara por él, entre ellos el licenciado Ignacio Basadre, que me relevó de buena parte de mis funciones, pues se encargó de dirigir personalmente la conspiración. Dotado para la intriga, vinculado con los mandos militares de todo el país, Basadre tenía vara alta en el partido conservador y logró en unas cuantas semanas mucho más de lo que yo había obtenido en un año.

DE BASADRE A SANTA ANNA
(1o. DE FEBRERO DE 1858)

Mi estimado amigo y compañero:

Doy a usted la más cumplida enhorabuena porque ya está dado el primer paso con la caída del señor Comonfort, a quien debe reputarse como enemigo de todos los mexicanos bien nacidos. Ocupa la presidencia interina el general Zuloaga, hombre insignificante y nulo en política, a quien sus ministros lograrán sin duda manejar a su antojo, pues tiene un miedo cerval a tomar decisiones. Los buenos mexicanos y muy en particular, los que vemos en usted al único prócer capaz de salvar a nuestra infortunada patria de las calamidades que sufre, deploramos el giro que se ha dado a la reacción y lamentamos que en el Plan de Tacubaya no se invoque su respetable nombre.

Sin embargo, está fuera de duda que las personas ilustradas y amantes del bien público tienen fijas en usted sus esperanzas. Para que la nación se decida a llamarlo, sólo se necesita destruir las indignas especies sobre sus presuntos desfalcos a la administración que han difundido los interesados en desacreditarlo, pues conviene así a sus bastardas miras. Pero estoy convencido de que si usted se decide a prestarnos su cooperación, se consumará sin mayor dificultad y en breve tiempo la salvadora revolución que debe proclamarlo caudillo [...]

Por el afecto paternal que me dispensaba, Basadre conquistó de inmediato mi simpatía. Pero papá me advirtió desde Turbaco que no confiara demasiado en él, pues podía ser un agente al servicio de Zuloaga, y me asignó la incómoda tarea de vigilar sus pasos, para averiguar si en realidad estaba reclutando adeptos para la causa. Sus recelos tenían como base los chismes de otros conspiradores que también se carteaban con él y trataban de indisponerlo con Basadre, a quien acusaban de traidor. En virtud de mi escasa habilidad para el espionaje, nunca pude averiguar si Basadre estaba jugando un doble juego. Lo más probable es que sus adversarios le hayan levantado falsos, pues querían quedar bien colocados en la nueva administración y empezaban a disputarse el pastel antes de haberlo horneado. Mi breve incursión en la política me causó tal repugnancia que desde entonces decidí mantenerme lejos de ese albañal. Soy un modesto comerciante que vegeta detrás de una caja registradora, pero no envidio para nada las glorias del viejo. Su vida fue una interminable maquinación, un tortuoso juego de vencidas en el que triunfó mientras supo leer en la mente del adversario. Pero en el umbral de la senectud ese don empezaba a fallarle. Trastornada la mente por su ambición enfermiza, ni siquiera supo en qué momento dejó de mover las piezas del tablero y empezó a participar en el juego de otros.

Tal vez habría podido volver al país cubierto de honores si hubiese accedido a presentar sus respetos a los dos generales más arrojados del bando conservador, Miguel Miramón y Leonardo Márquez, como le aconsejamos Basadre y yo. Ellos eran el principal sostén del gobierno en la lucha contra los liberales, y el viejo sólo podía aspirar a un regreso triunfal si contaba con su apoyo. Pero papá no había comprendido los nuevos tiempos y esperaba que los jóvenes caudillos le suplicaran volver al país, cuando ya no estaba en situación de hacer favores, sino de pedirlos. Hasta cometió la ingenuidad de trasladarse a Santo Tomás, para estar más cerca de México en caso de que la patria lo llamara de vuelta. Desde allá envió una proclama a la nación celebrando la llegada al poder de ciudadanos patriotas y honrados. Era una manera de insinuarse y de decir «aquí estoy para lo que se ofrezca». Pero los jefes conservadores desoyeron la indirecta, y en vez de buscar el aval de un prócer defenestrado prefirieron buscar su propio camino a la gloria. Cuando estalló el pronunciamiento que derribó del poder a Zuloaga y elevó a la presidencia a Miguel Miramón, papá hizo la rabieta del siglo, pues comprendió que los monárquicos ya no lo juzgaban indispensable.

A principios del año 59 volví a Turbaco, donde encontré al viejo muy desmejorado, con la piel cianótica y las bolsas oculares más hinchadas que de costumbre. Estaba de mal humor y me puso como lazo de cochino porque según él, yo no le había descrito bien el panorama político del país: «Te dedicaste a bailar polkas y a perseguir coristas, en vez de acercarte a la gente con poder». Iba a responderle que su soberbia lo había estropeado todo, pero me contuvo el respeto a sus canas. Tú no lidiaste con el viejo en esos años, porque estabas estudiando en España, pero te aseguro que no era fácil conversar con él sin provocarle estallidos de cólera, sobre todo si acababa de leer los periódicos mexicanos. Por eso yo me limitaba a responderle con monosílabos en las comidas familiares y pasaba en el campo la mayor parte del día.

En Turbaco también estaba mi hermano José, que había salido de prisión al caer el gobierno de Comonfort, y entre los dos nos dedicamos a dirigir las tareas agrícolas de la hacienda. Para entonces La Rosita ya era un emporio donde trabajaban más de cuatro mil personas. El cultivo del tabaco, la cría del ganado y los cincuenta trapiches dejaban utilidades tan pingües que papá se había dado el lujo de embellecer con ricos ornamentos la parroquia y el cementerio del pueblo. Cuando empezaron a llegar noticias sobre las victorias de los liberales y los apuros de Miramón para conservar las plazas en su poder, me atreví a insinuarle que con sus ganancias de un mes podría poner un ejército en pie, para defender al país de la tiranía demagógica. «Estás loco —me dijo—, si la patria quiere protección, que pague por ella». Consigno la respuesta para hacer constar que si bien el viejo tenía el humor descompuesto, su salud mental todavía estaba en perfecto estado.

Pero hasta el filósofo más sereno puede enloquecer bajo el peso de la adversidad. Según creo, papá empezó a perder la razón cuando las turbulencias políticas de la Nueva Granada nos obligaron a salir de Turbaco. El caudillo liberal Cipriano de Mosquera, que tenía lazos de amistad con Benito Juárez, se había levantado en armas contra el gobierno conservador. Temeroso de que Mosquera entrara a saco en La Rosita, papá nos ordenó hacer maletas a las carreras y fletó un vapor con rumbo a las Bahamas. Desembarcamos en Santo Tomás una mañana lluviosa de agosto, y a guisa de bienvenida, las gaviotas nos bañaron de cagarrutas. Las cartas del administrador de Turbaco tardaron una semana en llegar: el viejo soportó con estoicismo la noticia de que Mosquera había confiscado sus propiedades, pero sufrió un desmayo cuando supo que las tropas rebeldes le habían torcido el pescuezo a sus gallos de pelea.

A partir de entonces no volvió a ser el mismo. Para complacer a Dolores, que deseaba alternar con las familias principales de Santo Tomás, se compró una lujosa mansión amueblada en la calle Berjgade, la más rumbosa del puerto, y a José y a mí nos regaló dos residencias pequeñas a unas cuadras de distancia. Pero estoy seguro de que le hubiera dado lo mismo vivir en una choza de cañas. «Éste es el final −decía con resignación−. De Elba me han enviado a Santa Elena, y aquí he de morir con el océano por cárcel».

Contribuyó a reanimarlo un poco la llegada de sus suegros, doña Manuela y don Luis de Vidal y Rivas, que habían huido de México ante el avance de los liberales. Don Luis tenía un largo cuello de avestruz que al hablar movía bruscamente hacia adelante, como si fuera a soltar un picotazo. Adulador insoportable, trataba a papá con una deferencia que rayaba en la burla. Pero el viejo se entretenía mucho con él y no aceptaba tener otra pareja en las partidas de dominó, donde José y yo les hacíamos la cuarta. El dominó era un pretexto para comentar los acontecimientos políticos de México, o más bien, para que papá nos iluminara con sus juicios clarividentes sobre el curso de la guerra civil.

−¿Ha visto usted, don Antonio? −comentaba don Luis−, Miramón ha comprado dos buques en La Habana para bloquear el puerto de Veracruz. Ahora sí van a morder el polvo esos calzonudos.

−No cante victoria, amigo −lo corregía papá−, Juárez lleva las de ganar, porque ha sabido granjearse el apoyo de Estados Unidos. Los yanquis tienen fondeada una escuadra en Veracruz y nunca dejarán pasar esos barcos.

En la mayoría de los casos los pronósticos de papá eran acertados: previó la victoria de Juárez semanas antes de que entrara a la capital y dedujo que la miseria del erario lo obligaría a suspender los pagos de la deuda externa. Pero algunas noticias lo disgustaban a tal extremo que no podía mantener la ecuanimidad y derribaba a puñetazos las fichas de dominó. Así reaccionó al saber que Melchor Ocampo, el ministro de Relaciones de Juárez, había concedido a los yanquis el derecho de tránsito a perpetuidad por el istmo de Tehuantepec.

−¡Qué manera tan desvergonzada de dar las nalgas! −exclamó iracundo−. ¡Y me criticaban a mí por la venta de La Mesilla! Siempre lo dije: los liberales son el partido de la anexión a Estados Unidos.

No estarán contentos hasta convertimos en una estrella más de la bandera yanqui. Pero ¿qué se puede esperar de un malparido como Ocampo, que ni siquiera conoció a su padre? Ay México, a dónde vas a parar, gobernado por un bastardo y un indio patarrajada.

Como es lógico, el asesinato de Ocampo a manos de sicarios pagados por el partido conservador le pareció un acto de justicia celestial. Pero el acontecimiento más venturoso de su exilio fue la noticia de que Francia, Inglaterra y España habían formado una alianza tripartita para exigir al gobierno de Juárez el pago de las cantidades adeudadas a las tres naciones. Como en Estados Unidos había estallado la Guerra de Secesión, el gobierno liberal no podía esperar auxilio del norte y tenía que apañárselas solo contra el triple enemigo. Insatisfecho con la información de los diarios, que tardaban demasiado en llegar a Santo Tomás, papá mandaba telegramas a México pidiendo noticias frescas a sus amigos. Por ese conducto se enteró de que las tres potencias europeas habían ocupado el puerto de Veracruz y los españoles habían vuelto a izar su bandera en el castillo de Ulúa. Se puso tan contento que destapó una botella de champaña y brindó con su suegro «por la influencia civilizadora de Europa». Sin embargo, el mismo día me dictó una carta a Basadre donde creyó conveniente asumir una actitud condolida y grave: «Hubiera preferido que mis ojos se cerraran para siempre, a saber que la bandera tricolor por mis manos colocada en los baluartes de Veracruz después de cruentos sacrificios, ha sido humillada con la sustitución de la que derribé entonces. ¡Ah, es la primera vez que los invasores de México no se encuentran con Santa Anna!».

Como buen político, papá decía en sus cartas todo lo contrario de lo que pensaba. De haber estado en México hubiera recibido a los invasores con los brazos abiertos, pues ahora los veía como un trampolín para volver a encumbrarse. Así lo dejó entrever repetidas veces en su correspondencia con Gutiérrez Estrada y otros monárquicos residentes en Europa, que lo habían mantenido al tanto sobre sus gestiones para ofrecer la corona de México a un emperador europeo. Sabía que iban muy avanzadas las charlas con el archiduque Maximiliano de Habsburgo, a quien Napoleón III había ofrecido su apoyo militar si aceptaba el trono de México, y no le sorprendió que la escuadra francesa permaneciera en Veracruz cuando los ingleses y los españoles se retiraron del puerto. La esperanza de volver a figurar en política le quitó veinte años de encima. Era sorprendente verlo trabajar en su despacho de sol a sol, con una agilidad mental que ya quisieran muchos jóvenes. Mientras se esforzaba por recomponer la red de sus partidarios en México, prodigando frases amables a generalitos y generalotes, mantenía estrecho contacto con los promotores del Segundo Imperio. Impuesto por Gutiérrez Estrada de que el archiduque manifestaba dudas sobre la posibilidad de establecer un gobierno duradero en México, accedió a persuadirlo de que aceptara el trono: «Créame, Alteza: no sólo la voz de un partido se levanta en México proclamando su respetable nombre: la inmensa mayoría de la nación aspira a restablecer el Imperio de los Moctezumas. Acoja, pues, con absoluta confianza el voto de los mexicanos y con paso firme diríjase a nuestras playas». ¡Qué costosas le resultarían después esas palabras dictadas a la ligera!

A cambio del apoyo a Maximiliano, papá no sólo esperaba obtener una vindicta pública. El trato con Gutiérrez Estrada era que una vez ocupada la nación por el ejército francés, se formaría una Regencia provisional compuesta por él y otros dos miembros, encargada de gobernar el país durante un plazo indeterminado, por medio de decretos sujetos a la ratificación del emperador. Por sus servicios a la patria recibiría el mismo sueldo que había devengado en la presidencia. Pero lo que más lo halagaba era la promesa de entrar a México en el mismo carruaje de Maximiliano, investido con el título de Duque de Veracruz o Tampico. Como Gutiérrez Estrada dejó a su elección el nombre del ducado, entre café y café sopesaba con don Luis los pros y los contras de cada ciudad.

—En Tampico obtuvo usted la victoria sobre Barradas —opinaba su aquiescente suegro—, y el pueblo lo venera por esa hazaña.

—Es verdad, pero no se le olvide que también he tenido victorias importantes en Veracruz. Allí proclamé la República, ahí perdí mi pie. Y como es un puerto más conocido, el título tendría mayor resonancia internacional, ¿no le parece?

Desperdiciaba el tiempo en esas nimiedades, cuando debió de haberse ocupado en contrarrestar las intrigas de los allegados a Maximiliano, que trabajaban en las sombras para excluirlo del nuevo gobierno. Sabía que el general Almonte había tenido entrevistas con Napoleón III y se estaba convirtiendo en el brazo derecho de Maximiliano, por encima de Gutiérrez Estrada, lo que representaba un peligro para él, pues Almonte había codiciado el Ministerio de Guerra en su anterior administración, y le guardaba rencor por no haber obtenido el puesto. Pero en vez de viajar a Europa para nulificar las posibles intrigas, como le sugerimos todos, papá le dejó el campo libre a Almonte, pues creía que Maximiliano lo necesitaba demasiado para prescindir de sus servicios. Por exceso de confianza o fatiga mental, perdió de vista un detalle muy importante: tanto su enemigo como el archiduque profesaban ideas liberales, y si era cierto, como ya se rumoraba, que Maximiliano quería desembarazarse del partido conservador, Almonte era la persona idónea para ejecutar sus planes. Pero el viejo menospreciaba demasiado a su rival para considerarlo temible.

—Almonte es un indio acostumbrado a que le truenen los dedos —decía—, no me lo imagino de regente en un Imperio.

Le hice notar que Juan Álvarez y Benito Juárez también eran gente de piel oscura y sin embargo lo habían expulsado del país.

¡De ninguna manera! —se molestó—. Me fui por mi propia voluntad para evitar una lucha fratricida, que es muy diferente.

El criollismo del viejo era tan acendrado que en tratándose de indios o mulatos se resistía incluso a reconocerlos como personas, ya no digamos como adversarios. Pero le gustara o no, las castas que tanto despreciaba ya tenían el país en sus manos. Juárez se había sostenido en la presidencia a pesar de la presión extranjera y Almonte demostró ser el favorito del archiduque al desembarcar en Veracruz junto con las fuerzas de ocupación. Eclipsado el poder de Gutiérrez Estrada, los contactos de papá con Maximiliano se habían roto, y la promesa de tomar parte en una Regencia quedó en el aire. Cuando el ejército francés al mando del mariscal Bazaine emprendió su expedición al interior del país, el porvenir del viejo se había vuelto incierto. Esperaba con ansias un telegrama para sumarse a la campaña intervencionista, pero en México se habían olvidado de su existencia. En ese ninguneo era fácil adivinar la vengativa mano de Almonte. Lo más prudente hubiera sido esperar la coronación de Maximiliano, para ver el rumbo que tomaban las cosas. Pero el viejo supuso que en México había un vacío de poder y no quiso perder la oportunidad de llenarlo. Contra su costumbre de esperar un llamamiento popular para volver al país, decidió viajar a Veracruz por su cuenta y riesgo, con la peregrina intención de comerle el mandado a Maximiliano.

Lo acompañamos en la aventura Dolores y yo, pues quería aparentar que ya no aspiraba a cargo alguno y sólo deseaba llevar una vida pacífica en compañía de sus familiares. Ojalá hubiera tenido la sensatez de conformarse con eso. Dentro del partido conservador mucha gente le guardaba consideraciones y le había prometido gestionar la devolución de sus propiedades. Para recuperarlas sólo necesitaba cerrar el pico y alejarse de la vida política, pero eso hubiera sido como pedirle peras al olmo. Los malos augurios empezaron desde antes de tocar puerto, pues a bordo del barco el viejo pescó una disentería por comer alimentos en mal estado. Sin embargo, le bastó ver a lo lejos las torres de San Juan de Ulúa para sanar como por arte de magia. Pocas veces lo había visto más complaciente y de mejor humor que el día de nuestro desembarco. Al anclar en el puerto subió a la cubierta un coronel francés que le dio la bienvenida a nombre del mariscal Bazaine.

—Nos alegra su regreso, general, pero el mariscal me ha pedido que firme estos papeles.

—¿De qué se trata?

—Es un juramento de que usted reconoce al emperador y promete que no intervendrá en política. Si no lo firma, me veré obligado a prohibirle la entrada.

—Pues traiga acá —estampó su firma sin titubeos—. Dígale usted al mariscal que detesto la notoriedad y no tendrá ninguna queja de mí.

MANIFIESTO DEL GENERAL SANTA ANNA AL PUEBLO
DE MÉXICO (VERACRUZ, 27 DE FEBRERO DE 1864)

Compatriotas:

Yo no soy enemigo de la democracia sino de sus extravíos. En nuestra historia consta que fui el primero en proclamar la República. Creí hacer un gran servicio a nuestra patria, objeto siempre de mi adoración, y nada me detuvo hasta consumar la empresa. Pero pasadas las ilusiones de la juventud, en presencia de tantos desastres producidos por aquel sistema, no quiero engañar a nadie: la última palabra de mi conciencia y de mis convicciones es la monarquía constitucional. No es el partido conservador el que ha llamado a nuestras playas la intervención europea, sino el error y la obcecación de los reformistas. Los pueblos fastidiados de la anarquía de medio siglo, de mentidas promesas y bellas teorías, ansiosos de poner un gobierno paternal, ilustrado y justo, proclamaron con entusiasmo el restablecimiento del Imperio, designando por emperador al ilustre príncipe Fernando Maximiliano, archiduque de Austria.

En la roca donde padecía un injusto destierro, recibí la noticia de que el pueblo mexicano ha vitoreado a las legiones de la nación amiga, con el mismo entusiasmo con que acogiera en mejores días al Ejército Trigarante. Ya instalado en la capital un gobierno elegido libremente por los mexicanos, los buenos patriotas estamos en la obligación de agruparnos a su alrededor para revestirlo de prestigio y fuerza. Tan sagrado deber me conduce aquí puntualmente. Vengo, pues, a dar nuevas pruebas del acatamiento que presto a la voluntad nacional, hoy tan acorde con mis creencias y convicciones [...]

Supongo que papá ya traía escrito desde Santo Tomás el manifiesto que entregó a sus partidarios apenas desembarcamos. Yo no asistí a la reunión que tuvo con ellos, pues me hallaba ocupado en trasladar nuestro equipaje a la casa donde nos había brindado hospedaje el señor Esteva, un viejo amigo de la familia. Pero conociendo al viejo, no dudo ni tantito que él mismo les haya ordenado publicarlo en los periódicos de Orizaba. Al día siguiente, nuestro anfitrión nos dio un gran banquete al que asistieron más de cincuenta invitados. Papá estaba en la gloria entre sus paisanos: repitió todos los platos de la comida y hasta bailó un son jarocho con la esposa del anfitrión, rengueando sin perder la figura. Pensaba quedarse en Veracruz hasta la llegada de Maximiliano y acompañarlo a México, a pesar de no tener ninguna invitación para figurar en la comitiva imperial. Era el personaje más ilustre del puerto, muy por encima de las autoridades francesas, y la gente humilde paraba nuestro coche en todas las esquinas de la ciudad para aclamarlo y tocarlo.

Aquella semana fue como un paréntesis de dicha en la eterna noche de un condenado. Entre sus numerosos visitantes, recuerdo especialmente al pobre Giménez, por las dramáticas circunstancias en que se vio envuelto. Charlaba con papá y otros viejos santanistas en una animada tertulia donde yo estaba presente, cuando llegó a preguntar por el viejo un teniente francés, acompañado por dos oficiales, que había venido a entregar un pliego en manos de mi padre. Como la carta estaba en francés, papá se la turnó a Giménez y le pidió que la tradujera en voz alta. Giménez sólo pudo leer los dos primeros párrafos, porque al empezar el tercero, la emoción le obturó la garganta.

—No puedo seguir, continúe usted —dijo, y entregó el papel a uno de los oficiales franceses.

En su odioso acento nasal, el franchute leyó una orden de destierro firmada por el general Bazaine.

—Pero, ¿cómo? Esto es una grave equivocación —protestó papá—. He jurado mi adhesión al Imperio.

—Aquí lo dice muy claro —arremetió el francés—. Usted tenía prohibido participar en política y recién llegado al puerto dirigió un manifiesto a la nación.

—Pero es un manifiesto de apoyo al emperador, y yo no tuve parte alguna en su publicación.

—Lo siento, general, órdenes son órdenes. Tiene usted seis horas para abandonar el país.

Ironías de la política: esa misma tarde, mientras hacíamos los baúles, papá recibió por correo una hipócrita carta de Almonte, que lo felicitaba por su regreso a México. El indio chingaquedito humillaba al señorón criollo, y ni siquiera daba la cara en el momento de hundirle el puñal. Con setenta años cumplidos, el viejo hubiera podido sucumbir en ese momento a un paro cardiaco, o de perdida echarse a llorar. Adoptó sin embargo una actitud digna, y rechazó con firmeza la escolta que le ofrecían para llevarlo de vuelta al vapor *Conway*. Ni una palabra salió de su boca mientras Giménez y yo hacíamos los baúles. Sólo se permitió un desahogo cuando miró por última vez la ciudad desde la cubierta:

—Se acabó México —dijo—, esto es Francia —y lanzó un escupitajo sobre los tablones del muelle.

México, 26 de mayo de 1876

Nobilísimo don Manuel:

En las graves circunstancias de la vida, los espíritus nobles no deben guardar rencores. Impuesto del infortunado arresto del general y de su traslado a la casa de Vergara, creí necesario deponer mi orgullo para brindarle mi asistencia en este difícil momento. Muy a mi pesar he tenido que pactar un armisticio con la señora Tosta, a quien ofrecí devolver sus escandalosas cartas, a cambio de que me permita cuidar al general como sólo yo puedo hacerlo. Ella no se hizo del rogar para aceptar el trato, urgida como está de limpiar su reputación. ¿Creerá la ilusa que puede engañar a Dios destruyendo las evidencias de su pecado? Ya nos veremos las caras en el Juicio Final.

Encontré a don Antonio en un estado tan deplorable, que me habría echado a llorar si no supiera cuánto le disgusta dar lástimas. Enfermo de diarrea crónica, debe de haber perdido diez kilos o más desde que huyó de mi casa, y ahora se asemeja al Caballero de la Triste Figura. Apenas entré en su habitación advertí con molestia que Dolores no había limpiado su bacinica, ni lo aseaba con la debida frecuencia, porque tenía costras de mierda hasta en la uñas del pie. Considere usted mis dificultades para ayudarlo en sus abluciones con la única mano que Dios me dejó. No me quejo por esos trabajos, ni lo mande Dios: ningún sacrificio me parece demasiado gravoso cuando se trata de servir a un hombre de su talla. Sufriría con gusto penalidades mayores, si al menos el general diera señales de mejoría. Pero desde que lo atiendo como enfermero —y ya va para cuatro días—, no he podido arrancarle una sola frase articulada; sólo gruñidos que lo mismo pueden ser quejas o conatos de charla.

Un lamentable desaguisado acaecido esta mañana me hace pensar que no está del todo inconsciente. Al enterarse de que el general se encuentra enfermo, su hija Guadalupe vino a verlo desde Puebla y con ella trajo a Javier, el más pequeño de sus retoños, una criatura angelical pero muy traviesa que anduvo correteando por toda la casa, sin darle tregua a su nana, una otomí de avanzada edad. Le rogamos que mantuviera al diablillo lejos del enfermo, pero la pobre mujer se descuidó un momento y Javier entró como un huracán a la recámara de su abuelo. Llevaba en las manos un entierrito de juguete de los que venden afuera de las iglesias, hecho con figuras de garbanzo colocadas simétricamente sobre listones de tejamanil, unidos por medio de charnelas que se mueven a voluntad, imitando el andar pausado y regular de un cortejo fúnebre.

Según parece, doña Guadalupe se lo había comprado esa mañana cuando pasaron por el templo de la Soledad. El general no conocía a su nieto y sonrió enternecido cuando la criatura, obediente a la voz de la sangre, trepó de un salto sobre sus muslos. Pero al ver el juguete que traía consigo, dos gruesos lagrimones inundaron su rostro. ¿A quién se le ocurre llevar a un mocoso con esa baratija mortuoria a casa de un enfermo grave? Guadalupe arrebató el juguete al pequeño demonio y le zumbó un par de nalgadas, pero el daño ya estaba hecho. Por el llanto del general infiero que entiende cuanto se dice a su alrededor. Seguramente ha oído mis charlas a media voz con el doctor Hay y sabe tan bien como yo lo que puede pasar si no se le corta la diarrea en los próximos días.

En fin, no quiero adelantar vísperas y menos en un asunto tan delicado, pero temo que sobrevenga lo inevitable, quizá en un plazo muy corto. Lo hago de su conocimiento, pues creo que debería romper la alcancía o pedir prestado y venir a México en el primer vapor que salga de La Habana. En cuanto a la biografía, le sugiero concluirla en donde nos quedamos, es decir, cuando don Antonio abandona la presidencia por última vez. A mi entender, en ese momento no sólo se acaba su vida pública, sino la historia de México, y creo que sería un insulto a la memoria del general complacer a los amantes del morbo narrando sus tratos con los prestamistas de Nueva York y sus funestas tentativas por volver a los primeros planos de la escena política. Reflexione usted sobre esto, y por favor, no deje de acudir a mi llamado.

Le protesto mi amistad incondicional,
Manuel María Giménez

Santo Domingo, 15 de junio de 1876

Querido hermano:

Gracias por remitirme la carta de Giménez. No estoy hecho de piedra y su descripción del penoso estado del viejo me ha conmovido. Él hubiera deseado que la nación entera estuviese pendiente de su agonía, cual si se tratara de un monarca. Quizá sea mejor que se vaya así, calladamente, pues ya hizo demasiado ruido en la vida, ¿no te parece? En cuanto a tu ruego de que viaje a México para acompañar al viejo cuando exhale el último aliento, declino en Guadalupe ese dudoso honor. Tengo medios para viajar, es cierto, pero sólo soy un hijo natural y no me corresponde desempeñar un papel protagónico junto a su lecho de muerte. ¿Tan pobre estás que ni siquiera tienes un guardadito para el pasaje del barco? Vamos, Manuel, no me hagas reír. La verdad es que tú tampoco quieres hacer ningún sacrificio por nuestro desdichado progenitor. Admítelo sin rubores, para no andarnos con disimulos: el viejo te dejó en la calle y es natural que le guardes rencor. Si te has metido a biógrafo no ha de ser por abnegación filial, sino para ganar algún dinerillo con la venta del libro. Entiendo tu actitud y no te culpo de nada, pues yo también tengo bocas que alimentar, y si estuviera en tu pellejo haría lo mismo. Pero no insistas en la coacción sentimental ni quieras endilgarme la monserga de acompañar al moribundo para sentirte libre de culpas.

Me alegra que mis apuntes te hayan servido para llenar tus lagunas sobre los primeros años del exilio. Con gusto completaré mi relato en una serie de cartas, pues aunque tú también estabas cerca del viejo cuando se le botó la canica, el cotejo de mis recuerdos con los tuyos te permitirá subsanar posibles errores. En los ancianos de carácter sanguíneo, la cordura es una frágil tela de araña que se rompe a la menor presión. En el vapor que nos condujo a Santo Tomás, el viejo ya empezaba a dar señales de desbarajuste mental. Se había operado un súbito cambio en sus convicciones políticas y ahora, convertido en un jacobino exaltado, echaba pes-

486

tes de Maximiliano, de Napoleón III y de toda la nobleza europea. Resuelto a borrar de su memoria y de la nuestra el desairado episodio de Veracruz, al llegar a casa se indignó cuando su suegro don Luis, ignorante de lo sucedido, le preguntó con alegre candor si ya lo habían nombrado duque de Veracruz.

—¿De qué me habla, imbécil? ¿Codiciar yo un título nobiliario? Sépase usted que siempre he combatido los privilegios de la aristocracia.

Tuve que calmarlo con ayuda de José, porque estaba a punto de echar mano a su espada. Con dificultades lo llevamos a la casa, donde me ordenó hacer una pira con todas las cartas que había recibido de Gutiérrez Estrada. De ahí en adelante nos prohibió recordarle que había tenido tratos con el archiduque. Pero no era un loco pendejo y antes de quebrar lanzas con el Imperio, se apresuró a vender por medio de un agente las propiedades confiscadas por Juárez que el nuevo gobierno le había devuelto, en consideración a sus méritos como veterano de guerra. Lo inducía a actuar con cautela la presencia de un buque francés de guerra atracado en el puerto de Santo Tomás. Estaba ahí por una escala técnica, pero creyendo que los franceses habían ido a detenerlo, se encerró a piedra y lodo por espacio de quince días, sin querer sacar su hamaca al jardín hasta la partida del buque. En vano Dolores trataba de calmar su ansiedad con infusiones de tila: era un manojo de nervios y ahora se creía vigilado por todos los extranjeros que ponían un pie en la isla. Llegó al extremo de prohibirle a Dolores organizar partidas de bridge, temeroso de que sus amigas fueran espías al servicio de Napoleón.

Las desavenencias de Maximiliano con el clero y los conservadores le produjeron una malsana alegría. Celebraba con sorna las audacias del emperador, como el decreto en que restableció los festejos del 16 de septiembre y la expedición de leyes reformistas idénticas a las de Juárez, pues creía que esas locuras acelerarían su caída. Para meter cizaña escribió al arzobispo Pelagio de Labastida preguntándole hasta cuándo iba a soportar que un extranjero atentara contra la religión de todos los mexicanos. Sin embargo, sus mayores esperanzas no se cifraban en una reacción conservadora contra Maximiliano, a quien llamaba despectivamente «la mujer barbuda», sino en el disgusto yanqui por la presencia de tropas francesas en México. Su esperanza se robusteció al terminar la Guerra de Secesión, cuando supo que el general Sheridan, comandante de la Louisiana, había colocado cien mil veteranos a la orilla del Bravo y la armada norteamericana tenía treinta y nueve buques de guerra destacados en las costas mexicanas del Pacífico.

Creyendo que la suerte lo favorecía, comisionó al señor Lisandro Lameda, un exiliado cubano residente en Washington, para que iniciara negociaciones en Estados Unidos con el presidente Johnson y el secretario de Estado Seward, mientras enviaba proclamas en contra del Imperio a sus partidarios de México. El hecho de que Juárez hubiese gozado hasta ese momento del respaldo norteamericano le parecía un contratiempo menor: «Con Juárez la guerra civil continuará hasta desangrarnos —instruía por escrito al comisionado Lameda—; sólo yo puedo encabezar el gobierno de reconciliación nacional que el país necesita. Hágaselo ver así a los yanquis, y por favor, dígales que soy un ferviente admirador de la Doctrina Monroe». Las gestiones de Lameda no fueron del todo inútiles, pues en diciembre del año 65 el viejo recibió una visita del secretario de Estado Seward, que llegó sin anunciarse a Santo Tomás a bordo de una imponente fragata. Rejuvenecido por el inesperado regalo de Navidad, papá acudió a recibirlo en el muelle con su uniforme de gala, derritiéndose de calor, pero sin musitar una queja, pues como me dijo al oído: «La amistad de los Estados Unidos bien vale una insolación».

Fui testigo de su breve entrevista con Seward, traducida por un intérprete que venía con el visitante, y me asombró la habilidad del viejo para aligerar la charla con frases amables, sin perder nunca de vista su objetivo político. Era todavía un tigre de la diplomacia, convincente y digno en su papel de salvador de la patria, si bien a causa de su edad empezaba a tornarse reiterativo. Seward le aseguró que los Estados Unidos jamás reconocerían el Imperio de Maximiliano, y que su gobierno estaba presionando a Napoleón III para obligarlo a retirar sus tropas de México.

—Sin el apoyo militar de Francia, el archiduque no podrá sostenerse en el poder ni tres meses —vaticinó papá.

—Eso mismo pensamos, y por ello mi gobierno quiere acercarse a las fuerzas políticas de México, para tener la certeza de que no volverá a reinar la anarquía ni darán ustedes motivo para otra intervención extranjera.

Hasta ahí la charla iba a pedir de boca. Sin caer en la presunción, papá hizo notar a Seward que su inmensa popularidad lo convertía en el hombre más idóneo para pacificar el país. Pero cuando Seward le preguntó con cuántos efectivos militares contaba para imponer la paz a la caída del Imperio, el viejo respondió con vaguedades y circunloquios. En otras épocas hubiera inventado un embuste para salir del apuro, pero los descalabros políticos lo habían vuelto medroso y calculador. Ya no era el audaz jugador de antes. Perdido el desenfado para asumir riesgos, ahora temía dar pasos en falso, como si hubiera una forma ciento por ciento segura de alcanzar el poder. Seward se despidió con mucha amabilidad y le prometió entablar correspondencia para tenerlo informado de las gestiones diplomáticas yanquis. Pero me pareció advertir en sus suaves maneras la deferencia compasiva que se le tiene a un tigre sin dientes.

Sin darse cuenta de que su arrojo lo había abandonado, papá seguía con pasión los acontecimientos políticos. Las presiones de Estados Unidos empezaban a surtir efecto y Napoleón anunció que sus tropas se retirarían de México en un lapso de un año. Pero a la chita callando, el emperador austriaco Francisco José reclutaba soldados que reemplazaran a los franceses, para no dejar desamparado a Maximiliano. Al conocer las intenciones ocultas del gobierno austriaco, Seward advirtió al emperador que si continuaba alistando tropas para México, Estados Unidos no podía comprometerse a permanecer neutral. De esto papá se enteró por los periódicos, porque Seward no había cumplido su promesa de intercambiar correspondencia con él. Ahora que la derrota del Imperio estaba al doblar la esquina, su poderoso valedor lo dejaba chiflando en la loma. ¿Por qué carajos no me pone al tanto de sus planes? —despotricaba. ¿Juárez lo habrá predispuesto en mi contra? ¿Pensará que mi época ya pasó?

En un arranque de cólera destituyó a Lameda como representante en Washington. Grave error, pues el cubano había cumplido con su trabajo y no tenía la culpa de que Seward le hubiera cerrado las puertas. Lejos de aceptar que su nombre ya no pesaba en los altos círculos del gobierno yanqui, el viejo creía que Lameda se había vendido a sus enemigos de México para desacreditarlo en Estados Unidos. Cuando un político ignora el terreno que pisa, se condena a dar palos de ciego ante las risotadas de la galería. Divorciado de una realidad excluyente y amarga, papá todavía actuaba con cierta cordura a los ojos de los extraños, pero sólo aceptaba del mundo real lo que encajara con sus ficciones. Por esa razón se fue alejando de sus buenos amigos y quedó a merced del execrable Darío Mazuera.

DE DARÍO MAZUERA A ABRAHAM BÁEZ

Santo Tomás, 4 de marzo de 1866

Mi querido compadre:

Ando tras un negocio que nos puede dejar forrados. ¿Ha oído usted hablar del general Santa Anna, el Napoleón criollo que por más de un cuarto de siglo tuvo en el puño a los mexicanos? Pues heme aquí departiendo en su mesa y convertido en hombre de sus confianzas. Se preguntará usted cómo llegué hasta acá, si la última vez que le escribí andaba a salto de mata en la Nueva Granada, perseguido por mi antiguo jefe Cipriano de Mosquera, a quien hoy considero el traidor más infame del universo. Pues justamente cuando iba huyendo con mi escolta hacia Cartagena, con la intención de tomar un vapor que me pusiera a salvo del sanguinario Mosquera, pasé por el pueblo de Turbaco y me quedé a dormir en la hacienda de La Rosita, donde Santa Anna vivió algunos años. A pesar de los destrozos cometidos por la tropa, la mansión todavía conservaba vestigios de su esplendor. Al ver los amplísimos salones donde colgaban aún jirones de los gobelinos rasgados por las bayonetas, las arañas a medio caer, las noventa caballerizas, la confortable y lujosa gallera, el palenque con tribunas para quinientos espectadores y los ricos ornamentos de la capilla, me pregunté con una mezcla de pasmo y envidia: ¿quién sería el hijueputa que se daba esa vida de príncipe? No tardé en averiguar quién era el dueño de aquel palacio y al salir de mi país ya tenía en la mira al destronado dictador azteca.

Espolearon mi curiosidad las noticias sobre su colosal fortuna que aparecían en los periódicos de La Habana, donde llegué con pasaporte falso y viví unos meses rehuyendo el trato social, por temor a ser deportado. Según el gobierno de Maximiliano, Santa Anna había saqueado a su patria con denodada rapacidad y sus cuentas en el extranjero ascendían a cuatro millones de pesos. Suponiendo que haya perdido en Turbaco millón y medio, pensé, todavía le queda capital para empedrar de diamantes su camino al infierno. Tú sabes, compadre, cuánto aborrezco a los dictadores de cualquier nacionalidad que amasan fortunas escandalosas con el dinero del pueblo. Lejos de mi patria, corto de fondos, clausurado el porvenir por los reveses políticos, pensaba con rabia frente a mi vaso de ron: yo aquí jodido en La Habana y Santa Anna podrido en oro en Santo Tomás, con un ejército de esclavos lamiéndole el calcañar. No sólo se lucha por la justicia en el campo del honor y en la tribuna parlamentaria, como yo he luchado toda mi vida: también se hace justicia al expropiar el dinero malhabido de los déspotas.

Animado por esa noble intención, pedí prestados cien dólares a un amigo cubano y tomé un vapor a Santo Tomás. Me presenté con Santa Anna como un perseguido político, a quien los infortunios del exilio habían dejado sin blanca. De entrada le mencioné con admiración sus hechos de armas más sonados, lisonja que obró un efecto emoliente en su alma. Ni siquiera tuve que pedirle hospedaje, pues él mismo me lo ofreció y hasta puso un criado de librea a mi servicio. La verdad sea dicha, esperaba encontrarlo en una residencia más opulenta. Supongo que ha renunciado provisionalmente a los caprichos de faraón para aparentar un modo de vida austero. Llegué en buen momento, pues el viejo atravesaba una crisis de hastío y se ha encariñado conmigo. Hasta dice que me parezco a él cuando era joven. En efecto: he visto sus retratos de hace treinta años y nuestro parecido es asombroso. Agradecido por sus atenciones le ofrecí mi modesta pluma para escribir un libro que narre sus hazañas y lo enaltezca ante el mundo. Pero él ha rehuido mis intentos de entrevistarlo, pues no le interesa hablar del pasado, sino del presente. Todavía sueña con volver a su país y quedar a la cabeza de un gobierno autocrático, cosa que no me sorprende, pues un gran ladrón siempre ansía regresar al sitio de sus esquilmos.

En los pocos días que llevo aquí hemos intimado bastante. Mi amistad con él podría ser más estrecha, si no fuera por la presencia constante de su suegro don Luis, que me tiene celos y se entromete en nuestras charlas. Añádase a esto el recelo de sus hijos, a quienes no he podido echarme a la bolsa. Uno de ellos, Ángel, se ha propuesto apagar con baños de agua helada los sueños calenturientos del general. El otro día planeábamos la composición de su próximo gobierno, donde yo tendría un puesto en el gabinete, y Ángel lo interrumpió con dureza:

—Olvídate de eso, papá. Si Maximiliano huye del país, Juárez quedará en su lugar. Tú ya no estás en edad para ser presidente.

El viejo le soltó un bastonazo que lo hubiera podido descalabrar si no se agacha a tiempo. Ángel debe de pensar que he venido a llenarle la cabeza de humo a su padre. Se equivoca: me limito a infundirle ánimos y sólo procuro que mis palabras sean como un eco de su amor propio. Por eso prefiere mi compañía a la de ningún familiar, incluyendo a su esposa, con la que apenas cruza palabra. Don Luis no representa ninguna competencia, porque sus burdas y descaradas adulaciones ya tienen cansado a Santa Anna. Yo no le prodigo el incienso, pero trato de hacerle sentir la perfecta armonía de nuestras voluntades. Así he logrado que me abra su corazón y hable conmigo como si pensara en voz alta.

Su principal inquietud actual es obtener el apoyo de Estados Unidos para volver a México escoltado por los cañones yanquis a la caída de Maximiliano. Le hice creer que hablo el inglés a la perfección y me ofrecí como sustituto de su representante en Estados Unidos, a quien hace poco despidió con cajas destempladas. El viejo aceptó la idea con júbilo, y me ha pedido que viaje a Washington para solicitar audiencia al secretario de Estado Seward, con quien dice tener estrecha amistad. En buen aprieto me vería si tuviera que hablar con él, yo que a duras penas atino a decir *hello*. Pero como podrás suponer, no tengo la menor intención de entrevistarme con Seward ni me importan un carajo las intrigas del general. Sólo quiero aprovecharme de su confianza para llevar a buen fin mi faena expropiatoria. Y aquí es donde un prestamista como tú puede serme de gran ayuda.

Mi plan es falsificar un memorándum donde el secretario Seward anuncie a Santa Anna que el Congreso de Estados Unidos aprueba un préstamo de treinta millones de dólares para sufragar los gastos de su expedición militar. Para eso necesito papel membretado del gobierno yanqui. ¿Podrías conseguírmelo con tus amistades de los bajos fondos? Una vez convencido de contar con el apoyo norteamericano, el viejo no tendrá empacho en hacer algunos gastos para poner en marcha la expedición y si actuamos con inteligencia le podemos quitar hasta la camisa. Por lo pronto debes ir gestionando en Nueva York la compra a plazos de un vapor de guerra. Le haremos firmar pagarés pagaderos por el valor del barco, y de entrada tendrá que soltar un anticipo de cuarenta mil dólares para que pueda zarpar de Santo Tomás. Cuando se canse de esperar el préstamo del gobierno yanqui, tendrá que apoquinar el monto de los pagarés más los recargos que se hayan acumulado. Para entonces yo me habré ido a esconder en alguna isla de las Antillas, pero tú lo tendrás apergollado y compartiremos las ganancias. ¿Estás de acuerdo? Para afinar los detalles del plan, nos veremos en Nueva York el mes próximo. Y por favor: ni una palabra de esto a tus voraces colegas del gueto judío. Un millonario pendejo siempre atrae a los tiburones y no debemos permitir que ningún competidor nos robe la presa.

No te imaginas, Manuel, cuánto batallé para evitar que papá comprara el funesto vapor *Georgia*, en el que Mazuera quería llevárselo a Nueva York. Dolores me acompañó en mis ruegos y hasta lo amenazó con divorciarse. Pero él pensaba que nos oponíamos a su expedición por vil mezquindad.

—A ustedes sólo les importa proteger la fortuna que les voy a heredar —nos recriminó—. Tranquilícense, nada gastaré de mi peculio en esta aventura. Pero si así fuera, ¿no saben que para mí el bien de la patria no tiene precio?

Cuando el viejo se entercaba en algo era peligroso llevarle la contraria. Como sus caprichos no estaban sujetos a discusión, preferí apechugar y acompañarlo en el viaje a Nueva York, primera escala de la expedición, para vigilar de cerca las maniobras de Mazuera y su cómplice, el usurero Abraham Báez, a quienes papá firmaba libranzas y contratos en inglés, sin pedir que le tradujesen la letra menuda. Algo me olía mal, pero no tenía argumentos para disuadirlo de gastarse tan alegremente como quisiera el dinero que debía reembolsarle el tesoro norteamericano. Se había colado en el barco su parásito don Luis de Vidal y Rivas, que no conocía Nueva York y quiso aprovechar la ocasión para hacer turismo político. Ningún consejo sensato podía contrarrestar el efecto embriagador que obraban en el ánimo del viejo sus augurios de un porvenir glorioso. Pero nada lo alegró tanto como la noticia de que el secretario Seward le tenía preparada una bienvenida a la altura de su renombre, con salvas de cañonazos y una valla de lanceros a los que pasaría revista en el muelle.

Con un optimismo rayano en el frenesí, la víspera de nuestra llegada papá me pidió que tomara la pluma para dictar una proclama a los mexicanos: «Resignado a obedecer los decretos celestiales, voy a lanzarme al torbellino de la acción militar. Tengo fe en la nobleza de mi causa y sé que Dios guiará mis pasos. Nada me importan las diatribas de los gabachos, ni de sus adictos. El término de su dominación en México se aproxima, y ¡ay de los que a tiempo no se pongan a salvo de mis cañones!». Cuando vimos en el horizonte las torres de Manhattan, me pidió que lo acompañara a su camarote para ayudarle a vestirse, mientras Mazuera terminaba de retocar el discurso que pronunciaría en la ceremonia de bienvenida. Con infantil alborozo se probó varios tricornios frente al espejo, y cambió varias veces las condecoraciones de su pechera, para que lucieran más las de mayor categoría. «¿Cómo me sienta la casaca azul? ¿Cuál prefieres: ésta o la que tiene botones de águila dorada?». Tras una larga sesión de tocador, salió a la cubierta del *Georgia* cuando el vapor hacía maniobras para entrar al embarcadero. De entrada le extrañó no escuchar el himno nacional mexicano. Tampoco había cañones en el muelle, ni la prometida valla de cadetes rubios. Sólo un borrachín andrajoso que le hizo el saludo militar cuando bajamos a tierra.

—¿Pero qué pasa? —preguntó desconcertado a Darío Mazuera—. ¿Dónde está el secretario de Estado?

—Quizá nos espere en otro lugar —se disculpó el pillastre—. Voy a ponerle un telegrama —y salió disparado con el judío Baez rumbo a la oficina de migración.

Nunca más les volvimos a ver el pelo. Su abandono y el descubrimiento de que el memorándum de Seward era falsificado hubieran bastado para desmoralizar a cualquiera. Pero papá no quiso darse por vencido, quizá porque intentar lo imposible era su única forma de sobreponerse a la decepción. Contribuyeron a infundirle ánimos los periodistas neoyorquinos, que al enterarse de su llegada le pidieron entrevistas y publicaron comentarios favorables a su proyecto de expedición. Indiferente a la opinión pública, Seward se negó a recibirlo en Washington so pretexto de tener una agenda llena de compromisos.

—Esto va para largo —me dijo el viejo cuando llevábamos una semana en Nueva York—. Sería mejor que en vez de pagar el hotel alquiláramos una casa.

—Pues yo opino que volvamos de inmediato a las Bahamas. Este viajecito ya te está costando muy caro, ¿no crees?

—Regrésate tú si quieres —se disgustó—. Ya vine hasta acá y ahora no me puedo echar para atrás. En México hay muchos patriotas esperando los cargamentos de parque.

Aunque preveía el fracaso de sus gestiones, no tuve corazón para dejarlo abandonado en un país extraño y accedí a rentar una casa en Elizabethport por un lapso de tres meses. De nada nos valió asediar a Seward con telegramas: el gobierno norteamericano había tomado partido por el bando liberal y sólo negociaba con los enviados de Juárez. Rehusándose a admitir su derrota diplomática, papá trató de recaudar dinero entre los ricos mexicanos residentes en Nueva York y asistió a varias reuniones con ellos, donde sólo obtuvo donativos ridículos. Gastaba mucho más de lo que recibía, pues además de ofrecer cocteles y desayunos a la prensa, sufragaba la costosa afición de don Luis a comer en restaurantes de postín, sin reprocharle nunca sus excesos etílicos.

Pero la gran puñalada se la dio el prestamista William van de Guion, a quien Báez había vendido sus pagarés. A principios de diciembre se presentó en la casa con unos gendarmes y exigió bajo amenaza de iniciar un proceso judicial que papá le pagara los ochenta mil dólares facilitados para la compra del *Georgia*. Temeroso de poner en peligro sus propiedades de Santo Tomás, que había dado en garantía para obtener el préstamo, el viejo entregó como depósito su cajita de alhajas, que encerraba en valores el doble de la cantidad adeudada. Le partió el alma desprenderse de esas joyas, reunidas en el transcurso de toda su vida, y al verlo abatido volví a suplicarle que renunciara a la expedición.

—¡Eso nunca! —interrumpió su llanto—. He de volver a México victorioso, aunque me cueste la vida, ¿entiendes?

Apenas había pronunciado su juramento cuando una pedrada rompió el ventanal que daba a la calle. Frente a la reja del jardín había un centenar de manifestantes cobrizos que llevaban pancartas en español y gritaban enardecidos: «¡Mocho ladrón! ¡Devuelve lo que te robaste! ¡Santa Anna traidor! ¡Bajeza Serenísima!». Sin duda eran agitadores pagados por Matías Romero, el embajador juarista en Estados Unidos. Pero, ¿quién les había dado nuestra dirección? Por curiosidad, don Luis se asomó al balcón al oír los gritos, y un certero proyectil le apagó el ojo izquierdo. Si la policía no viene en nuestro auxilio, me temo que aquella gentuza nos hubiera linchado. Mientras don Luis gimoteaba como un cobarde, papá se creció ante la intimidación. «¡Este criminal atentado no quedará impune! —gritó a los atacantes cuando ya se alejaban—. ¡Los demagogos correrán la misma suerte de los franchutes!». En busca de seguridad nos mudamos a una residencia más modesta en Staten Island. Resignado a no conseguir un centavo del tesoro norteamericano, ahora el plan de papá era comprar armamento a crédito.

Como las tropas francesas ya se habían retirado de México y Maximiliano estaba sufriendo derrotas en todos los frentes, le urgía obtener fondos para entrar al país a la cabeza de un ejército libertador y adjudicarse en el último instante la victoria de Juárez. Pero más que perseguir un móvil político, el viejo estaba retando al destino. Su demencial proyecto sólo podía llevarlo al desastre. Pero si no se jugaba esa última carta, ¿qué futuro le esperaba? ¿Retirarse a observar el crepúsculo desde la veranda de su mansión, mientras la sangre se le iba secando en las venas?

A pesar de la pedrea, todavía hizo el intento de reconciliarse con los liberales, creyendo posible utilizarlos como escalón para llegar al poder, como había hecho en tiempos de Gómez Farías. En una entrevista a puerta cerrada quiso convencer a Matías Romero de que al desembarcar en Veracruz dos años atrás, no había ido en pos de una elevada posición al lado del archiduque, sino a velar por las garantías y libertades de sus compatriotas. Sin perder en ningún momento la compostura, el embajador le citó como prueba de su traición a la patria el manifiesto en apoyo del emperador publicado en Orizaba: «Si después de esto insiste usted en no haber reconocido la intervención francesa –ironizó–, será necesario convenir en que el lenguaje tiene para usted una significación muy distinta a la que tiene para el resto de los mortales». Papá salió del encuentro muy ofendido por la mordacidad del «licenciadillo Romero», a quien puso desde entonces en su lista negra, cada vez más poblada de nombres aborrecidos. Cerrado el camino de las alianzas, se dedicó a tocar puertas en los círculos financieros de Nueva York, como un becerro que se dirige por su propio pie a la carnicería. Fue así como entró en contacto con el húngaro Gábor Naphegy.

Yo no estuve presente en las negociaciones, pues el viejo encargó a su suegro don Luis que arreglara los detalles del empréstito sin decirme nada. Cuando me vine a enterar del atraco ya era tarde para impedirlo. En sociedad con otro banquero, de cuyo nombre no quiero acordarme, Naphegy se comprometía a facilitar un crédito por setecientos cincuenta mil dólares, dinero suficiente para equipar la expedición, a cambio de que el viejo presentara en hipoteca sus propiedades y emitiera bonos con interés a favor de los dos prestamistas. En el contrato papá se hacía llamar «Comandante en Jefe del Ejército Libertador de México» y reconocía a Naphegy como apoderado legal ante el gobierno de Estados Unidos, con derecho a negociar la venta de cualquier porción del territorio mexicano. En mi vida había visto un documento más abusivo. Encima de ahorcar a su cliente con los intereses leoninos, los agiotistas querían un pedacito de la República. Pero como el éxito de la expedición era bastante dudoso, se cubrían la espalda con los bienes inmuebles de papá, incluyendo la casa que él me había regalado en Santo Tomás. Hasta ahí llegó mi paciencia. Cuando vi que la propiedad a mi nombre también estaba incluida en la hipoteca, me rehusé a firmar de conformidad, y entonces estalló la bomba:

—¿Pero cómo, infeliz? ¿Vas a negar que yo te regalé esa casa?

—No lo niego, pero un regalo es un regalo.

—¡Cállate, recabrón! —me abofeteó—. ¿Así me pagas que te haya dado mi apellido? ¡Firma esas escrituras o mando que te fusilen!

—Yo no soy tu soldado, soy tu hijo.

—No es cierto: ¡eres el hijo de una ramera que se le abría de piernas a cualquier piojoso!

Sólo el respeto a sus canas me impidió golpearlo. Esa misma tarde saqué mi ropa de la casa de Staten Island, me fui a dormir en un hotelucho y a la mañana siguiente zarpé a Santo Tomás en un barco carguero. ¿Tú en mi lugar no hubieras hecho lo mismo? Tal vez fue una ingratitud saltar del barco en pleno hundimiento y dejar al viejo a merced de los tiburones. Pero creo que él andaba en busca de una expiación, quería suicidarse de la manera más ruidosa posible y ningún deber de conciencia me obligaba a seguirlo hasta el fin.

DEL CUADERNO DE VIAJE DEL GENERAL SANTA ANNA

A bordo del buque Virginia, 9 de mayo de 1867

Vamos entrando al golfo de México y la cercanía de mi patria me provoca una mezcla de exaltación y pavor. ¿Se dejará conquistar esta vez? ¿Me guarda fidelidad a pesar de los años? Parezco un adolescente que se come las uñas en espera de su primera cita de amor. Pero no debería dar señales de nerviosismo. Se supone que voy de regreso a Santo Tomás, y he prometido a Loló que no haré ninguna declaración pública cuando hagamos escala en Veracruz. Hubiera preferido viajar sin ella. Desde que vino a buscarme a Nueva York, alarmada por los negros informes de Ángel, ese hijo desnaturalizado, no cesa de fastidiarme con sus timoratas reconvenciones. Teme quedarse en la calle y fiscaliza mis gastos como una inspectora de Hacienda. Le he repetido cien veces que mandaré anular el préstamo contratado con Gábor Naphegy, pues he desistido de encabezar la expedición militar. Pero ella me conoce demasiado y se huele algo malo. Pobrecita: se volvería loca si supiera que la expedición apenas comienza. Desde un punto de vista táctico, su presencia en el buque me conviene, pues un hombre que viaja acompañado de su esposa no despierta sospechas de querer acaudillar un movimiento libertador. Según mis últimas noticias, Maximiliano ha desocupado la Ciudad de México y se bate a la desesperada en los alrededores de Querétaro con los pocos generales que todavía le son fieles. Justo final para la mujer barbuda.

¡Todavía me quiere! Lo he comprobado a las pocas horas de estar aquí, sin necesidad de bajar a tierra. Me quiere y me necesita como una oveja extraviada que vaga por los montes en busca de su pastor. Vidal y Rivas hizo muy bien su trabajo. A escondidas de Dolores bajó al puerto mientras el buque descargaba harina en el muelle y avisó de mi llegada al comandante de la plaza, un tal Antonio Taboada, que vino a verme enseguida junto con el comisario imperial Domingo Bureau. Loló se inquietó cuando subieron al barco, pero no pudo hacerme ningún reproche, pues le constaba que yo había estado quietecito en mi camarote. Tampoco pudo impedir que aceptara su invitación a comer en San Juan de Ulúa, pues mi rechazo se hubiera tomado como una descortesía. Como lo esperaba, los dos militares a cargo del puerto se inclinaron respetuosos ante mi leyenda. No necesito un cargo oficial para darles órdenes, pues acatan mi autoridad de manera espontánea. En la comida me pusieron al tanto de su apurada situación: con Maximiliano preso en Querétaro, el Imperio se desmoronaba. Dadas las circunstancias ya no les convenía seguir combatiendo a los liberales, pero tampoco aceptar una capitulación humillante. ¿Qué haría yo en su lugar?

Les aconsejé adelantarse a los hechos y proclamar la República.

—Pero nosotros juramos fidelidad al Imperio —protestó Bureau.

—También yo lo hice en alguna ocasión —repuse—, y he pagado muy caro mi error. Si no queremos que el país se desmorone como el azogue, debemos arrebatar sus banderas al enemigo.

Para acabarlos de convencer les propuse asistir esa misma tarde a solemnizar el pronunciamiento en el palacio municipal. Mi oferta los entusiasmó, pues sabían que yo mismo proclamé la República hace cuarenta y cinco años en este lugar, y juzgaron con mucho tino que mi presencia le daría legitimidad al acto. Volví al barco para ponerme mi uniforme de gala. Dolores no quería dejarme bajar al puerto a presidir la ceremonia y recurrió a las lágrimas como método de coerción.

—Ya estás otra vez metiéndote en líos, Antonio. Me prometiste que no ibas a intervenir en política.

—Lo siento, querida, mi gente me necesita —y la dejé chillando en la cubierta del *Virginia*.

En el palacio del ayuntamiento, la gentil concurrencia me recibió con aclamaciones. Imperios van y repúblicas vienen, pero nadie puede arrebatarme el lugar que ocupo en el corazón del pueblo. Cuando Naphegy empiece a enviar las armas, todos los hombres que hoy abarrotaron el salón se lanzarán al combate para rescatar al país de la ignominia. Ya veremos entonces si el indio Juárez puede frenar mi empuje.

A bordo del Tacony, 16 de mayo de 1867

Malditas sean las mujeres y mil veces maldita la bandera de las barras y las estrellas. ¿Con qué facultad y derecho se procede así contra mi persona? Invitado por el comisario Bureau a pasar revista a sus tropas, esta mañana bajé del barco para dirigirme en una calesa al baluarte de la Concepción. Pero apenas había puesto el pie en el muelle cuando me cerró el paso un matalote yanqui. Su torva faz y su mandíbula cuadrada no presagiaban nada bueno.

−Soy el comandante Roe −me dijo en español−. Tengo órdenes de aprehenderlo y llevarlo a mi vapor de guerra.

−¡Oh, Dios! −exclamé−. ¿Otra vez Estados Unidos haciendo la guerra a México?

−No estamos en guerra con su país. Pero se ha dicho en la ciudad que usted era enviado de mi gobierno y me veo precisado a desmentirlo con hechos.

−¿Quién le dijo eso?

−No me detendré en explicaciones. Si usted no viene de grado, irá por la fuerza.

Los hombres de Roe casi me levantaron en vilo para subirme al lanchón. Ojalá hubieran sido bilingües, para que al menos entendieran mis mentadas de madre. Arrepentido quizá de tratarme como criminal, cuando llegamos al *Tacony*, Roe me ofreció su camarote. Ahí se acomidió a explicarme con más detenimiento los motivos de mi arresto.

−Antes de su llegada, el comisario Bureau había dispuesto rendir la plaza al general Benavides, jefe del ejército republicano, pero la llegada de usted lo impidió.

−¿Y eso qué? ¿Desde cuándo son ustedes árbitros de la política mexicana?

−Lo siento, general. Usted llegó a Veracruz en un buque norteamericano y su conducta compromete la neutralidad de mi gobierno.

—Qué neutralidad ni qué la chingada. Lo que pasa es que ustedes son aliados de Juárez.

Vencido por mi elocuencia, el capitán del *Tacony* dio por terminada la charla. Si sólo hubiera sido víctima de un atropello a la soberanía nacional, quizá estaría resignado a mi suerte. Pero resulta que Dolores también está involucrada en esto. Según Vidal y Rivas, ella fue la principal responsable de mi detención, pues ayer acudió al comandante Roe para rogarle que me impidiera tener actividades políticas en el puerto. Heme aquí, traicionado y cautivo en una prisión flotante, mientras la patria se desangra por la falta de un verdadero guía. Oh, señor, apiádate de un pueblo que gime de dolor. Déjame libre para la gloria o para el martirio.

Sisal, 22 de mayo de 1867

Última escala en México, última oportunidad de hacer algo por mis desdichados hijos. No le dirijo la palabra a Dolores desde que salimos de Veracruz. La perra dice que me delató por mi bien. Sí, claro: so capa de protegerme, en realidad está cuidando su patrimonio. Me trata como a un loco peligroso al que no se puede dejar solo un momento. Por su culpa sigo preso aunque me hayan devuelto al *Virginia*, pues instigado por ella, el comandante Roe ordenó al capitán del buque no permitirme bajar a tierra en ningún puerto mexicano. Pero si no bajo yo en persona, mis palabras deben hacerlo para llevar a mis compatriotas un mensaje de unión y esperanza.

También Yucatán padece los estragos de la guerra civil. En Mérida, a diez leguas de este puerto, liberales y conservadores libran un combate encarnizado. Sólo una persona con mi prestigio puede impedir la matanza entre hermanos. Por eso he dictado a mi fiel amigo Vidal y Rivas un mensaje de paz que a estas alturas ya debe de estar en manos de los contendientes: «¡Yucatecos! Encontrándome tan cerca de vosotros en viaje para el suelo patrio, me apresuro a saludaros, profundamente conmovido al contemplar el contraste inmenso entre los que fuimos y lo que somos. En momentos supremos vengo a ofrecer una saludable mediación entre los miembros discordes de la familia. ¡Unámonos contra el enemigo común! Una sola bandera nos cubra, la bandera de la libertad, un sólo pensamiento nos anime, el de la guerra a muerte a los invasores».

Pero me temo que mis palabras, por más emotivas y sinceras que sean, no bastarán para apaciguar los ánimos. Sólo mi presencia en Mérida podría lograr el milagro de un acuerdo pacífico. Desafiando todos los riesgos, ordené a Vidal y Rivas que ofreciera un tentador obsequio en metálico al capitán del barco, a cambio de permitirme bajar a tierra esta noche. Pero el gringuito me salió incorruptible y no sólo ha rechazado la oferta, sino que impuso a Dolores de mis planes para escapar. Nuestra discusión de esta noche fue una de las más violentas que hemos tenido en veinticinco años de matrimonio. Si fuera más joven y tuviera fuerzas, la cogería de las greñas y la tiraría por la borda. Mientras el barco permanezca en Sisal no pierdo la esperanza de que los yucatecos recurran a mis buenos oficios. Mi nombre todavía pesa mucho en el ejército, ya lo vi en Veracruz. Con un poco de suerte y otro poco de audacia, la pacificación de Yucatán podría despejarme el camino a la presidencia. Daré este campanazo, lo juro, así tenga que pasar sobre el cadáver de mi mujer.

Campeche, 28 de mayo de 1867

Creía saberlo todo sobre la ingratitud humana, sin sospechar que me faltaba recibir su hachazo más atroz. Encerrado en un mísero calabozo, escribo a la luz de una vela de sebo las que pueden ser mis últimas palabras. He comenzado a dejarme morir y sólo espero que los celadores me permitan hacerlo con dignidad. Desde hace tres días no he probado el rancho. Ayuno sin dificultad, pues ya no tengo hambre, ni sed, ni ganas de respirar. He sofocado todos mis apetitos y adormecido todos mis sentimientos, salvo la rabia. Seguramente su quemadura me abrasará las entrañas. Y pensar que hace apenas una semana creía posible servir como mediador al pueblo yucateco. Ja, ja, sólo a mí se me ocurre predicar la concordia en un serpentario.

Hasta me sentí emocionado cuando el gobernador Peraza me hizo llegar al *Virginia* su invitación para bajar a tierra. Mis esfuerzos han dado fruto, pensé, el gobernador es un hombre sensato y quiere valerse de mí para negociar la paz. Cumpliendo las instrucciones de Roe, el capitán Deaken no quería dejarme desembarcar y tuvo una fuerte discusión con el teniente coronel enviado a buscarme, en la que también Dolores participó. De nada le valieron sus improperios al gobernador, pues horas después, el mismo oficial volvió con un piquete de soldados para allanar el barco, mientras Deaken invocaba en vano las leyes internacionales. Confieso que me alegró esa demostración de fuerza, pues creía ingenuamente en la buena fe del gobernador. Descubrí sus intenciones al pisar el muelle, cuando los soldados me ataron de manos como a un temible facineroso.

—Queda usted detenido por traición al gobierno de la República —me dijo el teniente.

A mi lado, Vidal y Rivas forcejeaba con otro oficial. Pobre don Luis: por haber llevado mis cartas a Mérida le dieron el trato que se dispensa al cómplice de un matón. Ahora ocupa el calabozo vecino al mío y sus gemidos de dolor me despiertan a medianoche. Yo soy militar y mal que bien estoy acostumbrado a las adversidades, pero él, que siempre ha sido un catrín, debe estar pasándolas negras. No creo que el gobernador Peraza haya dado este paso sin autorización de Benito Juárez. El indio me tiene miedo, y es natural, pues cuando el sol aparece eclipsa a los astros menores. El pueblo quiere figuras de autoridad, no criados elevados a la categoría de mandones. Pero también es verdad que las hormigas se solazan en zaherir al gigante caído y ahora la gente me ha perdido el respeto. Jamás vi un odio tan visceral como el de la muchedumbre que me recibió en el muelle de Campeche. A duras penas la guardia pudo contener a los campesinos ebrios que blandían sus machetes y me gritaban injurias. Yo pensaba cabizbajo: ¿Cuál es mi delito, señores? ¿Haberles dado una patria?

San Juan de Ulúa, 15 de junio de 1867

Ya no temo la muerte, pues en esta fétida mazmorra la padezco todos los días. En Campeche siquiera tenía un escaño donde sentarme, aquí ni eso. En cuanto a alimentos, si mi cuñado Bonifacio no llega en mi auxilio, mis carceleros me dejan morir de hambre. Pero gracias a Dios, parece que la pesadilla va a terminar. Hoy por la mañana, un teniente coronel apellidado Alva se presentó en la prisión para notificarme que seré juzgado en los términos de la Ley de Conspiradores, decretada por Juárez hace cinco años.

—¿Y cuál es esa ley? —le pregunté.

—Una ley muy sabia que castiga con la pena de muerte a los sostenedores del Imperio.

—Comprendo el mensaje —sonreí con aplomo—. El señor Juárez ya mandó matar a Maximiliano y ahora me toca a mí.

—No exactamente —el coronel se atusó los bigotes—. Será sometido a un juicio con todas las de la ley. La nueva Constitución concede garantías a todos los ciudadanos, incluyendo a los enemigos del pueblo.

No creo en las leyes de Juárez: apostaría que ya le dio línea a los jueces. Tampoco yo fusilé a ningún enemigo sin juicio previo, pero siempre lograba que el presidente del tribunal hiciera mi voluntad. Sólo un pensamiento me consuela: es fácil burlar a la justicia humana, mas no a la justicia divina. Si el oscuro zapoteco atenta contra mi vida, arderá en las llamas del infierno hasta el último día de la eternidad.

San Juan de Ulúa, 28 de julio de 1867

Dolores ha venido esta mañana a traerme la comida personalmente en lugar de su hermano Bonifacio. Ya me lo suponía: era ella quien le había encargado cuidar de mi alimentación. Entre mis virtudes poseo la de olvidar con facilidad los agravios, y al ver a Loló tan solícita y compungida le perdoné todas sus jugarretas. Pobrecilla, parece que también ella hubiera estado encerrada en prisión. Pero la delgadez y las ojeras de luto anticipado realzan el atractivo de las mujeres guapas como ella. Cuando nos abrazamos tuve una erección, la primera y quizá la última de este año. Si no hubiera sido por los malditos barrotes de la celda, creo que la hubiera poseído de pie, como en los briosos tiempos de mi juventud. Dolores quiere ir en busca de Juárez para implorarle que me perdone la vida.

—Es inútil —le dije—, ese indio es una roca. Nunca lograrás inspirarle piedad.

Pero ella está resuelta a pedirle clemencia, de rodillas si es necesario, y ha hecho contactos con Margarita Maza, la esposa de Juárez, para que el presidente la reciba en privado. Le agradecí su sacrificio con la voz estrangulada por la emoción. Pero cuando terminó su corta visita, que el infame carcelero no quiso prolongar ni un minuto, me invadió una lacerante desazón. Juárez pensará sin duda que soy un cobarde por ocultarme bajo las faldas de mi mujer. Dolores no conseguirá conmoverlo y en cambio el indio tendrá la satisfacción de tener a sus pies a una gran señora, a quien hubiera debido servir como criado en mejores tiempos y circunstancias. Daría cualquier cosa por evitarle esa humillación. Una cuerda, sólo necesito una cuerda para colgarme del techo. La vida ya me pesa demasiado. Si la patria se suicida, yo quiero marcharme con ella.

ACTAS DEL JUICIO AL GENERAL SANTA ANNA EN EL TEATRO PRINCIPAL DE VERACRUZ
(7 DE OCTUBRE DE 1867)

Citado por el señor fiscal a rendir testimonio, el acusado pasó al estrado y puso la mano derecha sobre el puño de su espada. Preguntado si bajo su palabra de honor promete decir verdad, respondió: «Sí, prometo».

FISCAL: Señoras y señores, en este caso los documentos hablan por sí mismos. El acusado no sólo tuvo estrecha colaboración con el Imperio, sino que fue el primero en concebir y patrocinar esa criminal empresa, como lo acreditan las cartas que obran en su poder, dirigidas al señor Gutiérrez Estrada, conocido imperialista, con instrucciones de buscar un monarca para México entre las casas reinantes de Europa.

SANTA ANNA: Esas cartas son apócrifas, alguien las falsificó para procurarme mal.

JUEZ: Usted no tiene derecho a tomar la palabra. Limítese a responder a las preguntas del señor fiscal.

FISCAL: Tengo aquí el dictamen pericial de los expertos en grafología y todos coinciden en que su firma es auténtica. Pero dígame general: ¿negará también haber tributado homenajes de respeto al archiduque Maximiliano?

SANTA ANNA: Nunca tuve el honor de conocerlo, ni menos llevé con él relaciones amistosas para tomarme la confianza de escribirle en los términos que usted supone. Su conducta para conmigo lo confirma, pues jamás me invitó a regresar a la patria.

FISCAL: Pero usted no necesitaba la invitación. La prueba es que intentó volver en el año de 1864 y firmó un oficio declarando su adhesión al Imperio. ¿Reconoce usted su firma en este documento?

SANTA ANNA: Ese acto mío no fue nacido de mi voluntad, sino impuesto por las circunstancias. El comandante francés que se hacía llamar Jefe Superior de Veracruz me presentó escritas en su lengua las condiciones del gobierno para permitirme la entrada al país. Yo firmé el documento sin conocer su contenido.

FISCAL: ¿Y no se le ocurrió pedir un intérprete?

SANTA ANNA: No lo tenía a la mano. Pero, ¿por qué darle tanta importancia a ese papel, si días después el gobierno imperial me expulsó del país? Eso prueba que la intervención no pudo soportar sin recelo la presencia del soldado aguerrido y valiente que siempre defendió con energía los derechos de su país, humillando en varias ocasiones el orgullo de altivas potencias.

FISCAL: Señores miembros del tribunal. No hagan caso de esta vana palabrería, y sopesen los elementos de prueba que incriminan al acusado. La traición del general Santa Anna amerita un castigo ejemplar que sirva de escarmiento a los enemigos de la República. El pueblo mexicano derramó mucha sangre por expulsar a los invasores y exige que se trate a sus aliados con todo el rigor de la ley. Contribuyan a sanear nuestra vida política aplicando al acusado la pena de muerte.

JUEZ: Tiene la palabra el abogado defensor.

ABOGADO: ¡Crucifíquenlo! ¡Crucifíquenlo! Así gritaba la turbamulta convocada por Pilatos en el juicio a Jesucristo Nuestro Señor. Y así grita el señor fiscal, pidiendo la cabeza del insigne patriota que ha escrito con sangre las páginas más brillantes de nuestra historia. Señores jueces: no cometan el mismo error del populacho judío. Los documentos presentados contra el general Santa Anna son de muy dudosa autenticidad y en modo alguno bastan para sustentar el cargo de traición a la patria. Cuando mucho dejan traslucir un perdonable extravío que el propio acusado se ha encargado de expiar con su noble intento de reconciliar a los mexicanos, aun a costa de su propia seguridad personal. Si las heridas de guerra del acusado no los conmueven, si su limpia trayectoria no los enternece, piensen ustedes en México. Es hora de restañar viejas heridas. La muerte de Santa Anna sólo enconaría los odios entre las facciones, cuando más necesitados estamos de paz y concordia. Que su conciencia los ilumine para dar al mundo un ejemplo de tolerancia...

San Juan de Ulúa, 9 de octubre de 1867

Dolores ha vuelto de la capital con las manos vacías. Como lo temía, sus ruegos no ablandaron al tiranuelo. Juárez la escuchó con aire impasible, sin ofrecerle siquiera la sombra de una esperanza. Lo siento señora —le dijo—, yo no puedo obstruir la acción de la justicia. Me temo que a estas alturas, el general Santa Anna ya debe estar muerto.

Aturdida por el dolor, Loló tomó la primer diligencia a Veracruz. Venía dispuesta a reclamar mi cadáver y se ha encontrado con la sorpresa de que sigo vivo.

—Pero no por mucho tiempo —le dije—. Si Juárez me daba por muerto, quiere decir que los jueces ya recibieron su orden.

No se lo dije a Loló, pero las dilaciones del proceso me tienen harto. Qué bello hubiera sido estallar en pedazos bajo la metralla enemiga en vez de padecer esta muerte lenta, burocrática, impersonal. Juárez quiere disimular su crimen bajo una montaña de papel sellado. Trata de aparentar que no es él, sino la maquinaria judicial quien ordena mi muerte. Pero ya se lo dije a mi abogado: basta de seguirle el juego a mis sicarios, no interponga más recursos de apelación. Si mis méritos de soldado no valen nada contra la insidia, ¿para qué tanto argüende? A estas alturas ya no pido clemencia, sólo pido que me dejen morir con decoro.

VEREDICTO DEL SUPREMO TRIBUNAL DE GUERRA
(13 DE OCTUBRE DE 1867)

Tras haber obsequiado las pruebas presentadas por el fiscal y sometido a concienzudo examen los alegatos de la defensa en el proceso instruido al general Antonio López de Santa Anna, el tribunal declara que no debiendo juzgarse el delito que el acusado cometió en el año de 1854 por la ley promulgada en 1862, y habiendo incurrido sólo en conatos de infidencia a la patria, que no se consumaron en 1863 ni en 1867, resulta improcedente aplicarle la pena de muerte. Con fundamento en las leyes segunda y octava del Código Penal, el tribunal resuelve que el general sea desterrado de la República por ocho años, contados a partir de esta fecha.

Suscriben esta sentencia con carácter inapelable, los señores magistrados Clemente Sánchez, Agustín Olavarrieta y Joaquín Díaz Ruanova (firmas al calce).

La Habana, 30 de noviembre de 1867

Esta mañana Dolores no me quiso comprar una caja de habanos. Dice que de ahora en adelante debemos hacer economías, pues gastó una fortuna en sobornar a mis jueces, y como Gábor Naphegy ha tenido el cinismo de empezar a cobrarme réditos, aun cuando nunca me haya otorgado el préstamo, resulta que tenemos el agua hasta el cuello. Si Dolores me hubiese consultado lo del soborno, yo me habría rehusado a pagarlo. ¿Pero cómo explicarle que a mis años, la vida y la libertad son una penitencia más que una bendición?

Al menos tengo el consuelo de haberle ganado la partida a Juárez. ¡El coraje qué habrá hecho cuando me conmutaron la pena de muerte! Según mi abogado, al enterarse del veredicto condenó a mis jueces a seis meses de arresto en San Juan de Ulúa, pero no se ha resignado a perder su presa. Como la boa constrictora del Senegal, que aprieta a su víctima hasta consumirla, quiere mi total aniquilamiento y ha pedido mi expulsión del país a las autoridades cubanas. ¿Dónde existía? ¿Dónde se hallaba ese miserable cuando yo conquisté la Independencia de México? ¿Dónde diablos estaba cuando perdí un miembro importante de mi cuerpo por defender a mi patria de los invasores franceses? Estaba esperando, como la hiena en su hediondo retiro, la destrucción de los caudillos para cebarse con sus despojos. Pero no quiero hacer bilis, pues debo tener la mente clara y el ánimo sereno pare decidir mi futuro, empezando por lo más importante: ¿adónde voy a vivir?

Santo Tomás está descartado: Loló tuvo que hipotecar nuestras casas para saldar mis deudas con los prestamistas de Nueva York, y no quiere volver como pobretona a un lugar donde fue señora principal. «Rentemos una casita en Nassau —me propuso antier—, allá nadie nos conoce». Yo preferiría mudarme a una ciudad donde la gente me hable en cristiano y haya palenques más animados. No conozco la República Dominicana, pero me han dicho que Puerto Plata es un lugar de clima cálido, parecido a Turbaco, donde se vive muy a gusto con poco dinero. En fin, seguramente Dolores acabará haciendo su voluntad, cuantimás ahora que ya no tengo dinero para imponerle la mía.

Soy una carga para ella y me lo hace notar cuantas veces puede. Ayer, por ejemplo, perdimos un coche de alquiler en el Paseo del Prado, porque yo no caminé lo bastante aprisa para tomarlo, y se puso hecha un basilisco: «Vejete inútil —me dijo—, ¿no te puedes sacudir la hueva?». Antes sólo me afeaba las fallas de carácter, ahora también los defectos físicos. Dios tiene curiosas maneras de castigar a los hombres que llegan alto. Desde mis primeros combates temí en secreto que la providencia me reservara un destino trágico. Con el paso del tiempo fui perdiendo el apego a la vida y ese temor llegó a convertirse en una esperanza. La muerte en el cadalso siempre tiene algo de ennoblecedor y grandioso. Yo quería terminar así, como los héroes de las grandes óperas. Pero siempre contraria a mis deseos, la fatalidad me depara un final de opereta. En los pasos de comedia que llevaban a Jalapa las compañías trashumantes nunca faltaba el anciano cegatón y medio chiflado, a quien su fornida mujer trataba a puntapiés. Ya soy ese monigote grotesco y me temo que no abandonaré el escenario hasta que el Señor termine de humillar mi soberbia.

México, 22 de junio de 1876

Querido don Manuel:

Me aflige sobremanera comunicarle que desde anoche don Antonio goza del eterno descanso. Había sufrido demasiado en los últimos días y en tales circunstancias la muerte no es una pena sino un alivio. Sobrellevó con dignidad una larga y dolorosa agonía, asistido siempre por el autor de estas líneas, que se turnaba con la señora Guadalupe para aplicarle fomentos y humedecerle los labios, mientras doña Dolores fingía aflicción en un cuarto vecino. Gracias a un milagro, el general se reconcilió con la humanidad en el último instante. La víspera de su muerte, el teniente Alberto del Castillo, veterano del glorioso Ejército Trigarante, se presentó en la casa de Vergara con el pie que don Antonio perdió dos veces, primero en Veracruz al serle amputado, y luego en México, cuando sus enemigos lo desenterraron con fines de escarnio. A diferencia de los restos óseos que antes le presentaron, este pie había sido momificado y conservaba intactas hasta las uñas. Le describí su aspecto al general y, al saber que tenía en el empeine un lunar en forma de media luna gritó alborozado:

—¡Es mi pie! Mi madre siempre me besaba ese lunar.

—Lo encontré hace más de veinte años —explicó el veterano—. Pero no quise entregárselo cuando usted estaba en la cumbre de su poder, porque temí que mi actitud sería interpretada como un acto de adulación.

Don Antonio atravesaba uno de sus raros intervalos de lucidez y apretó conmovido la mano del teniente Castillo. Después nos pidió que metiéramos el pie en un frasco de formol y lo colocáramos encima de su buró, como si se tratara de un arreglo floral.

—Por lo menos voy a ser sepultado de cuerpo entero —ironizó.

—No diga eso, general, todavía hay Santa Anna para rato —intenté consolarlo.

—No, Giménez, sé muy bien que mi vida se acaba. Ya me apestan las costillas a leña. Dígale por favor a Dolores que quiero una caja de pino y un entierro sencillo, sin discursos ni marchas fúnebres. Sólo pido que la bandera nacional sea colocada en mi féretro.

Un nuevo ataque de cólico lo hizo enmudecer. Como en los últimos días sólo había tomado atoles y jugos de frutas, defecaba un líquido negruzco que nos obligaba a cambiarle las sabanas cinco veces al día. Alarmado por sus atroces retortijones, pedí a doña Guadalupe que mandara a uno de sus criados en busca del padre Sánchez, el párroco de la Profesa que había sido su confesor en los últimos años. Esperamos más de una hora la llegada del cura, mientras el enfermo mudaba del amarillo pálido al azul violeta. Finalmente el mozo volvió con las manos vacías porque el padre Sánchez había salido a un bautizo y no había ningún otro cura en la iglesia. Así pasa: los clérigos siempre acuden puntuales a recibir donativos, pero nunca están a mano cuando se les necesita.

—Hay que hacer algo —se angustió Guadalupe—. Mi padre no puede morir sin haber recibido los santos óleos.

—Tengo una idea —le dije, y entré en la alcoba del general con la boca cubierta por un pañuelo.

—Buenas tardes, hijo, he venido a traerte el Viático.

Gracias a Dios y a mis dotes de histrión don Antonio no reconoció mi voz. Para ser más convincente pronuncié unos latines, me mojé las manos con agua y le hice en la frente la señal de la cruz.

—Te escucho, hijo, comienza tu confesión.

Acezante y con los ojos a medio entornar, el general trató de hilvanar un discurso coherente, estropeado aquí y allá por sus delirios de agonizante.

—Me arrepiento de haber sacrificado a mis hombres sin necesidad, para obtener victorias que me dieran renombre. Me arrepiento de mis cobardías y de mis intemperancias. Lo hice todo por una estúpida vanidad, padre, pero dígale a estos gallos que no me piquen la cara. Atrás cabrones, ¿no ven que soy su dueño? Traicioné a Iturbide, a Gómez Farías, traicioné a todos y a mí mismo. ¡No, en los ojos no, por favor! Pobres de mis esposas, cuánto daño les hice, pobres de mis hijos, arruinados por mis locuras. Fuera de aquí, no me brinquen encima. Usted soltador, no se quede mirando y guárdelos en sus jaulas. Me arrepiento de todo pero quiero que la patria se muera conmigo.

Como contrapunto fisiológico a sus cuitas espirituales, don Antonio soltaba fuertes chorros de cólico. Las aguas fecales habían empapado las sábanas y se derramaban sobre la duela, formando pequeños charcos. Pero a mí no me afligía el hedor de la habitación sino la dureza con que el general se autoflagelaba.

—Usted no tiene nada de qué arrepentirse —lo corregí con suavidad—. Dios nuestro señor le perdona sus errores porque los cometió por amor a la patria y sin desdoro del honor nacional. Cuantas veces lo necesitó la nación, usted acudió a su llamado. ¿Por qué se acusa entonces de haber cometido traiciones? No, general, a usted lo traicionó el tiempo.

—Soy un miserable —continuó el moribundo—. Traté a la patria como si fuera una puta: le quité el pan y el sustento, me enriquecí con su miseria y con su dolor.

—Calle usted —lo interrumpí—. El héroe del Pánuco no debe hablar de esa forma.

—Pero es la verdad. México y su pueblo siempre me han valido madre.

—Que se calle le digo —y le tapé la boca con la mano, porque me dolía demasiado escucharlo.

Al poco tiempo dejó de jadear, se aflojaron los músculos de su cuello y expiró con serena grandeza. Ahora está sentado a la derecha del Padre.

Índice de personajes históricos

ALAMÁN, LUCAS. Historiador y economista, pionero de la industrialización en México. Defensor de la religión y de la herencia cultural española. Fue secretario de Relaciones Exteriores en el último periodo presidencial de Santa Anna.

ALMONTE, JUAN NEPOMUCENO. Hijo natural de José María Morelos y Pavón. Compañero de Santa Anna en su cautiverio texano. Fue miembro de la Regencia durante la Intervención Francesa y movió influencias para impedir el regreso de Santa Anna al país en 1864.

ÁLVAREZ, JUAN (alias «La Pantera del Sur»). Veterano de la Independencia, partidario de la República federal. Formó un enorme cacicazgo en una región que abarcaba parte de Morelos, Guerrero y Michoacán. En 1853 se alzó contra el régimen dictatorial de Santa Anna y proclamó el Plan de Ayutla.

AMPUDIA, PEDRO. Militar liberal nacido en La Habana. Se distinguió por su valentía en la batalla de La Angostura.

ANAYA, PEDRO MARÍA. Presidente provisional durante la invasión norteamericana. Defendió heroicamente el convento de Churubusco, donde cayó prisionero.

APODACA, JUAN RUIZ DE. Penúltimo virrey de la Nueva España. Ordenó a Santa Anna pacificar los alrededores de Veracruz y le otorgó el grado de capitán. Auspició las juntas de la Profesa, donde Iturbide y otros conspiradores planearon la Independencia.

ARISTA, MARIANO. Luchó bajo las órdenes de Santa Anna en la campaña de Oaxaca (1829) y más tarde encabezó un pronunciamiento fallido para convertirlo en dictador. En 1838 se negó a reforzarlo con sus tropas en la Guerra de los Pasteles. Presidente de la República (1851-1852).

ARREDONDO, JOAQUÍN. Coronel español al mando del Regimiento Fijo de Veracruz. Primer superior de Santa Anna en el ejército realista. Combatió a los insurgentes en Nueva Santander y Texas.

AUSTIN, STEPHEN. Hijo del colonizador Moisés Austin. Presidió la convención de colonos que en 1835 proclamó la independencia de Texas.

BARRADAS, ISIDRO. Comandante de la expedición española que se proponía reconquistar para la corona el territorio de México. Santa Anna lo derrotó en Tampico.

BARRAGÁN, MIGUEL. Presidente interino de la República en 1835. Murió en su cargo cuando Santa Anna combatía a los rebeldes texanos.

BASADRE, JOSÉ IGNACIO. Militar y diplomático. En 1852, como miembro del partido moderado, visitó a Santa Anna en Turbaco. Durante su último exilio se carteaba con él con el propósito de hacerlo volver al país.

BATRES, JOSÉ. Ayudante de campo de Santa Anna en la campaña de Texas. Murió en la batalla de San Jacinto.

BAZAINE, FRANCOIS ACHILLES. Mariscal del ejército francés que invadió México en 1864. Prohibió a Santa Anna la entrada al país.

BEACH, MOSES Y. Agente confidencial del gobierno norteamericano infiltrado en México durante la guerra del 47. Prestó dinero al arzobispo de México para financiar la insurrección de los polkos.

BOCANEGRA, JOSÉ MARÍA. Historiador y político. Ministro de Relaciones en el gabinete de Santa Anna (1842-1843).

BRAVO, NICOLÁS. Insurgente de ideas moderadas y fundador de la logia escocesa. En 1827 encabezó una fallida rebelión contra el gobierno de Guadalupe Victoria. Ocupó varias veces la presidencia en sustitución de Santa Anna. En la guerra del 47 defendió el castillo de Chapultepec.

BUCHANAN, JAMES. Secretario de Estado norteamericano durante el gobierno de Polk.

BURNET, DAVID. Primer presidente de la República de Texas. En el puerto de Velasco entregó a Santa Anna a los colonos que deseaban ejecutarlo.

BUSTAMANTE, ANASTASIO (alias «el Tío» y «el Come Huevos»). General y político iturbidista. En 1829 se sublevó contra Guerrero y tuvo responsabilidad indirecta en su asesinato. Fue dos veces presidente (1830-1832 y 1837-1841), y en ambas ocasiones Santa Anna lo derrocó.

BUSTAMANTE, CARLOS MARÍA. Historiador y periodista. Secretario particular de Santa Anna cuando éste se unió al Ejército Trigarante, más tarde fue uno de sus detractores más enconados.

CALDERÓN, JOSÉ MARÍA. Jefe militar de la provincia de Veracruz durante el primer gobierno de Bustamante. En 1831 propinó a Santa Anna una sangrienta derrota en la batalla de Tolomé.

CALLEJA, FÉLIX MARÍA. General realista y virrey de la Nueva España, que infligió serias derrotas a los insurgentes.

CANALIZO, VALENTÍN. Militar adicto a Santa Anna. Fue presidente interino durante breves periodos y combatió a los invasores en la guerra del 47.

CASTRILLÓN, MANUEL. Secretario particular de Santa Anna en la campaña de Texas. Murió en la batalla de San Jacinto.

COMONFORT, IGNACIO. Liberal moderado que encabezó la revolución de Ayutla, junto con Juan Álvarez. Tras derrocar a Santa Anna ocupó la presidencia y juró la Constitución del 57. Sus titubeos al aplicarla crearon una crisis política que desencadenó la guerra de Reforma.

CORRO, JOSÉ JUSTO. Presidente interino a la muerte del general Miguel Barragán. Entregó el poder en 1837 a Anastasio Bustamante.

CORTINA, CONDE DE LA. Literato y coleccionista de arte que estrechó lazos con Santa Anna durante su última administración.

COS, MARTÍN PERFECTO DE. Militar veracruzano. Fue derrotado por los colonos texanos en San Antonio Béjar y hecho prisionero en la batalla de San Jacinto. Era cuñado de Santa Anna.

DE LA GARZA, FELIPE. Militar republicano, capitán general de Nuevo Santander. Mandó fusilar al emperador Iturbide en Padilla y tuvo una actuación muy deslucida en la campaña contra Barradas.

DÁVILA, JOSÉ. Gobernador y comandante español de la provincia de Veracruz durante la Guerra de Independencia. Santa Anna lo traicionó al adherirse al Plan de Iguala.

DÍAZ, PORFIRIO. Dictador de México de 1876 a 1910. Alcanzó una enorme popularidad al defender la causa republicana durante la invasión francesa. Cuando Santa Anna volvió de su último exilio en 1874 hacía planes para rebelarse contra el gobierno de Lerdo.

ECHÁVARRI, JOSÉ ANTONIO. Gobernador de Veracruz en tiempos de Iturbide. Fue un feroz enemigo de Santa Anna cuando ambos se disputaban el mando de la provincia. Luego se alió con él para derrocar al emperador.

DURÁN, GABRIEL. General conservador. En 1833 proclamó a Santa Anna Supremo Dictador, pero su tentativa golpista no tuvo éxito y el propio Santa Anna lo envió al exilio.

ESCOBAR, MANUEL. Miembro de la comisión de notables enviada a Turbaco en 1853 para suplicar a Santa Anna su regreso a México.

FILISOLA, VICENTE. Militar de origen italiano. Jefe del ejército mexicano en la guerra de Texas. Santa Anna le achacó el fracaso de la campaña por haber obedecido su orden de retirada. Publicó un libro desmintiendo los infundios de su ex jefe.

GADSDEN, JAMES. Representante del gobierno estadunidense que negoció con Santa Anna la compra de La Mesilla.

GARCÍA, FRANCISCO. Gobernador de Zacatecas. Federalista puro, se sublevó contra el gobierno central en 1835 y fue derrotado por Santa Anna.

GIMÉNEZ, MANUEL MARÍA. Ayudante de campo de Santa Anna en la Guerra de los Pasteles, donde un cañonazo lo dejó manco. Defendió con la pluma a su antiguo jefe en muchas polémicas y fue uno de los pocos amigos que nunca lo abandonó. Era español y hablaba francés.

GÓMEZ FARÍAS, VALENTÍN (alias «Gómez Furias»). Ideólogo y político liberal. Santa Anna lo utilizó como trampolín para conquistar la presidencia en 1832 y 1847. En ambas ocasiones dejó el gobierno en sus manos y luego lo destituyó para congraciarse con las fuerzas conservadoras amenazadas por sus reformas.

GÓMEZ PEDRAZA, MANUEL. Ministro de Guerra en el gabinete de Guadalupe Victoria. En 1829 derrotó a Vicente Guerrero en la elección presidencial, pero un pronunciamiento encabezado por Santa Anna le impidió asumir el cargo. Tres años después volvió del exilio y ocupó interinamente la presidencia para allanarle la toma del poder a Santa Anna.

GREEN, THOMAS J. Capitán del ejército texano que condujo a

Santa Anna de Velasco a Orazimba y le impuso grilletes en su cautiverio.

GUERRERO, VICENTE. General insurgente que se alió con Iturbide para lograr la consumación de la Independencia. El sangriento motín de La Acordada lo llevó al poder en 1829. Traicionado por el vicepresidente Anastasio Bustamante, huyó de la capital y fue asesinado en Cuilápam, Oaxaca.

GUTIÉRREZ ESTRADA, JOSÉ MARÍA. Intelectual monarquista. En 1853, Santa Anna le ordenó por escrito ofrecer el trono de México a un príncipe europeo. Más tarde logró convencer a Maximiliano de ceñir la corona imperial.

HARO Y TAMARIZ, ANTONIO. Ministro de Hacienda en el último gabinete de Santa Anna. Perdió el cargo por tratar de restar privilegios a los agiotistas. En su casa de Puebla murió Inés de la Paz García.

HABSBURGO, ARCHIDUQUE MAXIMILIANO DE. Emperador de México de 1864 a 1867. Sus ideas liberales decepcionaron a los conservadores que lo trajeron al país. Santa Anna le ofreció apoyo en varias cartas aduladoras.

HERRERA, JOSÉ JOAQUÍN DE. General iturbidista que persuadió a Santa Anna de unirse al Ejército Trigarante. Presidente de la República en 1845 y de 1848 a 1851. Durante su segunda gestión se firmó el Tratado de Guadalupe Hidalgo, por el que México cedió a Estados Unidos la mitad del territorio nacional.

HOUSTON, SAMUEL. Comandante en jefe del ejército texano. Derrotó a Santa Anna en la batalla de San Jacinto y lo tomó prisionero. Al ocupar la presidencia de Texas, gestionó la entrevista de Santa Anna con Andrew Jackson.

ITURBIDE, AGUSTÍN (alias «El Dragón de Fierro»). Principal figura del ejército realista en la Guerra de Independencia. En 1820, aliado con sus viejos enemigos, encabezó el Ejército Trigarante, que liberó a México del yugo español. En 1822 se hizo coronar emperador. Resentido por su actitud hostil, Santa Anna lo traicionó y proclamó la República.

JACKSON, ANDREW. Presidente de Estados Unidos durante la guerra entre México y Texas. Para llevar a cabo sus planes anexionistas, apoyó subrepticiamente a los colonos con armas y dinero. En 1837 recibió a Santa Anna en la Casa Blanca.

JOINVILLE, PRÍNCIPE DE. Hijo de Luis Felipe de Orleans. Participó en el asalto a Veracruz durante la Guerra de los Pasteles.

JUÁREZ, BENITO. Presidente de México desde 1859 hasta su muerte en 1872. Cuando fue gobernador de Oaxaca prohibió a Santa Anna la entrada a su estado (1847). En venganza, Santa Anna lo envió al exilio. Recién terminada la guerra contra el Imperio, mandó encarcelar a Santa Anna en el castillo de Ulúa y ordenó que se le instruyera proceso por haber apoyado a Maximiliano.

LERDO DE TEJADA, SEBASTIÁN. Presidente de México de 1872 a 1876. Otorgó una amnistía a los conservadores que permitió a Santa Anna volver del exilio en 1874. Como todos los liberales, consideraba a Santa Anna un traidor y le dispensó un trato humillante.

LOMBARDINI, MANUEL. Presidente provisional entre febrero y abril de 1853. Envió representantes a Turbaco para rogarle a Santa Anna que volviera a la presidencia.

LÓPEZ DE SANTA ANNA, ÁNGEL. Hijo natural de Santa Anna. Fue coronel y combatió a los liberales durante la revolución de Ayutla.

LÓPEZ DE SANTA ANNA, JOSÉ (1763-1816). Tío de Santa Anna. Ejerció el sacerdocio en los alrededores de Veracruz. Fue sometido a proceso inquisitorial por seducir a las devotas de su parroquia.

LÓPEZ DE SANTA ANNA, JOSÉ. Hijo natural de Santa Anna y Rafaela Morenza. Reprimió severamente a los sublevados durante la revolución de Ayutla. Durante el gobierno de Comonfort cayó prisionero en San Juan de Ulúa.

LÓPEZ DE SANTA ANNA, MANUEL (1796-1827). Hermano menor de Santa Anna. Fue subordinado suyo en la campaña contra la guerrilla insurgente. Dirigió *El Veracruzano Libre*, órgano de la logia escocesa, y apoyó la insurrección de Nicolás Bravo en 1827. Murió en el barco que lo conducía al exilio.

LÓPEZ DE SANTA ANNA, MANUEL (?-1836). Hijo legítimo de Santa Anna, procreado con su primera esposa, Inés de la Paz García. Acompañó a su padre al exilio y quedó en la ruina cuando Santa Anna fue timado por los estafadores Darío Mazuera y Gábor Naphegy.

MACKENZIE, ALEX SLIDELL. Almirante de la armada norteamericana. Por instrucciones del presidente Polk, en 1846 sostuvo conversaciones con Santa Anna en La Habana. Creyéndolo aliado de Estados Unidos, aconsejó a su gobierno que le permitiera desembarcar en Veracruz.

MARTÍNEZ CARO, RAMÓN. Escribiente de Santa Anna durante su cautiverio texano. El caudillo lo acusó de haber denunciado sus planes de fuga a cambio de obtener la libertad.

MAZUERA, DARÍO. Militar colombiano. Visitó a Santa Anna en Santo Tomás y le hizo creer que el gobierno de Estados Unidos patrocinaría una expedición militar para llevarlo al poder en México.

MEJÍA, JOSÉ ANTONIO. Liberal de origen cubano. Combatió a las órdenes de Santa Anna en la campaña de Oaxaca (1827). Apoyó el levantamiento de los texanos en 1835, pero rompió con ellos cuando proclamaron la independencia. En 1839 se alzó en armas contra el gobierno de Bustamante. Cayó prisionero en la batalla de Acajete y Santa Anna lo mandó fusilar.

MIER y TERÁN, MANUEL. Combatió en la Guerra de Independencia a las órdenes de Morelos. Fue el brazo derecho de Santa Anna en la campaña contra Barradas. Presidió la comisión de límites para fijar la frontera definitiva entre México y Texas. Angustiado por la pérdida gradual de soberanía en los territorios mexicanos del norte, en 1832 se suicidó en Padilla, Tamaulipas, sobre la tumba de Iturbide.

MOCTEZUMA, ESTEBAN. Militar partidario del federalismo. En 1833 se sublevó contra Bustamante y dos años después apoyó a Gómez Farías en su intento por derrocar a Santa Anna.

MORA, JOSÉ MARÍA LUIS. Principal ideólogo del partido federalista. Propuso confiscar los bienes de manos muertas de la Iglesia para pagar la deuda externa del país. Ejerció gran influencia sobre Valentín Gómez Farías.

MORALES, JUAN BAUTISTA (alias «El Gallo Pitagórico»). Periodista y diputado. En *El Siglo XIX* publicó ingeniosas sátiras contra el militarismo, que hicieron enfurecer a Santa Anna.

NAPHEGY, GÁBOR. Prestamista húngaro radicado en Nueva York. En 1867, Santa Anna le solicitó un crédito para comprar armas, ofreciendo como garantía sus propiedades en Santo Tomás.

OCAMPO, MELCHOR. Liberal del grupo radical. Santa Anna lo envió al exilio en 1853. Para obtener el apoyo norteamericano en la Guerra de Reforma, firmó un tratado que concedía a Estados Unidos derecho de tránsito por el Itsmo de Tehuantepec. Fue asesinado por los conservadores en 1861.

O'DONOJÚ, JUAN. Último virrey de la Nueva España. Santa Anna le dio la bienvenida en Veracruz y lo escoltó hasta Córdoba, donde sostuvo un encuentro con Iturbide.

PAREDES y ARRILLAGA, MARIANO. Caudillo jalisciense de ideas conservadoras. En 1841 se alió con Santa Anna y Gabriel Valencia para derribar a Bustamante. Santa Anna lo nombró gobernador de México en 1842 y lo destituyó horas después por su afición a la bebida. En 1845 se sublevó contra el gobierno de Santa Anna. Otro levantamiento lo llevó a la presidencia en 1846.

PEÑA Y PEÑA, MANUEL. Presidente interino en la etapa final de la invasión norteamericana. Retiró a Santa Anna el mando del ejército mexicano.

POINSETT, JOEL ROBERTS. Ministro plenipotenciario de Estados Unidos en México durante los gobiernos de Guadalupe Victoria y Vicente Guerrero. Santa Anna lo conoció desde 1822, cuando vino a México en misión secreta. Auspició la fundación de la logia yorquina. Su enorme injerencia en la política mexicana motivó que la logia escocesa presionara al gobierno de Guerrero hasta lograr su expulsión.

POLK, JAMES K. Presidente de Estados Unidos. Declaró la guerra a México en 1847. Desde su campaña prometió a los esclavistas del sur despojar a México de los territorios colindantes con Estados Unidos.

POSADA Y GARDUÑO, MANUEL. Arzobispo de la Ciudad de México. Era famoso por su glotonería. Enemistado con Santa Anna, en 1844 financió la revuelta del general Paredes.

QUINTANA ROO, ANDRÉS. Intelectual y político insurgente. Presidió la Asamblea Constituyente de Apatzingán (1813). En 1842, Santa Anna le encargó negociar la paz con los rebeldes yucatecos.

RINCÓN, MANUEL E. Jefe militar de la provincia de Veracruz en tiempos de Iturbide. Era el superior de Santa Anna cuando el Ejército Trigarante tomó la plaza. En diciembre de 1838 firmó un armisticio con los sitiadores franceses de Veracruz. Santa Anna lo sustituyó en la comandancia del puerto por órdenes del presidente Bustamante.

RUIZ, JOAQUÍN. Diputado liberal de Puebla. Denostó públicamente a Santa Anna cuando desembarcó en Veracruz en 1853 y pagó su atrevimiento con el exilio.

RUSK, JOHN. Ministro de Guerra de la Convención texana. Trató de obligar a Santa Anna a reconocer la independencia de Texas en el bote que lo conducía a Galveston.

SANTA MARÍA, MIGUEL. Político liberal. Durante su estancia en Colombia fue ministro en el gabinete de Simón Bolívar y volvió a su país durante los gobiernos de Iturbide y Guadalupe Victoria. Santa Anna le pidió redactar el Plan de Veracruz (1822).

SCOTT, WINFIELD. Comandante del ejército norteamericano durante la guerra del 47. Derrotó a Santa Anna en la batalla de Cerro Gordo.

SEWARD, WILLIAM HENRY. Secretario de Estado norteamericano. Sostuvo una larga conferencia con Santa Anna en Santo Tomás en 1866 para conocer su opinión sobre la situación política de México.

SIERRA Y ROSSO, IGNACIO. Literato y político adicto a Santa Anna. Cantó sus glorias en infinidad de ceremonias públicas. Fue ministro de Hacienda en su último gabinete.

TAYLOR, ZACARY. Dirigió la columna del ejército norteamericano que atacó el país por el norte durante la guerra del 47. Rival de Santa Anna en la batalla de La Angostura.

THOMPSON, WADDY. Diplomático norteamericano, encargado de negociar con México la compra de Texas y California en 1842. Santa Anna rechazó airadamente sus pretensiones.

TORNEL y MENDÍVIL, JOSÉ MARÍA. Político y escritor. Fue aliado político de Santa Anna desde 1822 y colaboró en casi todos sus gobiernos. Escribió gran parte de sus discursos en un estilo campanudo y ampuloso. Tuvo fuertes roces con Lucas Alamán durante la última administración santanista.

TRAVIS, WILLIAM B. Defensor de El Álamo. Murió en combate junto con todos los ocupantes de la fortaleza.

TRIGUEROS, IGNACIO. Ministro de Hacienda en uno de los gabinetes de Santa Anna (1841-1842).

TRIST, NICHOLAS P. Ministro plenipotenciario de Estados Unidos, encargado de exponer al gobierno de México las pretensiones expansionistas de su gobierno durante la guerra del 47.

URREA, JOSÉ. Militar federalista. En la campaña de Texas fue el general más destacado del ejército mexicano. En 1839 se sublevó contra el gobierno de Anastasio Bustamante y volvió a hacerlo sin éxito en 1840, tras haber escapado de prisión.

VALENCIA, GABRIEL. Militar centralista. Tuvo a su mando la guarnición de la Ciudad de México. Se alió con Santa Anna y Paredes en 1841 para derrocar el gobierno de Bustamante. Durante la invasión norteamericana tuvo una enconada disputa con Santa Anna, quien se negó a reforzarlo en la batalla de Padierna.

VÁZQUEZ, FRANCISCO PABLO. Obispo de Puebla. Se opuso con éxito a las reformas anticlericales de Gómez Farías en 1833 y en 1847. Tuvo fuertes altercados con Santa Anna por defender el patrimonio eclesiástico. Administró el Viático a Inés de la Paz García. Durante la intervención norteamericana recibió a los invasores con un *Te Deum* en la catedral poblana.

VENEGAS DE SAAVEDRA, FRANCISCO JAVIER. Virrey de la Nueva España de 1810 a 1813. La oligarquía criolla lo acusó de tratar con lenidad a los insurgentes.

VICTORIA, GUADALUPE. Jefe de la guerrilla insurgente en la sierra de Veracruz. En 1822 apoyó a Santa Anna en su lucha contra Iturbide. Más tarde lo mandó encarcelar por el pronunciamiento de San Luis (1823). Fue el primer presidente de la República mexicana y uno de los pocos que concluyeron su mandato en la primera mitad del siglo XIX.

VIDAL y RIVAS, LUIS G. Marido de Manuela Fernández viuda de Tosta, suegra de Santa Anna. Lo acompañó al exilio en Santo Tomás y cayó prisionero junto con él en 1867, cuando Santa Anna intentaba desembarcar en Sisal.

WORTH, WILLIAM JENKINS. Militar norteamericano. Sirvió a las órdenes de Taylor y Scott en la guerra del 47. Fue el primero en entrar a la Ciudad de México.

ZAVALA, LORENZO DE. Federalista yucateco. Fue uno de los ideólogos más radicales de la secta yorquina. Organizó el motín de La Acordada, que llevó al poder a Vicente Guerrero en 1828. Cuando Santa Anna destituyó a Gómez Farías emigró a Texas y apoyó a los colonos en su aventura separatista.

Cronología

1794. Antonio López de Santa Anna nace el 21 de febrero en Jalapa.

1800. Se traslada con su familia a Veracruz, donde su padre atiende una notaría.

1810. El 6 de julio ingresa como caballero cadete en el Regimiento de Infantería Fijo de Veracruz.

1811. Combate a los insurgentes en la campaña de Nuevo Santander (hoy Tamaulipas), a las órdenes de Joaquín Arredondo, y recibe su bautizo de sangre al ser alcanzado por una flecha.

1812. Asciende a subteniente por sus méritos en combate.

1813. En San Antonio Béjar falsifica una libranza por trescientos pesos para pagar una deuda de juego. Arredondo le impone un severo castigo.

1815. Vuelve a Veracruz, donde frecuenta las tertulias de José Dávila, gobernador de la provincia.

1816. Dávila lo nombra comandante del cuerpo de extramuros de Veracruz. Combate a los insurgentes en los alrededores del puerto y obtiene pequeñas victorias.

1817. El virrey Apodaca lo nombra capitán, pero las nuevas autoridades del puerto (Cincúnegui y Rincón) obstaculizan su labor pacificadora.

1818-1820. Establece contacto con Guadalupe Victoria, jefe de la guerrilla insurgente, que se niega a deponer las armas, y lo invita a combatir por la Independencia. Ofrece tierras a los alzados que depongan las armas y funda varios pueblos en la región jarocha. Empieza a acumular riquezas explotando el trabajo de los colonos.

1821. Iturbide y Guerrero firman el Plan de Iguala, en el que proclaman la Independencia de México. El 26 de abril, Santa Anna abandona al ejército realista y se une a la causa insurgente. Derrota a los realistas en Alvarado, Córdoba y Jalapa. Intenta tomar Veracruz, pero Dávila repele el ataque y le causa numerosas bajas. Recibe al virrey Juan O'Donojú y lo escolta a Córdoba.

1822. Iturbide se corona emperador y asciende a Santa Anna a general brigadier. Resentido por el tardío reconocimiento, Santa Anna pretexta una enfermedad para desobedecer la orden imperial de perseguir a Guadalupe Victoria. Tras una fallida intentona por tomar el castillo de Ulúa, todavía en poder de los españoles, sostiene pugnas muy enconadas con Echávarri, gobernador de Veracruz. Antes de que Iturbide lo destituya, Santa Anna se levanta en armas y proclama la República el 6 de diciembre. Guadalupe Victoria sale de su refugio en la sierra para unirse a la rebelión.

1823. Firma con Echávarri y otros generales iturbidistas el Plan de Casamata, que desconoce el Imperio de Iturbide. El gobierno provisional lo envía a cortar la retirada de Iturbide en San Luis Potosí, donde se pronuncia en favor de la República federal. De vuelta en México se le somete a proceso por su intentona golpista.

1824. El presidente Guadalupe Victoria lo envía a Campeche con instrucciones de resolver las pugnas entre esa provincia y Yucatán. Santa Anna trata de congraciarse con ambos bandos sin aplicar la medida del gobierno federal que obliga a Yucatán a interrumpir su comercio con Cuba. Alentado por algunos patriotas cubanos, planea una expedición militar para liberar a la isla del yugo español, pero Guadalupe Victoria se opone a la aventura y le quita el mando de tropas.

1825-1827. De vuelta en Veracruz, contrae matrimonio con Inés de la Paz García, hija de un hacendado español, y compra la hacienda de Manga de Clavo. Se dedica a las faenas del campo y frecuenta la logia escocesa de Veracruz.

1828. El gobierno de Guadalupe Victoria decreta la expulsión de los españoles, medida que provoca un levantamiento de Nicolás Bravo. Santa Anna se compromete con los alzados y marcha a Tulancingo con un pequeño contingente de tropas, pero al advertir que Guerrero aplastará la sedición reitera su lealtad al gobierno. En las elecciones presidenciales de agosto, Gómez Pedraza vence a Guerrero y Santa Anna se pronuncia en Jalapa a favor del caudillo insurgente. Perseguido por los generales Rincón y Calderón, huye con sus tropas a Oaxaca, donde recurre a tácticas dilatorias para no entrar en combate. En diciembre estalla en la capital el sangriento motín de La Acordada, que lleva a Guerrero a la presidencia.

1829. Nombrado comandante de Veracruz por Guerrero, recibe informes de que una expedición española se está preparando en Cuba con la intención de reconquistar el país. A principios de agosto zarpa rumbo a Tampico. Encuentra a un enemigo diezmado por las inclemencias del clima. Barradas le propone un armisticio, pero él exige la rendición incondicional. Con gran sacrificio de vidas humanas, el 11 de septiembre derrota a los invasores en medio de una tormenta.

1830-1831. Convertido en héroe nacional, promete no volver a participar en luchas intestinas. El vicepresidente Anastasio Bustamante se levanta en armas y arrebata la presidencia a Vicente Guerrero, que poco después muere asesinado. Santa Anna entrega el mando militar de Veracruz y se retira a Manga de Clavo. Bustamante encabeza un gobierno de mano dura que logra ciertos progresos económicos, gracias a la visión empresarial de Lucas Alamán, su secretario de Relaciones.

1832. Santa Anna se subleva en Veracruz con mil quinientos hombres. Sufre una derrota en la batalla de Tolomé, pero la rebelión cunde por todo el país en pocos meses. Invocando la legalidad, los sublevados de Tamaulipas y San Luis Potosí piden el regreso a la presidencia de Gómez Pedraza. Santa Anna lo había desconocido tres años antes, pero ahora se reconcilia con él y lo utiliza como escalón para conquistar el poder.

1833. El 3 de enero Santa Anna y Gómez Pedraza entran a la capital en una carroza. Tres meses después, el partido federalista gana los comicios presidenciales con la fórmula Santa Anna-Gómez Farías. Incómodo por tener que sujetarse a un programa político radical, Santa Anna deja el poder en manos del vicepresidente, que promulga una serie de reformas para disminuir el poder económico del clero. En complicidad con los generales Durán y Arista, urde un autogolpe de Estado para desembarazarse de Gómez Farías, pero la maniobra no resulta y tiene que desterrar a los militares que lo proclamaron Protector de la Nación.

1834. Gómez Farías sigue adelante con sus planes de reformas, que lastiman al ejército y a la Iglesia. Al grito de «Religión y Fueros», la guarnición de Cuernavaca proclama a Santa Anna única autoridad del país. Él aprovecha la coyuntura para destituir a Gómez Farías y declararse partidario del sistema centralista. Gómez Farías se marcha al destierro y vuelven los conservadores.

1835. Santa Anna reprime la insurrección del gobernador zacatecano Francisco García. La Convención de Texas decide separarse de México. A fines de año, Santa Anna pide licencia al Congreso y emprende la marcha al norte con un ejército de seis mil reclutas inexpertos.

1836. Toma a sangre y fuego la fortaleza de El Álamo. El general Urrea derrota a los texanos en la batalla de El Encinal y Santa Anna le ordena fusilar a cuatrocientos prisioneros. Persigue a Sana Houston con un ejército agotado y mal comido hasta la orilla del río San Jacinto. Houston destroza al ejército mexicano en un ataque sorpresa. Santa Anna cae preso y ordena a Filisola que se retire más allá del río Bravo.

1837. Después de una larga prisión en Orazimba, acepta entrevistarse con Andrew Jackson en Washington para escapar de su cautiverio. Vuelve a Veracruz por barco, y al advertir la caída de su popularidad se recluye en Manga de Clavo, donde escribe un manifiesto a la nación justificando su conducta en Texas.

1838. Una escuadra francesa bloquea el puerto de Veracruz exigiendo al gobierno de México una indemnización por daños a la propiedad de súbditos franceses. Cuando empiezan los bombardeos, el comandante de la plaza capitula y el presidente Bustamante encomienda a Santa Anna la defensa del puerto. En una carga de caballería es herido por un cañonazo y los médicos tienen que amputarle el pie izquierdo. Su conducta heroica lo reivindica ante la nación.

1839. Los generales Urrea y Mejía se pronuncian en Tampico contra el gobierno de Anastasio Bustamante. Nombrado presidente provisional, Santa Anna derrota a los sediciosos en la batalla de Acajete. Bustamante teme que la estrella del inválido brille demasiado y reasume la presidencia.

1840. El general Urrea escapa de prisión y se subleva con la guarnición de la capital. Tanto el gobierno como los insurrectos envían emisarios a Manga de Clavo solicitando el apoyo de Santa Anna, pero él no se inclina por ninguno de los dos bandos. Finalmente el gobierno firma un armisticio con los sediciosos, que deja a Bustamante en una posición débil.

1841. El general Paredes se pronuncia en Guadalajara contra el gobierno de Bustamante. El general Valencia secunda el movimiento en la capital. Santa Anna deja madurar la revuelta y se adhiere a ella cuando ha cobrado suficiente fuerza. En Tacubaya, los tres jefes victoriosos firman las bases del nuevo gobierno. Una junta de notables nombra a Santa Anna presidente provisional.

1842. Ejerce una dictadura militar con fachada democrática. Entierra con gran pompa su pie amputado en el cementerio de Santa Paula. Apuesta fuertes cantidades a los gallos en el palenque de San Agustín. Impone préstamos forzosos a la Iglesia con el pretexto de obtener fondos para una nueva campaña militar en Texas. Con el producto de sus esquilmos compra seis haciendas en el estado de Veracruz. En represalia por el abandono del centro, Yucatán proclama su independencia. Santa Anna envía un ejército a combatir la intentona separatista. El Congreso no resulta tan dócil como esperaba y ordena disolverlo a su ministro de Guerra, Tornel, mientras él toma vacaciones en Manga de Clavo.

1843. De vuelta en México retira el mando de sus tropas a Gabriel Valencia y Mariano Paredes, a quienes considera enemigos potenciales. Manda cerrar periódicos y encarcela al periodista Juan Bautista Morales. Una junta legislativa promulga las Bases Orgánicas, una nueva Constitución de carácter centralista. A pesar de sus esfuerzos por controlar las elecciones de diputados, muchos de sus enemigos obtienen curules. Su esposa Inés de la Paz enferma de pulmonía.

1844. Inaugura el teatro Santa Anna y devela su propia estatua en la Plaza del Volador. Muere Inés de la Paz, y al mes de su entierro, contrae matrimonio con la jovencita Dolores Tosta. En el Congreso, el diputado Llaca lo censura acremente por la corrupción y el despilfarro de su gobierno. El general Paredes se levanta en armas en Guadalajara. Otros comandantes de provincia apoyan el alzamiento. Cuando

Santa Anna sale de la capital a combatir a los sediciosos, la multitud enardecida derriba su estatua, desentierra su pie y lo patea por las calles.

1845. Gobierno provisional de José Joaquín Herrera. Cuando intenta huir del país, Santa Anna cae prisionero en el pueblo de Xico. Mientras se le instruye proceso queda recluido en la fortaleza de Perote. El nuevo Congreso decide desterrarlo a Venezuela, pero él ignora la sentencia y se queda en La Habana. El Congreso de Estados Unidos aprueba la anexión de Texas. México rompe relaciones diplomáticas con E.U. El presidente Herrera envía al general Paredes a defender la frontera norte, pero en vez de combatir al invasor, Paredes se levanta en armas contra el gobierno.

1846. El presidente Polk declara la guerra a México y ordena a Zacarías Taylor cruzar el río Bravo, mientras una escuadra naval bloquea el puerto de Veracruz. En La Habana, Santa Anna ofrece al almirante Mackenzie colaborar con el gobierno de Estados Unidos si se le permite la entrada al país. Un alzamiento federalista derriba a Paredes y proclama presidente a Santa Anna, que de nuevo se alía con el partido federalista para encabezar un gobierno apegado a la Constitución de 1824. Recibido como salvador de la patria, entra a la capital acompañado por el vicepresidente Gómez Farías.

1847. Santa Anna se enfrenta con Taylor en la batalla de La Angostura. A punto de vencer, tiene que retirarse por falta de bastimento. En México, los polkos se sublevan contra el gobierno provisional de Gómez Farías. Santa Anna vuelve a la capital y destituye al vicepresidente para calmar los ánimos. Marcha luego a Cerro Gordo, donde el general Winfield Scott desbarata al ejército mexicano. Puebla es ocupada sin resistencia. El invasor avanza a la capital. Derrota de Valencia en Padierna, toma de Chapultepec y de Molino del Rey. Se iza la bandera norteamericana en Palacio Nacional. Santa Anna trata de continuar la guerra en las inmediaciones de Puebla, pero el presidente provisional Manuel Peña y Peña le quita el mando del ejército.

1848-1852. México firma con Estados Unidos los tratados de paz de Guadalupe Hidalgo, en los que cede al invasor los territorios de Colorado, Nuevo México y California. Acusado de traición por los liberales, Santa Anna obtiene un salvoconducto para salir del país y se refugia en Kingston, Jamaica. Dos años después se muda a Turbaco, un pueblo de Nueva Granada (hoy Colombia), cercano a Cartagena de Indias. Sus inversiones agrícolas activan la economía regional y el pueblo de Turbaco lo ve como un benefactor.

1853. Una sublevación depone al presidente Mariano Arista. El gobierno pasa a las manos de Juan Bautista Ceballos, que entrega el poder al general Manuel Lombardini, adicto a Santa Anna, quien manda una comisión de notables a Turbaco para suplicarle que vuelva a la presidencia. Al asumir el poder, Santa Anna acepta el título de Alteza Serenísima y negocia la venta de La Mesilla con el embajador norteamericano Gadsden. Mueren Lucas Alamán y José María Tornel.

1854. Santa Anna manda cerrar todos los periódicos de oposición y destierra a los liberales. Se rodea de un boato imperial. Reglamenta meticulosamente el protocolo de las cenas palaciegas y el diseño de los uniformes militares, mientras crece el descontento popular. El caudillo Juan Álvarez se subleva en Ayutla. Con ayuda de Ignacio Comonfort lanza una proclama en la que desconoce a Santa Anna y achaca todos los males del país a sus corruptelas escandalosas. Santa Anna marcha al sur para sofocar la revuelta personalmente. Tras un fallido intento de tomar el Fuerte de San Diego en Acapulco vuelve a la capital, donde sus corifeos lo reciben como héroe.

1855. La revolución de Ayutla se extiende a los estados del Bajío y del centro. Santa Anna recrudece la represión y ordena arrasar los pueblos que den refugio a los insurrectos. Unas elecciones amañadas lo confirman como presidente vitalicio, pero la causa de los rebeldes sigue ganando adeptos, y aunque el partido conservador le pide sostenerse contra viento y marea, Santa Anna huye a Veracruz con su familia y toma un vapor a Turbaco.

1856-1859. Desde Turbaco sigue por los periódicos la pugna entre liberales y conservadores. Una revolución acaudillada por el liberal Tomás Cipriano de Mosquera lo obliga a cambiar de residencia y se instala con su familia en la isla de Santo Tomás (Bahamas).

1859-1862. Durante la Guerra de Reforma, Santa Anna simpatiza con el bando conservador. La victoria de los liberales lo decepciona, pero sus esperanzas en una pronta caída de Juárez renacen cuando los gobiernos de Francia, Inglaterra y España envían sus escuadras al puerto de Veracruz exigiendo el pago de las deudas contraídas por el gobierno conservador, que Juárez no puede pagar.

1863. Los conservadores vencidos en la Guerra de Reforma acuden a Napoleón III y le piden que intervenga para colocar en el trono de México a un príncipe extranjero. Santa Anna sostiene correspondencia con Gutiérrez Estrada, encargado de las negociaciones, y con Maximiliano de Habsburgo, a quien asegura que el pueblo mexicano lo recibirá con los brazos abiertos. Gutiérrez Estrada le promete que será miembro de la Regencia y entrará a la capital junto al emperador.

1864. En febrero, cuando los franceses ya dominan la mitad del país, Santa Anna desembarca en Veracruz. Los invasores le hacen firmar un papel donde se compromete a no intervenir en política, pero él no puede refrenar su protagonismo y dirige un manifiesto a la nación donde apoya a Maximiliano. El manifiesto disgusta al mariscal Bazaine, quien lo obliga a reembarcarse.

1865-1866. Desde Santo Tomás sigue las incidencias de la guerra contra el Imperio. Ahora es enemigo de Maximiliano y se alegra cuando Napoleón III empieza a retirar sus tropas de México, lo que significa la ruina del archiduque. Recibe la visita de William Henry Seward, secretario de Estado norteamericano, a quien asegura que sólo él puede garantizar la estabilidad política de México al término de la guerra.

1867. Conoce al aventurero colombiano Darío Mazuera, quien se gana su confianza con adulaciones. Santa Anna lo manda a Washington para gestionar con el secretario de Estado Seward, un préstamo que le permita volver a México a la cabeza de una expedición militar. Mazuera vuelve de su misión diplomática con un barco fletado en Estados Unidos, por el que Santa Anna se compromete a pagar ochenta mil dólares. Zarpa rumbo a Nueva York, donde descubre el engaño de Mazuera, que jamás tuvo entrevista alguna con Seward. Pide un crédito para comprar armas al húngaro Gábor Naphegy, que también lo estafa. Al enterarse de que Maximiliano está derrotado trata de volver a México sin permiso de Juárez. Primero intenta desembarcar en Veracruz y luego en Sisal (Yucatán), donde el capitán de la plaza lo toma preso. Es conducido a San Juan de Ulúa, donde pasa tres meses en un calabozo. Se le instruye proceso por traición a la patria. A pesar de las evidencias que demuestran su apoyo a Maximiliano, los jueces le conmutan la pena capital por ocho años de exilio.

1868-1873. Vende sus propiedades en Santo Tomás para pagar sus deudas y se muda a Puerto Plata (República Dominicana) donde vive dos años en completo ostracismo. De ahí se traslada a Nassau y escribe sus memorias. Las estrecheces económicas y la ancianidad lo han convertido en una pesada carga para su esposa.

1874-1876. Gracias a una amnistía decretada por el presidente Lerdo, vuelve a México a pasar sus últimos días. Se instala en su casa de la calle de Vergara (hoy Bolívar 14), donde lo visitan los viejos santanistas. Las cataratas lo han privado de la vista y ahora no puede salir solo a la calle. Dolores Tosta le escatima el dinero. Por orgullo se niega a pedir al gobierno la pensión que le corresponde como militar retirado. En 1876 enferma de diarrea crónica y muere el 21 de junio, a la edad de 82 años.

Bibliografía sumaria

ALAMÁN, LUCAS, *Historia de Méjico desde los primeros movimientos que prepararon su independencia en el año de 1808 hasta la época presente*, México, Fondo de Cultura Económica/Instituto Cultural Helénico, 1985.

ALCARAZ, RAMÓN *et al.*, *Apuntes para la historia de la guerra entre México y Estados Unidos*, México, Consejo Nacional para la Cultura y las Artes, 1994.

BUSTAMANTE, CARLOS MARÍA DE, *Cuadro histórico de la Revolución Mexicana y Continuación del Cuadro histórico de la Revolución Mexicana*, México, Fondo de Cultura Económica/ Instituto Cultural Helénico, 1985.

——, *Apuntes para la historia del gobierno del general Antonio López de Santa Anna*, México, Fondo de Cultura Económica/ Instituto Cultural Helénico, 1986.

——, *El nuevo Bernal Díaz del Castillo*, México, Fondo de Cultura Económica/ Instituto Cultural Helénico/ Instituto Nacional de Estudios Históricos de las Revoluciones de México, 1994.

CALDERÓN DE LA BARCA, MADAME, *La vida en México durante una residencia de dos años en ese país*, México, Porrúa, 1978.

CALLCOTT, WILFRID HARDY, *Santa Anna. The Story of an Enigma who Once was Mexico*, Connecticut, Archon Books, 1964.

COSTELOE, P. MICHAEL, *The Central Republic in México, 1835-1846.* Hombres de bien *in the Age of Santa Anna*, Massachusetts, Cambridge, Latin American Studies, 1993.

FUENTES MARES, JOSÉ, *Santa Anna, el hombre*, México, Grijalbo, 1989.

GARCÍA CUBAS, ANTONIO, *El libro de mis recuerdos*, México, Patria, 1978.

GIMÉNEZ, MANUEL MARÍA, *Memorias,* México, Porrúa, 1976.

GONZÁLEZ PEDRERO, ENRIQUE, *País de un solo hombre. El México de Santa Anna*, México, Fondo de Cultura Económica, 1993.

JONES, OAKAH L. JR., *Santa Anna*, Nueva York, Twayne Publishers, 1968.

KRAUZE, ENRIQUE, *Siglo de caudillos. Biografía política de México (1810-1910)*, Barcelona, Tusquets, 1994.

LÓPEZ DE SANTA ANNA, ANTONIO, *Mi historia militar y política (1810-1874)*, México, Editora Nacional, 1973.

——, *La guerra de Texas*. Documentos, México, Universidad Autónoma Metropolitana, 1983.

MUÑOZ, RAFAEL F., *Santa Anna. El dictador resplandeciente*, México, Fondo de Cultura Económica, 1983.

OLAVARRÍA y FERRARI, ENRIQUE Y JUAN DE DIOS ARIAS, *México a través de los siglos, Vol. IV: México independiente (1821-1855)*, México, Cumbre, 1970.

PRIETO, GUILLERMO, *Memorias de mis tiempos*, México, Porrúa, 1986.

——, *Viajes de orden suprema*, México, Patria, 1979.

ROA BÁRCENA, JOSÉ MARÍA, *Recuerdos de la invasión norteamericana por un joven de entonces (1846-1848)*, México, Conaculta, 1991.

TOVAR y DE TERESA, GUILLERMO, *La ciudad de los palacios. Crónica de un patrimonio perdido*, México, Vuelta, 1990.

VALADÉS, JOSÉ C., *México, Santa Anna y la Guerra de Texas*, México, Diana, 1982.

VÁZQUEZ MANTECÓN, MARÍA DEL CARMEN, *Santa Anna y la encrucijada del Estado; la dictadura (1853-1855)*, México, Fondo de Cultura Económica, 1986.

——, *La palabra del poder. Vida pública de José María Tornel (1795-1853)*, México, Universidad Nacional Autónoma de México, 1997.

YÁÑEZ, AGUSTÍN, *Santa Anna, espectro de una sociedad*, México, Océano, 1982.

ZAMORA PLOWES, ANTONIO, *Quince Uñas y Casanova aventureros*, México, Talleres Gráficos de la Nación, 1945.